St. Joseph
School Library
Webster, Mass.

Presented by

Rt. Rev. Monsignor

Andrew Lekarczyk

OSKAR KOLBERG

DZIEŁA WSZYSTKIE

OSKAR KOLBERG

DZIEŁA WSZYSTKIE

TOM I

POLSKIE TOWARZYSTWO LUDOZNAWCZE

OSKAR KOLBERG

PIEŚNI
LUDU POLSKIEGO

POLSKIE WYDAWNICTWO MUZYCZNE
LUDOWA SPÓŁDZIELNIA WYDAWNICZA

WYDANO POD OPIEKĄ NAUKOWĄ POLSKIEJ AKADEMII NAUK Z FUNDUSZU KOMITETU OBCHODU 1000-LECIA PAŃSTWA POLSKIEGO

KOMITET REDAKCYJNY

Julian Krzyżanowski — przewodniczący, Józef Burszta — redaktor naczelny, członkowie Komitetu: K. Zawistowicz-Adamska, W. Antoniewicz, A. Czekanowska, K. Dobrowolski, S. Dybowski, J. Gajek (redaktor naczelny I tomu), B. Kuźmicz, T. Ochlewski, M. Znamierowska-Prüfferowa, A. Rieger, K. Rusinek, T. Seweryn, M. Sobieski, J. Stęszewski, M. Turczynowiczowa, A. Wozaczyńska, B. Zakrzewski.

REDAKCJA TOMU: JÓZEF GAJEK I MARIAN SOBIESKI

Oskar Kolberg (1814—1890)

«DZIEŁA WSZYSTKIE» OSKARA KOLBERGA

Uchwałą Rady Państwa z dnia 13 lipca 1960 roku postanowione zostało wydanie *Dzieł wszystkich Oskara Kolberga*. Edycja ta obejmie zaczytane dawno tomy *Ludu* i *Obrazów etnograficznych* Kolberga, a także i inne jego prace drukowane oraz obfitą spuściznę rękopiśmienną, zachowaną w tak zwanych „tekach Kolberga". Przybędzie więc jeszcze jedno dzieło o nieprzemijającej wartości dokumentarnej, które godnie stanie w szeregu monumentalnych wydawnictw podjętych w okresie obchodów milenialnych. Wykonanie tego zadania powierzono Polskiemu Towarzystwu Ludoznawczemu, które od lat występowało o edycję i reedycję dzieł Kolbergowskich. Towarzystwo zaś zwróciło się z kolei do Polskiego Wydawnictwa Muzycznego i Ludowej Spółdzielni Wydawniczej.

Przedstawiając polskiemu czytelnikowi pierwszy tom *Dzieł wszystkich,* a więc *Pieśni ludu polskiego* — w postaci drugiego wydania, ukazującego się w sto czwartą rocznicę wydania pierwszego — Polskie Towarzystwo Ludoznawcze czuje się w obowiązku wyjaśnić, dlaczego podjęło się wydania *Dzieł wszystkich* Kolberga jako pozycji milenialnej oraz przedstawić zasady, na których oparte zostało powyższe wydanie.

I

Głównym motywem starań o reedycję i edycję dzieł było zamówienie społeczne, tak ze strony naukowców, jak i szerokich rzesz społeczeństwa. Brak Kolbergowskich publikacji — jako źródła o podstawowej randze — w pracowniach etnografów, archeologów, folklorystów, językoznawców i muzykologów utrudnia w sposób oczywisty wszelkie prace nad polską kulturą ludową. Jeszcze dotkliwiej brak ten odczuwają dotąd świetlice, szkoły, zespoły śpiewacze oraz artyści, szukający inspiracji twórczej w rodzimej kulturze. O realności i sile tego zamówienia społecznego świadczy ilość zgłoszeń (popartych gotówkowymi wpłatami) napływających do Towarzystwa od chwili otwarcia subskrypcji.

Czym jest dzieło znajdujące tak żywy oddźwięk w społeczeństwie polskim, uznane przez Radę Państwa za godne wydania w ramach obchodów 1000-lecia Państwa Polskiego?

Na pytanie powyższe najtrafniej odpowiada tytuł głównego dzieła Oskara Kolberga: *Lud. Jego zwyczaje, sposób życia, mowa, podania, przysłowia, obrzędy, gusła, zabawy, pieśni, muzyka i tańce*. Nie od razu doszedł Kolberg do tej szerokiej koncepcji. Tak zakrojone dzieło długo dojrzewało w zamyśle autora, jeśli z koncepcją tą wystąpił ostatecznie dopiero w 1865 roku, a więc po pięćdziesiątym roku życia. *Pieśni ludu polskiego* z 1857 roku reprezentują koncepcję nieco odmienną. Podjęta w tak późnym wieku przez Kolberga praca wydała w latach 1857—90 wielki plon: 34 tomy *Ludu* i *Obrazów etnograficznych*, zawierające 12 monografii „prowincjonalnych". W 46 tekach pozostał materiał na dalszych 24 tomów, w tym na 13 monografii regionalnych.

Nawet jedynie owe wydrukowane partie z ogromu Kolbergowskiej spuścizny są niepowtarzalnym, jedynym w swoim rodzaju opisem życia chłopa polskiego, jego kultury i twórczości. Równie obszernego dzieła nie posiada folklorystyka i etnografia żadnego narodu.

Dzieło Kolberga rodziło się z inspiracji ideologii romantycznej, a realizowało ostatecznie w okresie pozytywizmu. Łatwo w nim dostrzec oba te nurty. W romantycznym ujęciu lud i jego twórczość urastały do jakości odwiecznej i niezmiennej, w której tkwi „istota ducha narodowego", źródło siły i odrodzenia. Jest to koncepcja ludu żyjącego piosenką i poezją. Ale Kolberg od monografii pieśni ludowej przechodzi do monografii regionalnych, jako określonych przestrzennie i historycznie „całostek". Obok pieśni i poezji pojawiają się więc w opisie liczne elementy kultury materialnej i społecznej. Takie zawężenie przestrzenne dzieła przy

LUD.

Jego zwyczaje, sposób życia, mowa, podania, przysłowia, obrzędy, gusła, zabawy, pieśni, muzyka i tańce.

PRZEDSTAWIŁ

OSKAR KOLBERG.

SERYA I.

Z dziesięcioma rycinami wedle rysunków Ant. Kolberga i Karola Marconi'ego.

Pieśni ludu polskiego.

WARSZAWA,
W DRUKARNI J. JAWORSKIEGO
1857.

W ciągu życia mojego, a przeważnie w latach od 1840 do r. 1889, zebrałem, skutkiem licznych korrespondencyj i zapisów, jako i wielu odbytych po kraju podróży, jakąś niemałą ilość Materyałów służyć mających do skreślenia Etnografii ziem polskich. Materyały te, z których czerpałem już w wielkiej części treść do artykułów przezemnie ogłoszonych w czasopismach (jak: Bibliotéka Warsz., Tygodnik illustr., Kłosy, Kalendarze i.t.d.) jak i przy następnem wydawnictwie dzieł moich: Lud i Pokucie (dotąd seryj 17); a z których już czerpać i przy dalszych mych wydawnictwach nie przestanę, — przekazuję po mojéj śmierci (na własność Akademii Umiejętności w Krakowie) która niemniej tych części (z tytułu artykułów) ogłosiła już w swych rocznikach pod tyt. Zbiór wiadomości do Antropologii, wychodzących, jak niemniej jak i w tychże pracach Instytucya ta i przy dalszych tychże publikacyach odnośnych, korzystać ze zbiorów moich nie omieszkała.

Materyały wspomnione mieszczą się w oddzielnych tekach (w liczbie 30tu), każda pewną obejmująca prowincyę, lub jej część, a — w miarę większej lub mniejszéj obfitości pozyskanego materyału, są już to pełnéj już skąpiej zawartości rozpatrzonych.

Prócz tego, otrzyma Akademija, znajdujące się w osobnych znów tekach (w liczbie 12tu) pod tytułem Miscellanea, rozliczne notaty, druki drobne, nuty, szkice, drobne uwagi i.t.p. z których część większa, wedle uznania i wskazówek Akademii mojéj, nader pomocną być jeszcze może dla Etnografa.

Teki wspomnione, numerowane są, na nagłówkach, obejmują co następuje prowincye:

Teka nr. 1. Mazowsze (Warszawa. Czersk. Łowicz. Rawa). Pieśni, wesela, tańce drobne notatki i druki. Wypisy obfite do Monografii.
Uwaga. Należałoby odszukać i sięgnąć nuty melodyj zebranych przez mnie w Kępinie po Krestkiem a po Karłowickich i danych Kornelowi Karłowickiemu do opisu Cieszyńskiego (pod tyt. Lud), który po wydaniu w druku r. 1867 w Warszawie, nie dołączywszy, jednak obiecanych doń nut.

Teka nr. 2. Mazowsze podlaskie. (Radzymin. Siedlce. Łuków). Obfite zbiory (stanowi tło wydane więcej jednéj z poprzedzającym numerem). Monografija téj części Mazowsza, są już do druku przygotowane (tudzież wspomniana część Mazowsza).

Teka nr. 3. Mazury pruskie. (Ełk. Ostróda i.t.d. ku Królewcu). Monografija gotowa do druku. Materyały dane przez Dra Kętrzyńskiego i inne źródła i odpisach i wycinkach. Rękopis ks. Gizewiusza (oddzielnie).

Teka nr. 4. Mazowsze nad Narewskie. (Łomża. Tykocin. Bielsk. Augustów. Suwałki). Pieśni, obrzędy, zwyczaje i varia. Notaty Ossowskiego, Petrujańskiego. Publikacye Glogera. Wypiski.

Teka nr. 5. Płockie. Lipno. Dobrzyń. Mława. Płock. Pułtusk. Prasznysz. Ostrołęka, tu wchodzą Kurpie, znane są do nich monotaty, notatki moje i Tchobruskiego. Monografija ziemi Dobrzyńskiej publikowana już przez Akademiję w Zbiorze do Antropologii. Tom VI. (r. 1881).

równoczesnym wzbogacaniu szczegółowego opisu życia i kultury chłopa jako konkretnej formacji historycznej jest zapewne wynikiem wpływów epoki, m. in. wpływu Taine'a, który w *Philosophie de l'art* sformułował popularną w tym okresie tezę o znaczeniu środowiska w kształtowaniu się zjawisk sztuki.

Idąc po linii zawężeń i pogłębień, mierząc „zamiary na siły" Oskar Kolberg, już po pięćdziesiątym roku życia, rezygnuje z aspiracji kompozytorskich (*Pieśni ludu polskiego* z r. 1842, z towarzyszeniem fortepianowym), z wielkich monografii tematycznych, takich właśnie jak zbiór systematyczny ballad polskich zawarty w *Pieśniach ludu polskiego* z r. 1857, ze zbyt szerokiej koncepcji *Materiałów do etnografii Słowian*, a nawet z monografii regionalnych w ramach serii *Lud* — przyjmując ostatecznie dla swojej publikacji od r. 1882 mniej zobowiązujący tytuł *Obrazy etnograficzne*. Z zamiłowanego w folklorze kompozytora i z folklorysty przekształca się Kolberg powoli w świadomego celów historycznych etnografa, krytycznym okiem spoglądającego na swą wcześniejszą twórczość artystyczną i naukową. Coraz silniej wiąże teraz twórczość muzyczną i poetycką ludu z całokształtem kultury ludowej określonych geograficznie i historycznie regionów (nazywa je „prowincjonalnościami" lub „zamkniętymi cząstkami"). Pierwszy szuka powiązania tej twórczości z całokształtem życia społeczności wiejskiej. Toteż w dziele jego rysuje się w pełni chłop z połowy XIX wieku. Rysuje się jego swoista sztuka i kultura, jego horyzonty myślowe i aspiracje społeczne, byt materialny w okresie zrzucania pańszczyzny, u progu epoki, w której przekształca się z przedmiotu — w podmiot procesów historycznych.

Narodowe oblicze i w istocie klasowa treść dzieła Kolberga oto niewątpliwa przyczyna żywiołowego zamówienia społecznego, które zgłasza nauka i społeczeństwo polskie.

Etnografowie, historycy literatury i muzykologowie naszych czasów szukają w kulturze ludowej tych elementów, które drogą retrogresywnych i porównawczych poszukiwań dałyby się również odnieść do najstarszych okresów bytu narodowego. Archeologowie przy pomocy Kolbergowskich opisów próbują wyjaśnić wykopaliskowe szczątki dawnej prapolskiej kultury. Dla etnografów i historyków wsi istotne są studia nad bytem i kulturą chłopskiej klasy społecznej w ciągu ostatniego stulecia. Dla etnografów i socjologów ważne jest uchwycenie, jak w materiale kulturowym przełamywało się rozwarstwienie dawnej całości etnicznej i jak kultura ludowa kształtowała i kształtuje nowoczesną świadomość narodową. Tych kilka uwag tłumaczy znaczenie wydania *Dzieł wszystkich* Kolberga właśnie w okresie obchodów tysiąclecia państwa polskiego.

Gdy mowa o znaczeniu zbiorów Kolbergowskich dla wielostronnego użytku praktycznego, starczy wymienić nazwiska takie, jak: Mickiewicz i Chopin, Szymanowski, Reymont, Tetmajer, Wyspiański, Rydel, Skoczylas i wielu, wielu innych — by rzecz sama przez się stała się zrozumiała. A w naszej polityce kulturalnej chodzi przecież o „utrwalenie tych wartości kultury ludowej, które winny odegrać pozytywną rolę w tworzeniu się nowej kultury Polski Ludowej".

II

W myśl określonego tytułem naczelnego założenia edycji *Dzieła wszystkie* Oskara Kolberga obejmą znaną nam dziś **całość** jego dorobku: prace wydane i mniej lub więcej przygotowane do wydania, materiały zgromadzone w „tekach Kolbergowskich", kompozycje (niemal w całości na folklorze oparte), prace teoretyczne, bogatą korespondencję.

Rozpatrzmy, jak wyglądają główne źródła, na których opiera się obecne wydanie.

W 34 tomach **wydanych za życia** Kolberga widoczna jest niejednolitość zasady edytorskiej, rzuca się w oczy jej ewolucja, wynikająca zapewne ze stopniowego rozwoju wiedzy etnograficznej samego autora. Drukowany spadek po Kolbergu składa się wyraźnie z kilku warstw:

A. Warstwę najstarszą reprezentują *Pieśni ludu polskiego*, wydanie z r. 1857. Była to pierwsza i ostatnia zresztą seria projektowanych przez Kolberga monografii poszczególnych gatunków pieśni, literatury i muzyki ludowej.

B. Warstwa druga, reprezentowana przez *Lud* (do *Serii XII*), stanowi wyraz nowej koncepcji — monografii prowincjonalnych — mających złożyć się na *Materiały do etnografii Słowian*. Pierwszym tomem ujętym w tym duchu było *Sandomierskie*, oznaczone jako *Seria I*. Ale niebawem — już w 1867 roku — dwutomowe *Kujawy* zostały oznaczone jako serie III i IV; w ten sposób retrospektywnie uznał Kolberg *Sandomierskie* za serię II, a *Pieśni ludu polskiego* za serię I *Ludu*. Włączenie *Pieśni ludu polskiego* musiało budzić wątpliwości wśród czytelników, a może i w samym Kolbergu, skoro jeszcze około 1883 roku — jak świadczy o tym list jego do B. Chmielowskiego — rozesłał posiadaczom *Ludu* dodatkowe karty tytułowe z zaznaczeniem: *Lud, Seria I, Pieśni ludu polskiego*, z prośbą o wklejenie tej nowej dodrukowanej karty tytułowej do tomu *Pieśni* (ryc. po s. VIII).

C. Warstwa trzecia — to tomy *Ludu* od serii XII z 1879 roku, ukazujące się bez kontrkarty, z ogólniejszym tytułem *Materiały do etnografii Słowian*. W tej postaci ukazywał się *Lud* do końca życia Kolberga (tj. do r. 1890), do serii XXIII, którą stanowiła pierwsza część tomu *Kaliskie* i *Sieradzkie*. Gotowa już część druga — planowana zapewne jako seria XXIV — z druku już nie wyszła.

D. Warstwę czwartą stanowią *Obrazy etnograficzne*, ukazujące się od 1882 roku równolegle z seriami *Ludu*. Tak ukazały się cztery tomy *Pokucia* (1882—89), pięć *Mazowsza* (1885—90) i pierwszy z dwu tomów *Chełmskiego* (1890). Ten nowy układ wydawniczy zrodził się wraz z koniecznością podjęcia druku *Pokucia* na własny koszt. Później tytuł ten objął również *Mazowsze*, wydawane z pomocą Kasy Mianowskiego, i pozostał przy pozycjach wydawanych przy pomocy Akademii Umiejętności. O ile *Lud* w swym pełnym tytule pretendował do monografii prowincjonalnych, o tyle nowy tytuł *Obrazy etnograficzne* był mniej obowiązujący i — być może — motyw ten zaważył przy rozpoczęciu druku *Pokucia*. Mimo skromniejszego tytułu — ten nowy cykl wydawniczy cechuje szersze rozbudowanie opisu kultury materialnej i tła społecznego. Dla orientacji warto przyjrzeć się chronologii ukazywania się wydawnictw Kolberga w okresie jego najbardziej intensywnej działalności:

Rok wydania:	Serie *Ludu:*	Tomy *Obrazów etnograficznych:*
1882 *	*Poznańskie* cz. VII	*Pokucie* cz. I
1883	*Lubelskie* cz. I	*Pokucie* cz. II
1884	*Lubelskie* cz. II	
1885	*Kieleckie* cz. I	*Mazowsze* cz. I
1886	*Kieleckie* cz. II	*Mazowsze* cz. II
1887	*Radomskie* cz. I	*Mazowsze* cz. III
1888	*Radomskie* cz. II	*Mazowsze* cz. IV, *Pokucie* cz. III
1889	*Łęczyckie*	*Pokucie* cz. IV
1890	*Kaliskie* cz. I	*Mazowsze* cz. V, *Chełmskie* cz. I

E. Warstwa piąta zawiera dzieła pośmiertne wydane przez redaktorów: Izydora Kopernickiego, Seweryna Udzielę i Józefa Tretiaka. Przejęli oni do opracowania te teki Kolberga, które — ich zdaniem — miały najpełniejszy kształt i były najlepiej przygotowane. Wydana przez I. Kopernickiego w r. 1891 druga część *Chełmskiego* została niemal całkowicie przygotowana przez Kolberga do druku.

Trzeba tu zaznaczyć, że pod wpływem krytyki z lat 1870—90, szczególnie H. Biegeleisena, redaktorzy tomów pośmiertnych eliminowali pewne partie prac przygotowanych przez Kolberga. Dotyczyło to zwłaszcza poważniejszych partii materiałów przysyłanych Kolbergowi przez korespondentów oraz wyciągów dokonywanych przez autora z literatury. W ten sposób zostały np. ograniczone lub wyeliminowane wstępy etno-geograficzne, historyczne, a także przypisy. Czynności te spowodowały zatracenie specyficznego charakteru i stylu właściwego dziełom Kolberga, nie wpłynęły natomiast zbytnio na „unaukowienie" przeredagowanych w ten sposób tomów.

Kolejność wydawnicza dzieł Kolberga, stanowiących podstawę obecnej reedycji, była raczej przypadkowa, uwarunkowana z jednej strony wspomnianą już ewolucją poglądów autora, z drugiej — trudnościami ekonomicznymi, z którymi Kolberg musiał się liczyć,

---

* W roku tym ukazała się poza obu cyklami praca: *Właściwości, pieśni i tańce ludu Ziemi Dobrzyńskiej.*

tworząc swoje dzieło. Jego kształt ostateczny warunkowały takie momenty, jak: możliwości finansowe zezwalające na prowadzenie badań terenowych, uwolnienie się od zajęć zarobkowych czy wreszcie stan opracowania zebranych materiałów i środki materialne na druk. W rezultacie — kolejność serii *Ludu* czy następstwo *Obrazów etnograficznych* nie jest odbiciem żadnej koncepcji etnograficznej; dzieła te nie stanowią żadnej skomponowanej całości. Troska o systematykę edycji nie odgrywała istotnej roli w poczynaniach Kolberga. Świadczy o tym dodatkowo korespondencja autora z Bielowskim (list z 14 III 1869), w której Kolberg przedstawia swój plan wydawniczy. O kolejności ukazywania się monografii poszczególnych regionów decydowała wyłącznie kolejność ukończenia prac na poszczególnych odcinkach.

Brak konsekwencji zarysowuje się jeszcze wyraźniej, jeśli spojrzeć na sprawę od strony struktury etnicznej Polski.

39 dotąd wydanym tomom czy też pozycjom Kolberga odpowiada siedemnaście monografii czy też opisów regionalnych. W istocie zaś „regiony" te to raczej obszary geograficzno-historyczne: albo dawne ziemie, starostwa lub województwa sprzed 1772 roku (np. Kujawy, Sandomierskie, Łęczyckie), albo gubernie lub księstwa, czyli jednostki administracyjne stworzone przez zaborców (np. Kieleckie). Już redakcja tytułów poszczególnych dzieł oraz treść wstępów do nich wykazują wszystkie rozterki autora, gdy chodziło o nazwanie opisywanego obszaru. Np. Wielkopolska ukazywała się pod nazwą *Wielkie Księstwo Poznańskie* — o co liczni czytelnicy czuli do Kolberga wyraźne pretensje. Trzeba jednak przyznać, że brzmienie niektórych tytułów powstało pod naciskiem cenzury.

Brak jednolitej postawy przy doborze tytułów odbił się również, w konsekwencji, na rozmiarach opisywanego obszaru. Granice opisywanych obszarów zazębiają się bądź nawet pokrywają, jak to zachodzi w przypadku Sandomierskiego i Radomskiego, Kujaw, Łęczyckiego i Wielkopolski (patrz mapa po s. XVI).

Mimo to wszystko, mimo iż kolejność *Ludu* czy *Obrazów etnograficznych* nie była uwarunkowana jakimiś względami rzeczowymi, stopniem pokrewieństwa czy podobieństwa etnograficznego, *D z i e-*

ła wszystkie zachowują w zasadzie Kolbergowską kolejność wydawniczą. Po pierwsze — ze względu na utrwaloną już tradycję bibliograficzną w etnografii. Po drugie ze względu na to, że przyjęcie jakiegoś nowego, konsekwentnego układu nie jest możliwe bez większej ingerencji w tekst Kolbergowski.

Na nie wydane dotąd prace etnograficzne, tzw. inedita, składają się materiały zawarte w 46 rękopiśmiennych „tekach Kolberga". Według testamentu spisanego w r. 1883 stanowią one resztę wielkiego 60-tomowego dzieła, mającego objąć opisem całą Polskę sprzed 1772 roku. Zawartość tek została jednak po śmierci autora bardzo przemieszana i wymaga dziś systematycznego określenia i uporządkowania pod względem obszaru. Teki zawierają zresztą zapisy w różnym stopniu opracowane, począwszy od tomów gotowych do druku (*Mazury Pruskie* i druga część *Kaliskiego*), a skończywszy na luźnych i mało kompletnych zapisach z Pomorza.

Historia „tek Kolbergowskich" jest trudna do prześledzenia. Wiemy, że na mocy testamentu przeszły po śmierci autora na własność Akademii Umiejętności w Krakowie, że z zasobu ich korzystał I. Kopernicki, S. Udziela i J. Tretiak — wydając po śmierci autora 4 tomy. Także i inni redaktorzy — każdy na swój sposób — porządkowali je na przestrzeni minionego półwiecza i dziś trudno zrestytuować ich stan pierwotny.

Oskar Kolberg, sporządzając swój testament, spisał i opisał zawartość wszystkich tek, określając ich ilość na 42. Tek zawierających materiały do monografii prowincjonalnych było 30. Pozostałe, zawierające notatki muzyczne, listy i dokumenty osobiste, określił Kolberg jako *Miscellanea*; było ich 12, zapisanych pod numerami 31—42. Pod koniec życia utworzył Kolberg dwie nowe teki *Miscellaneów*, znacząc je numerami 43 i 44. W pierwszej znalazły się odpadki z wydrukowanej części *Kaliskiego*, w drugiej — oberki, pieśni i melodie. Już po śmierci Kolberga stworzono 2 podteki: 12a i 18a, w których pomieszczono uporządkowany materiał do tomu *Pogórze krakowskie* i *Ruś Czerwona*. (Fragment testamentu Kolberga na ryc. przed s. IX.)

Ostatecznie dochodzimy do następującego rozrachunku rękopiśmiennych materiałów Kolberga objętych jego testamentem z r. 1883 i późniejszymi uzupełnieniami:

I. Teki wydane:

— 13 tek monograficznych wydanych przez samego Kolberga do r. 1889,
— 4 teki monograficzne wydane pośmiertnie w latach 1891—1910,
razem: 17 tek.

II. Teki i podteki nie wydane:

— 13 tek monograficznych — reszta z wykazanych w testamencie z 1883 roku,
— 2 podteki dołączone później przez redaktorów,
— 12 tek *Miscellaneów* wymienionych w testamencie z 1883 roku,
— 2 teki *Miscellaneów* dodanych przez Kolberga w 1890 roku,
razem: 29 tek.

Po II wojnie światowej okazało się, że zespół rękopisów Kolberga uległ w międzyczasie rozbiciu; część tek (37 z r. 1883 i 4 teki późniejsze) znalazła się w Muzeum Etnograficznym im. S. Udzieli w Krakowie, część pozostała — w liczbie 5 — w Archiwum Biblioteki Polskiej Akademii Nauk (dawniej PAU) w Krakowie. W 1952 roku teki Kolberga zostały przejęte z Muzeum Etnograficznego, a ściślej mówiąc już z Archiwum PAN w Warszawie, przez Polskie Towarzystwo Ludoznawcze w celu przygotowania ich do druku.

W Bibliotece PAN w Krakowie znajdują się również „teki Kolbergowskie" zawierające materiały opublikowane już przez Kolberga w *Ludzie* i *Obrazach etnograficznych*. Stanowią one cenny materiał porównawczy przy wznowieniach. W tekach tych bowiem pozostało nieco materiałów, z niewiadomych przyczyn nie wykorzystanych przez autora. Są to wyniki badań terenowych Kolberga lub też zachowane przez niego wycinki z prasy i ówczesnej literatury naukowej, obejmujące wiadomości z dziedziny etnografii, archeologii, historii, geografii i językoznawstwa i dyscyplin pokrewnych. Dorobek ten w ramach *Dzieł wszystkich* zostanie wyzyskany w Komentarzach związanych z reedycyjną serią fotooffsetową.

Teki zatytułowane *Miscellanea* zawierają przede wszystkim resztki zapisów i notatek pozostałych z materiałów gromadzonych według pierwotnej koncepcji — opracowania monografii poszczególnych gatunków pieśni. Są tam szkice i materiały do różnych zagadnień etnologicznych oraz resztki z dzieł wydanych. Są także rachunki i kwity z akcji wydawniczych Kolberga, jego dokumenty osobiste i rodzinne.

Dzieła wszystkie Oskara Kolberga obejmą najprawdopodobniej 66 tomów, w zależności od swego charakteru i pochodzenia ujętych w następujących sześć grup edytorskich:

I grupa: *Monografie etnograficzne wydane za życia autora* (wzgl. przygotowane przez niego ostatecznie do druku). Reedycja o charakterze f o t o o f f s e t o w y m (wierne powtórzenie wyglądu druków z lat 1857—91) zawierać będzie: 23 tomy *Ludu*, jego XXIII serie *(Pieśni ludu polskiego, Sandomierskie, Kujawy, Krakowskie, W. K. Poznańskie, Lubelskie, Kieleckie, Radomskie, Łęczyckie* oraz *Kaliskie i Sieradzkie),* 11 tomów *Obrazów etnograficznych (Mazowsze, Pokucie* i *Chełmskie).*

II grupa: *Monografie etnograficzne wydane pośmiertnie.* Reedycja — ze względu na konieczność cofnięcia się do oryginalnego brzmienia tekstu Kolberga — t y p o g r a f i c z n a. Obejmie 4 tomy wydane w latach 1891—1910 *(Przemyskie, Śląsk, Wołyń, Tarnów-Rzeszów).* Do grupy typograficznej wejdzie również wydana za życia Kolberga poza cyklami — *Ziemia Dobrzyńska* (z 1882 r.)

III grupa: *Monografie etnograficzne — inedita* — obejmie 12 tomów monografii regionalnych według zachowanych rękopisów autora *(Góry i Podgórze, Mazowsza* cz. VI i VII, *Pomorze, Kaliskiego i Sieradzkiego* cz. II, *Polesie, Podole, Ruś Czerwona, Karpaty Wschodnie* i *Sanockie).*

IV grupa: *Studia, materiały i przyczynki etnograficzne* — przyniesie 6 tomów zawierających zebrane i uporządkowane tematycznie prace tyczące etnografii polskiej i obcej, głównie inedita.

V grupa: *Twórczość muzyczna* — obejmie w 3 tomach Kolbergowskie opracowania autentycznych pieśni ludowych, twórczość instrumentalną i wokalną Kolberga o charakterze bardziej samodzielnym oraz jego rozprawy i artykuły muzyczne.

VI grupa: *Materiały dokumentacyjne i pomocnicze* — stanowić będzie nieodzowne, 6-tomowe dopełnienie całości. Obejmie 3 tomy korespondencji Kolberga, jego faktograficznie ujęty życiorys oraz wszechstronnie opracowane indeksy: tematyczne i incipitowe (tak od strony tekstu, jak i muzyki), umożliwiające korzystanie z olbrzymiego materiału zgromadzonego w edycji.

Dzieła wszystkie stanowią edycję ź r ó d ł o w ą, traktującą pracę Kolberga jako przekaz nienaruszalny, o wadze dokumentu naukowego, wadze tym wyższej, im przekaz podany bardziej wiernie. Stąd też prace wydane przez Kolberga za jego życia oraz te, które sam przygotował do druku, ukazują się w ramach *D z i e ł w s z y s t k i c h* w postaci dosłownej graficznie — foto-offsetowej.

W tomach r e e d y c y j n y c h objętych tą zasadą (grupa I) tekst Kolberga przedrukowany zostanie oczywiście w całości (łącznie z kartami tytułowymi, spisami treści i wszelkimi dodatkami Kolberga) — bez żadnych poprawek typu merytorycznego, a jedynie z wprowadzeniem retuszu oczywistych błędów drukarskich. Oryginalny tekst Kolberga poprzedzony zostanie kartami tytułowymi do nowego wydania. Omówienia redakcyjne, indeksy, mapy, komentarze, uzupełnienia materiałowe na podstawie zawartości tek znajdą się w oddzielnych suplementach drukowanych zwykłym składem drukarskim (typograficznym).

W serii reedycyjnej obejmującej dzieła wydane po śmierci O. Kolberga oraz *Ziemię Dobrzyńską*, jak również w ineditach zawierających gotowe teksty opracowane i przygotowane przez Kolberga do druku, układ i zaplanowaną przez niego zawartość tomu należy uważać za nienaruszalną, natomiast wszelkie komentarze redaktorskie winny wejść w skład suplementów.

Inedita oparte o zapiski Kolberga, będące surowym nieopracowanym materiałem, redaktorzy opracowują w oparciu o współczesny warsztat naukowy, z zachowaniem ogólnego charakteru

Ludu czy też *Obrazów etnograficznych*. W grupie tej komentarze znajdą się w obrębie poszczególnych tomów.

Rola główna komentarzy — to prostowanie błędów, pomyłek i dwuznaczności zapisu tekstowego i nutowego, wyjaśnianie specyfiki zapisu Kolberga, przyjętych przez niego konwencji. Komentarz w zasadzie nie poszerza informacji Kolberga o współczesny stan badań. Byłoby to zamierzenie poszerzające w sposób jaskrawy i tak dosyć obszerne ramy obecnego wydania. Tak więc za konieczne uważa się wprowadzenie:

a. poprawnego brzmienia tekstów drukowanych błędnie,
b. dokładnej dokumentacji źródłowej,
c. niezbędnych wyjaśnień i ustaleń dotyczących systematyki materiału,
d. objaśnień rzeczowych umożliwiających rozumienie niejasnych opisów i tekstów ludowych.

W miarę potrzeby wprowadzi się do części edycyjnej (grupy III, IV) barwne plansze przedstawiające krajobraz, ubiory, budownictwo, obrazy z życia ludu wykonane przez współczesnych Kolbergowi malarzy; ilustracje i fotografie objaśniające tekst (np. ryciny eksponatów muzealnych z czasów Kolberga); fragmenty jego rękopisów lub rękopisów informatorów.

Dzieła wszystkie — posiadać będą zespół indeksów alfabetycznych i rzeczowych: indeks miejscowości, z których materiał pochodzi, indeks tematyczny (hasłowy) oraz indeks incipitowy (tekstów pieśni). Indeksowi miejscowości towarzyszyć będzie kartogram z wyznaczeniem ich położenia.

Różną — w zależności od zmieniającego się charakteru materiału — część redakcyjną każdego z tomów obecnej edycji dopełniać będzie wykaz literatury źródłowej, na której opierał się Kolberg, oraz wykaz najważniejszych pozycji literatury współczesnej tyczącej danego zagadnienia lub regionu — jako wskazówka i pomoc dla szerszych rzesz czytelników, szczególnie dla pracowników oświatowych.

Józef Gajek

DOROBEK OSKARA KOLBERGA
W DZIEDZINIE LITERATURY LUDOWEJ

I

Mówić o Oskarze Kolbergu z perspektywy naszych czasów i charakteryzować jego dorobek jako folklorysty, zwłaszcza zaś dorobek ten oceniać, to sprawa i nieprosta, i niełatwa. Mamy wprawdzie jego monumentalny *Lud*, a więc około dwunastu tysięcy stronic druku, ujętych w niemal czterdziestu tomach, niezwykle bogatą encyklopedię wiadomości o życiu chłopa polskiego w połowie XIX w., ale zarówno zwięzły opis naukowy tego wielkiego dzieła ujęty od strony folklorystyki, jak dotarcie przez to dzieło do jego twórcy — to zadanie z natury rzeczy bardzo trudne, zwłaszcza że nie mamy tutaj nieodzownych, choć pomocniczych narzędzi poznawczych. Nie mamy książki o Kolbergu przedstawiającej życie i pracę tego niezwykłego badacza kultury chłopskiej. Zastąpić jej przecież nie mogą doraźne szkice I. Kopernickiego, J. Karłowicza i H. Łopacińskiego [1] itd, pisane w latach 1889 i 1890 w związku z pięćdziesięcioleciem pracy, a w rok później z śmiercią Kolberga. Szkice te miały charakter tylko przygodny, nadto zaś dzieli nas od nich lat siedemdziesiąt z okładem, tak brzemiennych w wielkie przełomy dziejowe, że wartość sformułowań ówczesnych, już w chwili ich powstania dosyć nikła, choć trafna, sprowadza się dzisiaj do zera. Co waż-

---

[1] I. Kopernicki: *Oskar Kolberg*; Kraków 1889. Tenże: *Przedmowa wydawcy do tomu Kolberga Przemyskie;* Kraków 1891. Tenże: *Śmierć O. Kolberga;* „Wisła", IV, 1890. J. Karłowicz: *Oskar Kolberg;* „Wisła", III, 1889. R. Lubicz, Hieronim Łopaciński: *Oskar Kolberg;* „Ateneum", t. III, 1890.

niejsze, nie zdobyliśmy się dotąd na książkę o dziejach ludoznawstwa polskiego, która pokazywałaby Kolberga na tle jego epoki, mówiłaby, czym odbiegał on od swych poprzedników i jakie stanowisko zajął w rozwoju nauki, której służył i której życie poświęcił.

Nie napisane te dzieje uprzytomniłyby nam, iż poruszamy się w kręgu zapomnianych rocznic; przed laty bowiem dwudziestu minął wiek od ukazania się w 1842 r. *Pieśni ludu polskiego*, wydawnictwa, które było owocem romantycznego rozmiłowania się w muzyce i poezji ludowej, tego rozmiłowania się, które najpełniejszy wyraz artystyczny otrzymało w twórczości Chopina, Norwida i Lenartowicza. Dzieje te uprzytomniłyby, że w roku 1957 upłynął wiek od daty, gdy pod tym samym tytułem: *Pieśni ludu polskiego*, Kolberg zainaugurował wydawanie *Ludu*, tom bowiem pieśniowy pociągnął za sobą dalsze, układające się w ową monumentalną encyklopedię, z którą nazwisko Kolberga związało się na zawsze, a której ogniwa późniejsze miały ukazywać się w lat wiele po śmierci jej twórcy i — będą się musiały ukazywać dalej w latach najbliższych.

Przypomnienie tych lat to nie efekt retoryczny, lecz realny dowód, iż nauka polska stoi wobec „problemu Kolberga" nie jako wobec zjawiska historycznego, zamkniętego i należącego do przeszłości, lecz jako wobec procesu historycznego, dotąd nie zakończonego, angażującego w jakiś sposób siły naukowe Polski Ludowej. I dlatego właśnie przedstawienie i ocena dorobku twórcy *Ludu*, choćby tylko na odcinku folkloru, jest zadaniem zawiłym i trudnym.

Z chwilą zaś takiego postawienia sprawy godzi się podjąć próbę najogólniejszej przynajmniej odpowiedzi na pytanie, na czym polega doniosłość przytoczonych dwu dat: 1842 i 1857, i to odpowiedzi opartej na dokumentach, które posiadamy. Pierwszy z nich to mało znany portret zbiorowy w Muzeum Narodowym w Krakowie. Na ściemniałym malowidle widnieją głowy „cyganów" warszawskich ze schyłku pierwszej połowy ubiegłego stulecia. Jest tu Norwid, jest Lenartowicz, jest Kolberg. To zestawienie nie zdziwi nikogo, kto pamięta, iż w 1857 r., a więc równocześnie z ukazaniem się *Pieśni ludu polskiego*, Warszawa podziwiała operę *Król pasterzy*, skomponowaną właśnie przez Kolberga; autorem jej libretta był Lenartowicz. Portret krakowski ma nadto swą legendę, sporządzoną przez samego Kolberga. Przygotowując na pięć lat przed śmiercią pierwszy tom *Mazowsza*, poprzedził go melancholijnym wspomnieniem o dawnych przyjaciołach, z których w r. 1885 dwu tylko jeszcze było wśród żywych. Pisał tedy:

W roku 1840 atoli, w zaraniu prac naszych etnograficznych, wzgląd na muzykę ludową, jakeśmy to powiedzieli wyżej, przeważał (nad innymi zainteresowaniami ludoznawczymi) i stanowił główne dociekań naszych podścielisko. Wtedy to wychylaliśmy się często za miasto w porze letniej, by świeżym, ożywczym na wsi odetchnąwszy powietrzem, zaczerpnąć też i świeżej melodii z tryskającego tam bezustannie narodowej muzyki źródła. A znaleźli się (zwłaszcza gdy horyzont badań się rozszerzał) prawie zawsze do wędrówek naszych towarzysze tymże samym ku rzeczom sielskim ożywieni duchem, przelewający dosadnie na papier dziarskie włościan typy i fizjognomie lub kreślący z zamiłowaniem myśli i wyrażenia poetyczne, tak szczodrze w tych pieśniach i tych przysłowiach rozrzucone. Taką to wędrówkę czterodniową z Warszawy do Czerska odbyliśmy w Zielone Świątki r. 1841 w towarzystwie śp. Józefa Konopki, śp. Walentego Zakrzewskiego i śp. Emila Jenikego. Takie też i w następnych latach, zwracając się w inne Warszawy i Pragi okolice, razem z T. Lenartowiczem, śp. Norwidem, śp. Ign. Komorowskim, jak niemniej malarzami: W. Gersonem, śp. Karolem Markonim i śp. bratem moim Antonim, że już zamilczymy o wycieczkach w późniejszym dokonywanych czasie. Pamięć tych miłych druhów i ich prac pomocniczych jest nam dotychczas równie drogą, jak nią była ich przyjaźń i życzliwa w swoim czasie dla nas usługa.

Wypowiedź ta stanowi metrykę wydawnictwa poznańskiego z 1842 r. Wyrosło ono z atmosfery „artystowskiego" umiłowania literatury ludowej przez pokolenie młodszych romantyków. Kolberg jednak nie zatrzymał się na tym stadium; w piętnaście lat bowiem później zrobił doniosły krok naprzód, a po dalszych latach ośmiu nowy, jeszcze donioślejszy. Ale o tym za chwilę. Znaczenie zaś kroku pierwszego, wydania *Pieśni ludu polskiego* jako książki w 1857 r., polegało na zerwaniu z zachwytami romantycznymi, choćby najsłuszniejszymi, na rzecz wieloletniej, rzemieślniczej, nieefektownej pracy naukowej, pracy zbierackiej i wydawniczej. Zamiast fantazjowania na temat piękna pieśni ludowej wypadło zakasać rękawy i brać się do prozaicznej roboty zapisywania, zestawiania, przepisywania wariantów pieśniowych, do roboty więc, którą mieli prowadzić uczeni pokolenia następnego, pokolenia pozytywistów. Nie wchodząc w próby wyjaśnienia, dlaczego pracy tej podjął się właśnie Kolberg, trzeba stwierdzić, że wziął się on do niej na serio; porzuciwszy świat sztuki dla świata nauki, w tej nowej dziedzinie miał powetować zawody, których doznał w pierwszej. Podczas gdy o Kolbergu-kompozytorze wie tylko zawodowy historyk muzyki w Polsce, autor *Ludu* stał się rychło postacią znaną i podziwianą powszechnie. Stał się pracownikiem naukowym, którego sprawa, jak się rzekło poprzednio i jak się wyjaśni jeszcze dalej, jest doniosłym, nie rozwiązanym problemem w półtora blisko stulecia od daty jego urodzenia.

II

Na drogę swą właściwą, na pole prac etnograficznych i folklorystycznych Oskar Kolberg nie wszedł, jak wiemy, od razu. Zrobił to mianowicie nie w 1857 r., gdy wydał *Pieśni ludu polskiego*, lecz dopiero w osiem lat później, to jest w 1865 r., gdy ukazał się jego tom *Sandomierskie*, określony jako seria I wydawnictwa ciągłego, zaopatrzonego w długi tytuł: *Lud. Jego zwyczaje, sposób życia, mowa, podania, przysłowia, obrzędy, gusła, zabawy, pieśni, muzyka i tańce*. W dwa lata później wyszły *Kujawy*, po nich *Krakowskie*, *Poznańskie* itd. aż po *Chełmskie*, którego tom pierwszy opuścił drukarnię na kilka zaledwie godzin przed śmiercią sędziwego autora. W ten sposób przez lat dwadzieścia pięć rokrocznie Kolberg rzucał na rynek księgarski po serii, a nawet po dwie swego dzieła, by dojść do liczby 32 tomów w 1890 r. Tomy dalsze, w znacznej mierze przygotowane przez niego samego, miały ukazywać się w ciągu lat kilkunastu po jego zgonie, opracowywane przez I. Kopernickiego, J. Tretiaka i S. Udzielę.

Rzecz jasna, iż znaczenie tego olbrzymiego materiału, ze stanowiska czy to etnografii, czy folklorystyki, wiąże się ściśle ze sprawą układu całości *Ludu*, zaś układ ten — z dziejami powstawania owej monumentalnej całości; z kolei więc obydwu tym problemom należy się przyjrzeć choćby z lotu ptaka. Tym bardziej że zarysują się tutaj pewne trudności metodologiczne. Okaże się bowiem, że to, co z punktu widzenia etnografii wywoływało pochwały, w świetle zadań folklorystyki wyglądać będzie nieco inaczej. Co to znaczy, okaże się przy zbadaniu wzajemnego stosunku i różnic dwu pierwszych serii, a więc *Pieśni ludu polskiego* i monografii o Sandomierskiem.

Sprawy te poruszył i wyjaśnił sam Kolberg, gdy w cytowanej tu poprzednio przedmowie do *Mazowsza* pisał:

...już około r. 1840 czy też rokiem wcześniej poczęliśmy zbierać pieśni i muzykę ludową w okolicach Warszawy. Wkrótce dostrzegliśmy ścisłą tych utworów z obrzędami, zwyczajami i całym bytem ludu łączność. Wzgląd ten nakazywał nam przy spisywaniu pieśni i ich melodyj notować także i ich akcesoria (wedle ówczesnych naszych pojęć), tj. uwydatniać całą sytuację, która je zrodziła lub do działania powoływała. Powoli, w miarę rozrostu zbiorów i różnorodności nabywanych materiałów, siłą rzeczy parci nadaliśmy wydawnictwom naszym kierunek i zakrój, jaki nam dyktowało doświadczenie, i które im dotychczas przewodniczy.

W przekładzie na język pojęć dzisiejszych wyznanie to oznacza przejście od tematyki pieśniowej, literacko-muzykologicznej, do opisu etnograficznego o charakterze encyklopedycznym, od literatury do geografii czy demografii, słowem od folklorystyki do etnografii czy może nawet etnologii. W ówczesnym rozumieniu tego wyrazu zbieracz, poprzestający na opisie obserwowanych zjawisk, przechodził do takiej czy innej ich interpretacji, skoro zamierzał „uwydatnić całą sytuację, która je [pieśni] zrodziła lub do działania powołała".

Tego rodzaju zmiana postawy naukowej, swoista *felix culpa*, której kultura nasza zawdzięcza powstanie *Ludu*, musiała w jakiś sposób odbić się na całości monumentalnego zbioru. I z góry założyć można, że odbiła się niekorzystnie. Tam bowiem, gdzie już sama praca zbieracka i wydawnicza nawet w zakresie pieśni była zadaniem nad siły jednego człowieka, wystąpił pomysł ogólnej charakterystyki kultury chłopskiej, do tego zaś dołączył się jeszcze ambitny zamiar interpretacji naukowej, do której etnografia ówczesna w ogóle nie była przygotowana, Kolberg zaś w szczególności mieć nie mógł nieodzownych narzędzi poznawczych. W sposób więc nieunikniony *Lud* stawał się dziełem monumentalnym, ale równocześnie zakraść się musiały do niego przeróżne błędy rzeczowe i formalne, które obniżały wartość dzieła przez zmianę rozszerzonego planu skazującego się na nieukończenie, na autora zaś ściągały takie czy inne, gorzej lub lepiej uzasadnione zarzuty. Dodajmy jednak od razu, że o ile pierwsza część planu, rozbudowa materiału, na ogół się powiodła, o tyle druga, interpretacyjna, zademonstrowana w dużych niekiedy erudycyjnych przypisach, wystąpiła raczej marginalnie, bez naruszenia tekstu głównego. Nie znaczy to jednak, by owe przypisy można było lekceważyć. Przekonamy się, że mimo wszystko mają one znaczenie naukowe nie byle jakie!

III

Powziąwszy decyzję opisu panoramicznego czy encyklopedycznego, Kolberg ułożył sobie plan pracy, którego przestrzegał na ogół konsekwentnie w całym ogromnym dziele. Opis geograficzny badanego terytorium, ujęty zresztą nieraz w postaci suchego katalogu miejscowości, charakterystyka demograficzna, opis kultury materialnej, opis zwyczajów dorocznych i obrzędowych, przede wszystkim rodzinnych, z weselem na miejscu naczelnym — oto zespół wiadomości dotyczących owej „sytuacji", która ma wyjaśniać charakter literatury i muzyki ludowej, przy czym pieśń staje się uprzywilejowanym łącznikiem obydwu tych dziedzin. Kolberg przez całe życie pozostał wierny swym pierwszym miłościom, od których pracę ludoznawczą w młodości rozpoczynał.

Konsekwencje tak pomyślanego układu odbiły się jednak niekoniecznie korzystnie na przedstawieniu w *Ludzie* literatury ludowej.

Niektóre tomy zbioru Kolberga mają charakter monograficzny, jak *Pieśni ludu polskiego*, to znaczy wypełnione są materiałem jednorodnym. Tom VIII, ostatni z cyklu zatytułowanego *Krakowskie*, nosi podtytuł *Powieści, przysłowia i język*; istotnie też jest zbiorem bajek, dopełnionych tysiącem przysłów i słowniczkiem gwarowym. Cykl *Poznańskie* ma dwa tomy pieśni (XII, XIII), jeden zaś bajek (XIV). Podobnie na cztery tomy *Pokucia* dwa środkowe mają materiał wyłącznie pieśniowy, ostatni zawiera bajki. Dzięki temu badacz czy nawet czytelnik zwyczajny w tomach tych może zorientować się stosunkowo łatwo i bez nadmiernego wysiłku odnaleźć potrzebne sobie pozycje. Tomy monograficzne, jednolite stanowią jednak mniejszość zbioru. Górują nad nimi tomy o treści różnorodnej, łączącej opis etnograficzny czy folklorystyczny z grupami materiałowymi, gdzie orientacja jest nieco trudniejsza. Ale to nie wszystko. Myliłby się bowiem, kto w poszukiwaniu pieśni lub bajek poprzestałby na tomach monograficznych czy grupach materiałowych wymienionych przed chwilą. Obfite i to nieraz bardzo bogate złoża elementów z zakresu literatury ludowej weszły w *Ludzie* w skład opisu naukowego, gdzie wyśledzić je bywa nieraz bardzo trudno. Dotyczy to dwu zwłaszcza kategorii tworów literatury tradycyjnej, to jest pieśni i podań, w mniejszym zaś stopniu bajek we wszystkich ich odmianach z facecjami włącznie.

Kolberg mianowicie zauważył, oczywiście zupełnie trafnie, skoro obserwacja ta skłoniła go do stworzenia *Ludu* w jego ostatecznej postaci, że charakter mnóstwa pieśni związany jest ściśle z pewnymi sytuacjami zwyczajowymi lub obrzędowymi, że pewne pieśni czy nawet rodzaje pieśni występują wyłącznie i jedynie w danych sytuacjach życia zbiorowego. A więc pieśni weselne, dożynkowe czy choćby kolędy, z innej zaś klasy tworów wierszowanych oracje weselne spotyka się tylko w obrębie odpowiednich sytuacji, tak że nie występują one poza tym obrębem. Konsekwencją tego trafnego spostrzeżenia było wprowadzenie danych tekstów poetyckich do opisów obrzędów, zwłaszcza wesel. I słusznie! Kłopot z tym tylko, iż wśród pieśni weselnych spotyka się dużo innych, pochodzenia nieobrzędowego, istniejących samodzielnie. Odszukanie ich na tysiącach stron *Ludu*, nawet przy pomocy odsyłaczy autorskich, nie zawsze wprowadzonych, nie należy do zadań łatwych. Przyjęty przez Kolberga układ dzieła przyczynia się do zmniejszenia jego przejrzystości, zaciera granice między zjawiskami różnymi, utrudnia dotarcie do nich, bo przecież dzieło to liczy, jak wiemy, tysiące stronic.

Jeszcze gorzej odbija się to na pewnych kategoriach prozy ludowej. *Poznańskie* kończy się tomem zatytułowanym *Wierzenia*, złożonym z mnóstwa drobnych wiadomości o przesądach, zabobonach magicznych, medycynie ludowej itd. Wiadomości te zbierał Kolberg w terenie, gdy w latach 1866—68 badał kulturę wsi wielkopolskiej, częściowo zaś wynotowywał je z książek i czasopism dawniejszych w rodzaju „Przyjaciela Ludu", gdzie stosowano metodę przyjętą przez niego, a pokutującą również u wielu jego następców. Polega ona na charakteryzowaniu czy ilustrowaniu wierzeń przy pomocy opowiadań o strachach, czarownicach, diabłach, przy czym opowiadania te traktowane bywają często jako autentyczne przygody osób wymienianych z imienia i nazwiska. Poprzednicy Kolberga postępowali w taki sam sposób nie tylko w zakresie spraw wierzeniowych; uciekali się chętnie do anegdot ilustrujących swoiste warunki życia prowincjonalnego, nawyki pewnych grup społecznych, trwałość przeżytków społecznych i inne podobne sprawy. I tę również metodę przyswoił sobie autor *Ludu*. Skutek tego zaś taki, że we wspomnianych *Wierzeniach* wielkopolskich (t. XV) znajdujemy ponad sześćdziesiąt krótkich opowiadań, częściowo podanych *in extenso*, częściowo w streszczeniu, lub że czytelnik *Mazowsza* albo *Chełmskiego* raz po raz trafia na anegdoty dodane w przypisach czy pomieszczone w tekście zawierającym opis kraju i jego mieszkańców. To samo wystąpiło wcześniej w *Krakowskiem*, gdzie nie tylko drobne opowiadania wierzeniowe lub facecje, ale całe długie bajki utonęły bez śladu w wywodach teoretycznych, poświęconych charakterystyce ludności. Któż by przypuścił, że doskonałej bajki o *Złodzieju-pomocniku króla* szukać należy w tomie VII wśród wiadomości o wierzeniach ludu krakowskiego, gdzie zilustrowano nią poglądy na magiczne rozrywiele, albo że w tym samym tomie znajdzie się najzabawniejszy nasz wariant *Sabatu czarownic*.

Sprawa trzecia, najzawilsza chyba, to przedstawienie w *Ludzie* podań historycznych ogólnonarodowych i lokalnych, zwłaszcza krakowskich (t. V) i wielkopolskich (t. IX, X). Giną one w powodzi informacyj topograficznych, toteż ustalenie, co Kolberg wie o Twardowskim, wymaga nieproduktywnych poszukiwań wielotygodniowych po wszystkich tomach.

Rzecz jasna, że wszystkim tym niedomaganiom zaradzić by mogły indeksy odpowiednio sporządzone. Indeksy takie stosowano u nas wprawdzie już przed Kolbergiem, np. w *Ludzie ukraińskim* Nowosielskiego, wiadomo jednak, że ten nieodzowny składnik wszelakiej publikacji naukowej dzisiaj jeszcze nie wszędzie się spotyka. Niepodobna się więc dziwić, iż Kolberg nie uciekł się do niego ani w 1857 r., ani później, ale też wskutek tego *Lud* jest lasem dziewiczym, w którym zabłądzić łatwo. Czytelnika na każdym kroku czekają tu niespodzianki zarówno bardzo miłe, jak niezwykle przykre.

Ostatecznie jednak po przezwyciężeniu tego rodzaju trudności praktycznych, roboczych, dowodzących, iż zarówno kompozycja całości, jak jej koncepcja nie przedstawiają się jasno, podziwiać trzeba niezwykłe bogactwo materiałów z zakresu literatury ludowej, zebranych i udostępnionych przez Kolberga w ciągu lat pięćdziesięciu, od chwili gdy w roku 1839 znalazł jakiś zbiorek wilanowski — po datę śmierci. Bogactwo to najprościej jest przedstawić w liczbach, ale tutaj właśnie występują tylko co scharakteryzowane trudności praktyczne, robocze. Obliczenie zawartości tomów i grup monograficznych, zbudowanych jednolicie, uchwycenie więc materiałów pieśniowych i bajkowych, następnie zagadek, a częściowo również przysłów, nie nastręcza większych kłopotów. Przeliczenie natomiast podań oraz opowiadań wierzeniowych i anegdot, wprowadzonych jako materiał ilustrujący opis autorski, wymaga albo żmudnego wypisywania mnóstwa szczegółów, albo nie będzie dokładne. Ryzykując tutaj ową niedokładność, całość zawartości folklorystycznej *Ludu* podać można w zestawieniu (por. tabela na s. XXVIII).

Zestawienie to rzuca dość nieoczekiwane światło na literaturę ludową u Kolberga. Gdy liczba pieśni sięga dwunastu tysięcy, bajki nie dochodzą tysiąca, przysłowia trzech tysięcy. Przyjmując nawet, że we wszystkich tego pokroju książkach pieśni, zwłaszcza śpiewki, przez Kolberga tańcami nazywane, muszą ilościowo gó-

Tom	Terytorium		Pieśni	Podania	Bajki	Przysłowia	Zagadki	Widowiska	Varia
1	Pieśni ludu	(1857)	900	—	—	—	—	—	—
2	Sandomierskie	(1865)	325	3	3	—	—	—	—
3	Kujawy I	(1867)	107	—	45	113	22	—	—
4	Kujawy II	(1868)	255	—	—	—	—	—	—
5	Krakowskie I	(1871)	30	70	—	35	—	7	—
6	Krakowskie II	(1873)	891	—	—	—	—	—	—
7	Krakowskie III	(1874)	—	951	—	—	—	—	—
8	Krakowskie IV	(1875)	—	—	191	1080	88	—	—
9	Poznańskie I	(1875)	123	21	4	—	—	—	4
10	Poznańskie II	(1876)	160	21	—	—	—	—	18
11	Poznańskie III	(1877)	100	4	2	—	—	—	14
12	Poznańskie IV	(1879)	617	—	—	—	—	—	—
13	Poznańskie V	(1880)	447	—	—	—	—	—	1
14	Poznańskie VI	(1881)	—	—	111	—	—	—	—
15	Poznańskie VII	(1882)	—	56	—	15	—	—	—
16	Lubelskie I	(1883)	512	—	3	2	—	—	—
17	Lubelskie II	(1884)	200	26	25	104	—	—	4
18	Kieleckie I	(1885)	376	35	4	—	—	—	1
19	Kieleckie II	(1886)	662	3	36	—	—	—	—
20	Radomskie I	(1887)	364	15	—	10	—	—	—
21	Radomskie II	(1888)	352	10	23	10	—	—	—
22	Łęczyckie	(1889)	571	8	—	—	—	—	2
23	Kaliskie	(1890)	270	14	—	65	—	—	3
24	Przemyskie	(1891)	348	—	14	—	—	—	—
25	Chełmskie I	(1890)	382	—	2	—	—	—	—
26	Chełmskie II	(1891)	179	—	44	300	22	—	—
27	Mazowsze I	(1885)	208	8	—	208	—	2	1
28	Mazowsze II	(1886)	765	—	—	—	—	—	—
29	Mazowsze III	(1888)	565	5	—	—	—	3	1
30	Mazowsze IV	(1890)	444	1	2	100	—	2	—
31	Mazowsze V	(1891)	377	—	—	—	—	—	—
32	Pokucie I	(1882)	320	—	—	—	—	—	—
33	Pokucie II	(1883)	512	—	—	—	—	—	—
34	Pokucie III	(1888)	741	—	31	661	—	—	—
35	Pokucie IV	(1889)	—	—	77	—	205	—	—
36	Baśni z Polesia	(1889)	—	—	6	—	—	—	—
37	Śląsk Górny	(1906)	17	—	13	—	—	—	—
38	Wołyń	(1907)	632	—	25	—	—	—	—
39	Tarnów, Rzeszów	(1910)	161	—	5	7	1	1	—
	Razem		12913	1251	666	2710	338	15	49

rować, przewaga ich w *Ludzie* jest tak duża, iż widać wyraźnie, że zbieracz tą dziedziną twórczości ludowej interesował się najbardziej i studiował ją konsekwentnie.

IV

Ustaliwszy zasobność materiałów zgromadzonych w tomach *Ludu*, stajemy z kolei wobec pytania, jak to autor zrobił; dopiero bowiem odpowiedź na nie pozwoli nam przystąpić do poprawnej oceny dorobku i zasług Oskara Kolberga.

Jak więc Kolberg pracował? Odpowie na to kiedyś monografia Kolberga, idąc szlakiem wytkniętym przez studia ogłoszone w XLII roczniku *Ludu* (1956), poświęconym znakomitemu etnografowi. Obecnie z konieczności poprzestać trzeba na wiadomościach ogólnych, wydobytych z samego dzieła Kolberga czy z relacji tych, którzy go znali osobiście. Z napisów nad tekstami widać, a relacja Kopernickiego to potwierdza, iż Kolberg całe miesiące i lata spędzał w terenie, gdzie osiadłszy u znajomych we dworze eksploatował śpiewaków, narratorów, bajarzy i gawędziarzy. Wyniki tych zabiegów scharakteryzował wybitny folklorysta z końca XIX w., Jan Karłowicz, gdy taką o nich wydawał opinię: „wszystko, co Kolberg zapisywał, jest czystym złotem etnograficznym: nie pozwalał on sobie żadnych dodatków, żadnych retuszów, żadnych ogładzań ani poprawek; pisał pieśń, podanie, przysłowie, melodię itd., jak słyszał, i to nie z jednych ust, ale z kilku i kilkunastu, ażeby każdą rzecz sprawdzić i przekonać się, czy śpiewający lub mówiący sam siebie lub słuchacza nie łudził" [2].

Czy wierność notowań Kolberga wyglądała tak naprawdę, odpowiedzieć będzie można dopiero po zbadaniu jego spuścizny rękopiśmiennej i jego listów; na podstawie zaś znajomości *Ludu* ocena Karłowicza wymaga pewnych modyfikacji.

Chodzi tu przede wszystkim o stronę językową zapisów Kol-

---

[2] „Wisła", 1889, s. 472.

berga. Wiadomo, że nie był on językoznawcą. Być nim przecież w r. 1865 nie mógł; obce mu więc były te wszystkie finezje, które pod koniec jego życia począł wprowadzać w tekstach gwarowych Lucjan Malinowski. Miał natomiast Kolberg słuch wyczulony na odrębności gwarowe i w początkach swej kariery usiłował stosować coś w rodzaju transkrypcji fonetycznej; rychło jednak okazało się, iż stosowanie tej metody było nad jego siły. Po prostu brakło odpowiedniego systemu znaków literowych dla odtworzenia swoistych dźwięków, obcych językowi literackiemu. Przekonywa o tym pobieżna choćby analiza krótkiej gadki spod Zawichosta, przeoczonej w mojej systematyce bajkowej [3].

Diabeł i świeczka

Zołmirz jeden błókający się dugo po świecie zawitał zmęcony do ńjakiego pałacu, w którym nie było nikogo, bo mówili, ze tam diabli mieskają. Kiej wsed do pokoju, obacy portret starsego diabła na ścianie, a tén diabeł miał lichtarz w zebach. Zołmirz wsadziuł w ten lichtarz świcke i pocyna naprawiać swój puasc. Wtém otaca go ćma cy chmara diablików i mówi: — Coś ty tu, warta?, ze pozwalas se tu kłaść świce.— Prowadzom go do starsego diabła, a ten zaś: — Ja ci nic na to nie powiem, jesteś przy łasce moji za to, ześ świcke przede mno zapalił.— I dał mu duzo złota i piniedzy i puściuł go.

Wrażliwy muzyk musiał chyba słyszeć, że bajarz wymawiał *o* pochylone i *e* pochylone, pierwszego jednak zupełnie nie zanotował, drugie zaś tylko tu i owdzie. Podobnie nie umiał sobie poradzić z wygłosowym *ą*, wymawianym bez nosowości, a więc *przede mno*, w tym więc wypadku zapisał je, ale gdzie indziej dał *mieskają* i *prowadzom*. Jeszcze gorzej wypadła sprawa dźwięku *ł* wymawianego półsamogłoskowo jako *u*. Raz mamy tu *dugo*, drugi raz *puasc*, ale dalej *kłaść*, *pałacu*, a nawet *zawitał*, *wsadził* i *puściuł*. Zachowano w przytoczonym tekście mazurzenie; w innych, m. in. w tomach *Mazowsza*, raz po raz występuje ono i znika w tym samym utworze wierszowanym czy prozaicznym. Słowem, strona językowa, ściśle biorąc fonetyczna, zapisów Kolberga pozostawia dużo do życzenia.

Rychło jednak poszedł dalej w swobodnym traktowaniu zapisu

---

[3] *Sandomierskie*, cz. II, s. 276.

i począł wprowadzać zmiany stylistyczne. W tomie VIII, zwierzając się ze sposobu odtworzenia prozy ludowej w okolicy Krakowa, napisał:

> Powieści tu przytoczone pochodzą z dość bliskich Krakowa okolic i spisanymi zostały głównie we wsiach Modlnicy, Modlniczce i Tomaszowicach. Przy spisywaniu staraliśmy się zachować język i sposób wyrażania się ludowy, nie prostując ich mimo widocznego braku porządku u opowiadacza i tylko tam, gdzie opowiadający wyniósł ze szkoły pewną w dykcji przesadę i rozwlekłość, a nastrzępił mowę swą i skaził obcymi jej dodatkami, na dworskim lub rządowym zaczerpniętymi chlebie, pozwoliliśmy sobie oczyścić je z tych narośli, nie nadwerężając autentyczności myśli i wyrażeń, i oddać w toku ludowej baśni odpowiednim.

Okazuje się zatem, że — wbrew twierdzeniu Karłowicza — teksty Kolberga nie są wolne od retuszu; twórca *Ludu* poszedł utartą drogą folklorystów ówczesnych, nawet najznakomitszych, jak bracia Grimmowie lub Afanasjew. Kierując się mianowicie intuicją wyostrzoną w wieloletnim obcowaniu z tekstami ludowymi, a przytoczone wyznanie pochodzi z 1875 r., uważał za konieczne ingerencję redakcyjną.

Czy zmniejsza to wartość tekstów przez niego zebranych? I tak, i nie! Kolberg stoi na stanowisku przedjęzykoznawczym w pracy folklorystycznej, jego więc teksty nie zaspokoją wymagań badacza gwary w sensie fonetycznym i składniowym czy może nawet w ogóle gramatycznym. Wiadomo jednak, iż przymierze gwaroznawstwa i folklorystyki nie zawsze wychodziło na dobre literaturze ludowej. Zbieracze-gwaroznawcy interesowali się często nie tekstem literackim, lecz dokumentem gwarowym, poprzestawali więc na opowiadaniach literacko bezwartościowych, szukali ich u ludzi pozbawionych talentu narratorskiego, polując jedynie na układy dźwiękowe, te same w zdaniach nacechowanych artyzmem, co w zdaniach pozbawionych sensu. Otóż tego wszystkiego u Kolberga nie ma. Nie raził go, i słusznie, „brak porządku u opowiadacza"; stąd w zapisach jego tekstowych, czy to będą pieśni, czy bajki, jest ogromnie dużo materiału prymitywnego, zniekształconego przez pamięć lub uwagę śpiewaka czy bajarza, ale wskutek tego właśnie autentyczność tych zapisów nie budzi żadnych zastrzeżeń. Mało jest tu natomiast tekstów nacechowanych wyraźną nieudolnością czy brakiem inteligencji; najwidoczniej zbieracz selekcjonował je starannie i do druku podawał to, co odpowiadało jego wymaganiom.

Dopiero po zapoznaniu się z metodą pracy, z rękopisami Kolberga i jego korespondencją dostrzec będzie można stopień jego ingerencji w teksty przezeń ogłaszane. Względy jednak przed chwilą przytoczone pozwalają przypuścić, że ingerencja ta nie sięgała zbyt daleko. Mając warianty wzorowe, dobre i liche, do druku przeznaczał tylko pierwsze i drugie i nie retuszował ich przesadnie. Dlatego teksty jego budzą zaufanie. Stopień ich autentyczności i wierności wydaje się bardzo znaczny.

Sformułowanie takie, daleko ostrożniejsze od opinii Karłowicza w tej sprawie, wymaga jednak pewnego ograniczenia. W miarę mianowicie rozrostu pracy i w zgodzie z jej charakterem i z wspomnianymi poprzednio ambicjami naukowymi, każącymi dawać materiał możliwie pełny, Kolberg nie chciał poprzestać na własnych tylko zdobyczach terenowych, lecz wciągał do *Ludu* z jednej strony zapisy otrzymywane od swych dzisiaj bliżej nie znanych współpracowników, z drugiej zaś uwzględniał wyniki osiągnięte przez badaczy dawniejszych. W pociągnięciach tych, co było nieuniknione, nie zawsze umiał zdobyć się na konieczny krytycyzm, odróżnić rzeczy autentyczne od podrobionych przez najrozmaitszych amatorów ludowości wedle własnych o niej wyobrażeń. Typowym przykładem może być przedruk wśród „powieści" wielkopolskich kilku elukubracji Emmy Puffke lub pożytecznego pisarza pomorskiego I. Danielewskiego. Dlaczego weszły one w skład *Ludu*, odpowiedzieć nie umiemy, tym bardziej że autor nie włączył do swego dzieła rzeczy i bardziej autentycznych, i artystycznie lepszych, a więc opowiadań J. Lompy czy R. Berwińskiego.

By skończyć z wyliczaniem niewątpliwych niedomagań *Ludu* Kolberga, charakterystycznych dla jego wielkiej pracy, a typowych dla folklorystów jego epoki, powiedzieć trzeba, iż nie rozumiał on doniosłości oznaczania bezpośredniego źródła swych wiadomości o literaturze ludowej. Nie mówił o tych bezimiennych artystach wiejskich, śpiewakach i bajarzach, którzy wtajemniczali go w skarby tak skwapliwie i pieczołowicie przez niego zbierane. Być może, że w Zakopanem przysłuchiwał się on „pieśniczkom i gadkom" starszego od siebie o lat dziesięć Sabały, jeśli zaś nawet tak się zdarzyło, nie myślał o tym, by na szczegół ten zwrócić uwagę. Dopiero folkloryści pokolenia następnego, S. Witkiewicz, B. Dembowski i H. Sienkiewicz, w zetknięciu z Sabałą właśnie mieli dokonać odkrycia, iż osoby informatora, śpiewaka, bajarza czy facecjonisty lekceważyć niepodobna, że jest on artystą godnym uwagi i pamięci. Wykluczone wprawdzie nie jest, iż przygotowywana do druku obfita korespondencja Kolberga rzuci na te sprawy nieco światła, ale nawet i wtedy, wobec wyraźnej obojętności dla tej dziedziny zagadnień, widocznej w *Ludzie*, jego autor pozostanie w naszej kulturze jedynym znanym reprezentantem całej ogromnej, bezimiennej gromady miłośników i znawców literatury ustnej, których spuściznę ocalił on od niepamięci przez utrwalenie jej w słowie drukowanym.

V

Omówione niedomagania *Ludu*, wynikające z niedostatecznego krytycyzmu Kolberga wobec źródeł swoich informacji, pozostają w zupełnie wyraźnym związku z tym, co z nawiązką niewątpliwie kompensuje niedomagania zaznaczone i nie zaznaczone, a mianowicie z rozległością jego horyzontów naukowych, dzięki którym mógł on zebrać materiał tak duży i tak doskonały. Ale bogactwo wierszy i prozy w *Ludzie*, ukazane tutaj z konieczności w sposób szkicowy i liczbowy tylko, to strona najważniejsza, ale bynajmniej nie jedyna dorobku Kolberga.

Wychowanek epoki romantycznej, stawiającej znak równości między wyrazami „lud" i „naród", stanął już w początkach swej pracy przed trudnością przeprowadzenia granicy między tym, co ludowe a co nieludowe, i uporał się z nią na ogół zwycięsko.

Zauważył on tedy trafnie, iż pewne utwory zarówno literackie, jak ludowe, zwłaszcza w obrębie pieśni, zachodzą na siebie, krzyżują się, wytwarzają nowe odmiany, to bowiem, co wychodzi spod pióra popularnego pisarza, szybko dostaje się do chaty chłopskiej — i odwrotnie, literatura pisana nasyca się pomysłami ludowymi. Proces ten można było już przed stu laty obserwować na zbiorach takich jak pieśni Wacława z Oleska, które były dla Kolberga, początkującego zbieracza i wydawcy, wzorem i przewodnikiem. W tym samym zaś kierunku szli Mioduszewski i Zejszner, których materiały Kolberg odziedziczył i wyzyskał. Do tego dochodziło własne doświadczenie nabywane w toku badań terenowych, zwłaszcza w Krakowskiem i Poznańskiem, gdzie granice między klasami społecznymi były mniej wyraźne niż na terenach innych, a wskutek tego i różnica między pieśniami ludowymi i nieludowymi była bardziej zatarta. W rezultacie tych wszystkich okoliczności w *Ludzie* ukazały się duże nieraz zespoły tego, co określić można jako „pieśni popularne", a co Kolberg wyróżniał tytułem *Pieśni ludowe, dworskie, szlacheckie, mieszczańskie* lub krótszym *Miasta i dwory*. Tak więc w drugiej części *Krakowskiego* (t. VI) znalazło się sporo pieśni bezimiennych czy przynajmniej nie zaopatrzonych w nazwiska autorów, takich jak *Kurdesz* Bohomolca, jak *Chciało się Zosi jagódek* Jasińskiego, jak arie operetkowe czy wodewilowe, m. in. pochodzące z *Krakowiaków i Górali* Bogusławskiego. Co więcej, znalazły się tu pogłosy starej liryki studenckiej, waganckiej czy żakowskiej, a więc piosenki łacińskie, niekiedy opatrzone przekładami polskimi. Zabłąkała się tu nawet, poza *Ludem* chyba nie spotykana, zagadkowa pieśń żałobna z w. XVI o Kmicie. W piątej znowuż części *Poznańskiego* (t. XIII), wypełnionej materiałem pieśniowym, grupa czołowa zatytułowana *Miasta i dwory* jest swoistą *silva rerum* pieśni popularnych, często, choć nie zawsze trafnie, podpisanych nazwiskami poetów. Czego tu nie ma! Są więc dwie pieśni J. Kochanowskiego, świadczące o popularności poety około połowy w. XIX nie tylko w szkole. Są dalej rzeczy K. Brodzińskiego, A. Chodźki, A. Goreckiego, W. Syrokomli, J. Tetmajera, E. Wasilewskiego, nawet W. Zagórskiego. Że są to istotnie pieśni popularne, ukazujące pogranicze, gdzie utwory literackie, odrywając się od swych twórców, przekształcają się w ludowe, dowodzi omyłka przy znanym *Kominku*

J. Tetmajera. Jako autora wpisano tu błędnie: „Michał Grabowski, 1830".

Dzięki takiej postawie Kolberga *Lud* przynosi niezwykle cenne materiały do dziejów naszej pieśni popularnej, dotąd naukowo nie badanych, przy sposobności zaś wywołujących zabawne nieraz spory i nieporozumienia. Ukazuje na gorąco proces nasiąkania pieśni ludowej pogłosami literatury, przynosi nieoczekiwane dowody popularności znanych pisarzy, szerzącej się na drodze nie szkoły i druku, lecz żywej tradycji pieśniowej. Dzięki temu *Lud* Kolberga staje się terenem badań nie tylko etnografa i folklorysty, ale również historyka literatury, dla którego chowa niejedną niespodziankę w rodzaju owych pieśni waganckich, nie dostrzeżonych w *Ludzie* Kolberga przez zawodowych badaczy, którym nie przyszło do głowy, iż tam właśnie mogą znaleźć potrzebne sobie materiały.

Skoro już mowa o tekstach niepolskich w *Ludzie*, to zaznaczyć trzeba, iż Kolberg w jednej jeszcze dziedzinie poszedł za tradycjami ludoznawstwa naszego czasów romantyzmu, że nie ograniczył się do terenów polskich, lecz sięgnął na Białoruś i Ukrainę. Było to poniekąd nieuniknione przy ujęciu zbioru terytoriami, tam bowiem gdzie ludność polska sąsiadowała z ukraińską czy białoruską, z natury rzeczy trzeba było zająć się folklorem jednym i drugim. Wskutek tego tomy poświęcone Przemyskiemu i Chełmskiemu objęły materiał zarówno polski, jak ukraiński; Kolberg jednak, zgodnie ze wspomnianymi poprzednio tradycjami, szedł za głosem nie tylko konieczności metodologicznych, ale i własnych zainteresowań. Dowodem ich są cztery imponujące tomy *Pokucia* oraz pośmiertnie wydany *Wołyń*. Prócz tego sporo materiałów ukraińskich zachowało się w tekach dotyczących Rusi Czerwonej, częściowo tylko w *Przemyskiem* wyzyskanych.

Pokwitowaniem tych prac ze strony nauki rosyjskiej są, aż oschłe w swej rzeczowości, uwagi o nich w książce A. Pypina, rozpoczęte określeniem Kolberga jako uczonego, który należy do „liczby najbardziej zasłużonych działaczy w całej etnografii słowiańskiej", zakończone zaś stwierdzeniem, iż w zbiorze materiałów huculskich w tomach poświęconych Pokuciu „mimo woli zdumiewa nas bogactwo pieśni wysoce artystycznych tak co do formy, jak co do treści"[4].

Uwaga ta jest więc tylko potwierdzeniem tego, co powiedziałem o sposobie zbierania i wybierania przez Kolberga tekstów, które decydował się ogłaszać drukiem.

VI

Teksty ludowe w dziele Kolberga otrzymały swoistą oprawę naukową, o której powiedzieć by można, że lepiej świadczy o ambicjach niż o przygotowaniu autora, gdyby takie ujęcie nie było nadmiernym uproszczeniem i wskutek tego nie było fałszywe. Słusznie więc będzie rzecz ująć w twierdzeniu, iż oprawa ta jest wysoce nierówna, bo miejscami konieczna, miejscami zbędna, miejscami wreszcie częściowo potrzebna i wartościowa.

Konieczne mianowicie były jakieś ramy pozwalające zarówno uporządkować ogromny materiał tekstów, jak udostępnić go czytelnikowi przy pomocy spisu rzeczy; innymi słowy konieczna była jakaś systematyka owego materiału. Zasady bowiem ustrojowe, przyjęte w *Ludzie*, gdzie mnóstwo pieśni obrzędowych i obyczajowych weszło w opisy danych obrzędów czy obyczajów, nie mogły objąć wszystkich pieśni. Również dla bajek trzeba było stworzyć jakiś układ im tylko właściwy.

Z trudności tych Kolberg usiłował wybrnąć, tworząc ogromną grupę „Tańców", obejmującą śpiewki krótkie, zróżnicowane nie tekstowo, lecz muzycznie. Dla reszty zaś, a więc pieśni dłuższych, nie związanych z obrzędami i obyczajami, obmyślił klasyfikację bardzo dziwaczną, którą stosował na ogół konsekwentnie. Przyjął tedy pewne zasady podziału, częściowo tematyczne, częściowo funkcyjne, tak jednak ogólnikowe, że niekiedy wręcz fikcyjne. Na przykład pieśni z Kielecczyzny (t. XVIII) podzielił na dziewięć klas, pieśni z Radomskiego zaś na szesnaście czy nawet siedemnaście klas w taki sposób: 1. Zaloty; 2. Chęć ożenku;

---

[4] *Istorija russkoj etnografiji;* Petersburg 1891, t. III, s. 289—294.

3. Pieśni w związku z weselnymi; 4. Życzliwość, wymówka; 5. Rzemieślnicze; 6. Igraszki, swawola; 7. Smutek, starość; 8. Małżeństwo; 9. Dumy; 10. Zabawa, pijatyka; 11. Wojna, wojsko; 12. Rody, stany; 13. Rzemiosło; 14. Pasterstwo; 15. Różne; 16. Kołyska; 17. Pieśni dziadowskie. Samo wyliczenie tych kategorii dowodzi, że mało są one przydatne nie tylko dlatego, że układ ich urąga teoretycznie elementarnym zasadom podziału logicznego, ale że w praktyce do niczego nie prowadzi. Na usprawiedliwienie jednak Kolberga powiedzieć trzeba, że koniecznego zadania, które sobie tutaj postawił, nie umiał rozwiązać żaden z jego następców. Nie tutaj miejsce zastanawiać się nad sposobami jego rozwiązania, które prędzej czy później znaleźć się musi, powiedzieć natomiast trzeba, że wszelkie próby w tej dziedzinie winny się liczyć z Kolbergiem, z tym, co w zakresie systematyki zrobił, i z tym, czego zrobić nie zdołał.

W dziedzinie znowuż bajek ludowych sytuacja wyglądała w czasach Kolberga nieco lepiej, tak że mógł on zastosować zasadę podziału bardziej realną, zbliżoną do przyjętego dzisiaj układu międzynarodowego. Wyróżniał on tutaj mniej grup, również zbyt ogólnikowych, ale uchwytniejszych, dzieląc materiał na: 1. Gadki cudowne (które niekiedy baśniami nazywał); 2. Powieści moralne i legendy; 3. Gadki o złych duchach, diabłach, strachach itp.; 4. Gadki o zbójcach, złodziejach, głupcach, babach itp. (t. VIII, s. III); do tego zaś z biegiem czasu dodawał 5. Bajki (w znaczeniu „fabula", a więc zwierzęce) oraz 6. Dykteryjki, krótkie opowiadanka komiczne.

Układ ten, jako zbyt ramowy, budził w czasach późniejszych zastrzeżenia; usiłowano go zastąpić innym, „filozoficznym", przypominającym Kolbergowską systematykę pieśni, a więc zupełnie nieprzydatnym. Zbudowanie wreszcie systematyki międzynarodowej, dalekiej zresztą od doskonałości, dowiodło, iż autor *Ludu* był na dobrej drodze, gdy tworzył ramy ogólne, rozmieszczenie w nich bowiem klas pomniejszych pozwala dzisiaj na stosunkowo przejrzystą klasyfikację całego ogromnego materiału.

Dalszym członem oprawy naukowej w dziele Kolberga są przypisy naukowe, usiłujące umiejscowić opisywane zjawiska bądź na tle historycznym polskim, bądź na szerszym, tj. na tle materiału ogólnoeuropejskiego, niekiedy nawet ogólnoświatowego. Próby te, w których przewijają się nazwiska najznakomitszych podówczas etnografów obcych i polskich, budziły sporo zastrzeżeń u recenzentów omawiających tomy *Ludu*, gdy ukazywały się na półkach księgarskich. Na dobro ich autora powiedzieć można, że zajmując się tak często problemami wierzeniowymi, nie przesadzał w powtarzaniu modnych objaśnień „mitologicznych". W większości jednak wypadków ta kategoria przypisów stanowi balast, bez którego *Lud* obyć by się mógł doskonale.

Inaczej przedstawia się sprawa materiału historycznego polskiego. Kolberg czytywał wiele i uważnie, widać też, jak zakres lektury rozszerzał. Zastanawiając się np. nad demonologią polską w 1874 r. (*Krakowskie* III, t. VII), nie znał jeszcze imion diabłów spotykanych w literaturze staropolskiej, w sześć lat później (*Poznańskie* VII, t. XV, s. 76) umiał już przytoczyć za *Dziewosłębem dworskim* Smołków i Wąglików. Ostatecznie w przypisach do *Ludu* wystąpiły odwołania się do dialogów Korczewskiego, do Klonowicza i Skargi, do Bielskiego, do literatury sowizdrzalskiej, jak *Albertusy, Statut* Dzwonowskiego lub *Kiermasz wieśniacki*, do J. Morsztyna i Kochowskiego, do *Nowych Aten* Chmielowskiego, do *Diabła w swojej postaci* Bohomolca i in. Do tego dochodzą najrozmaitsze dokumenty rękopiśmienne, jak na okładce starej książki zanotowana relacja *An licet occidere strigam?* (*Krakowskie* III, t. VII, s. 217). W ten sposób, przypadkowo i niesystematycznie, czasem nawet niepotrzebnie, Kolberg gromadził sporo staropolskiego materiału folklorystycznego, wyprzedzając o lat kilkanaście A. Brücknera z jego studiami nad kaznodziejstwem średniowiecznym i źródłami późniejszymi.

Autor *Ludu* nie poprzestawał jednak na literaturze staropolskiej i skrzętnie notował współczesne sobie materiały spotykane w kalendarzach oraz czasopismach, a wyglądające często na ciekawostki. Budziło to zastrzeżenia i sprzeciwy — najniesłuszniej. Wszak z kroniki prasowej wyławia się bardzo często zaskakujące dowody istnienia pewnych „typowych sytuacji", które zdarzają się równie dobrze w życiu, jak występują w literaturze, sytuacji takich, jak wątek zbrodni w *Niespodziance* Rostworowskiego. I już ten jeden wzgląd nie pozwala potępiać praktyk Kolberga. Motyw zaś drugi, daleko ważniejszy, to wyłowienie z rzadkich wydawnictw periodycznych, z kalendarzy, tygodników i dzienników mnóstwa drobnych folklorystycznych podań, przysłów czy anegdot. Słowem, Kolberg zainicjował tu dużą pracę prześledzenia najrozmaitszych zakamarków literackich i naukowych celem wydobycia ich cennej często zawartości.

Zaznaczyć wreszcie należy, iż komentarze Kolberga, zawarte we wstępach i przypisach do tomów *Ludu*, cechuje nieraz duży krytycyzm, świadczący dobrze o postawie naukowej autora. Na dowód wypowiedź tym charakterystyczniejsza, iż dotyczy nie byle kogo i nie byle jakiego dzieła, bo R. Berwińskiego i jego *Studiów o literaturze ludowej* (1854), zrywających z tanimi zachwytami romantycznymi nad wszystkim, co ludowe, ale posuwających się zbyt daleko w niesłusznych uogólnieniach, w których rozczarowany romantyk odmawiał chłopu prawdziwych uzdolnień twórczych. Dla Kolberga przyjęcie poglądów Berwińskiego było niemożliwe, zgoda bowiem na nie byłaby przekreśleniem pracy, której poświęcił życie. Dlatego też w dwadzieścia lat po ukazaniu się *Studiów* zareplikował na wystąpienie Berwińskiego wywodem o niesłuszności jego stanowiska i piękną obroną kultury chłopa polskiego, odbijającej się w literaturze ludowej (*Krakowskie* III, t. VII).

Zaprzeczając bowiem umysłowej ludu naszego twórczości i na bierne, naśladowcze jedynie skazując go ducha stanowisko, ubliżałby on [sąd Berwińskiego] naturze ludzkiej w ogóle, która jakkolwiek uległą być może prądom wypadków czy to gwałtownie, czy mniej nagle z zewnątrz na nią napływających, nie zrywa przecież od razu wszystkich ogniw wiążących ją z przeszłością, nie wyrzeka się jej bezwarunkowo, chociaż nie zawsze czuje wagę i pojmuje znaczenie przechowanych w swym łonie tradycji.

Takim oto wyznaniem wiary w człowieka i chłopa polskiego przyświadczył Kolberg stanowisku, którego wyrazem stały się księgi *Ludu*.

VII

Pozostaje jeszcze garść uwag ogólnych sumujących całość wywodów na temat zasług Kolberga w dziedzinie naszej literatury ludowej i wyciągnięcie z nich kilku wniosków praktycznych.

Najprościej byłoby poprzestać na przytoczeniu gorących nieraz słów, które w czasie jubileuszu twórcy *Ludu* w 1889 r. i po jego zgonie w 1890 r. wypowiedzieli jego wielbiciele i przyjaciele, pracownicy tej samej niwy, J. Karłowicz, I. Kopernicki, H. Łopaciński. Sławili oni zgodnie wielkiego etnografa polskiego i słowiańskiego, wskazywali na niezwykłość osiągnięć pracownika, który własnym wysiłkiem stworzył trzydzieści tomów *Ludu*, obiektywna zaś wymowa argumentów, którymi się posługiwali, nadawała wywodom ich wartość rzeczowych konstatacji, rozświetlonych sympatią, którą dla „nestora nauki polskiej" żywili.

Jeśli się tutaj głosów tych nie przytacza, to nie tylko dlatego, że — jak to wskazano poprzednio — wymagają one pewnych modyfikacji, ale i dlatego, że podana tutaj charakterystyka wychodzi z innych nieco przesłanek, co jest naturalne, gdy się zważy na jej odległość od śmierci Kolberga. Charakterystyka to zresztą niepełna, szkicowa, nie sięgająca do dokumentów, które niewątpliwie niejeden jej szczegół kazałyby zmienić. Zmianie jednak nie ulegnie na pewno jej teza zasadnicza, wydobyta z analizy *Ludu*, a usiłująca wykazać, w jaki sposób na Kolbergu odbiło się to, co zadecydowało o jego wyjątkowym stanowisku w dziejach nauki polskiej i kultury polskiej: jego przejście od upodobań romantycznych kompozytora, rozmiłowanego w muzyce ludowej, do nauki, którą udało mu się stworzyć, a która była niejednokrotnie żmudną, rzemieślniczą robotą naukową. Ale to właśnie wyniosło go wysoko nad jego poprzedników i rówieśników. Oni improwizowali naukę, bywali jej pionierami. On zakasał rękawy i wziął się do rzetelnej, ciężkiej roboty naukowej, by w ciągu lat pięćdziesięciu wznieść gmach etnografii polskiej, w której granicach, jak świadczą liczby, uprzywilejowane miejsce wyznaczył poezji ludowej. Miał bowiem jasne zrozumienie tego faktu podstawowego, że poezja ludowa jest ścisłym i nierozdzielnym zespołem słowa i tonu, że istotnie wyrasta, jak się podówczas mówiło, z ducha muzyki. Zdumiewająca pracowitość, którą odmierzamy odległość Kolberga od jego poprzedników, dzieli go również od jego następców. Pod koniec życia coraz częściej odwoływał się on do prac młodszych uczonych polskich, Karłowicza, Ciszewskiego i in., i mógł z zadowoleniem stwierdzać, iż szli oni jego torami. Rzecz jednak znamienna, iż nawet najpracowitsi z nich, jak Karłowicz, Ciszewski, Federowski czy Udziela, nie zdobyli się na pracę równą wykonanej przez Kolberga; żaden z nich nie miał jego rozmachu i jego pedanterii, jego pomysłowości i jego uporu naukowego. I to jest ta przesłanka, która ustala odległość między nami a chwilą, gdy twórca *Ludu* stygnącymi palcami otwierał świeżo wydany tom, ostatni, który mu za życia oglądać było dane. Wielkość Kolberga w perspektywie lat przeszło siedemdziesięciu nie maleje, przeciwnie — rośnie.

Julian Krzyżanowski

OSKAR KOLBERG JAKO KOMPOZYTOR
I FOLKLORYSTA MUZYCZNY

Oskar Henryk Kolberg rozpoczął swoje studia muzyczne od prywatnych lekcji gry fortepianowej, pobieranych w Warszawie u pedagoga Vettera, Łużyczanina z pochodzenia. W 1830 r. widzimy go wśród uczniów J. Elsnera, a w latach 1831—34 nazwisko jego figuruje na liście uczniów I. F. Dobrzyńskiego. Dalsze studia pianistyczne i teoretyczne odbywa w Berlinie, w latach 1834—36, u renomowanych muzyków-pedagogów, jak K. F. Girschner i K. Rungenhagen. Do Warszawy wraca Kolberg ze stemplem studiów zagranicznych jako nauczyciel gry fortepianowej i kompozytor.

W tym czasie jednym z nurtów rodzimej twórczości muzycznej była tak zwana muzyka domowa. Do uprawiania jej nawoływała ówczesna polska krytyka muzyczna, widząc w muzykowaniu domowym nie tylko godziwą i niosącą ukojenie rozrywkę, lecz poważny środek krzewienia narodowej kultury muzycznej. I rzeczywiście — muzyka domowa spełniła pokładane nadzieje; odegrała znaczną rolę w formowaniu naszej kultury muzycznej. Wykształciła swoje formy miniatury fortepianowej i pieśni solowej z akompaniamentem oraz skrystalizowała własne konwencje estetyczne i techniczne. Ówczesny czołowy krytyk muzyczny Józef Sikorski w artykule *Muzyka domowa i wirtuozi* pisze: „...któż zaprze jej działania na ludzi, i tym większego, im szerzej się rozpostarła? Ogrody, koncerta, teatra i świątynie pańskie brzmią jej odgłosem, ale największe jej panowanie jest w domowym zaciszu, w rodzinnym gronie" („Biblioteka Warszawska", t. IV, 1844, s. 589). Podstawę tego ruchu kulturalnego stworzyły nastroje, jakie zapanowały w społeczeństwie polskim po powstaniu listopadowym.

Upadek powstania wzmógł postępową myśl społeczną, polityczną i naukową społeczeństwa pozbawionego wolności i skierował ją w stronę ludu, by w nim szukać oparcia do pielęgnowania narodowych elementów kultury i źródeł wzmożenia sił patriotycznych. Przedstawiciele nauki i kultury, głównie historycy, literaci i malarze, złączeni w grupę tak zwanej cyganerii warszawskiej, realizowali program nawiązania w twórczości artystycznej do rodzimej sztuki ludowej, z którą zapoznawano się podczas wspólnych wędrówek w okolice Warszawy.

Do tego ruchu i do nurtu muzyki domowej włączył się Kolberg po powrocie do kraju ze studiów berlińskich. Jego twórczość kompozytorska stała się wyrazem realizacji programu warszawskich kół cyganerii — olbrzymia większość utworów powstała w oparciu o muzykę ludową. Kolberg wydał około trzydziestu kompozycji, które ukazały się bądź jako wydawnictwa pojedyncze, bądź jako większe zbiory. Nie wszystkie dochowały się do naszych czasów, o wielu wiemy tylko z ogłoszeń wydawniczych lub recenzji. Główna ich część napisana została na fortepian. W tej grupie dominują zeszyty z kujawiakami, mające takie tytuły, jak: *Nasze sioła* (op. 2, op. 9) czy *Kujawiaki w stylu gminnym* lub *Kujawiaki według znanego tematu gminnego*. Ukazało się drukiem około 43 kujawiaków. Inny obfity zeszyt nosi tytuł *Zbiór mazurów i obertasów gminnych*. W 1874 r. wyszły w Poznaniu u Leitgebera dwa zeszyty pt. *Mazurkas et les autres dances polonaises*. Obok kujawiaków i mazurów zachowało się kilka walców (op. 9, 10, 23), *Fantazja* op. 1, *Scènes de bal*, *Contredances brillantes et variées*, wydane w Lipsku u Hofmeistera, *Grande marche pour piano*, *Etiudy* op. 14 i 20, dedykowane Chopinowi. O dwu krakowiakach wiemy z recenzji J. Sikorskiego z 1848 r. W rękopiśmiennej spuściźnie Kolberga zachowały się w tece nr 36 i 42 jego opracowania tańców ludowych, a mianowicie 53 obertasy, 14 mazurów, 2 kujawiaki, 2 polonezy i 1 krakowiak. Utwory wokalne Kolberga to: ballada *Talizman* — pieśń zwrotkowa z akompaniamentem fortepianu, wydana w 1836 r., oraz 3 pieśni do słów B. Zaleskiego: *Młodo zaswatana*, *Rojenia wiosenne*, *Śpiew poety*, wydane w r. 1847. Z trzech utworów scenicznych: *Janek spod Ojcowa*, do słów K. Gregorowicza, *Wie-*

sław, nie dokończona sielanka operowa do tekstu K. Brodzińskiego — zachowała się tylko jednoaktowa opera *Król pasterzy*, do tekstu T. Lenartowicza. Na pograniczu twórczości kompozytorskiej Kolberga i jego dokumentacji folklorystycznej stoją zbiory pieśni ludowych, które zawierają autentyki melodii ludowych zaopatrzone w skromny akompaniament fortepianowy. Wydawnictwa te wkraczają w krąg repertuaru muzyki domowej, a równocześnie charakteryzują Kolberga jako folklorystę w jego pierwszej fazie rozwojowej.

Oceniając dorobek kompozytorski Kolberga, stwierdzić musimy, że autorowi zabrakło talentu, by odegrać większą rolę na estradach kraju czy stolicy. Natomiast rozpatrując twórczość Kolberga na skromnej, lecz jakże ważnej płaszczyźnie muzyki domowej, praktykowanej przez mniej lub bardziej zaawansowanych amatorów w kółku rodzinnym czy w salonach, stwierdzić musimy, że była ona zjawiskiem jak najbardziej pozytywnym w kształtowaniu rodzimej kultury muzycznej. Fortepianowe kompozycje Kolberga nie oparte na muzyce ludowej nie odbiegły wprawdzie od akademicko-eklektycznego stylu charakterystycznego dla pomniejszych kompozytorów. Właściwa wartość sztuki kompozytorskiej Kolberga, późniejszego folklorysty, ujawnia się za to w całej pełni w stylu jego utworów związanych z muzyką ludową. Szczególnie cenną rolę odgrywają te utwory, w których Kolberg przenosi właściwości tańców ludowych na formy tanecznej muzyki użytkowej. Najwyższy i najbardziej czysty poziom osiągają jego kujawiaki, będące czymś wyjątkowym w ówczesnej literaturze muzycznej tego typu. Prostota środków technicznych pozwala eksponować na plan pierwszy niezafałszowaną melodię ludową. Podobne stanowisko Kolberga-kompozytora widzimy w jego opracowaniach pieśni ludowych, gdzie dyskretny i skromny akompaniament nie zaciera i nie przytłacza oryginalnej melodii ludowej. Dowodzi to z jednej strony szacunku kompozytora dla twórczości ludowej, z drugiej strony jest świadectwem konsekwentnej realizacji programowych założeń muzyki domowej. Dostosowanie się autora do możliwości wykonawczych szerokich rzesz amatorów-muzyków otworzyło drogę do popularyzacji wśród nich polskich melodii ludowych, a tym samym do przeniknięcia w nurt muzyki domowej elementów ludowych i narodowych. Na tym polega znaczenie Kolberga jako kompozytora.

Nieporównanie większą rolę w historii polskiej kultury muzycznej odegrał Kolberg jako muzyk-folklorysta i jako etnograf. Jego niestrudzona praca w dziedzinie dokumentacji folkloru i kultury materialnej ludu polskiego przyniosła dzieło o nieprzemijającej wartości — podstawę materiałową dla polskiej folklorystyki i etnografii.

Po powrocie ze studiów berlińskich zastał Kolberg w Warszawie tętniący życiem ruch ludoznawczy, zabarwiony wyraźnie powiewem romantyzmu. Kolberg włącza się do tych, którzy wspólnym „ku rzeczom sielskim ożywieni ruchem" odbywają dalekie wędrówki po wsiach wokół Warszawy i oczarowani urokami sielskiej sztuki, przelewają na papier „dziarskie włościan typy", poezję zawartą w tekstach pieśniowych, myśli i przysłowia ludu, zasilając tym swój własny umysł i własną muzę (I. Komorowski, C. Norwid, T. Lenartowicz, W. Gerson i in.). Zastał również Kolberg szereg wydawnictw, w których opublikowano już w sumie blisko trzy tysiące pieśni ludowych i które pojawiały się nadal, nim doszło do wydania I serii jego dzieła. Znamienną cechą tych publikacji była olbrzymia ilość tekstów, a minimalna ilość zapisów melodii. Tak więc na przykład lwowski literat, krytyk i... gubernator Galicji Wacław z Oleska zawarł w swym zbiorze (Lwów 1838) „mnogością znamienitym" 1490 tekstów pieśniowych, a w tym tylko 160 melodii; historyk i gawędziarz warszawski K. W. Wójcicki w długim rejestrze setek wydanych pieśni ma tylko 30 melodii; bibliograf krakowski Żegota Pauli umieszcza w swych zbiorach kilkaset pieśni bez żadnej melodii, a wielkopolski zbieracz-amator J. J. Lipiński na 132 teksty tylko 16 zaopatruje nutami. Podobnie L. Zejszner, geolog z zawodu, w zebranych pieśniach Podhalan nie podaje żadnego zapisu muzycznego. Zabrakło zacnym zbieraczom pomocy zawodowego muzyka tak przy zbieraniu pieśni, jak i przy ich wydawaniu. Uciekali się więc do pomocy amatorów albo też — pragnąc zapewnić swym dziełom zbyt — upraszali do współpracy wydawniczej wirtuozów i kompozytorów o błyszczących nazwiskach, dla których to jednorazowe zajęcie miało znaczenie czysto marginesowe. Tego rodzaju współpraca zaważyła na stosunku tekstów do melodii.

Kolberg przystępuje do grona zbieraczy „rzeczy ludowych" jako muzyk. Dostrzega braki muzycznych dotychczasowych publikacji i pragnie nadrobić je, wydając muzyczne zapisy melodii.

„...sądzę, że dogodzę potrzebie czasu i współziomków, gdy tyle ważną — a może ważniejszą jeszcze pieśni tych część — to jest muzykę, dołączę do już istniejących zbiorów" — pisze Kolberg w swym „Prospekcie na *Pieśni ludu polskiego*", jakie zamierzał publikować w Poznaniu u Żupańskiego [1]. Ale Kolberg był w owym czasie muzykiem-kompozytorem i daleka była przed nim droga, która miała go doprowadzić do pozycji muzyka-etnografa i dokumentatora polskiej pieśni ludowej. Wówczas kroczył jeszcze śladami swoich poprzedników i melodie ludowe zaopatrywał w akompaniament fortepianowy własnego pióra, w przekonaniu, że tylko w tej „ozdobnej" postaci mogą się one ukazać na widok publiczny i zyskać uznanie odbiorców. Daje temu wyraz, pisząc we wspomnianym już prospekcie, że melodię ludową pragnie „wiernie schwycić" i oddać w zupełności, ozdobić i ubrać w przygrywki, przystroić w harmonią [...] to było zadaniem pracy mojej przy zbieraniu melodii, jako i tekstu samychże pieśni". Do roli tej Kolberg czuł się powołany, ponieważ zapełniał w tym czasie swoją tekę kompozytorską opusami, których już same tytuły wskazywały, że szukając w muzyce ludowej inspiracji, pragnął zaliczyć się do grona kompozytorów narodowych.

Ważnym etapem drogi, po której kroczył, było zapowiedziane w „Prospekcie" wydawnictwo zwarte, jakie zaczęło się ukazywać zeszytami. Pierwszy zeszyt, zawierający 24 numery pieśni, ukazał się w r. 1842 w Poznaniu u Żupańskiego nosząc tytuł *Pieśni ludu polskiego*; piąty wyszedł dopiero w 1845 r. Nie wyczerpało to tej ilości pieśni, jaka zapowiedziana była we wspomnianym

---

[1] „Tygodnik Literacki" Poznań 1842, t. V, nr 21, s. 168. „Prospekt na *Pieśni ludu polskiego*, zebrane i rozwinięte przez Oskara Kolberga", z podpisem i datą: 3 XII 1841.

prospekcie [2]. W tych pięciu zeszytach opublikował Kolberg 126 pieśni z akompaniamentem fortepianu. Stanowiło to dopiero połowę jednego „oddziału". Kolberg miał ich przygotowanych znacznie więcej. Czytamy oto w doniesieniach „Tygodnika Literackiego" wychodzącego w Poznaniu, że „Pan Oskar Kolberg wkrótce wydać ma zbiór pieśni ludu polskiego [...] już przed kilku laty podczas pobytu jego w Poznaniu mieliśmy przyjemność słyszenia kilku z nich [...] leżą przed nami w rękopiśmie dwa pierwsze zeszyty, zawierające około pięćdziesiąt piosenek. Dotąd zebrał ich p. Kolberg do 600..."[3] Nie znamy przyczyny, która sprawiła, że nakładca Żupański opublikował w ciągu czterech lat tylko pięć zeszytów *Pieśni ludu polskiego*. Kolberg musiał mieć w każdym razie wszystkie materiały gotowe, skoro ich dalszą partię ofiarował tygodnikowi „Przyjaciel Ludu" (Leszno), który w latach 1846—47 drukuje co tydzień jedną pieśń, dochodząc do numeru 215 [4]. Przypuszczać można, że nie tylko kłopoty z nakładcą były przyczyną niezrealizowania zamiarów wydawniczych Kolberga.

Pewne światło na tę kwestię rzucą recenzje pierwszych zeszytów *Pieśni* oraz fakt, że Kolberg w dalszych latach swojej pracy zarzucił dotychczasowy system publikacyjny.

Recenzje przyjęły na ogół zbiór Kolbergowski z dużym uznaniem, podkreślając, że pokazano nareszcie polską pieśń ludową w pełnej szacie muzycznej. Tę „pełną szatę" stanowiło zapewne

---

[2] Zaznacza w nim Kolberg, że: „Dzieło wychodzić będzie w zeszytach sześcioarkuszowych co 6 tygodni, z których dziesięć jeden stanowić będą oddział".

[3] „Tygodnik Literacki" Poznań 1842, t. V, nr 14, s. 112 — doniesienia literackie.

[4] Redakcja tegoż pisma w nr 1. rocznika 1846 potwierdza odebranie zbioru następująco: „Miłym zapewne będzie szanownym czytelnikom dar pana Colberga, za który mu redakcja jest nader wdzięczną. Wiadomą jest rzeczą, iż w Poznaniu nakładem Żupańskiego wychodził męża tego zbiór pieśni, z którego kilka poszytów już wydrukowano. Ponieważ przedsięwzięcie doznało przeszkód, podarował pan Colberg resztę zbioru naszemu pismu, aby w nim wychodziło. Zaczynamy od nr 126". (Redakcja „Przyjaciela Ludu" przez pomyłkę rozpoczęła druk pieśni numerem 126, mimo że zbiór Żupańskiego kończy się właśnie na numerze 126.)

opracowanie fortepianowe pieśni. Recenzent poznański pisze, że jest ono „...proste, łatwe, ale zawsze melodii odpowiednie, a niekiedy nawet artystyczne...", a „przegrywki przyłączone nie są czczymi dodatkami, lecz zupełnie w duchu pieśni ułożone..."[5]. Józef Sikorski w swej równie przychylnej recenzji stwierdza, że do tego rodzaju publikacji należy przyłożyć miarę amatorskiego zapotrzebowania[6]. Uwaga ta, która wyszła spod pióra najpoważniejszego wówczas krytyka i publicysty muzycznego, wskazuje na dążność do popularyzacji polskich pieśni ludowych wśród muzykujących amatorów. Miały one stanowić antidotum na rozchwytywane wówczas „romanse" obcych kompozytorów, które wtargnęły do domowej muzyki amatorskiej. Znalazł się jednak w Poznaniu jeden głos krytyczny — anonimowa recenzja na łamach „Dziennika Domowego", w r. 1842[7]. Autorem jej jest Karol Libelt[8], wybitna umysłowość, jeden z czołowych propagatorów idei wolnościowych z połowy XIX wieku. Ocena jego wnosi nowy, niezmiernie ważny dla rozwojowej drogi Kolberga aspekt. Oto Libelt radzi: „Niechby autor tylko zawsze miał na uwadze, że idzie tu o to tylko, by śpiew ludu jak najwierniej był oddany, że zatem wszelkie zdobywanie się na sztukę, wszelkie dodatki na koszt wierności i prostoty w oddaniu melodii ludowej nie są na swoim miejscu. Przegrywki wydają nam się niestosowne, końcówki melodii zakrawają czasem na coś obcego, np. w pieśni 13. bas za sztuczny i mało zbliżony do wiejskich tonów..." Głos Karola Libelta, poparty później znaną opinią Chopina[9], wskazał

---

[5] M. A. Schulc: recenzja w „Tygodniku Literackim"; Poznań 1842, t. V, nr 42, s. 335—336.

[6] J. Sikorski: *„Pieśni ludu polskiego" przez Oskara Kolberga*; „Gazeta Codzienna" Warszawa 1856, nr 219 i 297. Porównaj S. Jarociński: *Antologia polskiej krytyki muzycznej XIX i XX wieku*; Kraków 1955, s. 88—96.

[7] „Dziennik Domowy" Poznań 1842, nr 21.

[8] K. Libelt: *Pisma pomniejsze*; Poznań 1849—59. Wyżej wymieniona recenzja z nr 16 została tu powtórzona, co pozwoliło na rozszyfrowanie anonimu.

[9] *Korespondencja Fryderyka Chopina*, B. Sydow; Warszawa 1955, t. II, s. 193; czytamy tam: „...[Nowakowski] oddał mi pieśni Kolberga, dobre chęci, za wąskie plecy. Często podobne rzeczy widząc, myślę, że lepiej nic, bo mozół ten tylko skrzywia i trudniejszą robi pracę geniuszowi, który kiedyś tam prawdę

niewątpliwie Kolbergowi-kompozytorowi drogę, jaka powiodła go na pozycję etnografa-muzyka.

W zbiorze wydanym u Żupańskiego, jak i w jego kontynuacji drukowanej w „Przyjacielu Ludu" nie możemy dopatrzyć się określonego planu w układzie materiału. Zwraca jednak uwagę to, że autor zaopatruje niektóre pieśni w odsyłacze, kierujące do analogicznych czy podobnych tekstów umieszczonych w dotychczasowych zbiorach swoich poprzedników. Realizuje więc Kolberg zapowiedź uzupełniania publikowanych zbiorów pieśniowych melodiami [10]. Drugi rys charakterystyczny zbioru Kolberga z 1842 r., zdradzający już kształtowanie się postawy autora-dokumentatora, stanowi tendencja uzupełniania niektórych pieśni podaniem wariantów melodii. Znać tu, że w pewnych przypadkach Kolberg wybierał do publikacji jedną melodię spośród kilku znanych.

Dalsze drobne publikacje Kolberga, chociaż ciągle jeszcze operują pieśniami opatrzonymi akompaniamentem fortepianowym, nie mają już charakteru zbioru pieśni ludowych przeznaczonego dla potrzeb muzykowania domowego. Są to bowiem zbiory pieśni albo pochodzących z określonego terenu geograficznego, albo też związanych z określonymi obrzędami ludowymi. W 1846 r. pojawiają się w „Dzwonie Literackim" pieśni litewskie [11], a dalej pieśni czeskie i słowackie [12], zebrane przez Kolberga w Warszawie od wędrujących druciarzy słowackich. W „Album Literackim" znajdujemy pieśni obrzędowe do kogutka, gaika i okrężnego, uzupełnione opisem obrzędów. 18 melodii, jakie tam Kolberg zamieszcza, opatrzył jednak nadal akompaniamentem fortepianowym [13]. W latach 1847—49 wychodzi

---

odwikła. A aż do czasu owego wszystkie te piękności zostaną z przyprawianymi nosami, różowane, z poobcinanymi nogami albo na szczudłach, i pośmiewiskiem będą tym, co lekko na nie spojrzą".

[10] To komparatywne nastawienie w stosunku do ludowego materiału muzycznego cechuje wszystkie serie wydawnicze Kolberga. Obejmuje zarówno tekst, jak i melodię, i odnosi się do publikacji innych i publikacji własnych.

[11] „Dzwon Literacki" Warszawa 1846, t. III, s. 93—107.

[12] „Dzwon Literacki" Warszawa 1846, t. IV, s. 272—284.

[13] „Album Literackie" Warszawa 1848: *Pieśni ludu obrzędowe.*

szereg artykułów Kolberga — łącznie z pieśniami — pod tytułem *Pieśni ludu weselne* [14].

W przedmowach do tych artykułów Kolberg kładzie główny nacisk na to, że do pieśni dołącza muzykę. „Przedmiotem niniejszej rozprawy jest głównie muzyka, która stanowiąc z tekstem nierozerwalną całość, najdzielniej one [pieśni] charakteryzuje" — pisze w przedmowie do *Pieśni ludu obrzędowych* i na 20 tekstów podaje 18 melodii. W przedmowie do *Pieśni ludu weselnych* nadmienia: „... przedsięwziąłem skreślić pieśni weselne z melodiami [...] oraz wskazać ich warianty..." [15] Tutaj jednak na 281 podanych tekstów pieśni weselnych, cytowanych wraz z opisami wesel z różnych innych publikacji, podaje tylko 84 melodie. Nie stanowi więc to pełnej realizacji jego założeń. Najwidoczniej zabrakło Kolbergowi i melodii, i wariantów. Z braku tego musiał sobie zdawać sprawę, bo w następnych latach przerywa pracę publikacyjną i wyrusza w teren celem uzyskania odpowiedniego materiału (lata 1849—56).

Wszystkie melodie wydane przez Kolberga do r. 1849 (a jest ich 355) [16] posiadają opracowanie fortepianowe. Opracowanie to jest prościutkie i w myśl ówczesnej publicystyki muzycznej łatwe do spopularyzowania wśród amatorów muzykujących w domu. Kolberg starał się urozmaicić akompaniament w duchu ludowym

[14] „Biblioteka Warszawska" — *Rozmaitości*, Warszawa 1847/48/49: *Pieśni ludu weselne*.

[15] W przedmowie — odnosząc się do zbiorów śpiewów weselnych swych poprzedników — pisze: „...do żadnego jednak tyle tu potrzebnej muzyki nie dołączono. A wszakże każdy chętnie przyzna, że ta ostatnia jest niejako koroną godnie wieńczącą dzieło; bez niej tekst jest jakoby ciało bez duszy — zatem muzyka jest tu z tekstem nierozdzielną (bo bez niej żadne wesele nie ma miejsca), przedsięwziąłem skreślić pieśni weselne z melodiami... oraz wykazać ich warianty..."

[16] W wydawnictwie Żupańskiego   126
    w „Przyjacielu Ludu"   90
    w „Dzwonie Literackim" pieśni litewskie   22
    w „Dzwonie Literackim" czesko-słowackie   15
    w „Album Literackim" obrzędowe   18
    w „Bibliotece Warszawskiej" weselne   84
        355

przez naśladowanie basowania kapeli ludowej (buczenie kwint) czy stosowanie nuty pedałowej, imitującej brzmienie dudów. Jedno jest pewne: że mimo tych uzasadnionych rozumowo starań brakło tu rzeczywiście talentu, co Libelt określił jako „niestosowne przegrywki", a Chopin jako „dobre chęci, lecz za wąskie plecy".

Zawartość dalszych publikacji wskazuje, że Kolberg zdał sobie sprawę ze swych niewystarczających możliwości twórczych. Rezygnuje więc z dążności kompozytorskich w stosunku do zebranych pieśni, rozszerza poprzez prace terenowe materiałowy zasób swego warsztatu i zmienia na tej podstawie metody pracy edytorskiej. Przychodzi więc moment, w którym Kolberg kompozytor ustępuje miejsca Kolbergowi dokumentatorowi.

Rozszerzenie własnej bazy materiałowej i pogłębienie obserwacji w stosunku do zebranego materiału naprowadzają Kolberga na trudną drogę systematyzowania wydawanych pieśni poprzez zestawianie ich wariantów. Gromadzi więc warianty melodyczne danej pieśni z różnych okolic kraju, by na tej komparatywnej podstawie wyciągać wnioski o różnicach melodycznych, rytmicznych i skalowych, zachodzących między wariantami. Przypuszczał, że na tej drodze zarysują się właściwości regionalne muzycznego folkloru Polski. Że taki plan leżał u podstaw pracy Kolberga w owych latach, świadczy jego wypowiedź, którą odnośnie do tego okresu pracy zamieścił w przedmowie do *Serii II* z 1865 r. Tłumaczy się tam, dlaczego zmienił układ materiału tej serii w stosunku do *Serii I* z r. 1856/7. Wyjaśnia, że układ rozpoczęty został na zbyt rozległą skalę, że systematyzacja materiałów, w której każda seria miała obejmować tylko jeden rodzaj pieśni, np. same miłosne, weselne itp., nie dozwoliłaby mu nawet w ciągu długiego życia doczekać „szczęśliwego końca w ten sposób przedsięwziętej publikacji".

Te szeroko zakrojone założenia znalazły zatem swój wyraz w *Serii I*. Kolberg daje ten sam tytuł co zbiorowi z 1842 r.: *Pieśni ludu polskiego*. Może pragnął w ten czysto zewnętrzny sposób dać wyraz swemu nowemu spojrzeniu na materiał folklorystyczny i nowym dążeniom naukowym, tak odmiennym od dawnych kompozytorskich ambicji. Różnicę tę dostrzeże zresztą czytelnik natychmiast po otwarciu tomu. Nowe *Pieśni ludu polskiego*, wydane w 14 lat po poprzednich, zapisane są bez wyjątku jednogłosowo. Akompaniament fortepianowy znikł i odtąd nie ukaże się już więcej w seriach Kolbergowskich.

Kolberg folklorysta i etnograf potraktował melodię ludową jako dokument, podał ją bez przystroju akompaniamentu fortepianowego, w zapisie jednogłosowym, tak jak ją śpiewano. Ale w toku prac zbierackich Kolberg doszedł do przekonania, że pieśń i muzyka jest integralną częścią wszystkich przejawów kultury ludowej i spełnia określoną funkcję w życiu ludzi. Toteż nie poprzestał na zbieraniu samych pieśni, lecz rozszerzył zakres swych badań na wszystkie przejawy duchowej i materialnej kultury ludowej. Jego *List otwarty* ogłoszony w „Bibliotece Warszawskiej" w 1865 r. i wzywający współobywateli do niesienia pomocy w pracach zbierackich, zaopatrzony jest w ankietę z szeregiem pytań, jakimi należy się posługiwać przy zbieraniu materiałów ludowych. Treść ankiety jest dowodem dążenia do realizacji szerokiego programu, jaki naukom historycznym w Polsce postawił w 1802 r. H. Kołłątaj. Rezultatem realizacji programu Kołłątaja i własnej ankiety są pomnikowe publikacje Kolberga. Zawierają one ogromny materiał nutowy (ca 10 000 melodii), zebrany w nie spotykanym dotąd zasięgu geograficznym. Mamy pieśni do cyklu zwyczajów dorocznych i obrzędów rodzinnych, pieśni warstwy mieszczańskiej i drobnoszlacheckiej, pieśni śpiewane przy dworach oraz pieśni o tematyce religijnej. W układzie tych pieśni Kolberg kieruje się treścią tekstów, czyli funkcjonalnym znaczeniem pieśni, rezygnując z dokonania podziału od strony czysto muzycznej. Podziału muzycznego dopatrzyć się możemy jedynie w melodiach instrumentalnych, które grupuje pod tytułem *Tańce* i dzieli według metrum na nieparzyste i parzyste, przy czym w podtytule wylicza: polonezy, obertasy, mazury itp. albo krakowiaki, polki, sztoty itp. W układzie wewnętrznym nie respektuje jednak zapowiedzianej kolejności tańców, a ponadto dołącza jeszcze melodie taneczne z tekstami pieśniowymi. Każe to mu wprowadzić jeszcze nagłówki: *Pieśni i tańce* lub *Śpiewki i tańce*. Podział muzyczny nie przebiega więc konsekwentnie tym bardziej, że w pieśniach obrzędowych widnieją melodie instrumentalne oraz melodie z tekstem zaopatrzone w nagłówku nazwą formy tanecznej. Teksty i melodie wyposażył Kolberg w odsyłacze, wskazujące na wzajemne powiązania melodyczne, rytmiczne i treściowe z pieśniami swoich zbiorów i zbiorów swych poprzedników. We wstępach i tekście bieżącym poszczególnych tomów znajdujemy opisy tańców ludowych i narodowych, opisy instrumentów oraz własne „uwagi i spostrzeżenia" odnoszące się do cech muzycznych zebranego materiału.

Nasuwa się zasadnicze pytanie: jaką wartość dokumentarną posiadają Kolbergowskie zapisy melodii? Celem Kolberga było „oddać nutę w nieskażonej prostocie, tak jak wybiegła z ust ludu"! Środki, które zastosował, to: wykazywanie drobnymi nutami wszelkich odmian, jakie wykonawcy ludowi stosowali przy śpiewaniu melodii, co świadczy, że Kolberg nie ograniczał się do zapisania jednej wersji melodycznej, lecz czujnie śledził wszelkie formy wariantów; podanie wskazówek co do tempa melodii (wolniejsze tempa ujmuje jako $\frac{3}{4}$, szybsze jako $\frac{3}{8}$); precyzja, jaką włożył w zapis melizmatyki ludowej, zarówno wokalnej, jak i instrumentalnej. Tryle, mordenty, mordenty wolniejsze wypisane jako triole, przednutki pojedyncze i podwójne, ponutki, wokalizy i rytmiczne rozdrobnienia — oto arsenał jego oznakowań, którym wyprzedza nie tylko swoich poprzedników, lecz i następców. Nikt ze współczesnych Kolbergowi zbieraczy: ani Smolier na Łużycach, ani Erck w Niemczech, Erben w Czechach czy Sušil na Morawach nie wnikają tak jak Kolberg w te szczegóły muzyki ludowej, zwłaszcza instrumentalnej. Setki Kolbergowskich tanecznych melodii skrzypcowych, szczególnie z terenu Mazowsza i Kujaw, zawierają najistotniejsze cechy ornamentyki instrumentalnej i w wielu wypadkach nie różnią się dokładnością od tego, co dziś zapisujemy transkrypcyjnie w oparciu o taśmę magnetofonową. Szacunek wzbudza nieustępliwa postawa Kolberga, który mimo zarzutów współczesnej krytyki, z całą konsekwencją notował wszystkie zasłyszane warianty melodyczne, wiążąc je starannie odsyłaczami, by wskazać drogi ewolucji pieśni i jej żywotności w różnych formach na terenie różnych regionów. Skrępowany kosztami drukarskimi, wypracował Kolberg system pozwalający na zapisywanie kilku wersji melodycznych na jednej pięciolinii, co potwierdza, że świadomie dążył do uzyskania największej dokładności zapisu strony muzycznej. Należy więc stwierdzić, że dzięki tym wysiłkom Kolberga zapisy nutowe jego publikacji stanowią materiał mający rangę pełnowartościowego dokumentu historycznego, tym cenniejszego, że niepowtarzalnego.

Znamienne jest, iż przy całej precyzji warsztatu dokumentacyjnego i przy wysokiej technice zapisu nutowego Kolberg nie podjął zapisu brzmienia kapel ludowych. Ten sumienny dokumentator muzyki ludowej musiał najwidoczniej zdać sobie sprawę z tego, że nie będzie w stanie pokonać bez reszty tych trudności, jakie przedstawia sobą brzmienie współmuzykującej kapeli. Muzykowanie jej, polegające na zasadzie heterofonii wariacyjnej, tak dalece odmienne od praw harmoniki, w których Kolberg się wykształcił, okazało się dlań do tego stopnia niezrozumiałe, że nie był w stanie wysnuć prawideł, jakie nią rządzą. Wobec tego zrezygnował z zapisu nutowego współbrzmienia kapeli, a nawet ze słownego opisu jej techniki. Na decyzji tej mógł zaważyć wzgląd na ogromną czasochłonność tego rodzaju zapisu. Nie bez związku z tym stoi również fakt, że opisy instrumentarium ludowego potraktowane są pobieżnie i nie bez błędów.

Pełniejszy natomiast obraz przynoszą informacje Kolberga odnośnie do tańców ludowych i narodowych. Kolberg wymienia około 200 różnych nazw tańców. Nie podaje wprawdzie bliższych analiz muzycznych, ale określa tempo tańców i stosowane w nich akcenty rytmiczne. Szerzej natomiast opisuje je od strony choreotechnicznej, wskazując również na przynależność do poszczególnych obrzędów. Podobnie jak w stosunku do obyczajów i obrzędów, tak i w stosunku do tańców wykorzystał dokładnie dostępną mu literaturę i zgromadził w ten sposób obfite materiały źródłowe.

We własnych „uwagach i spostrzeżeniach", rozproszonych po seriach, podejmuje próbę scharakteryzowania muzycznego oblicza polskich pieśni ludowych, wypowiada się co do skal muzycznych, właściwości tempa, metrum rytmu i akcentów oraz sposobu wykonania. Uwagi te, wypowiedziane w *Serii I* jeszcze w sposób bardzo ogólny, rozrastają się znacznie w przedmowie do *Serii II*, gdzie Kolberg próbuje rozprawić się z problemem tonalności, wskazując na związek skal polskich melodii ze skalami — jak pisze — „starogreckimi", „starokościelnymi". Problematykę tę rozwija w *Seriach III—VI* i *XII—XIII*. Przedmowy w dalszych seriach są coraz mniej zasobne w charakterystykę muzyczną, ponieważ Kolberg odwołuje się tu do wypowiedzi w seriach poprzednich. Wypowiedzi te odżywają na nowo w drugim tomie *Mazowsza* z r. 1885. Uczciwość Kolberga jako naukowca sprawiła, że z większości swych hipotez i naświetleń wycofał się sędziwy autor w ostatnim tomie, który ukazał się za jego życia *(Seria XXIII — Kaliskie)*. Wyznaje tam otwarcie, że wypowiedziane dotąd sformułowania jego byłyby słuszne, gdyby „...doświadczenie przez nas nabyte w ciągu ubiegłych dotąd lat 28, a które nam nowy dawało zewsząd materiał, nie nauczyło nas, iż niektóre z podanych tam naszych poglądów, twierdzeń i wywodów za zbyt wybujałe i rzadko z naturą zgodne nie nakazało nam uważać hipotezy". Wycofujące się stanowisko Kolberga odnieść należy do problematyki skal muzycznych i hipotez mówiących, że nasze pieśni mają skale związane ze skalami indyjskimi, że pośrednikiem są plemiona kaukaskie i muzyka starogrecka, że w skalach naszych odbijają się wpływy Celtów, Germanów, Skandynawów oraz wpływy skal fińskich i mongolskich. Nauka o skalach w muzyce pozaeuropejskiej i muzyce kultur Wschodu wykształciła się właściwie dopiero u progu XX wieku, gdy w badaniach pomocnym stał się fonograf. Jasne jest, że teorie głoszone przez Kolberga są dziś dla nas przestarzałe. Nie znane mu jest np. pojęcie skali pentatonicznej. Błądzi uważając, że „system starochiński" jest zarazem „systemem staroindyjskim i staroszkockim". Zauważając, że śpiewacy ludowi wahają się przy intonowaniu dźwięków *h* i *b*, widzi w tym zjawisku „zepsucie skal kościelnych", by na innym miejscu uznać to za znamię skal „daleko starszych od starokościelnych" i by wreszcie stwierdzić, że niezdecydowanie w intonacji *h* i *b* jest wynikiem wpływów różnych ludów na siebie.

Pomijając nieaktualność samych teorii, ważne pozostaje to, że Kolberg zauważa różnicę między tonalnością naszych melodii ludowych a systemem dur-moll i że w przedmowach do poszczególnych tomów wskazuje czytelnikowi melodie, których tonalność wykracza poza konwencję systemu dur-molowego. Wszystkie te problemy, bez względu na słuszność czy niesłuszność ich naświetlenia, nie były dostrzeżone przez poprzedników Kolberga. Wyszły na jaw dopiero wtedy, gdy do prac nad folklorem polskim przystąpił muzyk.

Marian Sobieski

PIEŚNI
LUDU POLSKIEGO.

PIEŚNI

LUDU POLSKIEGO

ZEBRAŁ I WYDAŁ

OSKAR KOLBERG.

Serya I.

WARSZAWA.

NAKŁADEM WYDAWCY.

W DRUKARNI J. JAWORSKIEGO, ULICA KRAKOWSKIE-PRZEDM. N. 415.

1857.

Wolno drukować z warunkiem złożenia w Komitecie Cenzury po wydrukowaniu, prawem przepisanéj liczby exemplarzy.

Warszawa dnia 2 (14) Lipca 1855 r.

Starszy Cenzor,

Radca Dworu *J. Papłoński.*

Wydane po dziś dzień zbiory pieśni ludu, mianowicie: Wacława z Oleska (Zalewskiego), K. W. Wojcickiego, Żegoty Pauli, Konopki, Lipińskiego, mieszczą zarazem szczupłą liczbę melodyj, rzuconéj tam jakoby nawiasem tylko. Czuli snać ci szanowni mężowie potrzebę muzyki do swoich zbiorów, lecz będąc przedéwszystkiém literatami, dbali głównie o wyrazy; a może téż mniéj z muzyką obeznani uchylili się od téj pracy, przekazując ją ludziom z powołania lub zamiłowania szczególnie téj sztuce oddanym. A tak, prawie bez muzyki, rzec można, że zbiory ich objawiły się tylko w pół-życiu, w połowie swojéj istoty: bo treść i melodya uzupełniają się, podnoszą wzajemnie, jedną wspólną stanowiąc całość; a często melodya, ta część mniéj okréślona, mniéj materyalna, stanowi całą piękność pieśni.

Muzyka jest głównym przedmiotem niniejszego zbioru. Do każdéj pieśni dołączam właściwą jéj nutę. Uderzony wcześnie oryginalnością i krzepkością pieśni ludowych, od lat kilkunastu robiłem wycieczki po kraju w celu skrzętnego i wiernego ich spisywania; to téż pochlebiam sobie, że w nieprzebraném u nas źródle melodyj, zaczerpnąłem najciekawszy jéj zapas; taki przynajmniéj, jaki już potrafi dokładnie odznaczyć muzykalność ludu naszego. Oddaję nutę w nieskażonéj prostocie (t. j. o ile skażenie nie pochodzi z winy śpiewających) tak jak wybiegła z ust ludu, bez żadnego przystroju harmonijnego, bo mam przekonanie że najdzielniejszą jest w samorodnéj, niczém nie zmąconéj czystości jak ją natura natchnęła. Brzmi pieśń nieprzerwanie po naszych niwach i gajach, płynie z wodą i z wiatrem, odbija się o ściany naszych karczem, dworów i chat, a tam gdzie powstała najsilniej za serce chwyta. Stając się wiernym jéj tłumaczem, wszędzie wskazałem miejsce gdzie wysłuchaną została. Wymienioną wieś lub miasto, (a raczéj okolicę ich) po większéj części uważać można za miejsce, gdzie ze szczególnem zamiłowaniem pieśń tę i ową śpiewają. Nie zawsze jednak w tém miejscu powstała; rozmaite koleje, przypadki i burze mogły ją tam zagnać, a więc powikłać nasze domniemania co do jéj początku. A lubo znalazłyby się cechy, naprowadzające na pierwotne gniazdo pieśni, któż jednak chciałby wyrokować tu z bezwarunkową ścisłością, gdzie ono było? — W jednéj i téj saméj wsi zdarzało mi się niekiedy słyszéć po parę odmian jednejże pieśni; w sąsiedniéj wsi już inaczéj śpiewano, gdy tymczasem o kilkanaście mil daléj pierwsza melodya znów wypływała. Bywały przypadki że taż sama osoba po kilku latach zmieniała nieco tok melodyi, co już (choć nie ze wszystkiém) zacierało pierwotny jéj wyraz; a cóż dopiero gdyby ją przyszło usłyszéć po latach kilkunastu lub kilkudziesięciu? Pieśń jest po większéj części tradycyjną; więc czas, stosunki ludzi zobopólne, zmiana trybu życia, moda która z dworca szlacheckiego zaczyna już do chaty wieśniaczéj zaglądać, wreszcie osobistość śpiewaka (jego muzyczne usposobienie) i mnóstwo innych okoliczności wciąż na nią wpływają w nieskończonych odcieniach. Ruch tu jak wszędzie gdzie życie, nieustanny; ztąd téż obok najszczytniéjszego polotu wyobraźni lub najdelikatniéjszéj tkanki uczuć, znachodzisz gminność i płaskość: do bujnie rozkwitającego kielicha uczuć, zakrada się wnet i toczy je robak zepsucia.

Śledzenie szczegółowe rozwoju melodyj, jéj przyczyn i następstw, należy do historyi i filozofii muzycznéj i może mieć miejsce dopiéro po jaknajdokładniejszém zebraniu melodyj nie już jednego ludu, ale wszystkich innych ludów. Nim to nastąpi, rozpatrzenie się w tém co się pozyskało, do nader ciekawych doprowadzić nas może wniosków, rozszerzających wiedzę i estetykę muzyczną. Zwracam tylko uwagę na melodye w których pewne stosunki tonów do siebie, przypominają podobneż stosunki tonów w systemacie starogreckim; do tych należą np. N. 2, 5 a, 5 c, 5 ll, 7 x, 7 aa, 7 bb, 8 e, 8 f, 15 a, 15 b, i wiele innych, toż między tańcami N. 34, 35, 56, 122, 134, 193, 197, 289,

294, 297, i t. d. W innych, jak N. 3 p, 20 a, 20 b, i t. d. jak w pasterskich (N. 239, 276, 281, 303) niemniéj ciekawe przedstawiają się następstwa tonów. W rytmie wielką spostrzegamy rozmaitość. Do badań w tym przedmiocie książka niniejsza jako pierwszy znaczniejszy zbiór naszéj muzyki ludowej, niepośledni stanowić będzie materyał. Podzieliłem ją na dwie części: w jednéj umieściłem dumy i pieśni dłuższe, w drugiej tańce i piosneczki krótkie najczęściéj w czasie tańca nucone.

Winienem tutaj pokrótce wskazać sposób, w jaki niniejsze dumy przez lud wykonywane być zwykły. Ruch czyli *tempo* zbliża się mniej więcéj do M. M. ♩=130. Przy dłuższych pieśniach, mianowicie w ruchu wolnym, śpiewak lub śpiewaczka (u nas jak wszędzie śpiewają najwięcéj kobiéty, młodzi parobcy i dzieci) zaczyna zwrotkę zwykle ostro i dobitnie; ku końcowi zwalnia bieg melodyi, która słabnie i w rodzaj drzenia (tremolo) przechodzi, poczém bez żadnéj przerwy wpada znów ostro jak zaczął w następną zwrotkę i w pierwszy tok melodyj, na ten sposób całą pieśń odśpiewując, np. N 6 (str. 74, 75, 80, 81), N. 11 a, 11 b, 16 a, 20 c, 21, 36 a, i t. d. Zdarza się często że początek i koniec pieśni są oddane słabo, cała zaś siła głosu skupia się w jéj środku lub ku końcowi, np. N. 5 a, b, c, i dalsze, 10 d, 35 a, b, 38 a, b, i t. d., a śpiewowi takiemu niekiedy towarzyszy lekkie kołysanie czy trzęsienie to ciała, to głowy, to wolny ruch miarowy rąk. Pieśni krótkie, zwykle przy tańcu w ruchu żywszym (M. M. ♩ =140—175) nucone, jak obertasy, krakowiaki i t. p. które z tonów akordu głównego wyszedłszy nieraz na nucie akordu podrzędnego się zawieszają, śpiewają się prawie na taki sam sposób z tym dodatkiem, że czasami śpiewak urywa ostatnią nutę z wykrzykiem: hu ha, lub wciąga ją w oktawę wyższą gdzie długo wytrzymuje, nakształt innych Słowian. Do wielu takich pieśni, mianowicie obertasów, dodaje dla zapełnienia ilości syllab, wykrzykniki: da, dana, dyć, oj, ojże, hej, hejże, hola, oli, dali, dyli i t. p. a częściéj jeszcze od nich zwrotkę zaczyna. Wszakże tryb ten wykonania pieśni acz bardzo powszechny, bardzo liczne już wskazać może wyjątki. Akcent czyli przycisk tak w śpiewach jak i w tańcach pada nie rzadko na część słabą czyli drugą taktu, co właśnie stanowi osobliwość polskiéj melodyj. Zwykle jednak naznaczony tu ruch 𝄞 wykonywa się tak: 𝄞 Rozumie się samo przez się, że pieśni te powstałe z głębi serca, lud oddaje z całą potęgą uczucia lub namiętności, (choć bez krzyku, hałasu, niepotrzebnéj mimiki) tak, że wyraźnie dostrzeżesz tu powagę poloneza, tam wdzięk krakowiaka, owdzie znów dziarskość mazura, z ich powiatowemi i pomniejszemi różnicami, że już nie wspomnę o rzewności w śpiewach miłosnych i weselnych, o rozpaczy (a raczéj rezygnacyi) w dumach tragiczne mających rozwiązanie.

Głos wieśniaków naszych z natury dźwięczny jest i donośny; lecz u wielu z nich nadużycie trunku i ciężka praca fizyczna pozostawiły w miejscu jego tylko chrzypliwą artykulacyą tonów do niewiedzieć jakiéj gammy należących, które jedynie jaki taki rytm i pewien mimowolny a szczęśliwy instynkt śpiewaka z sobą wiąże. Oczyścić pieśń przy spisywaniu jéj z takich fałszów i pleśni po baczném w nią wsłuchaniu się, było rzeczą mego sądu i sumienia. Lecz bywały i śpiewy oddane czysto, ale (pozornie) pozbawione owéj równowagi taktowéj, do któréj ucho nasze nawykło, przypominające w tém niekiedy dawne śpiewy i chorały kościelne; trudność określenia tego musiała choć w części zastąpić fermata (znak zawieszenia lub dłuższego wytrzymania tonu).

Idąc w taniec lud nasz *Poloneza* (inaczéj *polskiego* czyli *wielkiego*) używa prawie wyłącznie do godów weselnych. *Krakowiaka* (czyli *małego*) ze śpiewką przed skrzypkiem tańczą tylko w Krakowskiém i po kuligach szlacheckich. Goniony, dreptany, suwany, skalmierzak, i t. d. są to modyfikacye krakowiaka. Najpowszechniejszym atoli tańcem w całym kraju jest *kujawiak* czyli *obertas* (od *obrócić się*) ze zwrotem w prawo i w lewo, niekiedy ze śpiewką wśród tańca. Oberek, wyrwas, wykrętacz, zawijacz, drygant, i t. p., są to nazwy obertasa do różnéj podniesionego potęgi. Prócz tych, tańczą jeszcze *walca*, który u nas staje się mieszaniną obertasa ze staroniemieckim walcem (laendlerem, sztajerem), *Górala* i *Oryla* w Galicyi, *Polkę* i *Szotisza* (czyli ecossaise) na Szlązku, Spiżu, w Olkuskiém i Wieluńskiem, *Kozaka* z przysiudami w Lubelskiém i na Podlasiu, a po zgromadzeniach szlacheckich ulubionego *Mazura* i *Drabanta* składającego się z marsza i obertasa. Początek Mazura przypomina starosłowiańskie *koło*; dziś jednak *kołem tańczących* zwią ogólne zebranie osób stawających do tańca. Każdy taki taniec prowadzi (choć dziś już nie wszędzie) przodownik i przodownica, o których się mówi że: *rej wodzą.* Narzędzia muzyczne służące do rozbudzenia ochoty wiejskiéj po karczmach są przedewszystkiém *skrzypce*, a obok nich basy, znaczące zwykle takt (rytm) akordem próżnej kwinty. Przekonani jesteśmy że charakterystycznej ruchliwości skrzypiec nie zdoła wyrugować martwota wkradającéj się już tu i owdzie *katarynki* czyli pozytywy. Skrzypek wiejski *grajkiem* lub *wesołkiem* zwany (zwołując innych do powszechnéj zabawy), coraz to bardziéj sam się przy grze zapala; przychyla głowę ku skrzypcom i nadstawia im ucha jakoby wysłuchiwał z głębi (najczęściéj bardzo niedokładnie zbudowanego) narzędzia wydobywających się tonów, które nieraz niby w krzyki, piski lub skargi przechodzą; gdy tak gra, mowią że *rznie od ucha.* Z przytoczonych tu melodyj tanecznych gra on jedną pokilkanaście razy w kółko, pstrząc ją gdzie niegdzie dodatkami, nim wpadnie na drugą, którą tak samo obrabia. A nie zamieniłby jéj na żadne modne kontredanse, polki, walce i mazury których nie rozumie, chybaby je na swoje (jak to mówią) kopyto przerobił. *Dudy* czyli *kobza* wychodzi już z użycia i tylko w niektórych stronach Wielkopolski, w Tatrach i na Rusi słyszeć się daje; dzieląc w tém los znanéj jeszcze na Rusi *liry* i *cymbałek* żydowskich. W polu za bydłem pasterze czyli pastuchy dmą w *fujarki* wykręcane na wiosnę z kory wierzbowéj, których miły dźwięk daleko rozlega się po rosie, podobnie jak na Rusi w *sopiałki* z kory bzu białego, a na Podlasiu w *ligawki.*

Co do wyrazów pieśni, nadmieniam tylko, że znaczenie głębokie dum ludowych, ich estetyczna, lingwistyczna, [1]) a często mo-

*) Wiadomo powszechnie że tak zwane *mazurzenie* naszych włościan polega na zamianie głosek gardłowych *sz, cz, szcz, dż, rz, ż* na językowe *s, c, sc, dz, z*. Częstokroć miękkie *ó, ój, é,* oraz nosowe *ę* wymawiają ostro jak: *u, uj, y, e*, a niekiedy głoski wyrzucają, i tak np. zamiast *szukać, cześć, szczęście, szczery, dżdża, rznąć, żąć, góra, pójdę, wyjdę, przyjdę, niéj, twej, téj, gryzł, przysiągł, szedł, mógł, wiódł, iabłko, nie ma, pięknej, będę* i t. p. mówią: *sukać, ceść, scęście, scyry, dzdza, znąć, zonć, gura, pude, wyjde* albo *wyńde*, *psyde* albo *psyńde, nij* albo *ni, twyj, tyj* albo *ty, gryz, psysiąg, sed, mug, wiud, iabko, nima, piekny, bende* albo *bede*, i t. p. Sposób ten mówienia (większéj daleko połowy naszych włościan), nie tyle uważaćby wypadało za wadę językową, jak raczéj za jedną z cech charakterystycznych ich języka, a wpływać na nią mogło położenie kraju niskie i wilgotne, pełne bagien, piasków i mgły. Szlachta polska jednak jak wszystkie inne plemiona słowiańskie zachowała brzmienia gardłowe. Taż sama przyczyna wytłumaczyłaby nam mowę syczącą Hanowercczyków i Meklemburczyków, którzy mówią jak się pisze: *Stein, stirn, stube, stehen* i t. d. zamiast używa-

ralna i historyczna wartość, jako należycie dziś oceniona nie potrzebuje dalszego wywodu. Wielce nauczającemi są pod tym względem przedmowy do dzieł Wacława z Oleska, Żegoty Pauli, Wojcickiego, Konopki i Lipińskiego; niemniej rozprawy od czasów Brodzińskiego po wielu pismach czasowych rozrzucone, jako i te które w dziełach pobratymczych Słowian znajdujemy; do nich więc odsyłam czytelnika. Jeśli co w tych spostrzeżeniach mogło być mylnego, jak np. twierdzenie W. z Oleska że lud polski bardzo mało posiada pieśni obszernych, poważnych i obrzędowych, a natomiast obfituje w krakowiaki, które są jakoby odbiciem jego życia, mam nadzieję że zdanie takie i tém podobne zbiór niniejszy dostatecznie sprostuje.

Słowa zaś i treść śpiewek krótkich ucinkowych, mimo rozlanego w nich humoru i czucia nie zawsze godzą się z przyzwoitością i dobrym smakiem. Wiele podobnie rubasznych piosnek odrzucić musiałem; lecz i między pozostałemi znaleźć można nie jedną małoznaczącą, nawet lichą, umieszczoną tu jedynie dla wskazania w jaki sposób lud wyrazy układa, szykuje, i w wiersz splata [1]) jak łączy syllaby z tonami [2]), gdzie wytrzymuje, wzmacnia lub osłabia głos [3]), w którém miejscu daje przycisk [4]) i t. p. Śpiewki takie nie zawsze lud w tańcu lub w karczmie przy kieliszku nuci, owszem słyszeć one się często dają przy robocie w domu i na polu, podczas żniw, sianożęci, w ogrodzie, na paszy za bydłem; także przy dojeniu krów, w czasie jazdy, przy kołysce. Nieprzebrana ich mnogość jest owocem chwilowego natchnienia podnieconego trunkiem i miejscowemi okolicznościami, do czego lada codzienna przygoda dać może pochop; inne wszakże są znane i śpiewane powszechnie na równi z dłuższemi pieśniami i dumami, zwłaszcza gdy w sobie zawierają pewną sentencyą. Niektóre są odłamkami większych dum.

nych po całych Niemczech: *Sztein*, *sztirn*, *sztube*, *sztehen*, i t. d. Niech mi tu wolno będzie rzucić pytanie, czy podobne położenie kraju, sprowadzając częste katary i choroby piersiowe, nie natworzyło nam równie (jak Francuzom i Litwinom) głosek nosowych: *ą*, *ę* zamiast: *u*?

[1]) *np*. N. 16 (str. 313), 20, 21, 27, 31, 43, 46, 57, 61, 64, 72, 84, 127, 128, 156, 158, 165, 221.
[2]) *np*. N. 26 (str. 316) 88, 91, 93, 98, 122.
[3]) *np*. N. 27 (str. 317) 37, 42, 45, 52, 80, 101, 103, 120, 151, 204, 205, 220, 293.
[4]) *np*. N. 5 (str. 310) na pierwszéj ćwierciowéj w takcie 2-gim, 4-tym, 6-tym i 8-mym. N. 8 na wszystkich ćwierciowych. N. 59 i 280 na 3-ej ćwierciowéj w każdym takcie. N. 106, 118, 162, 172, 193. 222.

Wyznać mi tu wypada, że największą część zamieszczonych słów, sam własném staraniem wraz z nutami wydobyłem z ukrycia naszych zagród. Wszakże obok tego, nie omieszkałem wcielić do mego zbioru i tego, co inni skrzętni badacze różnemi czasy nagromadzili, o ile mi się tylko właściwa melodya nawinęła. Czuję się tu w obowiązku oświadczyć moje podziękowanie wszystkim tym którzy przez ułatwienie mi poszukiwań, w czemkolwiek bądź przysłużyli się niniejszemu zbiorowi, a przed innymi zasłużonemu w naszéj literaturze K. W. Wojcickiemu, za udzielenie mi rękopisu pracowitego niegdy ś. p. księdza Gizewiusza (pastora ewang. w Osterode w Prussach wschodnich), bo wzbogacił ten zbiór trzydziestu kilku melodyjami i znaczną ilością tekstu.

Dla dopełnienia charakterystyki naszych wieśniaków, uważałem za stosowne, dołączyć ryciny wyobrażające ich ubiory, po największéj części w okolicach Warszawy z natury zdięte. Jeżeli powodzenie tego dzieła dozwoli wyjść następującym seryom już przygotowanym, wtedy nie omieszkam przedstawić jeszcze ubiory innych stron kraju, a których oryginalnością i bogatą rozmaitością odznacza się mianowicie południe, jak: Krakowskie, Lubelskie, Galicya i Szląsk.

O. Kolberg.

I.

DUMY I PIEŚNI.

DUMY I PIEŚNI.

1. a.

Andante. Polonez.   w Mazowszu i Krak: powszechnie znana.

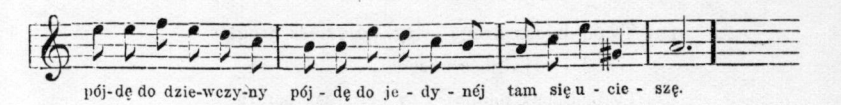

We-zmę ja kon-tusz we-zmę ja żu-pan sza-blę przy-pa-szę pój-dę do dzie-wczy-ny pój-dę do je-dy-néj tam się u-cie-szę.

1. Wezmę ja kontusz — wezmę ja żupan,
   Szablę przypaszę
   Pójdę do dziewczyny — pójdę do jedynéj,
   tam się ucieszę.
2. Wyszła dziewczyna — wyszła jedyna
   jak różowy kwiat
   Oj stała stała — oczki zapłakała,
   zmienił jéj się świat.
3. Czegoż ty płaczesz — czego żałujesz
   dziewczyno moja?
   Jak nie mam płakać — niemam żałować
   nie będę twoja.
4. Będziesz dziewczyno — będziesz jedyna
   będziesz dalibóg
   Ludzie mi ci rają — i rodzice dają
   i sam sędzia Bóg.
5. W niedzielę rano — w niedzielę rano
   wianek uwito
   Bodaj cię hultaju — bodaj cię niecnoto
   na pal przybito.
6. Jak mnie zabiją — jak mnie zabiją,
   któż mnie pochowa?
   Ja cię pochowam — ja cię pochowam
   jak będę twoja.

7. Płacze dziewczyna — płacze jedyna
   stojąc na ganku
   Na coś mnie zdradził — na coś mnie zdradził
   Jasiu kochanku.
8. Ty pójdziesz górą — ty pójdziesz górą
   a ja doliną
   Ty zakwitniesz różą — ty zakwitniesz różą
   a ja kaliną.
9. Ty pójdziesz górą — ty pójdziesz górą
   a ja lasami
   Ty się zmyjesz wodą — ty się zmyjesz wodą
   a ja ślozami (*łzami*).
10. Ty pójdziesz drogą — ty pójdziesz drogą
    a ja gościeńcem
    Ty będziesz panną — ty będziesz panną
    a ja młodzieńcem.
11. Ty będziesz panną — ty będziesz panną
    przy wielkim dworze,
    A ja będę księdzem — a ja będę księdzem
    w wielkim klasztorze
12. Ty pójdziesz drogą — ty pójdziesz drogą
    ja pójdę ścieszką
    Ty zostaniesz księdzem — ty zostaniesz księdzem
    ja zostanę mniszką.
13. A jak pomrzemy — a jak pomrzemy
    każemy sobie
    Złote litery — złote litery
    wybić na grobie.
14. A kto tam przejdzie — albo przejedzie
    przeczyta sobie:
    Złączona miłość — złączona miłość
    leży w tym grobie.

Wacł. z Oleska P. l. w Gal. str. 287.
Wojcicki P. l. Białochor. Tom I. str. 131 — Tom II. str. 170.
   tu pierwsza strofa tak:

1. Wezmę kapotę — czapkę z baranem
   siekierkę przypaszę
   Pójdę do dziewczyny — pójdę do jedynej
   tam się ucieszę.

1. b.

Polonez.   od Osterode (w Prussach wschodnich).

Wy-szła dzie-wczy-na wy-szła je-dy-na jak ró-żo-wy kwiat

oj wy-szła wy-szła ocz-ki u-pła-ka-ła nie-żą-dny jéj świat.

1. Wyszła dziewczyna — wyszła jedyna
    jak różowy kwiat
    Oj wyszła wyszła — oczki upłakała
    nie żądny jej świat.
2. Czegoż dziewcze płaczesz — czego tak narzekasz
    najmilsza moja?
    Jak ja niemam płakać — jak nie mam narzekać
    nie będę twoja.
3. Będziesz dziewczyno — będziesz jedyna
    będziesz dalibóg
    Ludzie mi cię rają — i rodzice dają
    i sam sędzia Bóg.
4. A Bóg że wam zapłać — moi mili ludzie
    co mnie raicie
    Oj będzieć ze mnie — dobra gospodynie
    sami widzicie.

Przyjaciel Ludu. z r. 1839. Rok 6 fol. 54. *(podał ks. Gizewiusz).*

1. c.

Polonez.   Od Pilicy i Wolbroma.

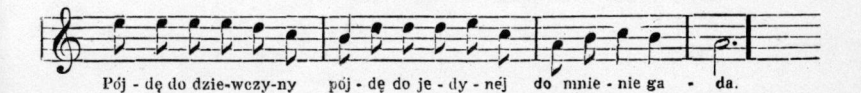

Wnie-dzie-lę do-dnia w nie-dzie-lę do dnia dro-bny deszcz pa-da

Pój-dę do dzie-wczy-ny pój-dę do je-dy-néj do mnie-nie ga - da.

1. W niedzielę do dnia — w niedzielę do dnia
    drobny deszcz pada
  Pójdę do dziewczyny — pójdę do jedynej
    do mnie nie gada.

2. Czegoż ty płaczesz — czego się smucisz
    dziewczyno moja?
  Cóż nie mam płakać — cóż się nie smucić
    nie będę twoja.

3. Wdzieję ja kontusz — w dzieję ja żupan
    i pas opaszę
  Pójdę do dziewczyny — pójdę do jedynéj
    to ją ucieszę.

4. Będziesz dziewczyno — będziesz jedyna
    będziesz ty moja
  Choć cię ludzie ganią — to matusia dają
    i sam sędzia Bóg

5. Ty będziesz panią — ty będziesz panią
    w tym nowym dworze
  A ja będę księdzem — a ja będę księdzem
    w nowym klasztorze

6. Przedemną będą — przedemną będą
    czapeczki zdejmać
  A ciebie będą — a ciebie będą
    w rączki całować.

7. A jak ja będę — a jak ja będę
    tam mszę odprawiał
  Za ciebie jedyna — za ciebie pacierze
    będę odmawiał.

8. A jak pomrzemy — a jak pomrzemy
    każémy sobie
  Złote litery — złote litery
    wybić na grobie.

9. A pod tym dworem — pod tym klasztorem
    pod tą kaplicą
  Złączyli na wiek — złączyli na wiek
    młodzieńca z dziewicą.

1. d.

od Wieruszowa (Mieleszyn etc.)

Po - daj mi ko - nia po - daj mi ko - nia sza - blę do pa - sa po-ja-dę do - ni po - ja - dę do ni z nią się u - cie - szę.

1. Podaj mi konia — podaj mi konia
szablę do pasa
Pojadę do ni — pojadę do ni
z nią się ucieszę.
2. Przyjechał do ni — przyjechał do ni
puknął w okienko
O wynidźże wyńdź — o wynidźże wyńdź
moja kochanko.
3. Marysia wyszła — Marysia wyszła
jak różowy kwiat
Oczki zapłakała — oczki zaszlochała
zmienił i się świat. i t d.

J. Lipiński P. l. Wielkopols. str. 14 oraz str. 131.

1. e.

ode Lwowa i Tarnowa

Zie - lo - na łą - czka zie - lo na łą - czka żół - ty na - niej kwiat Wę-druj dzie-wczy-no wę - druj je - dy - na wę - druj ze - mną w świat

1. Zielona łączka — zielona łączka
żółty na niej kwiat
Wędruj dziewczyno — wędruj jedyna
wędruj ze mną w świat.
2. Jakże ja będę — jakże ja będę
z tobą wędrować,

Będą się ludzie — będą się ludzie
temu dziwować.
3. A niechże się ta — a niechże się ta
ludzie dziwują
Oboje młodzi — oboje młodzi
we świat wędrują.
4. Ty pójdziesz górą — ty pójdziesz górą
a ja doliną
Ty zakwitniesz różą — ty zakwitniesz różą
a ja kaliną i t. d.

Żeg. Pauli. P. l. p. w Gal. str. 143.
porównaj pieśń weselną:

Zielona ruta, jałowiec
Lepszy młodzieniec, niż wdowiec.

1. f.

od Ostrołęki, Ostrowa (Wysoce, Wąsew i t. d.)

Ob-le-kę kon-tusz ob-le-kę kon-tusz sza-blę przy-pa-szę
pój-dę do dzie-wczy-ny pój-dę do je-dy-nej tam się u-cie-szę.

1. Oblekę kontusz — oblekę kontusz
szablę przypaszę
Pójdę do dziewczyny — pójdę do jedynéj
tam się ucieszę.
2. Słoneczko wschodzi — dziewka wychodzi
jako śliczny kwiat
Oczki zapłakała — rączki załamała
zmienił jéj się świat.
3. Czego ty płaczesz — czego lamentujesz
moja dziewczyno!
Czego się rumienisz czego się wydziwiasz
wiśnio kalino.
4. Jakże nie wydziwiać — jak się nie rumienić
kiejś mnie zabaczył.
Serce mi się kraje — cierpliwość niestaje
takeś uraczył.

5. Żebym ja była — księżną Mazowską
   w złotym jedwabie
   Żebym ja miała — manierę pańską
   w pięknym sposobie.
6. Ale ja sierota — niemam srebra, złota
   ieno cnóteńkę
   Czémże się spodobam — cóż ia ci panie dam
   ieno rączeńkę (*vel* za twoją rączkę).
7. Dasz ci mi twoje — te oczęta swoje
   te najczerniejsze.
   Dasz mi te piersiczki — białe jako mléczki
   mnie najmilejsze.
8. Weźmiesz mnie panie — rychło zabierzesz
   zaraz porzucisz
   I mnie sierotkę — ubogą sierotkę
   srodze zasmucisz.
9. Niebój się dziewczyno — niebój się jedyna
   będziesz ci moja
   Dam ci grzebień złoty — Warszawskiej roboty
   cztery pokoja.
10. Dam ci trzech służbowych — czterech pokojowych
    dwie panny szwaczki
    Szpilek na zabawę — grosza na wyprawę
    mąki na placki.

1. g.

od Płocka.

1. Wez-mę ja żu-pan wez-mę ja kon-tusz sza-blę przypa - szę
pój - dę do dziew - czy-ny pój - dę do je - dy - ny tam się u - cie - szę.

2. Czego ty płaczesz — czego wyrzekasz
   dziewczyno moja
   Tego ja płaczę — tego wyrzekam
   nie będę twoja.

3. Nie będę twoja — nie będę twoja
ani niczyja
Będę na grobie — będę na grobie
biała lilija.

1. h.

od Torunia i Chełma.

Ob - le - kę ja żu - pan ob - le - kę ja żu - pan pa - łasz o - pa -

szę pój - dę do dziew-czy-ny pój - dę do je - dy - ny tam się u - cie - szę

text, patrz nr. 1. b.

1. i.

od Lublina.

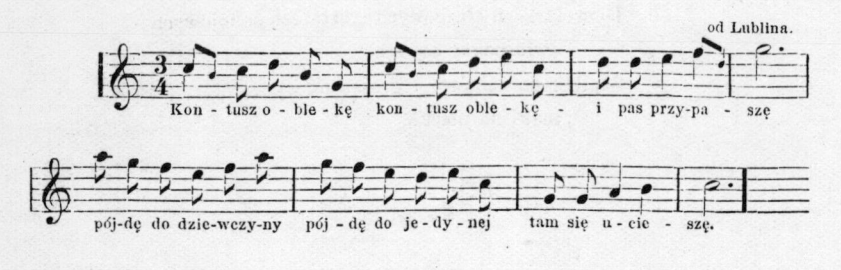

Kon - tusz o - ble - kę kon - tusz oble - kę - i pas przy-pa - szę

pój-dę do dzie-wczy-ny pój - dę do je - dy - nej tam się u - cie - szę.

1. k.

od Kozienic.

W nie-dzie-lę rano w nie - dzie-lę ra-no dro-bny deszcz pa - da

wy-szła dziew - czy-na wy-szła je - dy-na do-mnie nie ga - da.

1. 1.

od Grudziąża.

Ni - ko - mu się nie - dzi-wu-ję ino sa - ma so - bie wie-lem in-szych o - puś-ci - ła ko-cha-łam się w to - bie.

1. Nikomu się nie dziwuję
 ino sama sobie
 Wielem inszych opuściła
 kochałam się w tobie.
2. Kochałam się, zwierzyłam się
 a tyś się odmienił
 Wzgardziłeś mą poczciwością
 z insząś się ożenił.
3. Nie wszystkoć to złoto, srebro
 co się poleruje
 Nie każdy to jest kawaler
 co się obiecuje.
4. Nie każdy to je kawaler
 co na konia siada
 Dzisiaj wieczór mnie przeredził
 (*zdradził*).
 jutro z inszą gada.
5. Bo on siada, bo on gada
 i szczeka jako pies
 Dzisiaj wieczór mię przeredził
 jutro odjechał precz.
6. I zagadał do konika
 przez pole jadący

Obaczy mę kochaneczka
 w okienku stojący.
7. Ona w okienku stojała
 jako różany kwiat
 Zapłakała oczki czarne
 odmienił się jéj świat.
8. A czego ty dziewcze płaczesz
 a czego wyrzekasz?
 Tego płaczę i wyrzekam
 że nie będę twoja.
9. Będziesz dalibóg dziewczyno
 będziesz dalibóg
 Rają mi cię dobrzy ludzie
 a nawprzód sam pan Bóg.
10. A wniedzielę ranusieńko
 wianuszek jej wito
 A bodajcię psie hultaju
 i marnie zabito.
11. Jakie było, takie było
 zakochanie nasze
 Ciężka żałość, ciężki lament
 i rozstanie nasze.
 (*albo* rozstanie na zawsze)

1. m.

od Kluczborka.

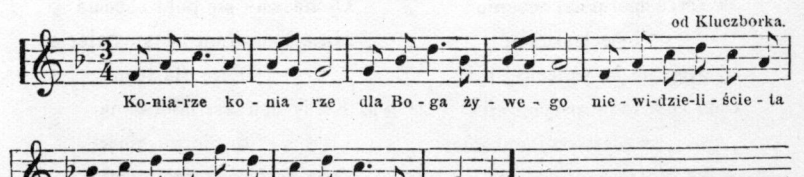

Ko-nia-rze ko - nia - rze dla Bo - ga ży - we - go nie - wi-dzie-li - ście - ta nie-słu - cha-li - ście-ta ko-chan-ka mo - je - go

Koniarze koniarze dla Boga żywego
Nie widzieliście-ta nie słuchaliście-ta kochanka mojego?
Widzieli widzieli ale nie żywego
Na pośrzodku morza (*bis*) mieczem przebitego.
Kiedy tutaj leżysz — leżma my tu oba
Dają nas zachować (*bis*) do jednego groba.
Pod jedną kaplicą — pod jedną kaplicę
Dają nas wypisać (*bis*) na jedną tablicę.
A kto tutaj pójdzie to przeczyta sobie
A co to za miłość (*bis*) leży tu w tym grobie.
Tu leżą dwa ciała — tu leżą i kości
Ci ludzie pomarli (*bis*) od wielkiej miłości.

2.

od Osterode (*Kraplewo*).

Ko-cha - ne-czko ocz - ki mo - je ser - ce je - dy - ne — w ser - cu mo-jem za-ko - cha-nie i po - cie-sze - nie. — Oj głu - piam ja wpierwéj by - ła com ci w ra - zie przy-mó - wi-ła wpier-wszéj go-dzi - nie.

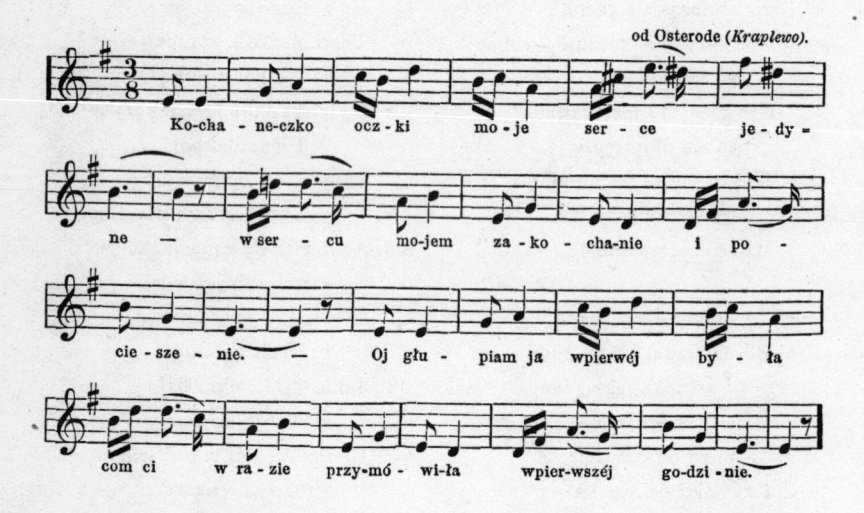

1. Kochaneczko — oczki moje
serce jedyne
W sercu moim zakochanie
i pocieszenie;
Oj głupiam ja wpierwéj była
Com ci w razie przymówiła
w pierwszéj godzinie.
2. A wy ludzie wy poganie
wy źle radzicie,

Coście mnie z nim przegniwali
w tém się cieszycie.
Oj cieszcie się póki chcecie
Mnie-ć nie długo na tym świecie
umrę dla tego.
3. Kiedy umrzesz miła moja
to nie we złości
Dam pochować twoje ciało
i twoje kości.

Dam wypisać takie słowa
Że tu leży miła moja
  wielce strapiona.

4. Dam postawić choineczkę
  na twej mogile.
Co się będzie zieleniała
  choć o trzy mile.
ze zbioru po ks. Gizewjuszu.

3. a.

Od Warszawy (powszechnie znana).

Sta-ła nam się no-wi-na Sta-ła nam się no-wi-na
pa-ni pa-na za-bi-ła pa-ni pa-na za-bi - ła.

1. Stała nam się nowina
pani pana zabiła.
2. W ogródku go schowała
rutkę na nim posiała.
3. Rutę na nim posiała
i tak sobie śpiewała:
4. „Rośnij rutko wysoko
jak pan leży głęboko."
5. Oj już rutka wyrosła
pani za mąż nie poszła.
6. „Wyjrzyj dziewko w ciemny las
czy nie jedzie kto do nas."
7. „ Jadą jadą panowie,
nieboszczyka bratowie" "
8. „Poczem żeś ich poznała
żeś ich braćmi nazwała?"
lub czyliś z niemi gadała?
9. „ „Po konikach po wronych
po czapeczkach czerwonych." "
10. „A wszakże to i nasz pan
taki ubiór piękny miał"
11. „ „Po konikach wronistych
po szabelkach złocistych." "
12. „ „Witaj, witaj bratowa
nieboszczyka katowa,
13. Gdzieś nam brata podziała?" "
„ Na wojném go wysłała."

(i pieniędzy mu dała)
14. „ „A my z wojny jedziemy,
brataśmy nie widzieli;
15. Co to za krew po drodze,
na trzewiczku i nodze?" "
16. „Dziewka kurę zarznęła
krew na trzewik bryzgnęła."
17. „ „Choćby sto kur zabiła
takaby krew nie była;
18. Cóż to za włos po ganku,
na ziemi i po wianku?" "
19. Dziewka sługę czesała,
włos po ziemi rzucała."
20. „ „Choćby wszystkie czesała
takiegoby nie miała:
21. Siadaj z nami bratowa ,
nieboszczyka katowa:
22. Siadaj że znami w pojazd
pojedziemy w gęsty las." "
23. „Jakże z wami mam jechać
swoje dzieci zaniechać.
24 Swoje dzieci zaniechać,
gospodarstwo porzucać. "
25. „ „My dzieci zabierzemy
lecz i ciebie weźmiemy." "
26. Wyjechali w ciemny las
wypuściła złoty pas.

27. „Stójcie, stójcie choć chwilę,
    niech się po ten pas schylę!"
28. „Nie tyś jego sprawiała,
    nie będziesz się schylała.
29. Sprawił ci go Franciszek
    nasz nieboszczyk braciszek."

30. Wyjechali za Rrzechów
    (*inni:* za Miechów,)
    kupili jéj orzechów;
31. „ „Gryź bratowa orzechy
    tyle twojej pociechy" "
32. Wyjechali za lasy
    i tam darli zniej pasy.

Wacł. z Oleska, P. l. w Gal. str.505.
Wojcicki P. l. Białochor, T. 1. str. 115.
Sowiński, Chants polonais nr.1.

3. b.

od Sierpca.

Sta-ła nam się no-wi-na sta-ła nam się no-wi-na pa-ni pa-na za-bi-ła pa-ni pa-na za-bi-ła.

1. Stała nam się nowina;
   pani pana zabiła.
2. W ogródku go schowała
   drobnéj rutki nasiała.
3. „Rośnij rutko lilija
   jeszcze wyżéj niżli ja.
4. Rośnij, rośnij nie mała,
   bym grobu niewidziała.
5. Wyjrzyj dziewko za góry
   czy nie jedzie pan który?"
6. „ „Jadą, jadą panowie:
   nieboszczyka bratowie." "
7. „Poczem żeś ich poznała,
   coś ich braćmi nazwała?"
8. „ „Po konikach po wronych
   po siodełkach czerwonych.
9. Po chusteczkach jedwabnych
   po pałaszach oprawnych." "
10. Pytali się w gospodzie:
    „ „co to za krew na nodze." "

11. „Dziewka kury rzezała,
    i tak mi napluskała."
12. „ „Choćby ich sto zabiła
    takaby krew nie była." "
13. Jak do dworu wjechali
    bratowę przywitali:
14. „ „Kłaniam, kłaniam bratowa
    nieboszczyka katowa." "
15. „Po czém że mnie poznali
    że katową nazwali."
16. „ „Po trzewikach czerwonych
    po rączeńkach skrwawionych.
17. Siadaj, siadaj, bratowa,
    nieboszczyka katowa:
18. Siada, siadaj jedź z nami
    będziesz jeździć z panami" "
19. „Jakże ja zwami siadać,
    drobnych dziatek postradać?"
20. „ „A my dziatki weźmiemy,
    do szkoły ich oddamy." "

21. „Niewieźta mnie przez miasto,
    bo mnie nazwią niewiastą:
22. Niejechajta w rzadki las,
    bo mnie będzie w oczki blask."
23. Wjechaliści w gęsty las,
    opadł-ci ją złoty pas.
24. „Poczekajcie ze chwilę
    niech się po ten pas schylę."
25. „ „Nie będziesz się schylała
    boś go ty nie sprawiała.
26. Sprawił-ci go Franciszek
    nasz nieboszczyk braciszek.
27. W gęściejszy las wjedziemy
    więcej pasów zedrzemy." "
28. „Mam ja brata w Krakowie
    co mnie od was wykupić."
29. „ „A my brata w ogródku
    na niem lelija, rutka:
30. Jak ja byłem jemu brat
    tak-ci tobie będę kat." "
31. Wyjechali za lasy
    i tam darli z niej pasy.

3. c.

od Poznania.

Sta-ła nam się no-wi-na pa-ni pa-na za-bi-ła hej hej

pa-ni pa-na za-bi-ła.

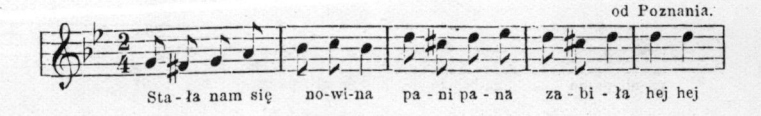

1. Stała nam się nowina
   pani pana zabiła.
2. Schowała go w ogródku
   posiała na nim rutki.
3. „Rutka, rutka lelija
   rośnij większa niźli ja."
4. „ „A jakże ja rosnąć mam
   kied pod sobą pana mam?
5. „Wyńdź dzieweczko na góry
   źli (*jeśli*) nie jedzie pan który?
dalej jak no. 3. a. od wiersza 7. do 22. poczém
23. „Nie wieźcie mnie bez Kraków
    bo tam mam siedmiu bratów.
24. Awieźcie mnie bez Poznań
    bo ta nikogo nie znam.
25. Awieźcie mnie bez Kalisz
    tam mi głowkę rozwalisz."
26. Zajechali w ciemny las
    opadł-ci ją srebrny pas.
dalej jak w No. 3. a. od wiersza 27. inni po w. 23. dodają.
24. Ci bracia mnie wykupią
    do klasztoru mnie w kupią
    ja w klasztorze zostanę
    do nieba się dostanę.

J. Lipiński Piosnki L. w Wielkopols. str. 6.

3. d.

od Iłowa (Brzozów, Młodzieszyn).

Sta-ła się nam no - wi - na sta-ła się nam no-wi-na
pa - ni pa - na za-bi-ła pa - ni pa-na za - bi - ła.

text patrz no. 3. a.

3. e.

od Brzezin.

Sta-ła się nam no - wi - na sta-ła się nam no-wi-na
pa-ni pa-na za-bi-ła pa-ni pa-na za - bi - ła.

text patrz no. 3. b.

3. f.

od Gostynina (Sierakowek).

Sta-ła się nam no - wi - na sta-ła się nam no-wi-na
pa-ni pa-na za-bi-ła pa-ni pa-na za-bi - ła

zmiany z no. 3. b.

3. Rutka okna sięgała
   pani pana płakała.
4. „Bież-że bież-że w ciemny las
   czy nie jedzie kto do nas."
   —
7. „ „Po czerwonym siodełku
   po bułanym koniku." "
8. Stoi konik i mgleje
   swego brata żałuje.
   —

19. Dzieci z sobą bierzemy
    ciebie na śmierć wiedziemy.
20. Niewieźcie mnie przez bramę
    bo ja wam tam zostanę.
21. Tylko wieźcie przez Kraków
    bo ja tam mam dwóch bratów.
22. Srebrem, złotem obsypią
    mnie od śmierci okupią.
23. Srébra, złota, niechcemy
    ciebie na śmierć wieziemy.

3. g.

od Żychlina (Chochołow, Tretki.)

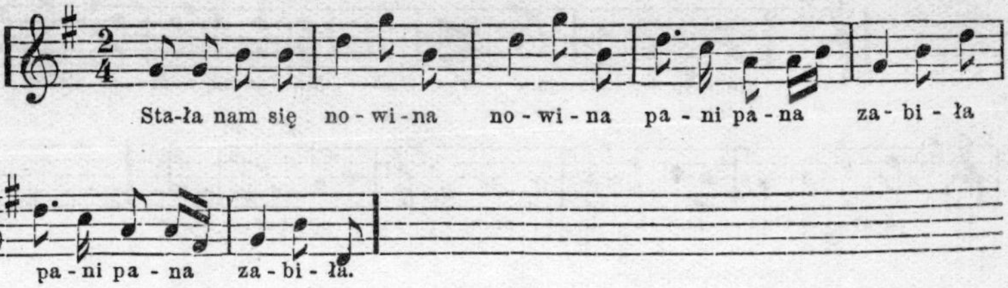

Sta-ła nam się no-wi-na no-wi-na pa-ni pa-na za-bi-ła pa-ni pa-na za-bi-ła.

2. W ogrodzie go schowała
rutki na nim zasiała.
3. Rośnij rutka lelija
śliczniejszy kwiat niżli ja.
4. I ruteczka wyrosła,
pani za mąż nie poszła.
z no. 3. a.

22. A czekajcie długi czas
opaszę się w złoty pas.
23. Zajechali w gęsty las
opadł-ci ją złoty pas.
24. poczekajcie i chwilę
aż się po ten pas schylę.

3. h.

od Buska.

Hej! sta-ła nam się no-wi-na hej hej no wi-na hej hej no-wi-na.

1. Stała się nam nowina
pani pana zabiła.
2. W ogrodzie go schowała
ziółków na nim nasiała.
3. „Rośnij że ty lilija
wyżej, wyżej niźli ja.
4. „„A jakże ja rosnąć mam
kiedy po demną jest pan.""
5. Z góry jadą panowie
nieboszczyka bratowie.

6. Jak bratowa ujrzała
to aże im zemglała.
7. „Jaka dobra bratowa,
gdzieżeś brata podziała?"
8. „„Jeżelim brata miała,
tom go na wojnę dała.""
9. „Zgóry jadą Mazury
pytają się: brat który?"
10. „„Jeżelim brata miała
tom go na wojnę dała.""

3. i.

od Bytonia i Tarnowskich gór.

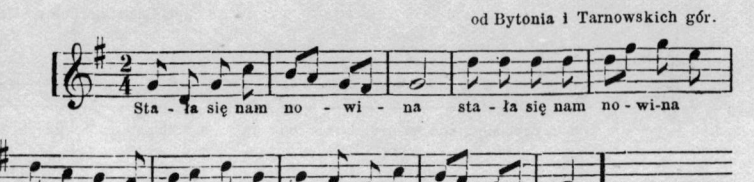

Sta - ła się nam no - wi - na sta - ła się nam no - wi-na
pa-ni pa-na za - bi - ła pa-ni pa-na za-bi-ła.

3. k.

od Modrzejowa i Mysłowic.

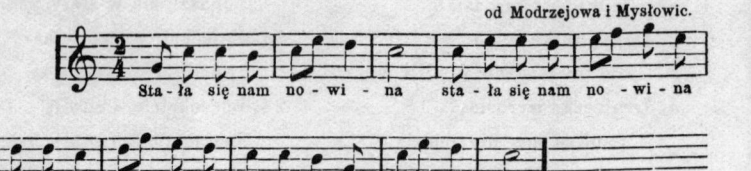

Sta - ła się nam no - wi - na sta - ła się nam no - wi - na
pa-ni pa-na za - bi - ła pa-ni pa - na za - bi - ła.

3. l.

od Wielunia (Łyskornie)

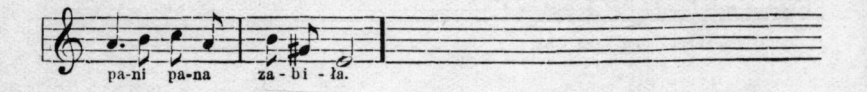

Sta-ła nam się no - wi-na pa - ni pa-na za - bi - ła hej hej
pa-ni pa-na za - bi - ła.

1. Stała nam się nowina
pani pana zabiła.

2. Schowała go w ogródku
ciepła (*rzuciła*) na nim granatku

3. „Roś granatku wysoko,
jak pan leży głęboko.

4. Wyjdź pachole na pole,
nie jadą-li bratowie?"

5. „„„Jadą jadą już tu są" "
„Serdeńko mi zasmucą. "

6. Przyjechali przede dwór
postawali jako mur.

7. „Wynidź, wynidź bratowa
nieboszczyka katowa.

dalej jak no 3. a. od wiersza 23.

I ciebieć my weźmiemy,
i dzieci nie ostawiemy.

3. m.

Mazur. od Kostrzynia (Iwno, Siekierki.)

Sta - ła się nam no - wi-na sta - ła się nam no-wi - na, pa - ni pa - na za - bi - ła pa - ni pa - na za - bi - ła.

text patrz no. 3. e.

na tąż nutę śpiewają i pieśń no. 23. h. i. Stoi jawor zielony.

3. n.

od Kłobucka (Panki.)

Sta - ła nam się no - wi - na sta - ła nam się no - wi - na pa-ni pa-na za - bi - ła pa - ni pa - na za - bi - ła.

2. Schowała go w ogródku
siała na grobie rutkę.
3. „ Rośnij rutka lelija
rośnij tyla co i ja."

4. „ „A jakże ja rosnąć mąm
kiej mi nie da rosnąć pąn." "
text patrz no, 3. l.
melod. porównaj z. „Cztery konie Jasio miał."

3. o.

od Kalisza.

Sta-ła się nam no - wi - na sta-ła nam się no-wi - na pa - ni pa - na za-bi - ła pa - ni pa - na za - bi - ła.

text patrz no. 3. b.

3. p.

Od Płońska (Gromadzyn Drożdżyn).

Sta-ła nam się no-wi - na sta-ła nam się no-wi - na
pa-ni pa-na za - bi - ła pa-ni pa-na za-bi - ła.

1. Stała się nam nowina
  pani pana zabiła.
2. W ogródku go schowała
  lelij na nim nasiała.
3. „Rośnij rutka, lelija,
  jeszcze wyżej niżli ja."
4. I lelija urosła
  pani za mąż nie poszła.
5. „Wyjrzyj dziewko w ciemny las
  czy nie jedzie gość do nas."
6. „ „Jadą, jadą panowie,
  nieboszczyka bratowie" "
7. „Poczem żeś ich poznała,
  czyliś z niemi gadała? "
8. „ „Po konikach bułanych
  po siodełkach złoconych." "
9. Przyjechali przed wrota,
  pytają się o brata.

10. „Kłaniam kłaniam, bratowa,
  gdzieś nam brata podziała? "
11. Sama nie wiem gdzie się dział
  na wojenkę jechać miał." "
12. „ My z wojenki jedziemy
  toćby my go widzieli"
13. Cóż to za krew na sieni,
  na chusteczce w kieszeni.
14. „Cóż to za krew na drodze
  na trzewiczku na nodze? "
15. „ „Kury dziewka rzezała
  gości się (was) spodziewała"
16. „Gdzieś te kury podziała
  co je dziewka rzezała? "
17. „ „ „My do gości wypadły
  a psy kury pojadły."

daléj jak, no. 3. b. od wiersza 17.

3. q.

od Torunia.

Sta - ła nam się no-wi - na Sta-ła nam się no - wi-na
pa-ni pa-na za - bi-ła pa-ni pa-na za-bi - ła.

jak no. 3. b.

10. A gdzieś brata podziała?
    na wojnem go wysłała"
11. A my z wojny jedziemy
    brata my nie widzieli.
12. A gdzieś brata podziała?
    do Warszawy'm wysłała
13. My z Warszawy jedziemy
    brata my niewidzieli.
14. A gdzieś brata podziała?
    do kościoła'm wysłała.
15. My z kościoła jedziemy
    brata my nie widzieli.
16. „Co za krewka pod stołem
    przysypana popiołem?
17. „Dziewki kury rzezały
    bo się was spodziwały "
18. Co to za krew na sieni
    na nożyku w kieszeni?
19. „Dziewki kury rzezały
    i nożyk opluskały.
20. Siadaj z nami i t d.

3. r.

od Lubawy.

Sta-ła się nam no-wi-na sta-ła się nam no-wi-na
pa-ni pa-na za-bi-ła pa-ni pa-na za-bi-ła.

1. Stała się nam nowina
   pani pana zabiła;
2. W ogródku go schowała
   drobnéj ruty nasiała:
3. „Rośnij ruto lelija
   jeszcze większa niżli ja. "
4. I lelija urosła,
   pani zamąż nie poszła;
5. Już się ruta rozwija
   pani syna powija.
6. „Zajrzyj dziewko do stajni
   co tam robią ogary? "
7. „Stoją pani, a wyją
   swego pana załują. "
8. „ Zajrzyj dziewko do stajni
   co robi tam koń bronny? "
9. „Stoi pani, wemruje (*jęczy*)
   swego pana żałuje."
10. „Wyjrzyj dziewko w ciemnylas
    czy nie jedzie kto do nas?"
11. „Jadą jadą, panowie
    nieboszczyka bratowie."
12. „Po czém żeś ich poznała
    coś ich braćmi nazwała? "
13. „Po koniczkach po bronnych
    po szabraczkach czerwonych
14. Po uzdeczkach krygowych
    po czapeczkach pluszowych"

15. Zajechali w podwórze,
    zakołatał we dźwierze:
16. „A wyjdziejże bratowa
    gdzieś nam brata podziała?"
17. „Sama nie wiem gdzie się dział
    czy na wojnę odjechał."
18. „A my z wojny jedziemy
    braciszka nie widzieli.
19. Cóż to za krew na drodze
    na buciku, na nodze?"
20. „Dziewka kury rzezała
    i mnie bucik spryskała."
21. „Cóż to za krew na sieni
    na nożyku w kiesieni?"
22. „Dziéwka gęsi rzezała
    i mnie nożyk spryskała."
23. „Cóż to za krew na progu
    na pierzynce na rogu?"

24. „Dziewka kaczki rzezała
    mnie pierzynkę spryskała"
25. „Gdzieś te kaczki podziała
    coć pierzynke zwalała?"
26. „Nim (nożykiem) ja kaczki rzezała
    nim pierzynkę spryskała."
27. „Hajże siadaj bratowa
    nieboszczyka katowa."
28. „Jak ja będę siadała
    a (swego) syna zostawiała?"
29. „A my syna weźmiemy,
    bratowy łeb zetniemy."
30. Zajechali w ciemny las
    opadł ci ją złoty pas:
31. „Zaczekajcie za chwilę
    aż się po ten pas schylę."
32. „Nie będziesz się schylała
    boś go nie ty sprawiała."

3. s.

mel. jak poprzedzająca. (?)

od Osterode (Kraplewo).

1. Stała się nam nowina
   pani pana zabiła,
2. W ogródeczku schowała,
   drobnéj rutki nasiała.
3. „Rutko, rutko wschodź chudko
   naszego pana mogile."
4. Jeszcze rutka nie weszła
   już lelija porosła.
5. „Rośnij, rośnij lelija
   chociaż tylko jak i ja."
6. Lelija się rozkrzciała
   aż ci krew z niej kapała.
7. „Wyjrzyj dziewko za góry
   jeśli jedzie pan który?"
8. „Jadą, jadą panowie
   naszego pana bratowie."

9. „Po czém żeś ich poznała
   żeś ich panami (braćmi) nazwała."
10. „Po koniczkach po bronych
    po siodełkach czerwonych."
11. Przyjechalić przede dwór
    pytają się o pana:
12. „Pytamyć się bratowa
    gdzieś nam brata podziała?"
13. „Sama nie wiem gdzież siędział
    czy na jagtę (łowy) pojechał"
14. „Zajrzyj służka do stajni
    jeśli są pańskie ogary?"
15. Oj są są panowie są
    swego pana żałują."
16. „Pytamyć się bratowa,
    gdzieś nam brata podziała?"

17. „Sama nie wiem gdzie się dział
   czy na wodę (*rybki*) pojechał"
18. „Zajrzyj służka do sieni
   jeśli są pańskie czółny?"
19. „Oj są i te, są są są
   swego pana żałują."
20. „Pytamy cię bratowa
   Gdzieś nam brata podziała?"
21. „Sama niewiem gdzie się dział
   czy na wojnę pojechał."
22. Zajrzyj służka do stajni
   jeźli są pańskie dryganty (*konie*)
23. „Oj są i te, są są są
   swego pana żałują."
24. „Pytamy cię bratowa
   co hajw za krew na progu?"
25. „Dziwka kury rzezała
   bo się gości spodziewała.""
26. „Daj bratowa kurzyny
   od naszego brata czarniny."
27. „Jakże ja wam jéj mam dać
   czeladzi ją dałam zjeść."
28. „Podaj służka powroza
   przywiążem ją (*panią*) do woza
29. Pojedziem z nią bez czarki
   opadły ją paciorki;
30. Jechali z nią bez wądół:
   „obejrzyj się na swój dom!"
31. „Mój domeczek pustkami
   dziateczki sierotkami!"
32. Jechalić z nią w ciemny las,
   opadł ci ją złoty pas.
33. „Zaczekajtaż na chwilę
   aż się po ten pas schylę."
34. „Nie będziesz się schylała
   boś ci go nie sprawiała—
35. Sprawił ci go braciszek
   imię jego Franciszek."

ze zbioru ks. Gizewiusza.

3. t.

od Brańska.

Sta-ła się nam no-wi - na sta-ła się nam no-wi-na

pa-ni pa-na za - bi - ła pa-ni pa-na za - bi - ła.

3. u.

od Kozienic, (Stara wieś).

Sta-ła nam się no-wi - na sta-ła nam się no-wi-na

pa-ni pa-na za - bi - ła pa-ni pa-na za - bi - ła

1. Stała się nam nowina
   pani pana zabiła;
2. W ogródku go schowała
   rutki na nim nasiała.
3. Rośnij rutka lilija
   jeszcze większa niśli ja.
4. A jakże ja rosnąć mam
   kiej pod sobą trupa mam.
5. Wyjrzyj dziéwko w gęsty las
   jedzie-li tam kto do nas.
6. Jadą jadą panowie
   nieboszczyka bratowie.
7. Witaj witaj bratowa
   nieboszczyka katowa.
8. Kajś nam brata podziała?
   na wojném go wysłała.
9. Sporży sporży po sobie
   jaka krewka na tobie.
10. Dziéwka kurę rzezała
    krewka na mnie bryzgała.
11. Siadaj siadaj bratowa
    nieboszczyka katowa,
12. Jakże z wami usiędę
    małych dziatek pozbędę.
13. Małe dziatki weźmiemy
    ciebie nie odjedziemy.
14. Wyjechali w gęsty las
    tam ją opadł złoty pas.

3. w.

od Sandomierza, (Góry wysokie).

Sta-ła się nam no-wi-na sta-ła się nam no-wi-na
pa-ni pa-na za-bi-ła pa-ni pa-na za-bi-ła. pani pana

no 3. a. i u.

5. Jeszcze do dom niedoszła
   już lilija urosła.
6. Wyjrzyj dziéwko za góry
   czy nie jedzie pan który.

9. Po konikach po wronych
   po siodełkach po czarnych.
10. Przyjechali przed wrota
    i wołają na brata.
11. Otwórz otwórz bratowa
    nieboszczyka katowa;

14. A my z wojny jedziemy
    a brata nie widzieli.

15. Wy jedziecie górami
    on pojechał dołami.
16. Co za krewka na drodze
    na trzewiczku na nodze.
17. Dziéwka kury rzezała
    krewka na mnie parszkała.
18. Gadaj gadaj bratowa
    gdzieś nam brata podziała?
19. Zabiłam go drewienkiem
    w komórce pod okienkiem.
20. Siadaj siadaj bratowa
    nieboszczyka katowa.

21. Ciebie z dziećmi bierzemy
tobie w łeb wystrzelemy.
22. Pojechali w czarny las
opadł ci ją srybny pas.
23. Przyjechali do dworu
wsadzili do pokoju.

24. A dziateczki za drzwiami
zalewają się łzami:
25. Nieszczęśliwaś matko była
coś nam ojca zabiła
sama nie będziesz żyła.

3. x.

od Dzikowa.

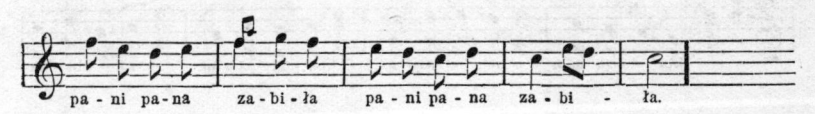

Sta-ła nam się no-wi-na sta-ła nam się no-wi-na
pa-ni pa-na za-bi-ła pa-ni pa-na za-bi-ła.

3. y.

od Słupi-nowej (Baszowice).

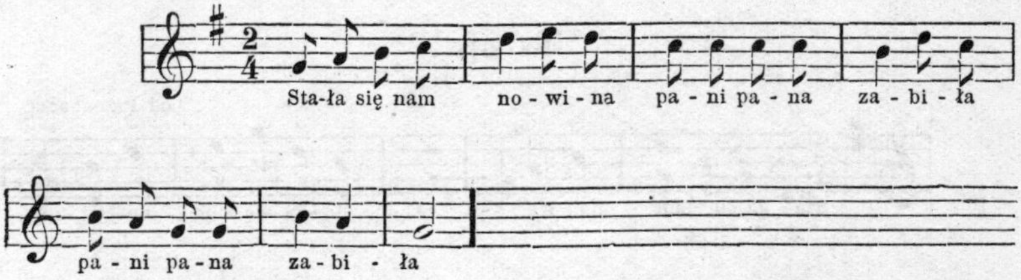

Sta-ła się nam no-wi-na pa-ni pa-na za-bi-ła
pa-ni pa-na za-bi-ła
no. 3 w.

6. Wyjrzyj ino za góry
nie jedzie-li pan który?
7. Jadą z góry panowie
nieboszczyka bratowie.
8. Przyjechali do dworu
i weszli do pokoju,
9. Witaj że nam bratowa
naszego brata katowa.
10. Gryź bratowa orzechy
tyla twojéj pociechy.

11. Dziatki stoją za drzwiami
zalewają się łzami.
12. O matko coś nam zrobiła
ojcaś nam zabiła.
sama nie będziesz żyła.
13. Siadaj z nami bratowa
naszego bratakatowa.
14. A my dziatki weźmiemy
ciebie zgubić musiem
15. Przyjechali w czarny las
i opadł ją śrybny pas.

3. z.

od Opatowa.

Sta-ła się nam no-wi - na sta-ła się nam no - wi - na

pa - ni pa-na za - bi - ła pa - ni pa - na za - bi - ła.

3. aa.

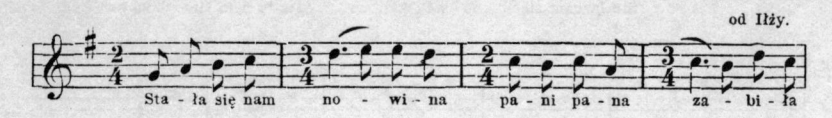

od Iłży.

Sta - ła się nam no - wi - na pa - ni pa - na za - bi - ła

pa - ni pa-na za - bi - ła.

3. bb.

od Przedborza.

Sta - ła się nam no - wi - na sta - ła się nam no - wi - na

pa - ni pa - na za - bi - ła pa - ni pa - na za - bi - ła.

3. cc.

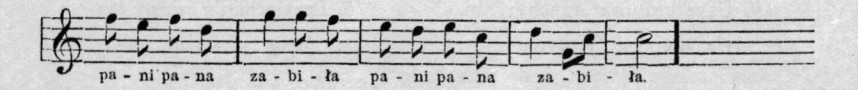

od Łęczycy.

Sta - ła się nam no - wi - na sta - ła się nam no - wi - na

pa - ni pa - na za - bi - ła pa - ni pa - na za - bi - ła.

4.

od Warki.

Hej od ły-séj gó-ry je-cha-li ma-zu-ry, je-cha-li co ży-wo po-pi-ja-li pi-wo.

1. Hej od Łysej góry
 jechali Mazury,
2. Jechali co żywo
 popijali piwo;
3. I na drodze mokną
 zapukali w okno,
4. zobaczyli dziwy
 gospodarz nieżywy.
5. Puka w okieneczko
 otwórz kochaneczko!
6. Dziewczyna się zlękła
 aż potem obciekła.
7. „Kto tu puka tak nierano
 otworzyć nam niekazano. "
8. „Kasiu się nie bój
 to ja Janek twój. "
9. Dziewczyna się ucieszyła
 i Mazurom otworzyła.
10. „A teraz Kasieńko
 Otwieraj okienko,
11. Wyrzuć ciało za płoty."
 „O mój Jasieńku złoty
12. dla ciebiem go zabiła,
 z tobą będę żyła. "

Wojcicki P. l. tom I. str. 156.

5. a.

Mazur. ♩ 120. *od Warszawy (Górce, Babice).*

Ja-sio ko-nie po-ił Ka-sia wo-dę bra-ła, on so-bie za-śpie-wał o-na za-pła-ka-ła. on so-bie za-śpie-wał o-na za-pła-ka-ła.

1. Jasio konie poił
 Kasia wodę brała,

On sobie zaśpiewał
ona zapłakała.

2. „Niepłacz Kasiu niepłacz
nabierz złota dosyć
żeby miał co wrony
koń pod nami nosić."
3. „ „Jabym pojechała
czas mi nie pozwoli;
nie pozwoli matka
do nowéj komory!" "
4. „Powiedźże Kasieńku
że cię główka boli
to cię matka wpuści
do nowéj komory."
5. Matula myślała
że Kasińka spała,
Kasińka z Jasieńkiem
nocką wędrowała.
6. I przywędrowali
do ciemnego lasu
„Rozbieraj się Kasiu,
z sukienek z atłasu"
7. I przywędrowali
do zimnego zdroju,
„Rozbieraj się Kasiu,
z bogatego stroju.
8. I przywędrowali
do wysokiej hali,
„Rozbieraj się Kasiu
z tych pięknych korali."
9. I przywędrowali
do ciemnego boru,
„Wracaj się Kasiuniu
do matki do dworu."
10. „Nie na tóm tu przyszła
żebym ztąd wracała
nie na tóm ia z tobą
nockę wędrowała."
11. A oddaj mi Jasiu
tę złotą spódniczkę

kupię sobie za nią
w mieście kamieniczkę.
12. A oddaj mi Jasiu
te piękne korale,
kupię sobie w mieście
srebrzyste pokoje." "
13. „Nie na tóm ci pobrał
żebym ci oddawał,
nie na tóm ia tutaj
z tobą przywędrował."
14. I wziął-ci ją i wziął
za jej białe rączki
pozdejmał, pościągał
te złote pierścionki.
15. I wziął-ci ją i wziął
za jej białe boki
i wrzucił ją wrzucił
w ten stawik głęboki.
16. Ratuj mnie Jasieńku
ratuj mnie kochanie
niechaj mój warkoczyk
do dna nie dostanie.
17. Nie na tom cię wrzucił
bym cię miał ratować
musi twój warkoczyk
do dna dogruntować.
18. „Gruntujże mi gruntuj
mój warkoczku do dna
jeszcze ja tej śmierci
od Jasia nie godna.
19. Bratek się dowiedział
rybakom powiedział
a rybacy mili
sieci zarzucili.
20. Rybacy Rybacy
sieci zarzucili
nadobną Kasieńkę
na ląd wyrzucili.

21. I położyli ją
w sieni pode drzwiami

a kto na nią spojrzy
zaleje się łzami.

5. b.

Mazur.   od Piaseczna (Jeziorna Słomczyn).

Ja - sio ko - nie po - ił Ka-sia wo - dę bra - ła on so -
bie za-śpie-wał o - na za - pła - ka - ła.

text p. no 5. a.

5. c.

Mazur.   od Kałuszyna (Wiszniew).

Ja - sio ko - nie po - ił Ka - sia wo-dę bra - ła Ja - sio
ją na - ma - wiał by z nim wę - dro - wa - ła Ja - sio ją na - ma - wiał
by z nim wę - dro - wa - ła.

1. Jasio konie poił
Kasia wodę brała
Jasio ją namawiał
by z nim wędrowała.

dalej jak poprzedzająca aż do:

10. „Nie na tom tu przyszła
żeby się ztąd wracać
musisz mnie hultaju
do rodziny zasłać;

11. Wziąłeś mnie od matki
w czerwonych trzewikach
teraz mnie odsyłasz
w lipowych kurpikach.

12. Ujął ci ją ujął
za jej białe ręce
pozmykał, pozmykał
z paluszków pierścieńce.

13. Ujął ci ją ujął
za jej białe boki
wrzucił-ci ją wrzucił
w ten dunaj głęboki.
14. I zawiesił jej się
fartuszek na kole,
„Ratuj że mnie Jasiu
za kochanie moje."
15. „„„Nie na tóm cię wrzucił
żeby cię ratować

musisz mi Kasieńku
do dna dogruntować."
16. „Warkoczku, wianeczku
gruntuj że mi do dna
bo ja od Jasieńka
tej śmierci nie godna."
17. Sitacy, rybacy
siatki zakładajcie
nadobną Kasieńkę
na ląd wyciągajcie.

5 d.

Mazur. od Wyszkowa, (Dąbrowa).

Przy-je-chał Ja - sień - ko z da - le - kiéj - kra - i - ny na - mó - wił
Ka - sień - kę do swo - jéj ro - dzi - ny.

1. Przyjechał Jasieńko
z dalekiej krainy
namówił Kasieńkę
do swojej rodziny.

2. Kasia głupiusieńka
namówić się dała
swoje koniki wrone
zakładać kazała.

3. Oj nabierz-że nabierz
srebra złota dosyć
żeby koniki miały
co za nami nosić.

4. Ze wrot wyjechali
konie iść niechciały,
bo o swéj Kasiuleńki
nieszczęściu wiedziały.

5. I już ujechali
sto trzydzieści mili
żadne do żadnego
słowa niemówili.

6. Przemówiła Kasia
słóweczko do Jasia:
„ach Boże wszechmogący
gdzież rodzina nasza?"

7. „„„Nie pytaj się Kasiu
o swojej rodzinie,
oj będziesz ty pływała
w Dunaju po trzcinie.""""

8. Ujął ci ją ujął
za te białe ręce
i pozdejmał, pościągał
złociste pierścieńce.

9. Ujął ci ją ujął
za te białe boki
i wrzucił ją wrzucił
w ten dunaj głęboki.
10. I zawiesił jej się
fartuszek na kole
„„oj ratuj mnie Jasiu,
ratuj mnie sokole."
11. I zawiesił jej się
warkoczyk na kole,
wziął Jasieniek topora
przeciął go na dwoje.
12. Usłyszał braciszek
na wysokiej górze

i spuścił się do siostry
na jedwabnym sznurze.
13. Gruntuj że gruntuj że
moja trzcinko do dna
jeszcze ja od Jasieńka
tej śmierci nie godna.
14. Już ci Kasiuleńce
we dwa dzwony dzwonią
tego Jasia hultaja
po granicach gonią.
15. Jużci Kasiuleńkę
do grobu wstawiają
tego Jasia hultaja
w drobny mak siekają.

5. e.

Mazur.   od Radzymina, Serocka (Kuligów).

Przy-je-chał Ja - sień-ko z cu-dzéj u-kra - i - ny na-mó-wił
A-nu-len-kę do swojéj ro - dzi-ny i na-mó-wił A-nu-leń-kę
do swo-jéj ro - dzi-ny.

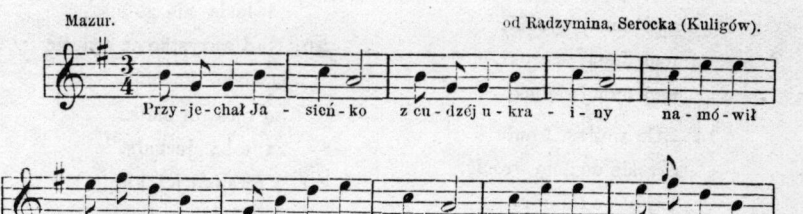

1. Przyjechał Jasieńko
z cudzej ukrainy
i namówił Anulkę
do swojej rodziny.
2. Anuleńka mała
rozumu nie miała
od ojca od matki
odmówić się dała.
3. „Nabierz że Anusiu
srebra złota dosyć

żeby miał co wrony koń
pod nami nosić.
4. „„Nabrałabym go
choćby dwa padoły
gdyby mnie matka puściła
do swej komory." "
5. „Powiedz że Anulu
gdzie cię główka boli
puści cię matula
do swojej komory."

6. Rozumiała matka
że Anula spała
a Anula z Jasiem
precz powędrowała.
7. Przejechali pole
drugie przejechali
jedno do drugiego
słówka nie gadali.
8. Przemówiła Anula
do swego Jasieńka
,,czy daleko Jasiu
twoja rodzineńka?"
9. „ „Czy widzisz Anulu
gdzie dunaj siwieje,
otóż tam Anulu
moi przyjaciele.""
10. I przywędrówali
nad dunaj wysoki,
nad dunaj szeroki,
nad dunaj głęboki.
11. ,,Co wolisz Anulu
czy się do dom wrócić,
czy oto z tej góry
w ten się dunaj rzucić?"
12. ,, ,,Wziąłeś mnie Jasieńku
w zielonej sukience
puść że mnie do domu
w jednej koszulence.
13. Wziąłeś mnie Jasieńku
w czerwonym atłasie,
puść że mnie do domu
choć w koszulce w pasie." "
14. ,,Nie na to cię brałem
byś miała wędrować,
musisz mi Anulu
ten dunaj zgruntować."
15. ,, ,,Oj pójdę ja pójdę
po dworach służący,

mojej rodzineczce
wstydu nierobiący.""
16. Masz że ty Anulu
gdzie po dworach służyć
wolę ja tu ciebie
w ten dunaj ponurzyć."
17. I wziął ci ją Jasio
za obydwie ręce
pozdejmał, pościągał
te złote pierścieńce.
18. I wziął ci ją Jasio
pod obydwa boki
rzucił-ci ją rzucił
w ten dunaj głęboki.
19. ,,Gruntuj-że Anulu
ten dunaik do dna"
,,jeszcze ja tej śmierci
od Jasia nie godna."
20. Nad wszystko na świecie
ja ciebie kochała,
od ojca od matki
za tobą jechała."
21. I owadził jej się
fartuszek na kole:
,,ratuj mnie Jasieńku
za kochanie moje!"
dobył Jasio szabli
i rozciął na troje.
22. Rybacy, rybacy,
sieci zastawiajcie,
nadobną Anusię,
na brzeg wyciągajcie!
23. Rybacy, rybacy,
sieci zarzucili,
nadobną Anusię
na brzeg wyrzucili.
24. A już ci to jużci
po Anuli dzwonią,
a Jasia hultaja
we sto koni gonią.

25. A już ci to jużci
Anulę chowają
a Jasieńka łotra
do turmy wsadzają.

26. Przypatrzcie się panny
i wy młode panie
jakie z hultajami
dobre wędrowanie.

Wojcicki P. l. Białochr. T. I. str. 78.

5. f.

Mazur. od Jadowa (Gluchy, Niegów)

Ja - sio ko - nie po - ił Ka - sia wo - dę bra - ła oj na - ma -
wiał ci ją by z nim wę-dro - wa - ła. oj na - ma - wiał ci ją
by z nim wę-dro - wa - ła.

1. Jasio konie poił
Kasia wodę brała,
oj namawiał-ci ją
by z nim wędrowała.

2. „Jabym wędrowała
czas mi niepozwoli,
oj niepozwoli matka
do nowej komory."

3. „"Powiedz że Kasieńku,
że cię główka boli,
to wpuści cię mamula,
do swojej komory."

4. Oj nabierz Kasieńku
srebra, złota dosyć,
żeby miał wrony konik
co pod nami nosić.""

5. „Moja mamuleńku
główeńka mnie boli"
„ „ej pójdź się córuś położ
do nowej komory." "

6. Mamuła myślała
że Kasieńka spała,
a Kasieńka nieszczęśliwa
z Jasiem wędrowała.

7. I przywędrowali
na szeroki gościniec,
„ej zdejmaj Kasiuleńku
ten złoty pierścieniec."

8. „ „Nie na tóm go kładła,
bym go zdejmać miała
ej oddaj mi Jasieńku
com od matki miała." "

9. I przywędrowali
do ciemnego boru,
„ej rozbieraj się Kasiu
z matczynego stroju."

10. „ „Nie na tóm go kładła
bym go zdejmać miała
ej oddaj mi Jasieńku
com od matki miała."

11. I przywędrowali
    na zielone steczki,
    „ej zdejmaj Kasiuleńku
    ten ubiór turecki"
12. „Nie na tóm tu przyszła
    bym go zdejmać miała
    ej oddaj mi Jasieńku
    com od matki miała.""
13. Ujął ci ją Jasio
    za te białe ręce
    ej pozdejmał, pościągał
    te złote pierścieńce.
14. Ujął ci ją ujął
    za te białe boki
    ej wrzucił ci ją wrzucił
    w ten dunaj głęboki.
15. I zawiesił jej się
    fartuszek na kole,
    „ej ratujże mnie ratuj,
    pocieszenie moje!"
16. „Nie na tóm cię wrzucił
    bym cię miał ratować,
    ej musisz mi dziewczyno
    ten dunaj zgruntować."
17. Da i przypłynęła
    do krza do rokity,
    ej i tam powiesiła
    sznurowe trzewiki.
18. „Ratuj że mnie ratnj,
    pocieszenie moje
    ej będę ci służyła
    pokąd ducha w ciele."
19. „Nie na tóm cię wrzucił
    bym cię miał ratować
    ej musisz mi dziewczyno
    ten dunaj zgruntować."
20. Da i przypłynęła
    do krza iwowego

    ej i tam dziewczyna woła
    „dla Boga żywego."
21. Usłyszał braciszek
    na wysokim murze,
    ej spuścił się do siostry
    po jedwabnym sznurze.
22. Już ci braciszkowi
    i sznurka nie staje
    a Kasieńka siostrzyczka
    warkoczka dodaje.
23. Mali rybaczkowie
    sieci zakładajcie
    ej niebogą siostrzyczkę
    z wody wyciągajcie."
24. Mali rybakowie
    sieci założyli,
    ej niebogą Kasieńkę
    na ląd wyrzucili.
25. I położyli ją
    na białym kamieniu
    i rozpostarł się warkocz
    po prawem ramieniu.
26. Jużci Kasiuneczce
    w duże dzwony dzwonią
    ej a Jasieńka zdrajcę
    w sześć par koni gonią.
27. I dogonili go
    w Lublinie na ryneczku
    „ej jużci Jasio zdrajca
    w Kasinym wianeczku."
28. Już ci Kasineczkę
    do grobu wstawiają
    ej a Jasieńka zdrajcę
    da na sztuki rąbają.
29. Ej napatrzcież panny,
    wdowy i mężatki
    ej jak to źle wędrować
    od ojca od matki.

5. g.

Mazur.   od Kowla (na Wołyniu).

Siadaj Kasiu ze mną piękny koń pode mną nabierz złota dosyć żeby miał co nosić nabierz złota dosyć żeby miał co nosić.

1. „Siadaj Kasiu ze mną
   piękny koń podemną
   nabierz złota dosyć
   żeby miał co nosić."
2. „„Jasiuniu Jasiuniu
   to nie od mej woli
   u matuli klucze
   od nowej komory.
3. „To powiedz matuni
   że cię główka boli
   otworzysz, otworzysz
   do nowej komory.
4. „„„Mamuniu, mamuniu,
   coś mię główka boli""""

„a idź że się połóż
do nowéj komory."
5. Matunia usnęła
   Kasiunia niespała,
   wzięła złota dosyć
   z Jasiem wędrowała.
6. Przyjechał z nią Jasio
   do szerokiej Wisły
   „powiedz teraz Kasiu
   co ty masz na myśli."
7. „„Myślę sobie Jasiu
   czy ja nie zgrzeszyła
   żem swoją matunię
   na wiek porzuciła.

5 h.

od Brańska.

Na majowéj rosie Jaś koniki pasie namawia namawia Anuleńkę zasię.

5. i.

od Zakroczyma (Modlin).

U zimnego zdroju Jasio konie poił nadobną Anulkę wędrować namówił nadobną Anulkę wędrować namówił.

1. U zimego zdroju
Jasio konie poił
nadobną Anulkę
wędrować namówił.
2. „Nabierz że Anusiu
tego złota dosyć
oj aby miał pod nami
co i konik nosić."
3. „ „A mój Jasineczku
jakże ci nabiorę

zamknęła matula
tę nową komorę.
dalej jak w no. 5. f. z odmianą przy w 8.
8. I przywędrowali
do zimnego zdroju
„wracaj się Anulku
do matki do dworu."
9. „ „ „Na tóm wędrowała
bym się niewracała
bym swej rodzineczce
żalu dodawała." "

5. k.

od Sierpca i Bieżunia.

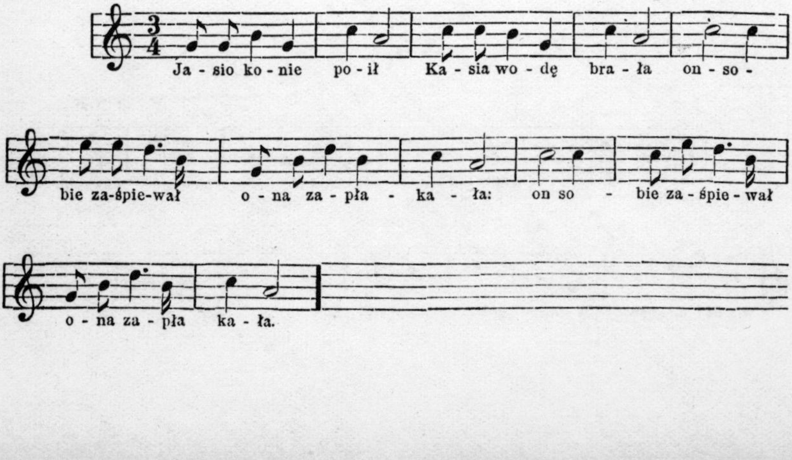

Jasio konie poił Kasia wodę brała on sobie zaśpiewał ona zapłakała: on sobie zaśpiewał ona zapłakała.

5. 1.

od Sochaczewa (Kozłów).

Ja-sio ko-nie po-ił Ka-sia wód-kę bra-ła oj za-śpie-wał za-śpie-wał a ona pła - ka - ła.

1. Jasio konie poił
Kasia wódkę brała
oj zaśpiewał, zaśpiewał
a ona płakała.
  dalej no. 5. i.
10. „Naści Jasiu naści
sto złotych czerwonych
kupmy sobie kupmy
sześć koników wronych."
11. „„„Coś od matki miała
i to nie pomoże
musisz ty Kasieńku
zgruntować te morze."
12. „Naści Jasiu naści
tę złotą spódnicę,

kupmy sobie kupmy
w mieście kamienicę.
13. „„W mieście kamienicę
i to niepomoże
musisz ty Kasieńku
zgruntować to morze." "
14. „Naści Jasiu naści
ten złoty fartuszek
kupmy sobie kupmy
szybowany wózek."
15. Wziął ci ją za rączki
wziął ci ją za boczki
wrzucił ci ją wrzucił
w stawiczek głęboczki.
16. Mali rybaczkowie i t. d.

5. m.

Polonez.   od Szczytna v. Ortelsburga (Rozogi, Jeruty).

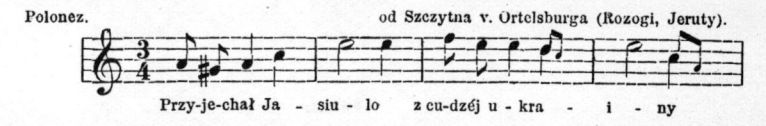

Przy-je-chał Ja - siu - lo z cu-dzéj u - kra - i - ny

na-ma-wiać Ka-siu-nię na-ma-wiać Ka-siu - nię do swo-jéj ro - dzi-ny

na-ma-wiać Ka-siu - nię namawiać Kasiu - nię do swo-jéj ro - dzi-ny.

1. Przyjechał Jasiulo
   z cudzej ukrainy
   namawiać Kasiulę (*bis*)
   do swojej rodziny.
2. Kasia taka była
   namówić się dała
   swoje kare konie (*bis*)
   ubierać kazała.
3. „O moja Kasiulu
   weźże złota dosić,
   aby twoje konie (*bis*)
   miały też co nosić."
4. „„O mój ty Jasiulu
   niema nic na goli
   zamknęła matula
   do nowej komory.""
5. I powędrowali
   sto trzydzieści mili
   jedno do drugiego
   słówka nie zmówili
6. Kasia taka była
   słówko przemówiła:
   „ach Jasiu Jasieńku
   gdzież rodzina twoja."
7. „„„Czegóż ty się pytasz
   o mojej rodzinie,
   będziesz ty pływała
   w dunaju po trzcinie.""
8. I przywędrowali
   do ciemnego lasu
   „rozbieraj się Kasiu
   z drogiego atłasu.
9. I przywędrowali
   na krzyżowe drogi
   „rozbieraj się Kasiu
   bo to ubior drogi.
10. Ujął-ci ją ujął
    za jej białe ręce,
    „a zdejmajże Kasiu
    złociste pierścieńce.
11. Ujął-ci ją ujął
    za jej białe boki
    a pływajże Kasiu
    w ten dunaj głęboki.
12. I zawiesił jej się
    fartuszek na kole:
    „ratuj mnie Jasieńku
    ratuj mnie sokole!"
13. „„„A pływaj-że pływaj
    aż na tamtą stronę
    tam zobaczysz Kasiu
    moją siódmą żonę.""
14. Rybacy, rybacy
    sieci założyli
    nadobną Kasiulę
    z wody wyciągnęli.

5. n.

od Ostrołęki (Mokrylas, Gaworów).

Przy-je-chał Ja-sień-ko z cu-dzej u-kra-i-ny od-mó-wił
dziew-czy-nę do swo-jéj ro-dzi-ny

1. Przyjechał Jasieńko
z cudzej ukrainy,
odmówił dziewczynę
do swojej rodziny.
2. Ona była mała
odmówić się dała,
swoje konie wrone
zakładać kazała.
3. Koniki zarżały
ze stajni niechciały
o mojem nieszczęściu
wszystko dobrze wiedziały!
4. „Nabierz że dziewczyno
srebra złota dosyć
będziesz sobie Kasiu
w złotych sukniach chodzić."
5. „„Nie dla tego Jasiu
ja za ciebie idę
żeby ja we złocie
chodziła po izbie." "
6. Nie dla złota, Kasiu
biorę ja cię z sobą
ale z srebrem, złotem
to mi będziesz droższą."
7. „Myślisz-że Jasieńku
że złoto na gwoli (*ku woli*)
zamkła je matula
do nowej komory." "
8. „Powiedz tylo Kasiu
że cię główka boli
da ci matka klucze
do nowej komory.
9. Matka rozumiała
że Kasieńka spała
Kasieńka z Jasieńkiem
w świat powędrowała.
10. I uwędrowali
półdziewiętej mili

jedno do drugiego
nic nieprzemówili.
11. Przemówiła Kasia
słóweńko do Jasia:
dalekoż Jasieńku
rodzineczka wasza?
12. Nie pytaj się Kasiu
o mojej rodzinie,
będziesz ty pływała
w Dunaju po trzcinie.
13. Przyjechał-ci Jasio
do ciemnego lasu:
rozbieraj się Kasiu
z czarnego atłasu.
14. Kasia się rozbiera
nierozbierający,
płacze i wyrzeka:
Boże wszechmogący!
15. Przyjechał ci Jasio
do zimnego zdroju:
rozbieraj się Kasiu
ze swej matki stroju.
16. Kasia się rozbiera
nierozbierający,
płacze i wyrzeka:
Boże wszechmogący!
17. Ujął ci ją Jasio
za jej białą głowę
pozdejmał pościągał
wianeczki perłowe.
18. Ujął ci ją Jasio
za jej białe ręce
pozdejmał, pościągał
złociste pierścieńce.
19. Ujął ci ją Jasio
za jej białe nóżki
pozdejmał, pościągał
jedwabne pończoszki.

20. Ujął ci ją Jasio
za jej białe boki
wrzucił ci ją wrzucił
w ten dunaj głęboki.
21. I zawiesił jej się
fartuszek na kole:
ratuj mnie Jasieńku
poratuj sokole!
22. Myślisz ty dziewczyno
żeś ty tam jest jedna,
już ich tam poszło sześć
a ty idziesz siódma.
23. I rozciął szabelką
fartuszek na dwoje:

do dna Kasiu, do dna
do dna dziewcze moje!
24. Rybacy skoczyli
i sieć zarzucili
nadobną Kasieńkę
na ląd wyrzucili.
25. Nadobną Kasieńkę
po smugu taczają
a Jasieńka szelmę
po polu ganiają.
26. Nadobną Kasieńkę
stawiają do grobu
a Jasieńka szelmę
targają po polu.

5. o.

od Klimontowa (Zakrzów).

Ja-sio ko-nie po-ił Ka-sia wo-dą bra-ła na-ma-wiał
ją na-ma-wiał by z nim wę-dro-wa-ła na-ma-wiał ją na-mawiał
by z nim wędro-wa-ła.

no 5. d. i ww.

9. I zdjęła pierścionki
z paluszka swojego
rzuciła, rzuciła
w Jasieńka swojego.
10. I zdjęła trzewiczek
z prawej nóżki swojej
rzuciła rzuciła
w oczki Jasieńkowi.

13. Idźże ty fartuszku
za twą śliczną panią
niech już moje oczki
nie patrzają na nią.
14. Sitacy, sitacy i t. d.

5. p.

od Leżajska, Ulanowa.

Na-do-bny Ja - sień-ko ko-ni-ka na-pa-wał od oj-ca od ma-tki dziewczynę od-ma-wiał.

1. Nadobny Jasieńko
konika napawał
od ojca od matki
dziewczynę odmawiał.
2. Powiedz że tam powiedz
że cię główka boli
puści cię matula
do nowej komory.
3. Nabierz że tam, nabierz
srébra złota dosyć
aby mój koniczek
miał za mną co nosić.
4. A moja matulu
toć mię główka boli:
„idź się córuś ułóż
do nowej komory."
5. Córusia poszła
lecz nockę nie spała
tylko z Jasieńkiem
powędrowała.
6. Przywędrowali
do jednego boru:
„odprowadź mnie Jasiu
do matuli dworu.
7. Przyprowadziłeś mię
w trzewiczkach ponsowych
odprowadź mię Jasiu
w kurpikach lipowych.

8. Przyprowadziłeś mnie
w zielonej sukience
odprowadź mnie Jasiu
w zgrzebnej koszuleńce.
9. Wziął ci ją za rączki
wziął ci ją pod boczki
rzucił ci ją rzucił
w dunaik głęboczki.
10. A rybacy byli
sieci zarzucili
nadobną dziewczynę
na brzeg wyrzucili.
11. Poszła do kościoła
stanęła za drzwiami
co się pojrzy na panny
zaleje się łzami.
12. Przypatrzcie się panny
wdowy i mężatki,
jak ci to wędrować
od ojca od matki.
13. Oj już mojej Kasi
w wielkie dzwony dzwonią
a Jasia hultaja
żołnierzami gonią.
14. Oj już moję Kasię
do grobu spuszczają
a Jasia hultaja
na koło wplatają.

Wacł. z Oleska P. l. p. w Gal.. str. 483.

5. q.

z nad Dunajca

1. Nadobny Jasieńko
koniki napawał
od ojca od matki
dziewczynę odmawiał.
2. Siedziała Marysia
na wysokim oknie:
„siadaj że Marysiu
niech konik nie moknie.
3. Nabierz że Marysiu
złota srybra dosyć
żeby miał koniczek
co pod nami nosić.
4. Jabym ci Jasiuniu
i to uczyniła
żeby mi matusia
kluczy pozwoliła.
5. Powiedz że Marysi
że cię główka boli
ona ci pozwoli
kluczy do kómory.
6. Nabrała Marysia
srybra złota dosyć
aż się już i konik
nie mógł z miejsca ruszyć.
7. Matusia myślała
że Marysia spała
a córunia preczki
z Jasiem wędrowała.
8. Do boru wjechali
wyjechali z boru:
„wróć że się Marysiu
do swej matki dworu.
9. A musiałby mi się
w koło świat obrócić
żeby ja się miała
do swej matki wrócić.
10. Nie po tom tu przyszła
bym się wracać miała
oddaj mi Jasiuniu
com od matki miała.
11. Czerwone korale
cycową spódnicę
kupie ja se kupię
w mieście kamienicę.
12. On ci się rozgniewał
wziął ci ją za boczki
wrzucił ci ją wrzucił
w Dunajec głęboczki.
13. Zawadził ci się jej
fartuszek na kole:
„ratuj że mnie Jasiu
za kochanie moje."
14. Nie po tom cię wrzucił
bym cię miał ratować
musisz mi Marysiu
ten dunaj zgruntować.
15. Rybacy, rybacy
sieci zastawiajcie
nadobną Marysię
na brzeg wyrzucajcie.
16. Rybacy skoczyli
sieci zastawili
nadobną Marysię
na brzeg wyrzucili.
17. Nadobnej Marysi
wszystkie dzwony dzwonią
a Jasia hultaja
na sto koni gonią.
18. Nadobną Marysię
do grobu spuszczają
a Jasia hultaja
na koło wplatają.

Żeg. Pauli P. l. p. w. Gal. str.92. Pisni sw. lid. sl. w Uhr. T. 1. „Hory, hory, czerne hory!"

5. r.

z Lubelskiego.

Jaś konia na-pa-wał i Kasię pod-mawiał Kasia so-bie sie-działa w kry-szta-ło-wym o-knie. Ka-sia so-bie sie-dzia-ła w kryształowym o-knie.

1. Jaś konia napawał
i Kasię podmawiał,
Kasia sobie siedziała
w kryształowym oknie.
2. Już ci bym namówił
kamienie i wodę
a ciebie Kasieczku
namówić nie mogę.
3. Nabierz jéno z sobą,
srébra złota dosić,
żeby miał co siwy
koń pod nami nosić.
4. A Kasia przez całą
nockę niespała
jeno z Jasiem swoim
precz powędrowała.
5. Przejechali pole
drugie przejechali,
jedno do drugiego
słówka nie gadali.
6. A że zajechali
nad szeroki dunaj
Kasia zapłakała
Jasio się zadumał.
7. Wróć się Kasiu, wróć się
do swej matki domu.
8. Nie na to ja Jasiu
z tobą wędrowała.
ażebym do matki
dworu się wracała.
9. Ale na tom Jasiu
z tobą wędrowała.
żebym z tobą w zamku
pysznym mieszkała.
10. A on śliczny zamek
nie do twego stroju
wróć się serce Kasiu
do swej matki dworu.
11. Porwał Jasio Kasię
porwał ją za boki
i wrzucił ją wrzucił
w ten dunaj głęboki.
12. A skoro Jasia
mego dogonili
zaraz mu główkę
jego poranili.
13. Wyrzekł Jasio słówko
do swojéj kochanej:
podaj mi chusteczkę
pozawijać rany.

14. Choćbym ja chusteczek
jak najwięcej miała
tobym ja ci żadnéj
hultaju nie dała.
15. Młode rybaczeńki
sieci zarzucajcie

nadobną Kasieńkę
z wody wyciągajcie.
16. Siedział sobie Jasio
na białym kamieniu
trzymał martwą Kasię
na swojém ramieniu.

Wojcicki P. l. T. I. str. 234.

5. s.

Melodia patrz Nr. 5.

z nad Nidy od Korczyna.

1. Jechał pan ze dworu
do sąsiada,
naprzód jego córkę
kochankę napada.

2. „Nabierz że Urszulo
srebra złota dosyć,
żeby miał mój konik
co z sobą unosić."

3. „Ja nie mam oddane
nic po mojéj woli,
matka mi od skarbca
kluczów nie pozwoli."

4. „Jeśli tylko zechcesz
mieć będziesz powoli,
i matka od skarbca
kluczów ci pozwoli.

5. Zobaczysz będziemy
szczęśliwi, bogaci,
my się pobierzemy
matka nic nie straci."

6. Matka rozumiała
że Urszula spała,
Urszula daleko
w nocy wędrowała.

7. Do boru wjechali
wyjechali z boru,
wróć że się Urszulo
do swych ojców dworu."

8. „Jakże nieszczęśliwa,
mam się teraz wrócić,
i ojca zasmucić
i ciebie porzucić."

9. „Ja na wojnę jadę
nic mi tam po tobie,
do domu Urszulo
do domu idź sobie.

10. Wszak widzisz przed sobą
ten dunaj szeroki,
to go też zmierzę tobą
jaki też głęboki.

11. Przez lasy, przez bory,
Urszula wracała,
nim zaszła do domu
oczy wypłakała.

12. Ludzie miłosierni,
grób dla niej usili,
za życia, po śmierci
płakano Urszuli.

Wojcicki P. l. B. i M. Tom 1. str.

5. t.

od Staszowa i Szydłowa.

Wyjechał Ja - sień - ko ko - ni - ka na - pa - wać i na - po - tkał.

Ka . siu . nię począł ją na - ma - wiać i na - po - tkał Ka - siu - nię

po.czął ją na - mawiać.

1. Wyjechał Jasienio
konika napawać,
i napotkał Kasinię
począł ją namawiać.
2. „Kasiu moja heliś
nabierz złota dosyć,
żeby miał ten konik
co za nami nosić."
3. „A Jasiu mój, Jasiu
nie po mojéj woli,
zabrała matula
klucze od komory."

t. p. Nr. 5. q.

8. I przywędrowała
w jaworowy lasek,
„a mój drogi Jasiu
spocznijmy tu kąsek".
9. Ona se spoczywała
pod jaworem w chłodzie,
a Jasio se spoczął
na bieżącej wodzie.
10. „Kasiu moja Kasiu
co ty teraz wolisz,
czy do matki wrócić
czy w dunaik wrzucić.?"
11. „A wolę ja wolę
po dunaju pływać,
niźli u matusi
niewoli używać."
12. Wziął ci ją za rączki
wziął ci ją za boczki,
wrzucił-ci ją wrzucił
w ten dunaj głęboczki.
13. I uwiesił jéj się
fartuszek na kole
„patrzaj-że Jasiuniu
żem kochanie twoje."
14. Siciarze, rybiarze
sici zastawiajcie,
Kasińkę helisię
na brzeg wyciągajcie.
15. I siadła se Kasia
na białym kamieniu,
rozpuściła warkocz
po prawem ramieniu.

5. u.

od Pilicy (Szyce, Dzwonowice, Kidów).

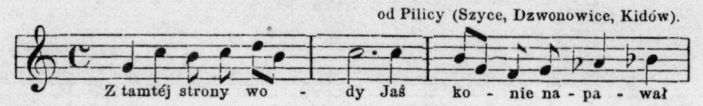

Z tamtéj strony wo - dy Jaś ko - nie na - pa - wał od oj - ca od ma - tki Ma-ry - się od - ma - wiał,

1. Z tamtej strony wody
Jaś konie napawał,
od ojca od matki
Marysię odmawiał.
2. „Nabierz że Marysiu
śrybła złota dosyć,
żeby miał co wrony
koń pod nami nosić"
3. „A jużem pobrała
i com rozumiała
zaprzęgaj Jasieńku
będziewa siadała""
4. I zajechali
w kalinowy lasek,
mówi ten Jasinek,
„spocznijwa se kąsek."
5. „„A po cóżby ja się
na wędrówkę brała,
żebym swoim nóżkom
odpoczynek dała."
6. Wziął-ci ją za rączki
i za oba boczki,

wrzucił-ci ją wrzucił
w ten dunaj głęboczki.
7. A obwiesił jej się
fartuszek na kole,
wziął ci za szabelkę
rozciął go na dwoje.
8. „A idź że fartuszku
za tą swoją panią,
bo mnie oczka bolą
patrzający na nią"
9. Wypłynęła na kraj
siadła na kamieniu,
rozpuściła włosy
po prawém ramieniu
10. A schnijcie mi schnijcie
moje złote włosy,
coście używały
u matki roskoszy."
11. Przypatrzcie się panny
a i starsze panie,
jakie to z Jasieńkiem
dobre wędrowanie.

5. v.

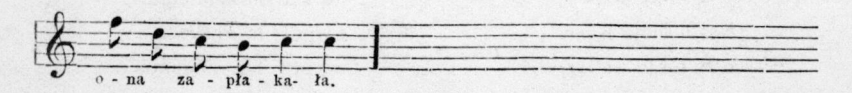

od Olsztyna i Częstochowy.

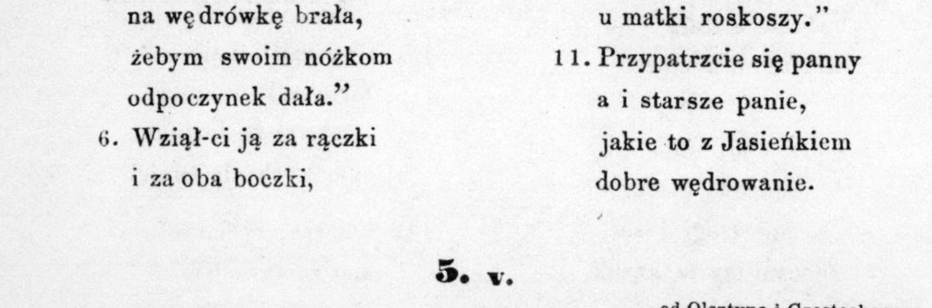

Ja-sio ko-nie po - ił Ka - sia wo-dę bra-ła on so-bie za-śpie - wał

o - na za - pła - ka - ła.

1. Jasio konie poił,
Kasia wodę brała
on sobie zaśpiewał
ona zapłakała.

2. „A czego ty płaczesz
czego lamentujesz?
pojadę ja we świat,
ze mną powędrujesz.

5. w.

Krakowiak. od Kielc i Pierzchnicy.

Ja - sio konie po - ił Ka-sia wo-dę bra - ła

Jaś sobie za - śpiewał Ka-sia za-pła - ka - ła. Kasia zapła - ka-ła.

1. Jasio konie poił
Kasia wodę brała;
Jaś sobie zaśpiewał
Kasia zapłakała.

2. „Niepłacz Kasiu niepłacz
nie łam sobie głowy,
nie będę żołnierzem
bom nie popisowy."

3. „ „Da jak ci ja pójdę,
jak ci powędruję
oj to rodzinie swojej
pięknie podziękuję." "

4. „Moja ty Kasiuniu
głupia byś ty była
da żebyś od rodziny
z niczem odchodziła.

5 Jéno weź Kasiuniu
śrybła złota dosyć
da żeby miał koniczek
co za nami nosić.

6. „ „Matka powiedziała
żem ciebie widziała
oj to ona mnie będzie
dobrze pilnowała." "

7. „Powiedz że Kasiuniu
że cię główka boli
odemknie matula
do nowej komory.

8. Nabierz że Kasiuniu
śrybła złota dosyć
da żeby miał koniczek
co za nami nosić."

9. Matka rozumiała
że Kasiunia spała
oj da Kasiunia złotko
w drogę zabierała

10. „Wyjrzyj-że Kasiuniu
okienkiem na pole
oj zobaczysz Jasienia
ukochanie swoje."

11. Kasiunia ujrzała
że matula spała
oj Kasiunia wyniosła
i wszystko zabrała.
12. „Powiedz że Jasiuniu
kady ty co czujesz,
da zaprzęgaj że konia
i wóz nasmarujesz."
13. Jasio już powiedział
kady już co czuwał
oj i konia zaprzągł
i wóz nasmarował.
14. Siada Kasia na wóz
na węder jechała, (*wędrówkę lub:*
na Węgry?)
oj wyjechała w drogę
i matki płakała.
15. Wyjechał Jasinek
cztery mile w pole,
„oj tu Kasiuniu moja
rozłączenie twoje."
16. „„„Mój drogi Jasiuniu
cóż za serce twoje
żebyś ty mi robił
rozłączenie moje." "
17. Widzisz ty Kasiuniu
ten szeroki dunaj,

jakbym ja się nierozłączył
sam bym nie popłynął.
18. Ten dunaj szeroczki
ten dunaj głęboczki
oj wezmę cię, cisnę cię,
za rączki, za boczki."
19. I zawiesił jej się
fartuszek na kole,
oj wyrwał szabeleczki
i przeciął na dwoje.
20. Toniej że fartuszku
za tą swoją panią,
bo mnie oczy bolą
patrzający za nią.
21. Jasio konia zaciął
i pojechał w drogę,
oj przyjechał do mostu
już dalej nie mogę!
22. Kasię dobywali
i we dzwony grali
oj jużci i Jasinia
na moście rąbali.
23. Matka przyjechała
i ręce łamała:
„da już więcej nie będę
córki oglądała."

5. x.

od Końskich.

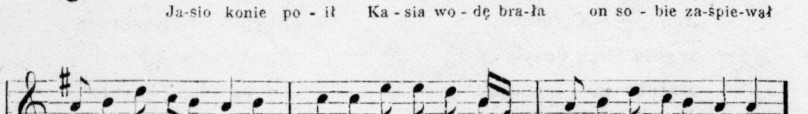

Ja-sio konie po-ił Ka-sia wo-dę bra-ła on so-bie za-śpie-wał
o-na za-pła-ka-ła on so-bie zaśpiewał o-na za-pła-ka-ła.

1. Od Warszawy (Czerniaków)

5. y.

od Sulejowa Piotrkowa, (Lubień, Łęczno)

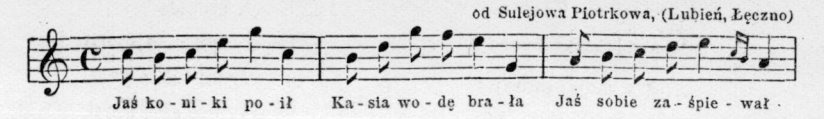

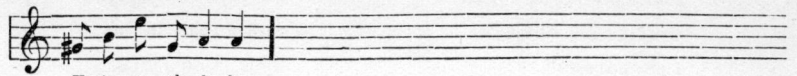

Jaś ko-ni-ki po-ił Ka-sia wo-dę bra-ła Jaś sobie za-śpie-wał.

Kasia za-pła-ka-ła.

1. Jaś koniki poił
Kasia wodę brała
Jaś sobie zaśpiewał
Kasia zapłakała
2. Jaś sobie zaśpiewał
o zielonym gaju

Kasia zapłakała
od wielkiego żalu.
3. „Weź konia do koni
a mnie do komory,
powiedz że matuli
że cię główka boli.

dalej, no. 5. ee.

5. z.

od Gostynina (Sierakówek, Ruszków).

Ja-sio ko-nie po-ił Kasia wo-dę bra-ła na-mawiał ją Ja-sio że-by wę-dro-wa-ła.

1. Jasio konie poił
Kasia wodę brała;
namawiał ją Jasio
żeby wędrowała.
2. „Nabierz złota dosyć
nabierz srebra dosyć
żeby miał koniczek
co za nami nosić."
3. „„„A mój Jasineczku
nie mam ci ja woli

nie puści matula
do nowej komory.
4. Matulu, matulu,
główeczka mnie boli,
puści mnie matula
do nowej komory."""
5. Matula myślała
że córusia spała
a córusia z Jasiem
nockę wędrowała.

6. I zawędrowali
do dużego boru:
„wracaj się Kasiuniu
do swej matki dworu."
7. „„„A u mojej matki
zielone pokoje,
a wróćmy się Jasieńku
wróćmy się oboje." "
8. I zawędrowali
do nowej brzeziny
„wracaj się Kasiuchna
do swojej rodziny."
9. „„„Nie na tom wędrowała
żebym się wracała
ale na to Jasiu
bym z tobą została."""
10. I zawędrowali
do zimnego zdroju,
„rozbieraj się Kaśka
z nie twojego stroju."
11. I wpół ją przycisnął
wziął-ci ją za paski,

wrzucił-ci ją wrzucił
w zdroiczek głęboczki.
12. Kasia utonęła
warkoczyk jéj spłynął,
jak płynął tak płynął
na trzcince się zwinął
13. „A płyń że ty płyń że
warkoczyku do dna,
aboż ja od Jasia
takiéj śmierci godna."
14. Rozpostarł się rozpostarł
fartuszek na kole,
ratuj ją Jasieńku
pocieszenie twoje.
15. Rybacy rybacy
co rybki łowili,
Kasiuchnę złowili
na ląd wyrzucili.
16. A Kasi Kasiuchnie
organy grają,
a Jasia szelmę
żelazne brony targają.

5. aa.

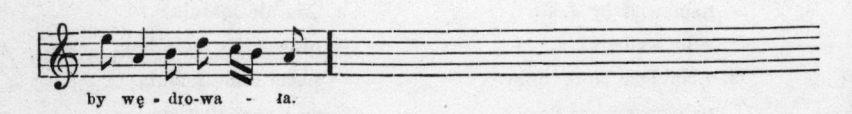

od Kowala (Kłótno).

Ja-sio ko-nie po - ił Ka-sia chusty pra - ła namówił ci ją żeby wę - dro-wa - ła.

1. Jasio konie poił
Kasia chusty prała,
namówił-ci ją
żeby wędrowała.

2. Żeby wędrowała
i złota nabrała,
żeby się w daleką
wędrówkę wybrała.

3. „A jakże go wezmę
a mój mocny Boże!
zamkła matka złoto
w téj nowéj komorze."
p. Nr. 5 z.
6. I przywędrowali
do ciemnéj leszczyny
„wróćma się Jasieńku
do swojéj rodziny.
7. U méj matulinki
zielone pokoje,
wróćma się Jasieńku
wróćma się oboje."
8. Nie nato wędrowali
żeby się wracali,
ojcu matulińce,
serce zasmucali.
9. I przywędrowali
do zimnego zdroju,

„rozbieraj się dziewko
z bogatego stroju."
10. Wziął ci ją za nóżki
wziął ci za paluszki,
pościągał trzewiczki
pościągał obrączki.

15. Nie na to ją rzucił
żeby ją ratował,
stawiczek głęboczki
tu by niezgruntował.
16. Rybacy rybacy
z daleka widzieli,
ojcu matulińce
zaraz powiedzieli.
17. Kasi Kasiuleńce
w organy zagrali,
a tego psa zdrajcę
końmi roztargali.

5. bb.

od Łowicza (Z łaków kościelny).

*Jaś konie napajał — Kąsia chusty prała —
Jasio ją namawiał — by z nim wędrowała
Jasio ją namawiał by z nim wędrowała.*

5. cc.

od Dąbia (Ladorodz, Tarnówka).

Ja-sio ko-nie po - ił   Ka-sia chusty pra - ła   na - mawiał ją Ja-sio

by z nim wędro-wa - ła   na - ma-wiał ją Ja - sio   by z nim wędro - wa - ła.

5. dd.

od Szadku (Małyń).

Wy-je-chał Ja - sień-ko   ko-ni-ki na - pa— jać

na-po-tkał Ka-siń-kę   nuż so-bie na - ma - wiać   na-po-tkał Ka-siń-kę

nuż so-bie na - ma-wiać.

1. Wyjechał Jasieńko
koniki napawać,
napotkał Kasińkę
nuż sobie namawiać.
2. „Nabierz ty dziewczyno
srebra złota dosyó,
żeby miał koniczek
co pod nami nosić."
3. Wyjechał, wyjechał
za wieś na pół pola
„wracaj się dziewczyno
do matki do dwora."
4. „„Chocby mi się przyszło
po téj ziemi taczać,

niemam ci się po co
do swéj matki wracać.""
5. „Oj przedam dziewczyno
te śliczne spódnicę
kupię sobie za to
w mieście kamienicę."
6. „„Wziął-ci ją wziął-ci ją
Jasinek pod boczki
cisnął-ci ją cisnął
w stawiczek głęboczki.
7. „Nie tońcie nie tońcie
moje włosy do dna,
boć ja od Jasieńka
téj śmierci niegodna."

8. Rybacy rybacy
co ryby łowili,
nadobną Kasieńkę
na brzeg wyciągnęli.

9. Zabrała się Kasia
rano do kościoła
spojrzała na ołtarz
łzami się oblała.

5. ee.

Melodia patrz Nr. 6. i.

z nad jeziora Gopła.

1. Jasio konie poił
Kasia wodę brała,
Jasinek zaśpiewał
Kasia zapłakała.
2. „Nie płacz Kasiu nie płacz
nabierz złota dosić
będzie miał koniczek
co za nami nosić.
3. Powiedz przed matulą
że cię główka boli,
da ci matulińka
klucze od pokoi."
4. Matula usnęła,
Kasińka nie spała,
bo Kasińka z Jasiem
nockę wędrowała.
5. I zawędrowali
do bystrego zdroju,
„weźże rozbrat Kasiu
z bogatego stroju."
6. „„„Nie natom tu przyszła
bym się rozbierała
z tobą niegodziwy
nockę wędrowała." "
7. I zawędrowali
na wysoki mostek,
wrzucił Jasio Kasię
w ten głębocki stawek.

8. I zawiesiła jej się
chusteczka *(fartuszek)* na kole
„ratuj mnie Jasieńku
za kochanie moje."
9. „„Nie na tom cię wrzucił
bym cię miał ratować,
musisz ty Kasieńku
do dna dogruntować."""
10. „Gruntuj ty warkoczu
do dna do samego,
nabyłam ja śmierci
od kochanka mego."
11. Rybacy rybacy
na ryby łowili,
nadobną Kasińkę
na ląd wyciągnęli.
12. Postawili-ci ją
w szpitalu (*kościele*) za
drzwiami,
a kto spojrzał na nią
zalewał się łzami.
13. Patrzajcie panienki
i wy też mężatki,
jak to źle wędrować
od ojca od matki.
14. Nadobnej Kasieńce
już w organy grają
(*we dzwony dzwonią*)

tego psa (*a Jasia*) hultaja
na sztuki rąbają (*we sto koni
gonią*)

15. A nad Kasi grobem
panny wyspiewują
tego psa (*a Jasia*) hultaja
na koło windują.

J. Lipiński P. l. Wielkop. str. 34. — *Wojcicki P. l. Białochr. T. 1. str. 298.*

5. ff.

Andante. od Wielunia (Rudlice).

Ja-sio ko-nie po - ił Ka - sia wo-dę bra - ła

mówił — ci jéj mó - wił że-by wę-dro-wa - ła.

1. Jasio konie poił
Kasia wodę brała,
mówił-ci jej mówił
żeby wędrowała.
2. „Nabierz ci ty nabierz
Kasiu złota dosić,
żeby miał koniczek
co za nami nosić."
3. „„Sładniej by to nabrać
gdyby był czas wolny,
puść-że mnie matulu
do nowej komory." "
4. Zaszli-ć oni zaszli
do gęstego boru:
„wróć się Kasiuleńku
do matki do dworu."

5. Nie potom tu przyszła
żebym z tąd wracała,
żebym z tobą Jasiu
preczki wędrowała.
6. Złapał ją za boczek
złapał ją za drugi,
ciepnął-ci ją ciepnął
w stawiczek głęboki.
7. I obwiesił jej się
fartuszek na kole,
dobył-ci szabelki
przeciął-ci na dwoje.
8. „pływaj-że dziewczyno
od olszowej kładki."
Takie wędrowanie
od ojca od matki.

5. gg.

od Krzepic.

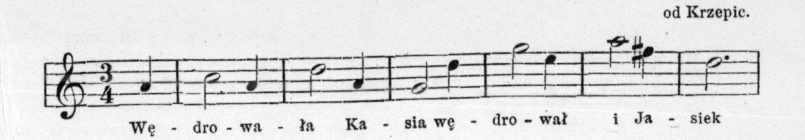

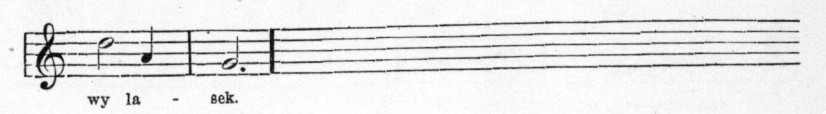

Wę - dro - wa - ła Ka - sia wę - dro - wał i Ja - siek wę - dro - wa - li o - bo - je → wę-dro-wa - li o - bo - je przez ci - so - wy la - sek.

1. Wędrowała Kasia
wędrował i Jasiek,
wędrowali oboje
przez cisowy lasek.
2. I przywędrowali
pod czerwone morze,
ona siadła na kamieniu
on na zgniłej kłodzie.
3. „Cóż wolisz dzieweczko
jaką śmiercią ginąć,
czy od mojej prawej rączki
czy w ten dunaj tonąć."
4. Wziął-ci ją za rączki
i za oba boczki,
ciepnął-ci ją ciepnął
w ten dunaj głęboczki.

5. „Bóg-by mi też pomógł
ten dunaj przepłynąć,
wiedziałbyś też ty hultaju
jaką śmiercią ginąć."
6. Już i przytonęła
do kraju drugiego,
bo jej trzcinka niepuściła
warkocza długiego.
7. I usiadła sobie
na białym kamieniu,
rozpuściła złote włosy
po prawem ramieniu.
8. „Suszcie mi się suszcie
moje złote włosy,
boście używały
w dunaju rozkoszy."

5. hh.

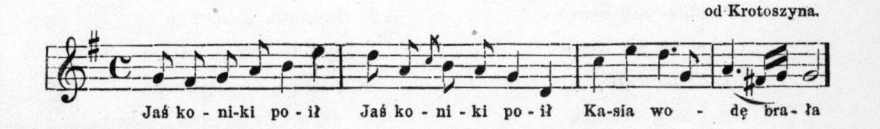

od Krotoszyna.

Jaś ko - ni-ki po - ił Jaś ko - ni - ki po - ił Ka-sia wo - dę bra - ła

5 ii.

od Bodzanowa (Mąkolin, Łętowo).

A wygnał Ja-siu-nio ko-ni-ka na po-traw i za-
czął so-bie dziewczynę na-ma-wiać i za-czął so-bie
dzie-wczy-nę na-ma-wiać.

1. A wygnał Jasienio
konika na potraw,
i zaczął sobie
dziewczynę namawiać (*bis*)
2. I zaczął namawiać
i zaczął jej prosić,
nabierz że Marysiu
śrebra złota dosyć.
3. Matuli fortuna
w kómorze nietknięta,
u mojej matuli
komora zamknięta.

—

8. I zawędrowali
trzy mile z wieczora:
„wróć że się Marysiu
do swej matki dwora."
9. U mojej matuli
zielone podwoje (*albo pokoje*)
wróć wa się Jasiulu
wróć wa się oboje.
10. I zawędrowali
na bite gościeńce

„zdejmaj Marysieńku
te złote pierścieńce."
11. I zawędrowali
do zimnego zdroju
„rozbieraj się Maryś
z francuzkiego stroju."
12. I zawadził jej się
warkoczyk na kole,
wziął Jasio toporka
przeciął go na dwoje.
13. I wzięła się sama
i jęła się koła
„ratuj mnie Jasiulu
ty pociecho moja."
14. „Na to bym cię wrzucił
aby cię ratować"
a musiałby ci ja
dunajek zgruntować.
15. Nadobna Kasieńka
już do dna gruntuje,
niechaj że cię teraz
zdroik (*albo woda*) wyratuje.

5 kk.

od Lipna i Rypina.

Ja-sio ko-nie po - ił dziewka wo-dę bra - ła

po-czął ją na - ma - wiać że - by wę-dro - wa - ła.

na tęż nutę śpiewają i przy weselu:
Gdzie to jedziesz Jasiu? na wojenkę Kasiu *p. Nr. 37.*

5. 11.

od Kowalewa.

Jaś ko-ni - ki po - ił Ka - sia wód - kę bra - ła

na-mó - wił ją na-mó-wił a - by wę - dro - wa - ła.

5. 11.

od Ciechocinka.

Przy je-chał Ja - sie - niek z da-le-kiej kra - i - ny na-ma-wiał

Ka-sień-kę do swo - jej ro - dzi-ny.

1. Przyjechał Jasiniek
z dalekiej krainy,
namawiał Kasieńkę
do swojej rodziny.

2. Kasia mała była
rozuma nie miała,
od swojej rodziny
od-mówić się dała.

4. Powoli Jasieńku
powoli powoli,
ma matula klucze
od nowej komory.

—

8. Wędrowali nockę
i godzinków cztery,
żadne do żadnego
słówka nie mówili.

9. A mojaż Kasiuniu
pocóż ci się pytać,

będziesz ci ty będziesz
po tej wódce pływać.

10. I wziął-ci ją i wziął
za jej białe rączki,
pozdejmał pościągł
te srebrne obrączki.

—

12. Rybacy rybacy
zakładajcie sznury
nadobną Kasieńkę
wyrzucić do góry.

13. Napatrzcieź się panny i t. d.

5. mm.

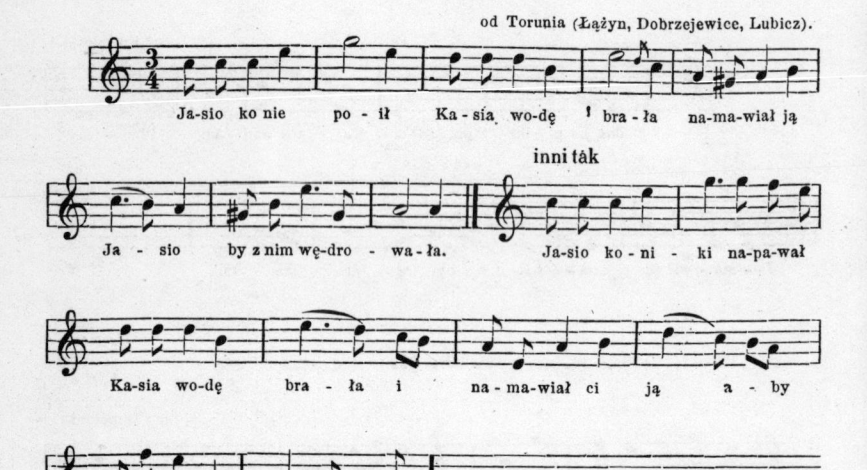

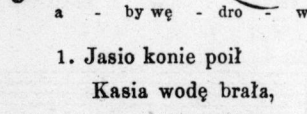

od Torunia (Łążyn, Dobrzejewice, Lubicz).

Ja-sio ko nie po-ił Ka-sia wo-dę bra-ła na-ma-wiał ją

inni tak

Ja-sio by z nim wę-dro-wa-ła. Ja-sio ko-ni-ki na-pa-wał

Ka-sia wo-dę bra-ła i na-ma-wiał ci ją a-by

a-by wę-dro-wa-ła.

1. Jasio konie poił
Kasia wodę brała,
namawiał ją Jasio
by z nim wędrowała.

2. Matulu matulu
a główka mnie boli.

A idźże się prześpij
do nowej komory.

—

8. I przywędrowali
na kujawskie wole,
zdymaj że Kasiulu
te francuzkie stroje.

9. Nie na tom to brała
bym tu zdejmowała,
ino z tobą Jasiu
we świat wędrowała.
10. I przywędrowali
na stare studniska,
zdymaj że Kasiulu
te srébne sukniska.
11. I przywędrowali
na bite gościeńce,
zdymajże Kasiulu
te złote pierścieńce
12. I przywędrowali
do zimnego zdroju,
wracaj się Kasiulu
do matki do dworu.
13. Rybacy rybacy
zakładajcie siécie,

nadobną Kasiulę
na ląd wyrzucicie.
14. I usiadła Kasia
na białym kamieniu,
rozpostarła włoski
po prawem ramnieniu.
15. „Oj moja Kasiulu
złóż sobie ten warkocz,
niech ci go nietarga
lada jaki smarkacz."
16. „Niebędę zwijała
nie będę składała,
a na ciebie Jasiu,
będę ja płakała."
17. „Nie na mnie płacz Kasiu
tylko sama na się,
mówił ci ja nieraz
nieożeniwa się."

5. nn.

od Grudziąża. Kwidzyna.

Jaś ko-ni-ki po-ił Ka-sia wo-dę bra-ła

Jaś so-bie za-śpie-wał Ka-sia za-pła-ka-ła.

5. oo.

od Osterode.

1. Na mojej roli
studzieneczka stoi,
kto jedzie to jedzie
koniczka napoi.
2. Jechał Jasiulek
i konika poił,

jak konia napoił
Kasiuchnę rozmówił.
3. „Moja dziewczyno
weź złota dosyć,
co będzie miał (tłusty) konik
co za nami nosić.

4. Brałaby ja brała
żebym wolność miała,
żeby matulinka
kluczyków dodała."
5. "Powiedz dziewczyno
że cię główka boli,
puści cię matula
do nowej komory."
6. "Weźże córeczko
ten złoty kluczyczek,
otwórz sobie otwórz
krzyżowy zameczek."
7. Matka myślała
że córka tam spała
a Kasiuchna nie córuchna
z Jaśkiem wędrowała.
8. I przywędrowali
do zimnego zdroju:
"wróć się ty Kasiuchno
do swej matki dworu."
9. "Nie na tom chodziła
bym się wracać miała,
a swojej matuli
żalu dodawała."
10. I dałać mu dała
złote zausznice:
kupże mi Jasieńku
w Gdańsku kamienicę,
11. "A ta kamienica
niebardzo w pokoju
wróć się ty dziewczyno
do swej matki dworu."
12. "Nie na tom chodziła
bym się wracać miała,
a swojemu ojcu
żalu dodawała."
13. I dałać mu dała
złocisty rąbeczek:

"kupże mi Jasieńku
choć na wsi domeczek."
14. "A ten domeczek
niebardzo w pokoju
wróć się głupi rozumie
wróć się ty do domu."
15. "Nie na tom chodziła
bym się wracać miała,
swoim przyjacielom,
żalu dodawała.
16. U mojej matuli
złociste podwoje,
wróć my się Jasieńku
wróćmy się oboje.
17. I wziął ci ją wziął ci
z przyjaźni za boczki,
i wrzucił ją wrzucił
w dunaj najgłęboczki.
18. I zawiesił jej się
fartuszek na kole:
ratuj mnie Jasieńku
za kochanie moje.
19. "Nie na tom cię wrzucił,
bym cię miał ratować,
musisz mi dziewczyno
do dna dogruntować.
20. Gruntuj że mi gruntuj
mój warkoczku do dna,
oj jeszczeć ja jeszcze
tej śmierci nie godna.
21. I jechał ci jechał
braciszek po górze,
i spuścił się spuścił
po jedwabnym sznurze.
22. O moja dziewczyno
sznura mi niestaje,
nadobna dziewczyna
warkoczka dodaje.

23. Mili rybaczkowie
siecie założyli,
nadobną dziewczynę
na ląd wyrzucili.
24. Poszła do kościoła
stanęła za drzwiami,
co spojrzy na panny
zaleje się łzami.
25. A widzicież panny
i wy młode panie,
jakie to nie dobre
z hultajem wędrowanie.

ze zbioru ks. Gizewiusza

5. pp.

od Olsztynka.

1. Przywędrował Jasiek
z cudzej ukrainy,
namawiał dziewczynę
do swojej rodziny.
2. Bo w mojej rodzinie
góry pozłociane,
góry pozłociste
steczki jedwabniste.
3. A głupia dziewczyna
namówić się dała,
swoje cztery konie
zaprzęgnąć kazała.
4. Oj zaprzęgajtaż mi
moje cztery konie,
bo ja ze swym Jaśkiem
na szpacer pojadę.
5. Moja Kasiuleńku
nabierz srebra dosyć,
co ten brony konik
będzie miał co nosić.
6. O mój Jasiuleńku
srebra wziąść nie może,
bo jest kłódkowane
w tej nowej komorze.
7. Mów że Kasiuleńku
co cię główka boli,
puści cię matka spać
do nowej komory.
8. Moja matuleńku
mnie też główka boli,
oj puścież wy mnie spać
do nowej komory.
9. Naże córuleńku
ten mały kluczyczek,
a idź sobie otwórz
krzyżowy zameczek.
10. Matuśka myślała
co córeczka spała,
a córeczka z Jaśkiem
we świat wędrowała.
11. I uwędrowali
trzy dziewięci mili,
żadne do żadnego
słówka nie mówili.
12. Przemówiła Kaśka
słóweczko do Jaśka,
a dalekoż Jaśku
do twojej rodziny?
13. Czegóż się ty pytasz
o mojej rodzinie,
będziesz ty pływała
w dunaju po trzcinie.
14. A widzisz że dziewcze,
góry pozłociane
góry pozłociste
steczki jedwabniste.

15. I przywędrowali
z tej tu stroné wody:
„przewieź że mnie przewieź
przewodniczku młody,
zapłacę ja tobie
z tamté stroné wody."
16. I dałać ona mu
swą złotą spódnicę:
„idź że Jaśku zakup
w Gdańsku kamienicę."
17. „Gdańskiej kamienicy
nikt jej nie zakupi
a ty się wróć do dom
psi rozumie głupi."
18. I dałać ona mu
swój złoty wianeczek:
„idź że Jaśku zakup
Warszawski zameczek."
19. „Warszawski zameczek
nikt go nie zakupi,
a ty się wróć do dom
psi rozumie głupi."
20. I dałać ona mu
dwa złote czerwone:
„idź że Jaśku wykup
cztery konie bronne."
21. „Czterych bronych koni
nikt ich nie wykupi
a ty się wróć do dom
psi rozumie głupi."
22. „Wziąłeś mnie od matki
w zielonym atłasie
puść że mnie do domu
w koszulce i w pasie."
23. I złapił ci on ją
za jej białe ręce,
i zdarł ci jej, i zdarł
dwa złote pierścieńce.

24. I złapił ci on ją
za jej białe boczki
i wrzucił ją wrzucił
w ten dunaj głęboczki
25. Kasiuleczka płynie
a brzega się chwyta,
a Jasieczek zdrajda
rączki jej odpycha.
26. Kasiuleczka pływa
jako ceraneczka.
nie widzi jej ojciec
ani jej mateczka.
27. Obaczył ją mularz
z muru wysokiego,
dodał ci jej dodał
sznuru jedwabnego.
28. Ubodzy rybacy
niewodem robili
ubogą dziewczynę
na brzeg wyrzucili.
29. Napatrzta się panny
i wy wszystkie panie,
jak to jest nie dobre
z chłopem wędrowanie.
30. Jużci Kasiuleczkę
na mary stawiają,
a Jasieczka zdrajdę
w sto koni ścigają.
31. Jużci Kasiuleczkę
we wądoł wstawili
a Jasieczka zdrajdę
sto koń doścignęły.
32. Jużci Kasiuleczkę
wszyscy zachowali,
a Jasieczka zdrajdę
w ciemnicę wrzucili.

5. qq.

od Inowłodza (Rzeczyca).

Ja-sio konie po - ił Ka - sia wo - dę bra - ła
Jaś ją na - ma - wiał że - by wę - dro - wa - ła. I po - wę -
dro-wa - li do cie-mne - go la - su od - po - cznij-wa se
mo - ja mi - ła Ka - siu.

1. Jasio konie poił
   Kasia wodę brała,
   Jaś ją namawiał
   żeby wędrowała.
2. I powędrowali
   do ciemnego lasu,
   odpocznijwa se
   moja miła Kasiu.
3. Usiadł ci on usiadł
   na bukowej kłodzie,
   a ona usiadła
   przy bieżącéj wodzie.
4. Oliś moja Oliś
   co ty teraz wolisz,
   czy cię w dunaj wrzucić
   czy do matki wrócić.
5. Wolę ja se wolę
   po dunaju pływać,
   niżli u swej matki
   ciężki żal używać.
6. Wzion ci ją za boczek
   wzion ci ją za oba,
   wrzucił ci ją wrzucił
   gdzie nagłębsza woda.
7. I zawiesił jej się
   warkoczyk na kole,
   ratuj że mnie Jasiu
   ratuj mnie sokole.
8. Rybacy skoczyli
   siecie zarzucili,
   Kasię ułowili
   Kasię wyrzucili.
9. A Kasiuni grają
   a Kasiuni dzwonią,
   Jasia poganina
   na sto koni gonią.
10. Dogonili Jasia
    na środku ryneczku,
    on znów z taką gada
    co chodzi w wianeczku.

11. Przypatrzcie się panny
przypatrzcie mężatki,
wędrujcie wędrujcie
od ojca od matki.

12. Przypatrzcie się panny
i wy piękne panie
co to za przyjemność
z chłopcem wędrowanie.

5. rr.

od Radomia (Jedlnia).

Ja-sio ko-nie po - ił Ka-sia wo-dę bra - ła

Ja-sio se za - śpie - wał Ka-sia za-pła - ka - ła. inni Ja-sio ko-nie po-ił i t.d.

1. Jasio Konie poił
Kasia wodę brała,
Jaś sobie zaśpiewał
Kasia zapłakała.

2. Ładuj że Kasińku
śrybła złota dosić
żeby miał kary koń
co pod nami nosić.

3. A mój Jasinieczku
nie pomojej woli
wyniesła matula
do nowej komory.

4. Moja matulińku
mnie główeczka boli,
idź się córuś układź
do nowej komory.

5. Matka rozumiała
że córusia spała
a córusia z Jasiem
precz powędrowała.

6. Ujechali z sobą
pół boru pół pola:

wracaj że się Kasiu
do swej matki dwora.

7. Niepotom tu przyszła
bym się miała wracać
musisz mnie Jasieńku
do matuli zasłać.

8. Wyjechali z sobą
na Krakowskie mosty
rzekli sobie rzekli
dwa słowa po proście.

9. Widzisz że Kasieńku
ten dołek głęboczki,
tu się będą nurzać
twoje czarne oczki.

10. Ujął ci ją ujął
niziutko pod boczki,
wrzucił ci ją wrzucił
w ten dołek głęboczki.

11. Poprzedajże Jasiu
te moje korale
pokup że se pokup
te konie cugowe:

2. Od Warszawy (Ołtarzew)

12. Poprzedajże Jasiu
    te moje spódnice,
    pokup że se pokup
    w mieście kamienice.
13. I zawiesił jej się
    fartuszek na kole,
    ratuj że mnie Jasiu
    ratuj serce moje.
14. Nie potom cię wrzucił
    bym cię miał ratować,
    musi twój warkoczyk
    do dna dogruntować.
15. Gruntuj że warkoczku
    gruntuj że mi do dna,
    jeszcze ja jeszcze ja
    tej śmierci nie godna.
16. Słyszał ci ją słyszał
    starszy brat na górze
    i spuszcza się do niej
    po niedwabnym śnurze.

17. I spuszcza się do niéj
    śnuru mu nie staje,
    ona niebożątko
    warkoczka dodaje.
18. Mili rybaczkowie
    zarzućcie te sieci
    sama wam Kasiunia
    w te siateczki wleci.
19. Jak ją wyrzucili
    siadła na kamieniu
    rozczesała warkocz
    po prawém ramieniu.
20. Poszła do kościoła
    klęknęła za drzwiami,
    co sporzy na panie
    zaleje się łzami.
21. Widzicie wy panie
    i wy stare babki
    jak to źle wędrować
    od ojca od matki.

5. ss.

od Kozienic (Nowawieś, Majdan).

Ja-sio ko-nie pó - ił Ka-sia wód-kę bra - ła
oj Ja-sio se za-śpie - wał Ka-sia za - pła-ka - ła.

odmiany z Nr. 5. a.

3. O mój kochaneczku
   kiej nie po mej woli,
   schowała matusia
   do nowej komory.

6. I przyjechali
   w pół-pola w pół pola
   wracaj się Kasieńku
   do swej matki dwora.
7. Nie potom jechała
   bym się miała wrócić
   złych ludzi pocieszyć
   matulę zasmucić.
8. Nie po tom jechała
   bym się wracać miała,

oddaj mi hultaju
com od matki wzięła.

—

16. Pływaj że w dunaju
od kąta do kąta

jest tu cztery panny
a ty będziesz piąta.
(*inni*) Pływaj że w dunaju
gruntuj że go do dna,
jest tu sześć panienek
a ty będziesz siódma.

5. tt.

od Gniewoszowa.

Ja-sio ko-nie po-ił Ka-sia wo-dę bra-ła

oj Ja - sio se za-śpie-wał o - na za - pła - ka - ła.

Nr. 5. ss.

8. Miałam ja od matki
złotą bawełnicę
oj kupże mi Jasiu
w mieście kamienicę.
9. Wziął ci ją niziuśko
za boki za boki
wrzucił ją prędziuśko
w dunaik głęboki.

10. Zaczepiła jej się
spódniczka na kole:
hej ratuj mnie Jasiu
pocieszenie moje!
11. Hej i przypłynęła
do krza do rokity
i tam zaczepiła
ponsowe trzewiki.

5. uu.

od Sandomiérza (Góry-wysokie).

Jaś ko-ni-ki po-ił Ka-sia wo-dę bra-ła

oj na-ma - wiał ją z so-bą że-by wę - dro - wa - ła.

Nr. 5. a. i ww.

4. Oj pojechali
pod gaik zielony,
oj wróć że się Kasiu
do matki do domu.
—
6. Wzián ci ją za rączki
i za oba boczki,
cisnął ci ją cisnął
w ten dunaj głęboczki.
7. A Kasienia pływa
a lądu się trzyma
oj ratuj mnie Jasiu
pókim jeszcze żywa.

8. Nie po tom cię ciskał
bym cię miał ratować
oj musisz mi sama
do lądu gruntować.

9. Siciarze siciarze
sici zakładajcie,
nadobną Kasienię
na ląd wyrzucajcie.

10. Poszła do kościoła
siadła przed obrazy
oj sporzy raz na obraz
na Jasia dwa razy.

5. ww.

od Łagowa (Paprocice, Lęchówek).

Jaś ko-ni-ki po-ił Ka-sia wo-dę bra-ła Jaś Ka-się na-ma-wiał że-by wę-dro-wa-ła. Jaś ko-ni-ki po-ił Ka-sia wo-dę bra-ła Jaś Ka-się na-ma-wiał że-by wę-dro-wa-ła.

(inni)

1. Jaś Koniki poił
Kasia wodę brała.
Jaś Kasię namawiał
żeby wędrowała.
2. I powędrowała
do czarnego boru:
a wracaj się Kasiu
do swej matki dworu.
3. Nie po tom tu przyszła
bym się wracać miała

inom po to przyszła
żebym wędrowała.
4. A naści że Jasiu
z szyje koraliki,
idźże mi do Słupi
kup mi pokoiki.
5. A naści że Jasiu
sycową spódnicę
idźże mi do Słupi
kup mi kamienicę.

6. Wziął ci ją za rączki
i pod oba boczki
wrzucił ci ją wrzucił
w dunaik głęboczki.
7. I zawadził jej się
fartuszek na kole,
wziął ci go Jaś zdrajca
przeciął go na troje
8. Tonie Kasia tonie
przed nią wianek płynie
idzie tatuś z pola:
tatusiu ratuj mnie!
9. A moja Kasieniu
tyś roskośna była
żeby dał pan Jezus
żebyś utonęła.
10. Tonie Kasia tonie
przed nią wianek płynie,
idzie matka z wodą;
matulu ratuj mnie!
11. A moja Kasieniu
tyś roskośna była
dał ci by pan Jezus
żebyś utonęła.
12. Siciarze rybiarze
sicią zarzucajcie,

nadobną Kasieńkę
na wierzch wyrzucajcie.
13. I siadła se siadła
na białym kamieniu,
oczesuje włosy
po prawem ramieniu.
14. A schnijta mi schnijta
moje długie włosy
boś to ta użyły
w dunaju rozkoszy.
15. Poszła do kościoła
i klęknie za drzwiami,
co porży na obraz
obleje się łzami.
16. Co porży na obraz
na te wielkie panie,
da jakie to cieżkie
z Jasiem wędrowanie.
17. Przypatrzta się panny
i wy też mężatki
jaka to wędrówka
od ojca od matki.
18. Przypatrzta się panny
i wy białegłowy
oj jak ci to zacząć
z Jasieniem rozmowy.

5. xx.

od Słupi nowej (Baszowice).

Ja-sio ko-nie po-ił Ka-sia wo-dę bra-ła oj na-ma-wiał ci ją że-by wę-dro-wa-ła.

I siadła se Kasia na białym kamieniu
oczcsała włosy po prawém ramieniu

A schnijcie mi schnijcie moje złote włosy,
boś ta wy użyły we wódce rozkoszy.

5. yy.

od Szkalmierza (Charzewice)

Jaś ko-ni - ki po - ił Ka-sia wo-dę bra - ła on so-bie za-śpie-wał

o - na za - pła - ka - ła.

Jaś koniki poił Kasia wodę brała   Jaś koniki poił na białej uzdeczce
on sobie zaśpiewał ona zapłakała   ona rozumiała że najej chusteczce

5. zz.

od Wiślicy (Kuchary).

Jaś ko-ni - ka po - ił Ka-sia wo - dę bra - ła on so - bie

śpie - wał o - na pła - ka - ła.

Jaś konika poił Kasia wodę brała   Jaś konika poił wronego wronego
on sobie zaśpiewał ona zapłakała   ona płakała wianka rucianego

5. aaa.

1. Jasio konie poił
   Kasia wodę brała,
   Jaś sobie zaśpiewał
   Kasia zapłakała.
2. Jaś sobie zaśpiewał
   o zielonym gaju,

   Kasia zapłakała
   od wielkiego żalu.
3. Niepłacz Kasiu niepłacz
   dosyć tego płaczu,
   pójdziesz do Jasiunia
   kieby do pałacu.

4. Izba i komora
kieby kamienica,
pójdziesz do Jasiunia
kieby do ślachcica.

5. Cóż mi z tego przyjdzie
lepsza dla mnie chata

nie będziesz mnie kochał
bo ja nie bogata

6. Chociaż nie bogata
choć masz posag mały
ale mnie się oczka
twoje spodobały.

Zeg. Pauli P. l. p. str. 147. — Wojcicki II. 169.

5 bbb.

Góralska.

A był ci to ta-ki co po świe-cie cho-dził od oj-ca od ma-tki dzie-wczęta u - wo-dził.

1. A był ci to taki
co po świecie chodził
od ojca od matki
dziewczęta uwodził.

2. Uwiódł ci ich osiem
i dziewiątą wiedzie,
u ojca u matki
już nigdy nie bedzie.

3. Zawiódł ci ją zawiódł
do lasu srogiego
„obejźryj kochańciu
do domku swojego."

4. Ona się obeźrała
cosik tu ujźrzała:
a co to takiego
na jodle białego?

5. Jest ci ich ta osiem
ty dziewiątą bedziesz,
u ojca u matki
już nigdy nie bedziesz.

6. A zdejmujże Marysiu
ze siebie sukniczkę,
a Marysia ujźrzała
tę ostrą szabliczkę.

7. Niebierz Maryś niebierz
tej ostrej szabliczki
bo sa pokaliczysz
twoje śliczne rączki.

8. Nie uważaj Jasiu
na me piekne ręce,
ino se uważaj
na me śmiałe serce.

9. Jak ci też Marysia
szabeleczką brysła
już ci Jasieńkowi
główeczka uwisła.

10. A już ci ja mamuniu
synową została,
co ja tego zdrajcę
ze świata zegnała.

11. Patrzajcie wy panny
i wy też mężatki
jak to się uwodzi
od ojca od matki

12. Przypatrzcie się panny
i kawalerowie
jak to źle wędrować
zwłaszcza białogłowie.

Zeg. Pauli P. l. Gal. str. 91.

6. a.

od Piaseczna (Słomczyn, Jeziorna).

W tym ta jednym dworze co się tamój stało co się dwoje młodych w sobie zakochało co się dwoje młodych w sobie zakochało.

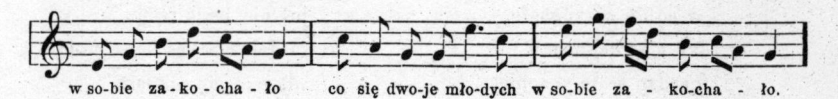

1. W tym tu jednym dworze
co się tamój stało,
co się dwoje młodych
w sobie zakochało.
2. I przyszedł-ci do niej
o czwartej godzinie:
„wstawaj Magdaleno
odprowadzisz ty mnie."
3. Magdalena wstała
oczy zapłakała,
jedwabną chusteczką
płacząc ocierała.
4. Odprowadziła go
do księżego dworu:
„idź z Bogiem mój Antku
idź z Bogiem do domu."
5. A on-ci ją prosi
by go dalej wiodła,
ale ona z żalu
już dalej nie mogła.
6. Wyprowadziła go
tamój na rozstajne,
„ja cię tu zabiję
bo cię nie dostanę."

7. I tam-ci ją zabił
tam ci ją pochował,
pod zielonym gajem
pogrzeb jej zbudował.
8. I przyszedł do domu
rodzicom oznajmił,
że: „ja Magdalenę
młynarzównę zabił."
9. „ „A dobrześ ty dobrze
synu, dobrze zrobił,
żeś ty Magdalenę
młynarzównę zabił." "
10. „Dobrze wy mnie dobrze
ojcowie życzycie,
ale w mojém sercu
o smutku niewiécie.
11. A tu mie imajcie
i tu mnie karajcie,
jak ja jej zasłużył
tak wy mnie oddajcie;
pod zielonem gajem
pogrzeb mi zbudujcie.

6. b.

od Warszawy i Pragi (Grochów).

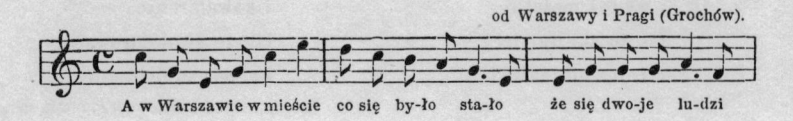

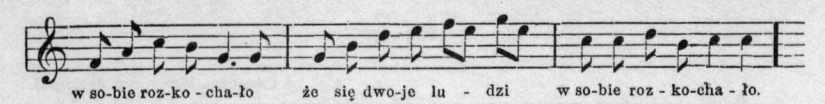

A w Warszawie w mieście co się by-ło sta-ło że się dwo-je lu-dzi w so-bie roz-ko-cha-ło że się dwo-je lu - dzi w so-bie roz - ko-cha - ło.

1. A w Warszawie w mieście
co się było stało,
że się dwoje ludzi
w sobie rozkochało.
2. Jak się rozkochali
bardzo stale w sobie,
niemogli wytrzymać
momentu bez siebie.
3. Nocki przesiadywał
i rozmaitości,
jako swej kochance
jej opowiadywał.
4. I przyszedł raz w nocy
o pierwszej godzinie:
„wstań że moja Maniu
odprowadzisz ty mnie."
5. Marynia mu wstała
odprowadzić miała,
jedwabną chusteczką
oczki obcierała.

6. Odprowadziła go
na trzy staje pola,
„idź że mój Antolku
już nie będę twoja."
7. „„„Jak nie będziesz moja
nikomu cię niedam,
tutaj cię zabiję
tutaj cię pochowam." "
8. I jak-ci ją zabił
tak ci ją pochował,
pod zielonym gaikiem
domeczek zfundował.
9. I przyszedł do domu
wszystkim się oznajmił,
że dzisiejszej nocy
swą Marynię zabił.
10. „Otóż mnie tu macie
otóż mnie trzymacie
i tak wy mnie zróbcie
jak ja swej kochance.

6. c.

od Makowa (Czepielew).

A w na-szym mie-ście co się ta - mój sta-ło że się dwo-je lu-dzi w so-bie za-ko-cha-ło że się dwo-je lu - dzi w so-bie roz-ko-cha-ło.

1. A w rożyńskim mieście,
co się tamój stało,
że się dwoje ludzi
w sobie zakochało.
2. W nocy o północy
o trzeciej godzinie,
„wstawaj Magdaleno
odprowadzisz ty mnie."
3. Magdalena wstała
rzewnie zapłakała,
bieluchną chusteńką
oczki ucierała.
4. Odprowadziła-ć go
do księżego dworu
„wróć się Mateuszu
wróć z Bogiem do domu."
5. A on ci ją prosi
by go dalej wiodła,
a ona od żalu
już dalej nie mogła.
6. Odprowadziła-ć go
pod gaik zielony:
„tutaj cię zabiję
tutaj cię pochowam,
sam cię nie będę miał
innemu cię niedam.

7. I wziął-ci ją za kark,
i ręce połomał,
pod zielonym gajem
tam ci ją pochował.
8. I przyszedł do domu,
rodzicom obznajmił:
„jużem Magdalenę
młynarzowi zabił."
9. „„Dobrześ ci ty dobrze
Mateuszu zrobił,
że ty Magdalenę
młynarzowi zabił." "
10. „Dobrze wy mi dobrze
rodzice życzycie,
ale w mojem sercu
nic żalu nie wicie."
11. I weźcie mnie za kark
i ręce połomcie,
pod zielonym gajem
tam mnie pochowajcie.
12. Wybijcie wybijcie
litery na grobie,
a kto je przeczyta
ten uwierzy sobie:
złączona miłość
leży w tym grobie.

6. d.

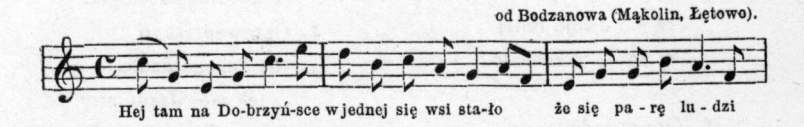

od Bodzanowa (Mąkolin, Łętowo).

Hej tam na Do-brzyń-sce w jednej się wsi sta-ło   że się pa-rę lu-dzi
w so-bie za-ko-cha-ło.   że się pa-rę lu-dzi   w so-bie za-ko-cha-ło.

1. Hej tam na Dobrzyńsee
w jednej się wsi stało,
że się parę ludzi
w sobie zakochało.
2. Jak się zakochali
i tak strasznie w sobie,
nie mogli wytrzymać
godziny bez siebie.
3. I tam u niej bywał
i tam przesiadywał,
i rozmaitości
różne opowiedał.
4. W nocy o północy
o pierwszej godzinie,
„wstawaj Magdalenko
odprowadzisz ty mnie."

5. Odprowadziła go
niedaleko domu,
„idź z Bogiem Matusku
idź z Bogiem do domu.
6. I on ci ją prosi
by z nim dalej biegła,
a ona od płaczu
dalej biedz nie mogła.
7. I odprowadziła go
niedaleko stajni,
„idź z Bogiem Matusku
już mnie nie dostaniesz."
8. „Sam cię niedostanę
nikomu cię niedam,
niech cię tu zabiję
niech cię tu pochowam." i t.d.

6. e.

od Lipna i Skępego.

Pod Ra-dzyn-kiem małym w jednej się wsi sta-ło że się dwo-je lu-dzi w so-bie za-ko-cha-ło.

1. Pod Radzynkiem małym
w jednej się wsi stało
że się dwoje ludzi
w sobie zakochało.

—

5. Odprowadziła go
na rostajne drogi:
„ach mój Jasiu miły
bież z Bogiem do domu."
6. A on jej się prosi
by go dalej wiodła,
a ona od żalu
ledwie sama biegła.
7. Oprowadziła go
do dużego domu,
„ach mój Jasiu miły
bież z Bogiem do domu."

—

10. A Magdulkę niosą
panienki i ślachta
a Jasienka niosą
rakarze od miasta.

6. f.

z okolic Osterode.

W o-ko-li-cznym mieście w jednej się wsi sta-ło że się dwo-je lu-dzi w so-bie za-ko-cha-ło że się dwo-je lu-dzi w so-bie za-ko-cha-ło.

1. W okolicznem mieście
w jednéj się wsi stało
że się dwoje ludzi
w sobie zakochało.

2. I zakochali się
i tak bardzo w sobie
nie mogli się ostać
godziny bez siebie.

3. Co noc do niej chodził
pięknie z nią rozmówił,
i co jeno wiedział
wszystko jej powiedział.

4. Jak ci jednej nocy
o pierwszej godzinie:
„wstańże Magdalenko
i odprowadź ty mnie

5. Magdalenka wstała
rzewnie zapłakała
bieluchną chusteczką
oczki ocierała.

6. Odprowadziłać go
do nowego dworu,
„idźże Matyszeczku
idź z Bogiem do domu."

7. A on ci jej mówił
by go daléj wiodła,
a ona od żalu
już daléj nie mogła.

8. Odprowadziłać go
aż na rozestanie:
„ja cię tu zabiję
bo cię nie dostanę.

9. Ja cię nie dostanę
drugiemu cię nie dam
pod zieloném drzewem
to ci pogrzeb oddam."

10. „O mój Matyszeczku
kiedy mnie masz zabić
dajże mi się jeszcze
do Boga pomodlić."

11. Ja się nie zmiłuje
ni się dam uprosić,
bo twoich modlitew
jest u Boga dosyć."

12. I skoczył jej na kark
ręce jej załamał,
i żadnej litości
nad nią nie okazał.

13. I jak ci ją zabił
zaraz i pochował,
pod zieloném drzewem
tam jej pogrzeb oddał.

14. Przyszedł do rodziców
rodzicom obznajmił:
„żem ja młynarzównę
Magdalenę zabił."

15. „O mój Matyszeczku
dobrześ ci ty zrobił
coś ty młynarzównę
Magdalenkę zabił,
dostaniesz ty lepszą
lepszą i piękniejszą."
16. „O moi rodzice
źle wy mnie redzicie
bo wy w mojém sercu
żałości nie wiécie
bo ja nie myślę o lepszej
ani o piękniejszej.
17. Poszedł do młynarzów
młynarzom obznajmił:
„żem ja dzisiaj w nocy
waszą córkę zabił."
18. O mój Matyszeczku
nie dobrześ ci zrobił
coś ty naszą córkę
Magdalenkę zabił."
19. „Teraz mnie tu macie.
teraz mnie trzymajcie,
i jak ja jej dziełał
wy mnie tak dziełajcie.
20. Ręce mi zetnijcie
i kołem mnie bijcie,
i żadnej litości
nademną nie mijcie."
21. Jużci Matyszeczka
rakarczyki wiodą,
ale Magdalenkę
pacholczyki niosą.
22. Oj niosą ją niosą
w czarnym aksamicie,
a gdzie wy Matyszka
kaci prowadzicie?
23. Magdalenka leży
pod zielonym drzewem,
Matyseczek wisi
na kole pod niebem.
24. A nad Magdalenką
trzy wieńce wiéwają,
a nad Matyszeczkiem
trzy kruki krakają.

ze zbioru ks. Gizewiusza

6. g.

od Ostorode (Kraplewo).

Ko - le Ka - twi mia - sta w je - dnéj wsi się sta - ło że się dwo-je lu dzi

w so - bie za - ko - cha - ło że się dwo-je lu-dzi w so - bie za - ko-cha-ło.

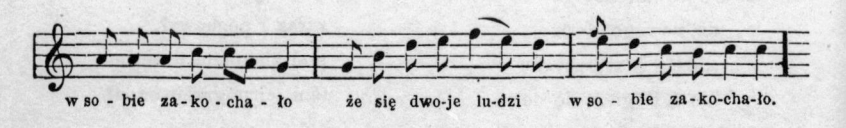

niektórzy śpiewają pieśń tę w ¾ takcie, w ten sposób:

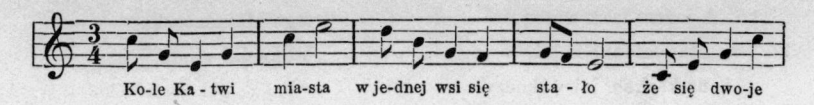

Ko-le Ka - twi mia-sta w je-dnej wsi się sta - ło że się dwo-je lu - dzi w so - bie za - ko - cha - ło że się dwo-je lu - dzi w so-bie za - ko - cha - ło.

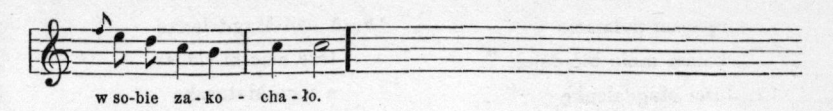

1. Kole Katwi miasta
w jednej się wsi stało,
że się dwoje ludzi
w sobie zakochało.
2. I zakochało się
dwoje ludzi w sobie,
nie mogli się zostać
godzinki bez siebie.
3. Chodził do niej chodził
pięknie z nią rozmawiał,
do wpółnocy siadał
wszystko jej powiadał.
4. Jakże o wpółnocy
o pierwszej godzinie:
„a wstań Magdalenko
a odprowadź mę."
5. Odprowadziłać go
do zimnego zdroju:
„idź że Matuszeczku
idź z Bogiem do domu."
6. A on ci ją wabił
by go dalej wiodła,
a ona od żalu
już dalej nie mogła.
7. Odprowadziła go
aż i na rozstanie:
„tu się rozstaniewa
Matuszku kochanie."

8. „Ja cię tu zabije
ja cię tu pochowam,
bo cię nie dostanę
i drugiemu nie dam."
9. „O mój Matuszeczku
nie rób że mi tego
nie rób że mi żalu
z serca przyjemnego."
10. „Ja cię tu zabiję
i tu cię pochowam,
pod zieloném drzewem
pogrzeb ci wyprawiam."
11. „O mój Matuszeczku
daj że się uprosić,
daj że mi się jeszcze
do Boga pomodlić."
12. Na kark jej wskoczył
ręce jej połamał,
pod zielone drzewo
tam ci ją pochował.
13. Poszedł do rodziców
rodzicom obznajmił:
„jam ci dzisiaj w nocy
młynarzównę zabił."
14. Ach moi rodzice
źle wy mnie życzycie
ale w mojej duszy
wy smutku niewicie.

15. A jużem wam waszą
Magdalenkę zabił,
na karkem jej wskoczył
ręcem jej połamał
pod zielone drzewo
tamem ją pochował.
16. Jak ci ja jej dziełał
tak wy mnie dziełajcie,
ręce mi połamcie
kołem mnie bić dajcie."
17. Jużci Magdalenkę
pacholczyki niosą

tego Matuszeczka
już kaciki wiodą.

18. A nad Magdalenką
ślicznie dzwony grają
ale nad Matuszkiem
już kruki krakają.

19. A nad Magdalenką
trzy aniołki siedzą,
a tego Matuszka
sześciu kruków jedzą.

ze zbioru ks. Gizewiusza.

6. h.

od Łowicza.

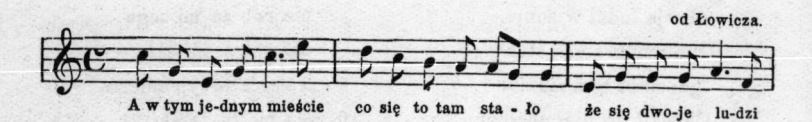

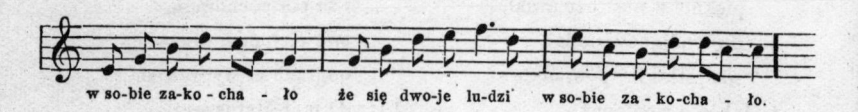

A w tym je-dnym mieście co się to tam sta-ło że się dwo-je lu-dzi

w so-bie za-ko-cha - ło że się dwo-je lu-dzi w so-bie za - ko-cha - ło.

6. i.

z Wielkopolski.

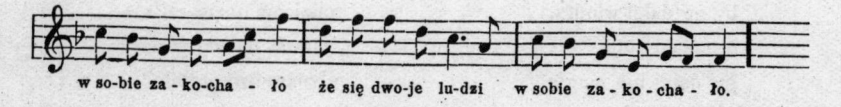

A we wsi pod mia-stem có się ta-mój sta - ło że się dwo-je lu-dzi

w so-bie za - ko-cha - ło że się dwo-je lu-dzi w sobie za - ko-cha - ło.

dalej jak Nr.

Uwaga: Na tęż nutę śpiewają także pieśń pod Nr. 5. ee: Jasio konie poił Kasia wodę brała i t. d.

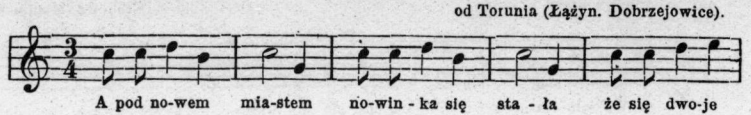

6. k.

od Torunia (Łążyn. Dobrzejowice).

A pod no-wem mia-stem no-win-ka się sta-ła że się dwo-je lu-dzi w so-bie za-ko-cha-ło *albo* że się dwo-je lu-dzi i t. d.

1. A pod nowem miastem
nowinka się stała
że się dwoje ludzi
w sobie zakochało.
2. Ze sobą jadali
ze sobą pijali,
i ze sobą całą
nockę przegadali.
3. I o dwunastej
o pierwszej godzinie
mówił ja dziewczynie:
odprowadzisz ty mnie.
4. Ona usłyszała
odprowadzić chciała,
i białą chusteczką
oczki ucierała.
5. Wyprowadziła go
do nowego dworu,
„bież że, bież że, bież że
Jasińku do domu."
6. „I sam cię niewezme
i drugiemu nie dam,
tutaj cię zabiję
tutaj cię pochowam."
7. „A mój Jasineczku
kiedy mnie masz zabić,
a dajże mi się też
do Boga pomodlić."
8. „Moja Magdalenko
tej modlitwy dosić,

ja cię tu zabiję
już się nie uprosisz."
9. I tam ci ją zabił
tam ci ją pochował,
pod zieloném drzewém
grobowiec zgotował.
10. I przyszedł ci do dom
tę nowinkę zjawił,
„moja matuleńku
Magdalenkęm zabił."
11. „A mój ty syneczku
a dobrześ to zrobił
żeś ty tą pogankę
z tego świata zbawił."
12. „A moi rodzice
toć wy tak mówicie,
a w mojem sercu
żałości niewicie."
13. Kaci się zjechali
i stoją na placu,
„patrz że kochaneczko
za cię życie tracę.
14. Krewna się zjechała
odkupić mnie chciała,
już ci moja główka
po ziemi skakała.
15. A ty będziesz leżeć
pod zieloném drzewem,
a ja będę leżeć
w polu i pod (*gołem*) niebem.

6. l.

od Krakowa (Modlnica).

W Po-do-la-nach we wsi a cóż się tam sta-ło że się dwo-je lu-dzi w so-bie po-ko-cha-ło.

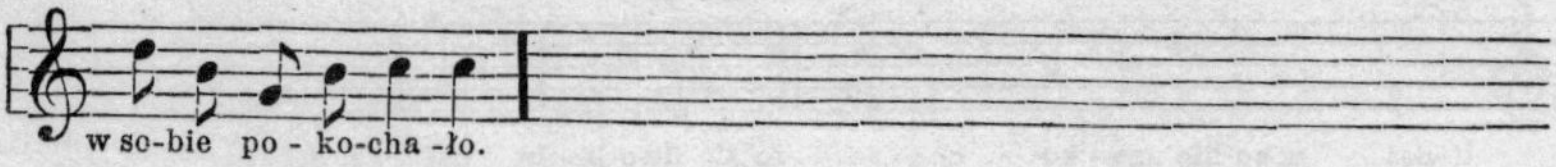

1. W Podolanach we wsi
a cóż się tam stało?
że się dwoje ludzi
w sobie pokochało.
2. I on u niej bywał
i u niej przebywał,
i rozmaite słowa
u niej wygadywał.
3. Skoro po północy
o pierwszej godzinie:
„wstańże Magdalenko
odprowadzisz ci mnie."
4. Magdalenka wstała
odprowadzić miała,
i białą chusteczką
oczka ocierała.
5. Odprawadziła go
do nowego dworu,
„idźże mój Matysku
idź z Bogiem do domu."

6. Odprowadziła go
na drogi rozstajne:
idźże mój Matysku
ty mnie nie dostaniesz."
7. Jak cię nie dostanę
nikomu cię niedam,
ja cię tu zabiję
i tu cię pochowam."
8. I tam-ci ją zabił
i tam ją pochował,
i tam Magdalenie
mogiłę sfundował.
9. „Magdalenka leży
pod zielonym dębem,
a ja będę wisiał
na kole pod niebem.
10. Magdalenkę niosą
pacholcy z wieńcami,
a mnie rakarczyki
z ostremi mieczami."

J. Konopka P. l. Krak. str. 121.

6. m.

od Radomia.

W tym Radomskim mieście co się ta-mój sta-ło że się dwo-je lu-dzi w so-bie po-ko-cha-ło.

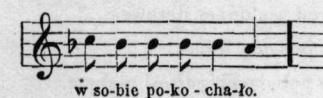

1. W tym Radomskiem mieście
co się tamój stało,
że się dwoje ludzi
w sobie zakochało.
2. I zakochali się
dwoje ludzi w sobie,
nie mogli się obejść
godziny bez siebie.
3. W nocy o północy
o pierwszy godzinie,
„moja Magdalenko
wstawaj-że ty do mnie."
4. Magdalenka wstała,
oczka zapłakała,
jedwabną chusteczką
oczka obcierała.
5. Odprowadziła go
na nowy gościeniec:
idźże mój Matuśku
bo mnie nie dostaniesz."
6. „ „Jak cię nie dostanę
nikomu cię nie dam,
tutaj cię zabiję
tutaj cię pochowam." "
7. I przyskoczył do nij
ręce jej połamał,

i żadnej lutości (*litości*)
nad nią nieoglądał.
8. I tam ci ją zabił
tam ci ją pochował,
pod zielonym dębem
domostwo fundował.
9. I przyszed do ojców
los swój opowieda:
że: ja młynarzowi
Magdalenę zabił.
10. „A mój ty Matuszku
cożeś to ty zrobił
kiedyś młynarzowi
Magdalenkę zabił."
11. „ „A moi rodzice
cóż się mi dziwicie,
żem drugiemu nie dał
bóm kochał nad życie.
12. A moi rodzice
teraz rozmyślajcie,
jaką ja jej śmierć dał
taką i mnie dajcie." " "
13. Magdalenkę niosą
pachołcy najęci,
a Matuszka wleką
zbójcy i mistrzyńcy.

6. n.

od Żelechowa (Ostrożeń, Gończyce).

Tam za Raszynem dwie no-win się sta - ło że się dwo-je lu - dzi

w so-bie za-ko-cha-ło.

1. Tam za Raszynem (*inni*: za
 Warszawą)
 dwie nowin się stało,
 że się dwoje ludzi
 w sobie zakochało.
2. Tam u niej siadał
 i tam u niej gadał,
 tam okoliczności
 swoje opowiadał.
3. I przyszed do niej
 o pierwszej godzinie,
 „ach moja Maryś
 odprowadzisz ci mnie."
4. Wyprowadziła go
 do nowego dworu,
 „mój Jaśku kochany
 idź z Bogiem do domu."
5. Wyprowadziła go
 i tak za nim biegła,
 już dalej od żalu
 ruszyć się nie mogła.

6. „I sam cię niewezmę
 nikomu cię nie dam,
 i tu cię zabiję
 i tu cię pochowam."
7. I tam ci ją zabił
 tam ci ją pochował,
 pod zielonym dębem
 karczmę wyfundował.
8. „A to-ci mnie macie
 a to mnie trzymacie,
 jaką ja jej śmierć dał
 taką wy mnie dacie."
9. Ona leżeć będzie
 pod zielonym dębem,
 a ja będę leżéć
 pod tém gołém niebem.
10. Ją będą prowadzić
 anieli przy wieńcu,
 mnie będą prowadzić
 rakarze przy miecu.

6 o.

od Siedlec.

A w ra-dzyń-skiém mie-ście co się by-ło sta-ło że się dwo-je lu-dzi w so-bie po-ko-cha-ło że się dwo-je lu-dzi w sobie po-ko-cha-ło.

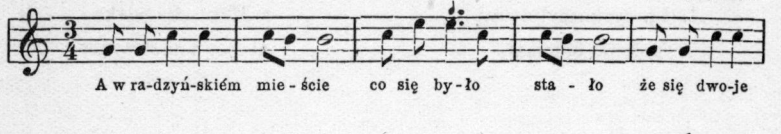

1. A w radzyńskiém mieście
 co się tutaj stało
 że się dwoje ludzi
 w sobie pokochało.

2. I przyszed do niej
 o pierwszej godzinie:
 „moja Magdalenko
 odprowadź że ty mnie"

3. Ona wstać niechciała
rzewnie zapłakała
cieniutką chusteczką
oczka ocierała.
4. Wyprowadziła go,
do ciemnego boru,
„idź ty Stasiu do dom
ja pójdę do domu."
5. I wziął ci ją wziąwszy
za jej białe ręce,
pozdejmał jej z palców
złociste pierścieńce.
6. I uciął jej głowę
rączki jej połamał,

pod zielonym dębem
Magdalenkę schował.
7. I poszed do domu
i sam się oznajmił
że już Magdalenkę
dzisiaj nocy zabił.
8. A nad Magdalenką
w wielkie dzwony dzwonią
a Stasia hultaja
w siedem koni gonią.
9. A nad Magdalenką
ojciec matka płacze,
a przed Stasiem hultajem
śmierć na mieczu skacze.

6. p.

od Inowłodza (Rzeczyca)

W wieńcu na Do-brzyńcu co się na wsi sta-ło co się dwo-je lu-dzi
w so-bie za-ko-cha-ło co się dwo-je lu-dzi w so-bie za-ko-cha-ło.

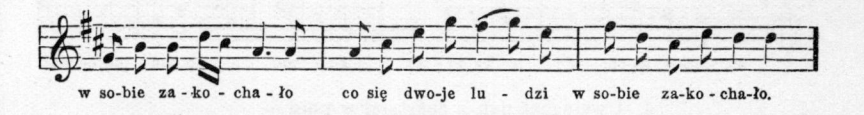

1. W wieńcu na Dobrzyńcu
co się na wsi stało,
co się dwoje ludzi
w sobie zakochało.
2. Jak się zakochali
tak się miłowali,
żadnej gódzineczki
bez siebie nie byli.
3. Skoro o północy
o siódmej godzinie:
wstańże Magdalenko
odprowadzisz ci mie.

4. Magdalenka wstała
odprowadzić miała,
bieluchną chusteczką
oczki ocierała.
5. Odprowadziła go
tam aż na ostaje:
a idź że Jasieńku
już mnie nie dostaniesz.
6. A on jéj się prosił
żeby daléj biegła,
a ona od żalu
już daléj nie mogła.

7. Ja cię tu zabiję
i tu cię pochowam
sam cię nie bede miał
nikomu cię nie dam.
8. I tam ci ją zabił
tam ci ją pochował,
z zielonego drzewa
domostwo sfundował.
9. Przyszedł ci do domu
rodzicom oznajmił,
że ja dzisiaj w nocy
Magdalenkę zabił.
10. A cóżeś ty Jasiu
poganinie zrobił,

kiejś ty młynarzowi
Magdalenkę zabił.
11. A i wy rodzice
cóż wy mi zrobicie,
kiej wy w mojém sercu
kochania nie wiécie.
12. Magdalenkę wiezą
młodzieńce pod wieńcem
Jasia poganina
trzech rakarzów z miecem
13. Magdalence dzwonią
Magdalence grają,
Jasia poganina
w drobny mak siekają

7. a.

Andante.   od Łowicza (Złaków Kościelny).

I wy-je-chał pan z har-ta-mi w po-le i zo-sta-wił
ma-leń-kie pa-cho-le a-by do-mu pil-no wał a-by do-mu pil-no-wał.

1. I wyjechał pan z chartami w pole
i zostawił maleńkie pachole,
aby domu pilnował.
2. I pachole prędko zrozumiało,
i konika sobie osiodłało,
i za panem jechało.
3. Dogoniło w Krakowie na moście:
„wracaj panie, są u pani goście,
krawczyk z panią w komorze,
ach mój Boże, mój Boże!
4. A jeżeli wy mnie nie wierzycie,
a toż ja mam krawieckie nożyce,
krawczyk z panią w komorze,
ach mój Boże, mój Boże!

5. Pan objechał w koło podwóreczko,
i zapukał w pani okieneczko:
„Anuś czy śpisz, czy czujesz,
czy krawczyka nocujesz?"
6. „„A dajże mi drewniane trzewiki
a bieży po ryby do rzyki:
aż mi pana złość minie.""
7. Podajże mi kałamarz złocisty,
napisze do jej rodziny listy,
ażeby się zjechała,
Anuleńce na pogrzeb.
8. Nim się jeszcze rodzina zjechała
Anuleńka na marach leżała:
Anuleńku niebogo,
nieczynić było tego!

7. b.

od Iłowa i Wyszogroda.

Wy-je-chał pan z char-ta-mi na po-le i zo-sta-wił ma-lu-śkie pa-cho-le
by mu do-mu pil-no-wać by mu do-mu pil no-wać.

1. Wyjechał pan z chartami na pole,
i zostawił maluśkie pachole
by mu domu pilnować.
2. Jak tylko pan z podwórka wyjechał
zaraz krawczyk do pani przyjechał; —
krawczyk z panią w pokoju.
3. Pachole się o tem dowiedziało,
zaraz konia osiodłać kazało —
i w te pędy za panem.
4. Spotkało go we Lwowie na moście:
„wracaj się pan, są u pani goście —
krawczyk z panią w pokoju.
5. „„Moje pachole nie gadaj mi tego,
moja Kasia rodu ślacheckiego,
nie uczyni mi tego.""

6. „Jeżeli mi panie nie wierzycie,
na stole tam krawieckie nożyce —
krawczyk z panią w pokoju."

7. Oj ciężko się zaraz pan zasmucił,
i konika do domu nawrócił —
i w te pędy do domu.

8. Jak tylko pan w podwóreczko wjechał,
zaraz krawczyk okienkiem wyleciał, —
i wyleciał, wyskoczył,
i nożyców zabaczył.

9. Jak tylko pan w te progi wstępuje
zaraz Kasia do nóg upaduje:
„witaj mężu kochany!"

10. „„Moja Kasiu, nie miłaś ci ty mnie
masz ci ty tam inszego odemnie""
„a kogóż tam inszego?"
„ „krawczyka najmilszego.""

11. „Podaj chłopiec te moje manele
pójdę z dziwką na wieś do kądziele,
niech mi męża złość minie,
czart go tu przyniós do mnie."

12. „„Było to dawniej do kądzieli chodzić,
nie z krawcem się po pokoju wodzić —
oj Kasieńku niebogo,
nie czynić było tego.""

13. „A dajcież mi pióro i kałamarz,
będę pisać do rodziny zaraz.
niech mi męża przeproszą,
kijem skórę przepłoszą."

14. „„Było dawniej do rodziny pisać
nie z krawcem się po pokoju ciskać,
oj Kasieńku niebogo
nie czynić było tego!""

15. Niżeli się rodzina zjechała
Kasia w komorze na marach leżała —
oj Jasieńku (*albo:* krawczyku) nieboże
patrz na Kasieńki łoże.

7. c.

od Bolimowa (Miedniewice).

Wy-je-chał pan z char-ta-mi na po-le o-sta-wił w domu maleńkie pachole by mu dwo-rem rzą-dzi-ło by mu dwo-rem rzą-dzi-ło.

1. Wyjechał pan z chartami na pole,
ostawił w domu maleńkie pachole
by mu dworem rządziło.
2. Jak się pani o tém dowiedziała,
zaraz czémprędzej po krawca posłała
żeby jej suknię skrajał.
3. Jak się pachole o tém dowiedziało,
zaraz czém prędzej konia osiodłało
i za panem jechało.
4. Dogoniło starostę w Krakowie na moście
wracaj panie, u jejmości goście;
wracaj panie do domu,
krawczyk z panią w pokoju.
5. Pan starosta bardzo się zasmucił
zaraz konie na moście zawrócił
i do domu powraca.
6. Pan starosta w podwórko wstępuje,
najmilszy krawczyk oknem wyskakuje —
oj Kasiulu niebogo,
będzie tobie niebłogo.
7. Pan starosta w progi wstępuje,
najmilsza Kasia do nóg upaduje:
„witaj mężu kochany,
cóś mi tak sturbowany."
8. „„Niebyło by i sprawiedliwości
bym ja nie ukarał jejmości
oj Kasiulu niebogo
nie czynić było tygo""

7. d.

od Wiskitek (Sokule, Józefów).

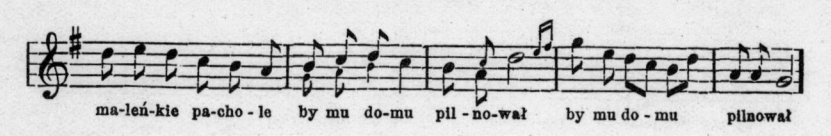

Wy-je-żdża sta-ro-sta z char-ta-mi na po-le o-sta-wił we dwo-rze ma-leń-kie pa-cho-le by mu do-mu pil-no-wał by mu do-mu pilnował

7. e.

od Gostynina (Sierakówek).

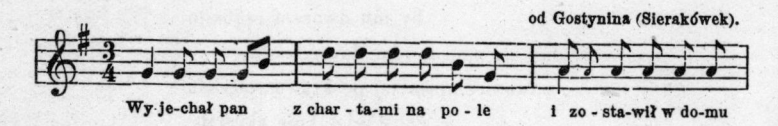

Wy-je-chał pan z char-ta-mi na po-le i zo-sta-wił w do-mu to ma-łe pa-cho-le a-by dwo-ru pil-no-wał a-by dwo-ru pil-no-wał.

1. Wyjechał pan z chartami na pole
i zostawił w domu to małe pachole
aby dworu pilnował (*bis*).
2. Jak się pani o tém dowiedziała,
duchem-że duchem po krawczyka słała
żeby krawczyk przybywał.
3 Jak się pachole o tém dowiedziało
duchem-że duchem konia osiodłało
i za panem pojechał.
4. Spotkał pana na Krakowskim moście:
„a wracaj pan, bo u pana goście,
krawczyk z panią w pokoju."
5. „„Moje pachole, niewierzę ja tému
moja Kasiula rodu szlacheckiego
nieuczyniłaby tego.""
6. „Jeżeli mnie panie niewierzycie
mam ja za pasem krawieckie nożyce,
krawczyk z panią w pokoju."

7. Pan już i w podwórko zajeżdża,
krawczyk sk.... syn oknem wypada,
odla boga — zła rada.
8. I zajechał pan w swoje podwórko,
i zapukał pan w swoje okienko:
„czy śpisz Kasiu, czy czujesz?
czy krawczyka nocujesz."
9. Pan w progi swoje wstępuje,
Kasia mgleje, do nóg upaduje:
„odla boga — mąż gniewny!
10. Podajże mi chłopcze sznurowane buty
a stanę ja stanę z chłopem do roboty
niech mnie męża złość minie."
11. „„Nie wtenczas Kasiu do roboty wstają
kiej się z krawczykiem po pokoju bawią —
o Kasieńku niebogo
nieprzyszło ci nic z tego.""
12. „Podajże mi chłopcze te moje trzewiki
pójdę ja pójdę po wodę do rzyki
niech mnie męża złość minie."
13. „„Nie wtenczas to Kasiu i po wodę chodzą
kiej się z krawczykiem po pokoju wodzą,
o Kasieńku niebogo
nieprzyszło ci nic z tego.""
14. „Podajże mi chłopcze nóż i rękawiczki
będę dzielić swoje służebniczki
niech mnie męża złość minie."
15. „„Nie wtenczas to służebniczkom krają
kiej się z krawczykiem w pokoju ściskają
o Kasieńku niebogo
nieprzyszło ci nic z tego.""
16. „Podajże mi chłopcze pióro i kałamarz
co napisze listy do rodziny zaraz,
niech mnie męża przeproszą."
17. Zaczem się rodzina do Kasi wybrała
to już Kasiulinka na marach leżała —
o Kasieńku niebogo
nieprzyszło ci nic z tego!

18. „Wolałbym ja wolał, sto tysięcy stracić
niż swoją Kasiulę na marach zobaczyć
o Kasieńku niebogo,
miałoż to przyjść do tego!"

7. f.

od Poznania.

Wy-je-choł pon z char-ta-mi na po-le i zo-sta-wił przy dworze pa-cho-le
że-by dwo-ru pil-no-wać że-by dwo-ru pil-no-wać.

1. Wyjechoł pon z chartami na pole
i zostawił przy dworze pachole —
żeby dworu pilnować.
2. Pachole sie oli sie niedało
i koniczka oli osiodłało
i za panem jechało.
3. Trafiłoć go w Krakowie na moście:
wróć się panie, bo masz w domu goście,
bo masz w domu goście.
4. Ażeli mi panie niewierzycie
mom za pasem krawieckie nożyce;
ażeli mi jeszcze niewierzycie,
ręce, nogi, a to mi urznijcie
i za pas mi wetknijcie!"
5. A pon ci sie tak bardzo zasmucił
i konika do domu nawrócił,
i do domu pojechoł.
6. I zajechoł wedle okieneczka:
„wyźdrzyj ino Kasiu Kasineczko
wyźdrz Kasińku nieboże,
masz krawczyka w kumorze."
7. Kasińka się tak bardzo zalękła
i na ręby (*na wywrot*) spódnicę oblekła
i zaro pona witała.

8. „Dawno było oli pona witać
nie z krawczykiem po pokoju brdysać;
tyś Kasińku nieboże
masz krawczyka w kumorze!"
9. „„Podejcie mi sa moje sznurowe bóty
pójde z ludźmi oli do roboty
aż pona złość ominie —""
10. „Dawno było do roboty chodzić,
nie z krawczykiem po pokoju chodzić
tyś Kasieńku i t. d."
11. „Podejcie mi sa moje rękawiczki
pójdę z ludźmi oli do cierliczki
aż pona złość ominie--"
12. „Dawno było do cierliczki chodzić
nie z krawczykiem po pokoju chodzić
tyś Kasieńku i t. d.
13: „„Podejcie mi mój złoty kołamorz
będe pisać do rodziny zaroz
aż pona złość ominie.""
14. „Dawno było do rodziny pisać
nie z krawczykiem po pokoju brdysać
tyś Kasieńku i t. d."
15. A niż się ta rodzina zjechała
już Kasińka na marach leżała
tyś Kasieńka i t. d.
16. Już Kasińkę oli w grób wpuszczali,
a krawczyka mieczem go ścinali—
tyś Kasieńku nieboże
masz krawczyka w kumorze!

J. Lipiński P. l. Wielkopols. str. 179.

7. g.

od Brudzewa (Janiszew).

Wy-je-chał pan z char-ta-mi na po-le i zo-sta-wił maleńkie pachole
by mu dwo-ru pil-no-wął by mu dwo-ru pil-no-wał.

dalej jak Nr. 7 i. do wiersza 7.

8. Wjechał-ci pan na dziedziniec w wrota;
mały krawczyk okienkiem wylota:
ach dla Boga pan jedzie.
9. A pani się też tak bardzo zlękła
że spodniczkę na ręby oblekła —
i trzewiczki wspak wzuła.
10. I wyszła pręciutko na dziedziniec,
i zaczęna swemu panu kłaniać
„a witaj-że mój mężu!"
11. „„A moja Kasiuniu — niebądź że mi rada
masz ci ty tam swojego sąsioda,
masz krawczyka przy sobie." " i t. d.

7. h.

od Koła (Kościelec, Białków).

Wy-je-chał pan z char-ta-mi na po-le i zo-sta-wił maleńkie pachole by mu do-mu pil-no-wał by mu do-mu pil-no-wał.

7. i.

od Stawiszyna (Zbiérsk).

Wy-je-chał pan z char-ta-mi na po-le i zo-sta-wił przy dwo-rze pa-cho-le by mu dwo-ru pil-no-wać by mu dwo-ru pil-no-wać.

1. Wyjechał pon z chartami na pole
i zostawił przy dworze pachole
by mu dworu pilnować.

2. Poni się skoro porozumiała,
   i czémprędzej po krawczyka słała,
   żeby przyszed nocować.
3. I pachole skorzéj zrozumiało —
   i czémprędzej konika siodłało
   i za ponem jechoło.
4. Dogoniło go w Krakowie na moście,
   „wróć się ponie, bo mosz w domu goście —
   krowczyk z ponią w kómorze "
5. „„„Moja żona szlacheckiego rodu,
   nierobiłaby sobie takiego wstydu." "
   o Hanusiu nieboże,
   mosz krowczyka w kómorze!
6. „Jeżeli mi jeszcze nie wierzycie,
   ręce, nogi, mi tu obetnijcie
   i za pos mi wetchnijcie."
7. I pon się też tak ciężko zasmucił
   i czémprędzej konika nawrócił —
   o Hanusiu nieboże
   mosz krowczyka w kómorze.
8. I przyjechał w nowe podwóreczko,
   i zapukał w szklonne okieneczko:
   czy śpisz Hanuś, czy czujesz
   czy krowczyka szanujesz?"
9. Hanusia się tak ciężko wylękła
   aż na ręby (*na nice*) spódniczkę oblekła
   wyszła pona przywitać.
10. „Nie podawaj Hanuś lewej ręki,
    nie rób sobie takiej ciężkiej męki —"
    o Hanusiu nieboże
    mosz krawczyka w kómorze.
11. „„„A dajcież mi sznurowane buty
    a pójde ja z ludźmi do roboty
    aż mi pona złość minie." "
12. „Było downiéj do roboty bieżéć
    nie z krowczykiem po kómorze leżéć
    o Hanusiu nieboże,
    nic ci to nie pomoże."

13. „„„A dajcież mi te moje trzewiki
a pójdę ja po wodę do rzéki,
aż mi pona złość minie.""

14. „Było downiéj i po wodę bieżéć,
nie z krowczykiem po komorze leżéć,
o Hanusiu nieboże
nic ci to nie pomoże."

15. „„A dojciez mi kałomarz złocisty
będę pisać do rodziny listy,
aż mi pona złość minie.""

16. „Było downiej do rodziny pisać
nie z krowczykiem po pokoju brdysać
o Hanusiu nieboże
nic ci to nie pomoże!"

17. Czém się Hanusi rodzina zjechoła,
już ci Hanuś na marach leżała;
o Hanusiu nieboże
miołaś krowca w komorze.

18. „Jeżcze mi jej do grobu nie bierzcie
narąchuję jej sto złotych — dwieście,
mojej Hanuś na pochów. (*tu śpiewak wyciąga rękę po datek.*)

19. Kwitnie jej kwitnie bioła lilija
płacze ją płacze cało familija —
o Hanusiu nieboże
miołaś krowca w komorze!

7. k.

od Wielunia (Czarnożyły).

Wy-je-chał pan z char-ta-mi na po - le i zo-sta-wił maleńkie pachole

by mu dwo-ru pil - no - wał by mu dwo-ru pil-no-wał.

7. l.

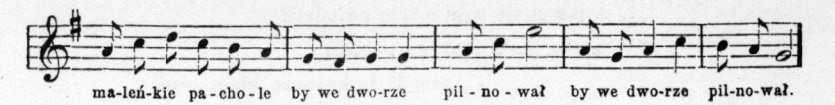

od Krzepic (Panki).

Wy-je-chał sta - ro-sta ze psem w po-le i zo-sta-wił

ma-leń-kie pa-cho-le by we dwo-rze pil-no-wał by we dwo-rze pil-no-wał.

2. Małe pachole ze snu się porwało,
jak w pokoju łoskot usłyszało,
i za panem bieżało.
dalej jak Nr. 7. g.

8. I przyjechał przed swe własne wrota;
krawczyk w nogi — bierze go ochota,
a dla boga — pan jedzie.

9. I pani się też tak bardzo przelękła
swoją sukienkę na lewo oblekła
i trzewiki w spak wzuła.

10. I przychodzi przed swe własne progi,
Kasinia idzie — chyta go za nogi,
„witaj mężu kochany."

11. „„Moja Kasiu cożeś mi tak rada,
kiedyś miała innego somsiada;
krawczyka najmilszego." "

—

14. „Dawno było i po wodę chodzić
nie z krawczykiem w pokoju przewodzić
oj Kasiuniu niebogo
nie trza ci było tygo i t. d.

7. m.

od Żarek i Mrzygłodu

Po-je-chał pan z cha-rta-mi na po-le o-sta-wił w do-mu

to ma-łe pa-cho-le co-by do-mu wachował co-by do-mu wa-cho-wał

1. Pojechał pan z chartami na pole,
ostawił w domu to małe pachole
coby domu wachował.
2. A jak ci się pani o tém zwiedziała
zaraz po krawczyka posłała
„przydź że krawcze wieczorem
będziesz wczas mieć z pokojem"
3. A jak się pachole zwiedziało
zaraz też ci koniczka siodłało
i za panem ruszyło.
4. Dogoniło go na lipowym moście:
„wracaj panie bo u pani goście,
krawiec siedzi w kómorze.

dalej Nr. 7. n.

8. Pan do pokoju wstępuje
pani go za nogi chytuje:
„witaj mężu kochany
coś mi tak sturbowany."
9. „„A moja Kasiu cóżeś mi tak dobrą
nie byłaś mi taka, jak się mamy dawno,""
nieszczęśliwa ta dola
że pan wjechał do dwora.

7. n.

od Ulanowa, Leżajska.

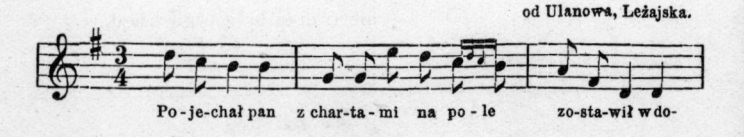

Po-je-chał pan z char-ta-mi na po-le zo-sta-wił w do-mu ma-leń-kie pa-cho-le że-by do-mu pil-no-wał że-by do-mu pil-no-wał

1. Pojechał pan z chartami na pole
    zostawił w domu maleńkie pachole —
        żeby domu pilnował.
2. Jak się Kasia o tem dowiedziała,
    zaraz czém pilniej po Jasia posłała
        żeby ku niej przyleciał.
3. Małe pachole o tem usłyszało
    zaraz czém pilniej konisia siodłało
        i pojechał po pana.
4. Zetkał się z panem na cisowym moście:
    „wracaj panie wracaj, u jejmości goście,
        Jasio z panią w ogrodzie."
5. „A moje pachole niegadaj mnie tego
    bo moja Kasieńka rodu ślacheckiego
        nieczyniłaby tego."
6. Oj pan starosta koni nie żałował,
    do swej Kasiuni w cwał przycwałował:
        hola hola Kasieńko!
7. Jak się pan starosta w duże wrotka wtoczył,
    Jasio od Kasiuni daleko odskoczył:
        oj dla boga — pan jedzie.
8. Przyjechał-ci pan pod pierwsze progi
    ona go wita: witaj mężu z drogi,
        witaj mężu kochany
        coś taki sturbowany."
9. „A moja Kasieńko czegoś mi tak rada,
    kiedyś ci tu miała inszego sąsiada:
        miałaś ci tu jednego
        chłopczyka nadobnego."
10. „A moje pachole podaj mi manele (*naramienniki*)
    pójdę ja pójdę zaraz do kądziele
        niech mi męża złość minie."
11. „Już teraz nierychło do kądzielé chodzić
    nie trza było z chłopcem w ogrodzie swobodzić,
        o Kasiuniu niebogo,
        nieczyniłaś byś tego!"
12. „A moje pachole podaj mi kałamarz
    będę ja pisała do rodziny zaraz
        niech mi męża przeproszą."

13. Jeszcze Kasieńka listu nie pisała
    jużci Kasieńka na marach leżała —
    o Kasiuniu niebogo
    nieczyniłabyś tego.
14. Kazał pan starosta smoły nagotować
    swoją Kasiunię w smole ugotować
    rodzina ją żałuje
    i sam pan ją żałuje.

Zeg. Pauli P. l. pol. w Gal. str. 100 — Wojcicki P. l. B. i M. T. 1. str. 240.

7. o.

od Maciejowic.

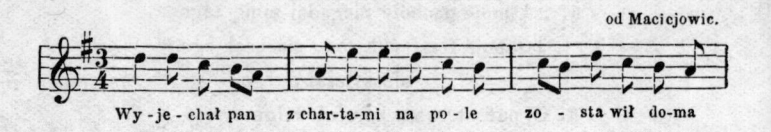

Wy - je - chał pan   z char-ta-mi na po - le   zo - sta wił do-ma

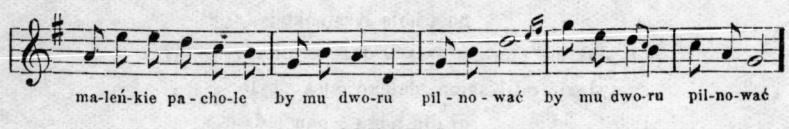

ma-leń-kie pa - cho-le   by mu dwo-ru   pil - no - wać   by mu dwo-ru   pil-no-wać

dalej jak Nr. 7. n.

6. Ciężko ciężko też pan się zasmucił
   i konika do domu zawrócił:
   o Kasieniu niebogo
   będzie tobie niebłogo.
7. Jeszcze jegomość w progi nie wstępuje
   jużci mu Kasia do nóg upaduje:
   niech mi pana złość minie.

9. Nie teraz Kasiu do kądzieli chodzą,
   kiej się z krawczykiem z ławeczki rozwodzą —
   o Kasieńku niebogo
   będzie tobie niebłogo.

7. p.

od Płocka.

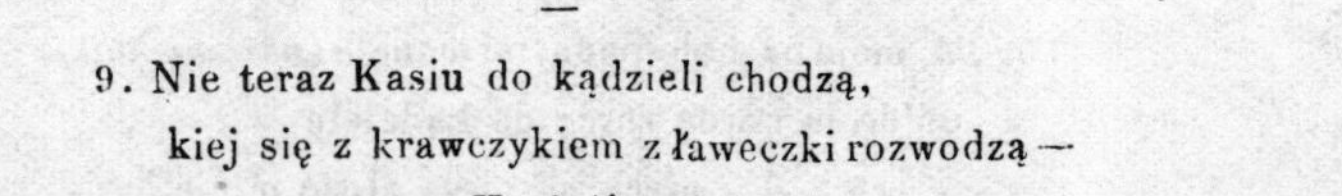

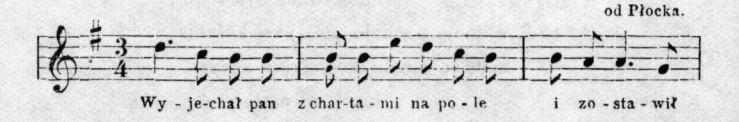

Wy - je-chał pan   z char-ta - mi na po - le   i zo - sta - wił ma-lu-tkie pa-cho-le by mu do-mu pil-no-wał by mu do-mu pil-no-wał.

7. q.

od Dobrzynia n. Drwęcą (Działyń, Rembiecha).

Wy-je-chał pan z char-ta-mi na po-le i o-sta-wił swe wier-ne pa-cho-le

albo

a-by dwo-ru pil-no-wał — a-by dwo-ru pil-no-wał aby dwo-ru

pilnował aby dworu pilnował.

1. Pojechał pan z chartami na pole
 i ostawił swe wierne pachole
  aby dworu pilnował.
2. A pachole wiele trzasku słyszał
 i konika wronego szykował
  i polazło za panem.
3. Dogoniło w Toruniu na moście:
 „a u pani w domu goście
  krawiec z panią w pokoju.

—

8. I posłał pan do swych ogrodniczków
 dał ukręcić trzydzieści postronków
  na Aneczkę niebogą.
9. Gdy (niż) ona się o tem dowiedziała
 do rodziny listek popisała;
  „o rodzino ratuj mę!"
10. „Podajtaż mi zielone rękawki
 co ja pójdę z dziewką do piwniczki
  aż mi pana złość minie."
11. Podajtaż mi moje ostre noże
 co ja pójdę na panowe łoże
  aż mi pana złość minie.

12. Dajtaż mi moje zielone zwierciadło
co obaczę czy mi liczko zbladło
aż mi pana złość minie."
13. „Nie wtedyć to do zwierciadła chodzą
kiedy krawca z pokoju wywodzą
o Aneczko, nie mojaś!"
14. A Aneczka jako rucheneczka (*rucheleczka*)
płacze za nią ojciec i mateczka
płacze za nią i sam pan.

7. r.

od Ostorode (Kraplewo).

1. A u naszej młodej pani matki
zakrzciały tam dwa różane kwiatki
a obadwa czerwone.
2. I urwało je wierne pachole
siodłający cztery wrone konie
za panem precz jadący.
3. Dogonił go w Krakowie (*w Toruniu*) na moście:
„wróć się panie bo masz w domu goście
pani z krawcem w komorze —
bywaj panie przy dworze."
4. „O mój służka niewierzam ci tego
moja żona rodu szlacheckiego
nie uczyni mę tego."
5. „A mój panie wy mi nie wierzycie
hajwój ci mam krawieckie nożyce
pani z krawcem w komorze."
6. A pan ci się tak bardzo zasmęcił
i zaraz ci konikiem wykręcił
do domu precz jadący.
7. I przyjechał w przedne podwóreczko
zakołatał w tylne okieneczko:
„czy śpisz Kasiu czy czujesz —
czy krawczyka miłujesz.?"
8. Ledwie się pan bez wroteczka toczy
już Kasieczka do okienka skoczy
ach mój Boże cóż pocznę?"

9. Ledwie pan się, ledwie przez próg wpléta
   jużci Kasia go czém prędzej wita:
   „witaj witaj mój panie —
   z piekła rodem szatanie."
10. Podajtaż mi moje czarne buty
    co ja pójdę z chłopcem do roboty
    aż mnie pana gniew minie."
11. „A mnie pana gniew prędzej nie minie
    aż Kasiuchna nagłą śmiercią zginie
    Kasiuleczku niebogo
    nie było robić tego."
12. „Podajtaż mi szklanne okulary
    co usiądę z dziewką do kądzieli
    aż mi pana gniew minie"
13. A mnie pana prędzej gniew nie minie
    aż Kasiuchna nagłą śmiercią zginie
    Kasiuleczku niebogo
    nie było robić tego."
14. „Podajtaż mi czarne rękawiczki
    co ja pójdę z dziewką do piwniczki
    aż mnie pana gniew minie."
15. Dał zawołać swoich służebników
    kazał przynieść trzydzieści kańczuków
    to na panią nie moją.
16. „Podajtaż mi pióro i kałamarz
    co popiszę do rodziny zaraz
    co mnie pana przeproszą —
    skórę szablą skiereszą."
17. Niż rodzina listek przeczytała
    już Kasiuchna na marach leżała:
    Kasiuleńku niebogo
    nie było robić tego!
18. A Kasiuchna jak modra lelija
    płacze za nią jej cała rodzina
    płacze za nią i sam pan.
19. A Kasiuchna jak różany kwiatek
    płacze za nią i caluchny światek
    płacze za nią i sam pan.

ze zbioru ks. Gizewiusza.

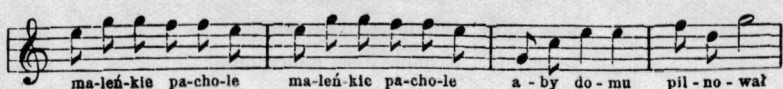

7. s.

od Przysuchy

Po-je-chał pan sta-ro-sta w po-le pan sta-ro-sta w po-le zo-sta-wił

ma-leń-kie pa-cho-le ma-leń-kie pa-cho-le a - by do - mu pil - no - wał

a - by do-mu pil - no-wał.

7. t.

od Kluczborka.

Pan sta-ro-sta po - je-chał na kra-ko-wskie po-le i zo-sta-wił w do-mu

ma - łe pa-cho - le ma - łe pa - cho - le. Ma - łe pa-cho le

ca - łą noc nie spa - ło tyl - ko w po-ko - ju od - gło - sy sły - sza - ło

od - gło - sy sły - sza - ło.

1. Pan starosta pojechał na Krakowskie pole
i zostawił w domu małe pachole.
2. Małe pachole całą noc nie spało
tylko w pokoju odgłosy słyszało.
3. Małe pachole wytrzymać nie mogło
tylko za panem do Krakowa biegło.
4. Dogoniło go w Krakowie na moście:
„wracaj panie wracaj — u jejmości goście
5. Pan się tak bardzo tém zafrasował,
zaraz na miejscu końmi nakierował.
6. Przyjeżdża we własne progi
jejmość padła mu do nogi:

„witaj mężu, witaj z drogi,
zdajesz mi się bardzo srogi!"
7. „Dopieroś mnie teraz szczerze przywitała
jakeś się z krawczykiem zabawiała.
Kasieńku niebogo,
witania nie pomogą:
bo sam pan Bóg kazał z nieba
że złe żony karać trzeba."
8. Dawajcie mi złote trzewiki
pójdę talérze umywać do rzéki,
aż mego pana gniew minie."
„Kasiuleńku niebogo
łzy twoje nie pomogą,
nie czynić było tego."
9. „Podajcie mi złoty kałamarz
będę pisała do rodziny zaraz:
żeby się rodzina zjeżdżała
pana mi przepraszała."
„Kasiuleńku niebogo,
krewni twoi niepomogą,
nie czynić było tego."
10. Zaczém się rodzina zjechała
Kasiuleńka na marach leżała.
Już trumna w ziemię wpada
a starosta powiada:
„Kasiuleńku niebogo
nieczynić było tego,
żyłbym ja z tobą błogo."

Wojcicki P. l. T. 1 str. 69.

7. u.

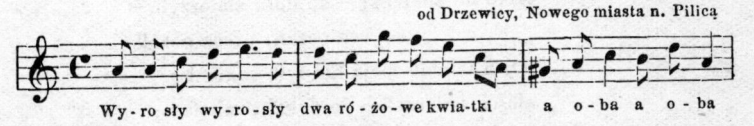

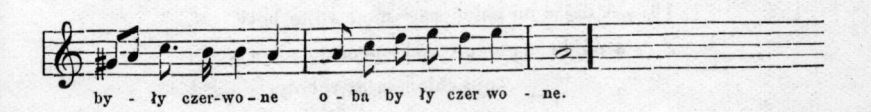

od Drzewicy, Nowego miasta n. Pilicą

Wy-ro sły wy-ro-sły dwa ró-żo-we kwia-tki a o-ba a o-ba
by - ły czer-wo-ne o-ba by ły czer wo - ne.

1. Wyrosły, wyrosły — dwa różowe kwiatki,
a oba a oba — były czerwone —
oba były czerwone.
2. A urwało je królewskie pachole,
zaniesło, zaniesło za panem na pole —
za swym panem kochanym.
3. I dogoniło go w Krakowie na moście:
„wracaj pan, wracaj pan — u jejmości goście,
jejmość z krawcem w komorze."
4. Królewskie pachole — niegadaj mi tego,
bo moja Kasiunia — rodu szlacheckiego,
hej! hola Kasiu moja."
5. Niežałował ci pan — i koniowej mocy,
jechał do Kasiuni — jak we dnie tak w nocy,
by się prawdy dowiedzieć.
6. Hej! a jak ci się pan na podwórze wtoczy,
sama jejmościulka do okienka skoczy
„o dla boga — pan jedzie."
7. „Pościel że ty chłopcze — pościel że pod progi,
niech się nie tyrają — memu panu nogi —
oj panu kochanemu."
8. „Nieściel mi pod nogi — pościel jej pod głową —
bo ona styrała — to szlacheckie słowo,
hej! hola Kasiu moja!"
9. Naléj że ty chłopcze — w złoty kielich wina,
a będę ja będę — ze swym panem piła —
ze swym panem kochanym."
10. Królewskie pachole — nieléj tego wina
bo ona się go dość — z krawcami napiła —
oj z krawcami w komorze."
11. „Niedługo tu byli — niedługo bawili,
tylko mi sukienkę — do dołu zmierzyli, —
i precz poszli, precz poszli"
12. „Oj Kasiuniu moja nie tyla sukienkę
ale ci zmierzyli — do dołu trumienkę —
hej! hola Kasiu moja!"
13. „A dajże mi chłopcze — moje żółte buty,
a pójdę ja pójdę — z chłopem do roboty,
oj z chłopem do roboty.

14. Podajże mi chłopcze — te moje manele,
a pójdę ja pójdę — z dziéwką do kądziele
oj z dziéwką do kądziele!"
15. A kazał-ci pan w kocioł wodę nosić,
na swoją Kasiunię — sto postronków moczyć —
na swą Kasię kochaną.
16. A jak się Kasiunia — o tém dowiedziała —
do swojej rodziny — listy rozpisała —
by się prędko zjechała.
17. A jak-ci rodzina — na wpół drogi była,
oj to już Kasiunia — we krwi opłynęła, —
hej! hola Kasiu moja!
18. A jak-ci rodzina — do wsi dojechała,
oj to już Kasiunia — na marach leżała —
hej! hola Kasiu moja! —
19. A jak-ci Kasiuni — we dzwon uderzyli,
Kasiunię zdrajczynię — do grobu spuścili —
hej! hola Kasiu moja.

7. w.

od Pułtuska i Nasielska (Skaszewo, Szlubowo).

U mej pa - ni ma - tki — dwa ró - żo - we kwiat - ki — dwa ró - żo - we kwia-tki — a o - ba a o - ba -by - ły czer - wo - ne a o - ba a o - ba by - ły czer - wo - ne,

1. U mej pani matki — dwa różowe kwiatki
a oba a oba — były czerwone.
2. Jeden z nich, jeden z nich — pachole urwało
wsiadając, wsiadając — na wronego konia
ścigając, ścigając — swojego pana.

3. Dogonił, dogonił — w Krakowie na moście:
„a wracaj się panie — w twoim domu goście."

dalej, melodija odmienia się w ten sposób:

A mój mi-ły służ-ka — nie życz że mi te-go — nie życz że mi te-go — mo-ja Te-re-sia ro-du szla-chec-kie-go nie czy-ni-ła by mi te-go,

4. „A mój miły służka — nie życz że mi tego
moja Teresia — rodu szlacheckiego
nieczyniła by mi tego."
5. „Jeżeli mi panie — tego niewierzycie
są na stole krawieckie nożyce.
6. Jeżeli mi panie — jeszcze niewierzycie —
moją głowę na pniu położycie
i zaraz mi ją zetnijcie."
7. Oj pan się też — tak wielce zasmucił —
prawą rączką — konika nawrócił
i zaraz do domu pojechał.

odtąd po każdej strofie dodają:

Hej hej Te-re-sień-ku nie-bo-go two-je ży-cie nie dłu-go.

8. Jedzie, jedzie, jedzie — do dworu się wtoczył
krawczyk od jejmości — okienkiem wyskoczył
hej hej! Teresieńku niebogo,
twoje życie nie długo.

9. Kazał na nią kazał — kadź wody nanosić
i kazał na nią — postronków namoczyć,
hej hej! Teresienku niebogo,
twoje życie nie długo.

10. „A podaj mi chłopcze — te czarne kapoty
pójdę ja z chłopami razem do roboty
hej hej! niech mi pana gniéw minie
niech mi pana gniéw minie."

11. „A wiedzą to ludzie — że to trzeba robić —
nie z krawczykiem — po pokojach chodzić,
hej hej! Teresienku niebogo
twoje życie niedługo."

12. „A podaj mi chłopcze — te czarne trzewiki
pójdę ja z dziéwkami — po wodę do rzéki —
hej hej! niech mi pana gniew minie
niech mi pana gniew minie."

13. „A wiedzą to ludzie — że to trzeba chodzić
nie z krawczykiem — po pokojach gworzyć —
hej hej! Teresieńku niebogo,
twoje życie niedługo.

14. „A podaj mi chłopcze — te białe manele
pójdę ja pójdę — z dziewką do kądziele —
hej hej! niech mi pana gniew minie
niech mi pana gniew minie.

15. „A wiedząć to ludzie — że trza do kądziele
nie z krawczykiem po pokojach — odprawiać wesele
hej hej! Teresieńku niebogo,
twoje życie niedługo.

16. „A podaj mi chłopcze — złocisty kałamarz
co ja napiszę — do rodziny zaraz
hej hej! niech mi pana gniew minie,
niech mi pana gniew minie."

17. A niźli się niźli — rodzina zjechała
to już Teresieńka — na marach leżała —

hej hej! Teresieńku niebogo
twoje życie niedługo
18. Leży Teresieńka — kieby lelijeńka
opłakuje ją — cała rodzineńka
hej hej! Teresieńku niebogo,
twoje życie niedługo.
19. Leży Teresieńka — jak różowy kwiatek —
opłakuje ją — calusieńki światek —
hej hej! Teresieńku niebogo
twoje życie niedługo.
20. „A wolałbym wolał — sto talarów łożyć,
abyś mi chciała — Teresieńku ożyć!
hej hej! nieczyniłabyś tego
żyłbym ja z tobą długo!"

7. x.

od Makowa (Obłudzino),

Przede dwo-rem oj u mo - jej ma-tki za-kwi-ta - ją
dwa ró-żo - we kwiat-ki a o - by-dwa mo-dro krzcą.

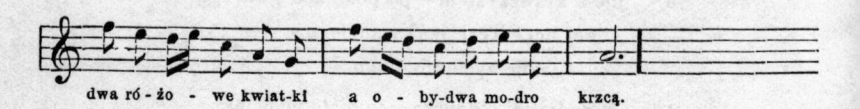

1. Przede dworem oj u moiej matki
zakwitają dwa różowe kwiatki
a obydwa modro krzcą (*kwitną*).
2. Urwało je prześliczne pachole
odjeżdżając za panem na wojnę,
oj na wojnę, na wojnę.
3. Dogoniło go w Krakowie na moście:
„wróć się panie, u jejmości goście
nasza pani w karty gra."
4. „A mój służka, niewierzę ja temu,
nasza żona szlacheckiego stanu,
miałaby z kim w karty grać."

5. Oj paniczu, jeśli niewierzycie,
co najwierniejszego służkę poślijcie,
albo sami pojedźcie."
6. Już-ci paniczek koni odżałował,
do samej jejmości dróżkę przetorował
by się prawdy dowiedzieć.
7 A już-ci paniczek w podwóreczko toczy
a nasza jejmość do okienka skoczy:
„ach dla boga — pan jedzie!"
8. Ej daj mi chłopcze — pióro i kałamarz
będę ja pisać do rodziny zaraz,
aż mi pana gniew minie."
9. Niż się rodzina o tem dowiedziała
to już i jejmość na marach leżała —
nasza pani kochana!

7. y.

od Kłodawy.

Ej tam u mo-jej pierwszej pa-ni ma-tki   ej tam wy-ro-sły

dwa je-dna-kie kwia-tki   o-ba by-ły   ró-żo-we   o-ba by-ły   ró żo-we.

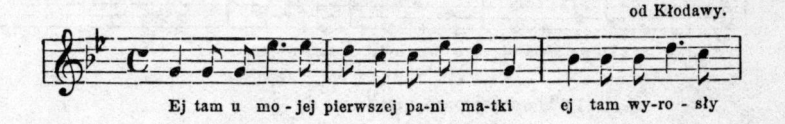

1. Ej tam u mojej — pierwszej pani matki
ej tam wyrosły — dwa jednakie kwiatki
oba były różowe (bis).
2. Ej przeleciało -- pachole przez pole
i zerwało mi dwa jednakie kwiatki
oba były różowe.
3. Zdybało pana — na lipowym moście
„wróć się jegomość — bo masz w domu goście
pani z krawcem w komorze.
4. Nim się jegomość — na podwórze wtoczył
krawiec tymczasem — przez okno wyskoczył
chwała Bogu — nie zginął.

5. Ej wreje, wreje — trzy postronki preje
oj wszystko to się — na Kasiunię zleje —
będą Kasię w domu bić.
6. Jak się Kasiunia o tém dowiedziała —
wnet do rodziny listek napisała:
rodzineczko ratuj mnie!
7. A nim rodzina listek odebrała,
to już Kasiunia na marach leżała —
Kasia Kasia kochana!

z Oleska P. l. str. 508.

7. z.

od Inowłodza (Rzeczyca).

U mo-jej pa-ni ma-tki wro-ty za-kwi-ta-ły
dwa ró-żo-we kwia-ty o-ba były czer-wo-ne.

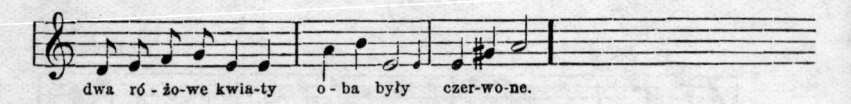

1. U mojej pani matki wroty
zakwitały dwa różowe kwiaty
oba były czerwone.
2. Przechodzi się tam te pyszne pachole,
zaprzęgają cztery konie wrone
za panem się gotuje.
3. Dogonił go w Krakowie na moście,
mój jegomość u jejmości goście
krawcy z panią nocują.
4. O mój służeczka niemów że mi tego
bo moja Kasia jest rodu dobrego
nieuczyni mi tego.
5. O mój panie jeśli niewierzycie
najwierniejszego służeczkę poślijcie
albo sami pojedźcie.
6. Jedzie pan jedzie po moście tętniący
aż Kasieńka do okienka skoczy:
och dla Boga pan jedzie.

7. Weź pachole suknie i trzewiczki
pójde z chłopy do gajowej rzyczki
aż pana złość ominie.
8. A pan się też tak bardzo usadził
sto postronków w ukropie rozparzył
i postronki namoczył.
9. Jak się Kasieńka o tém dowiedziała
wnet do rodziny listy rozpisała
niech rodzina przyjedzie.
10. Jak się rodzina Kasienki zjechała
to już Kasieńka na marach leżała —
wszystka czeladź płakała.

7. aa.

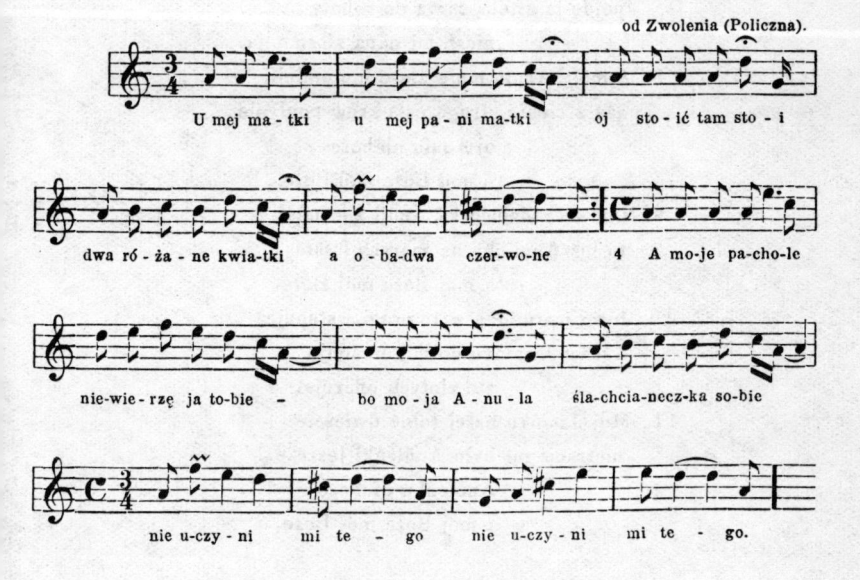

od Zwolenia (Policzna).

U mej ma-tki u mej pa-ni ma-tki oj sto-ić tam sto-i
dwa ró-ża-ne kwia-tki a o-ba-dwa czer-wo-ne 4 A mo-je pa-cho-le
nie-wie-rzę ja to-bie — bo mo-ja A-nu-la śla-chcia-necz-ka so-bie
nie u-czy-ni mi te-go nie u-czy-ni mi te-go.

1. U mej matki u mej pani matki
oj stoić tam stoi dwa różane kwiatki
a obadwa czerwone —
obsiodłane pare koni wrone.
2. Pojechał pan do Radomia w drogę
ostawił przy domu to grzeczne pachole
żeby domu pilnował.

3. Dogoniło go na Radomskim moście
a wracaj panieńku są u pani goście
krawczyk z panią w komorze,
o mój Boże mój Boże.
4. A moje pachole niewierzę ja tobie
bo moja Anulka ślachcianeczka sobie
nieuczyni mi tego.
5. A jużci pan w te progi wstępuje
a ten krawczyk oknem wyskakuje
i ucieka ucieka.
6. A moja Anulu czegoś-ci mi rada
miałaś ci ty tu grzeczniejszego sąsiada
Anuleńku nieboże.
7. A dajże mi dziwko te moje chorboty
pójdę ja z tobą zaraz do roboty
niech mi pana złość mija.
8. A moja Anulu mnie złość nie ominie
aże z ciebie strugą cała krew popłynie
oj Anulu nieboże
o mój Boże mój Boże.
9. Nim się rodzineczka Anuli zjechała
to już Anulinka na marach leżała
o mój Boże mój Boże.
10. Jużci matulińka w te progi wstępuje
a jużci Jasienko do nóg upaduje
sto złotych ofiaruje.
11. Mój Jasińku nasci tobie dwieście
nietracić mi było Anuleńki jeszcze
Anuleńku nieboże
o mój Boże mój Boże.

7. bb.

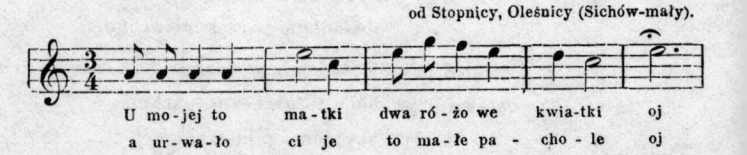

od Stopnicy, Oleśnicy (Sichów-mały).

U mo-jej to ma-tki dwa ró-żo we kwia-tki oj
a ur-wa-ło ci je to ma-łe pa - cho - le oj

czer-wo-ne czer - wo-ne i po-je-cha - ło ci za pa-nem na po-le
to ma - łe pa - cho - le.

oj za pa-nem na po - le i do-go-ni - ło go na li-po-wym

mo-ście oj na li-po-wym mo-ście wróć że się je - go-mość u He-lu-si

go-ście oj u He-lu-si go-ście.

1. U mojej to matki dwa różane kwiatki
   oj czerwone czerwone
   a urwało ci je to małe pachole
   oj to małe pachole
   i pojechało ci za panem na pole
   oj za panem na pole.
2. I dogoniło go na lipowym moście
   oj na lipowym moście:
   wróć że się jegomość u Helisi goście
   oj u Helisi goście.
3. A moi panowie niewierzę wam tego
   bo moja Helisia stanu szlacheckiego
   oj nieuczyni tego.
4. A mój jegomościu jeśli niewierzycie
   co najwierniejszego służkę to se go poślijcie.
5. A jużci jegomość przed okienka toczy
   jużci Helisienia zapłakała oczy.
6. A moja Helisiu cości się mnie zlękła
   a cości spódnice na nice oblekła.
7. Napraw że mi chłopcze w tę szklenicę wina
   a będę ja będę zdrowie pana piła
   abym go przeprosiła:

8. Podaj że mi chłopcze żółte rękawiczki
a pójdę ja pójdę wydoję krowiczki.
9. Niewtedy Helisiu do roboty chodzą
kiedy krawczykowie z pokoju wychodzą
10. Podaj że mi chłopcze te czarne buciki
a pójdę ja pójdę z praczkami do rzyki.
11. Niewtędy Helisiu do roboty chodzą
kiedy krawczykowie z pokoju wychodzą.
12. A kazał jegomość w kotle smoły zwarzyć
na swoją Helisię żeby ją poparzyć.
13. Podajże mi chłopcze te moje zbrondyny
niechże podaruję swej mamce jedynyj.
14. Podaj że mi chłopcze i te moje czepcze
niechże podaruje swojej mamce jeszcze
15. Podaj że mi chłopcze i te moje księgi
niechże se rozpisze do rodziny wszędy
16. Niźli się rodzina o tém dowiedziała
jużci Helusienia na marach leżała.
17. A jużci Helisi w dzwony uderzyli
a jużci krawczyków na hak powiesili
oj dobrze im zrobili.

7. cc.

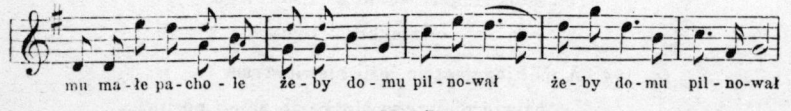

ode Lwowa.

Po - je - chał pan z char-ta-mi na po - le zo - sta-wił w do-mu ma - łe pa-cho - le że - by do - mu pil - no - wał że - by do - mu pil - no - wał

patrz Nr. 7. n.

7. dd.

Następująca pieśń służyć może za dowód jak lud rozmaite zdarzenia w pieśniach opowiedziane z sobą miesza. Widocznie ona powstała z trzech pieśni.

1. Oj tam w ogrodzie
u mojej pani matki

wyrosły dwa jednakie kwiatki,
oba były różowe.

2. Oj przeleciało pachole,
     oj przeleciało przez pole
   i zerwało dwa jednakie kwiatki,
     co rosły u mej pani matki,
     oj tam w ogrodzie

3. „Hej uciekaj Jasieńku nieboże
     uciekaj po cisowym moście,
     bo cię już goni
     we sta koni
     pan starosta — nieboże!
     i jego goście — nieboże!"

4. „A ja się pana starosty nieboję
     jeszcze sobie w gospodzie
     na słodkim miodzie
     postoję — postoję!

5. Nie będę uciekał po cisowym
                          moście
     mam szabelkę w ręku,
     rusznicę na łęku,
     to niech sobie goni
     starosta w sta koni
     i jego goście.

6. Długo pachole stało
     Jasia namawiało,
     aż się rozpłakało; —

„Uciekaj-że Jasieńku
 twoja Kasia to słoweńko
 przysłała tobie."

7. „Kiedy Kasia cię przysłała,
     czemu do Jasia swego
     od starosty starego
     sama nie uciekała?"

8. „Kasię zamknęli w komorze
     potem zawiązali w worze,
     i rzucili z okna wysokiego
     do dunaju głęboczkiego."

9. Jasio się zadumał
     i jechał na dunaj;
     w wodę skoczył
     suknie zmoczył
     i sam utonął.

10. „Biedne moje ożenienie
     w wodzie tonienie —
     Biedna moja panna młoda —
     za łożnicę bystra woda —
     moje czarne oczy
     piasek już potoczy —
     moje białe ciało
     rybkom się dostało. —

11. Moja szabelka, moja rusznica
     niech mi zadzwonią kieby
                          dzwonnica.

Zeg. Pauli P. l. p. w Gal. str. 98. — Wojcicki P. l. T. 1. str. 147.

8. a.

od Krakowa (Modlnica).

Czar-na ro-la   bia-ły ka - mień   czar-na ro - la   bia-ły ka-mień

po - do-lan-ka   sie-dzi na nim   po - do-lan-ka   sie-dzi na   nim.

1. Czarna rola — biały kamień
   podolanka siedzi na nim.

2. Siedzi siedzi, lamentuje
   białe rączki załamuje.

3. Przyszed do ni cudzoziemiec:
„moja panno daj mi wieniec."
4. „Ja bym ci go chętnie dała,
żebym się brata niebała."
5. „Otruj, otruj brata swego
będziesz miała mnie samego."
6. „Bym wiedziała czém go otruć
Boże odpuść, czém go otruć?"
7. „Idź do sadu wiśniowego,
znajdziesz gada zjadliwego.
8. I usiekaj drobniuteczko,
i ugotuj prędziuteczko.
9. I wylej go do śklenice,
i wnieś że go do piwnice."
10. Brat przyjedzie od Wiślice:
„siostro, siostro pić mi się chce."
11. „Pijże bracie czarne piwo
boś go nie pił jako żywo."
12. A brat pije — z konia leci:
„siostro, siostro patrz na dzieci."
13. „Cóż ja biedna uczyniła,
swego brata utraciła
14. Cóż ja biedna będę czynić
jego dzieci muszę żywić."
15. Pisze listy do swojego
chłopaka czarnobrewego:
16. On jej listy odpisuje
że z przyjaźni już kwituje.
17. „Otrułaś ty brata swego,
otrułabyś mnie samego."

J. (Konopka) P. l. Krak. str. 125.

8. b.

od Łowicza (Złaków Kościelny).

Na Po — do — lu bia - ły ka-mień Po - do -
lan - ka sie - dzi na nim,

1. Na podolu biały kamień
podolanka siedzi na nim.
2. Przyszedł do ni podoleniec:
„moja panno daj mi wieniec."
3. „Jak ja ci wieniec swój dam
kiedy ja brata swego mam."
4. „Otrujże brata swojego,
będziesz miała mnie samego."
5. „A jak że ja go otruć mam
kiej ja żadnego ziółka nieznam."
6. „Idź do sadu wiśniowego
złapaj węża zielonego.
7. Uwarz potem węża w piwie;
niech się braciszek napije."
8. „Pijże bracie takie piwo
nie piłeś go jako żywo."
9. Brat się napił — z konia leci:
„pamiętaj siostro na dzieci."
10. „Będę o nich pamiętała
za próg nóżką wyrzucała."

11. Jużci mówi podolanka:
„podoleńcze naści wianka."

12. „Strułaś brata rodzonego,
otrujesz ty mnie samego."

Wojcicki P. l B i M. Tom 1. str. 73. 232. 289. 311.—Zeg, Pauli P. l. P. w Gal. str. 81.

8. c.

od Końsko-woli (Osiny, Wronów.)

Oj na Po-do-lu bia-ły ka-mień oj po-do-lan-ka sie-dzi na nim se-ku-la-rum pro-chto-rum se-ku-ra-tum do-ktorum sie-dzi na nim.

1. Oj na podolu biały kamień,
oj podolanka siedzi na nim —
sekularum prochtorum
sekuratum doktorum
siedzi na nim.
2. Oj przyszedł do niej podolaczek;
„oj podolanko daj wianeczek"
sekularum i t. d.
3. „Oj jabym tobie ze dwa dała
oj gdybym się brata nie bała —"
sekularum i t. d.
4. „Oj otruj brata rodzonego,
oj będziesz miała mnie samego
sekularum i t. d.
5. Oj idź do sadu wiśniowego
oj nakop węża zielonego
sekularum i t. d.
6. Oj nalej że go we ślanicę
oj zanieś że go do piwnice."
sekularum i t. d.

7. Braciszek jedzie ulicami,
siostra do niego ślanicami
sekularum i t. d.
8. „Pijże braciszku a to wino
oj nie piłeś go jako żywo"
sekularum i t. d.
9. Braciszek pije — z konia leci:
„pamiętaj siostro na me dzieci —
sekularum i t. d.
10. Oj ona o nich pamiętała
oj w skorupce im jeść dawała
sekularum i t. d.
11. A wlazły za piec — oj niedała,
z pieca je na łeb — pospychała —
sekularum i t. d.
12. Oj pod ławą im spać kazała
i kłaczka słomy nie posłała
sekularum prochtorum
sekuratum doktorum
nie posłała.

8. d.

od Rożana (Mokrylas).

Na Po-do-lu bia-ły ka-mień na Po-do-lu bia-ły ka-mień po-do-lan-ka sie-dzi na nim.

1. Na podolu biały kamień,
podolanka siedzi na nim.
2. Przyszedł do niej podoleniec:
„podolanko daj mi wieniec."
3. „Ja bym tobie wieniec dała
bym się brata niebojała."
4. „Otruj brata rodzonego,
będziesz miała mnie samego."
5. A czém że ja go otruć mam,
kiej takiego ziela nieznam?"
6. „Pójdź do sadu wiśniowego
szukaj węża zielonego.
7. Ugotuj go w samym miedzie,
daj go bratu jak przyjedzie."
8. Jedzie braciszek z wojenki,
wiezie siostrzyczce sukienki.—
9. Jedzie braciszek ulicami,
ona za nim ze szklenicami.
10. „Naści bracie pij to piwo,
nie piłeś go jako żywo."
11. Braciszek pije — z konia leci
„bacz siostro na me dzieci."
12. „Bym na dzieci uważała
tego bym ci niedawała. —
13. „Siostro siostro, otrułaś mnie"
„cicho bracie, upiłeś się. —

14. Cicho, cicho, upiłeś się,
na — poduszki, prześpij że się."
15. „Nietakiem ja trunki pijał,
a takem się nie upijał."
16. Siedzi krawczyk na warstacie,
składa pieśni o mym bracie.
17. Ona puszcza kołowrotka,
nie skoro jej cóś robotka.
18. Pisze listy do młodego:
„żem otruła brata swego."
19. „Otrułaś ty brata swego
otrujesz ty mnie młodego."
20. „Ni ja brata ni dworaka
pójdę teraz za żebraka.
21. Żebrak pójdzię chleba prosić,
a ja za nim torbę nosić."
22. Idą wozy za wozami:
„podolanko siadaj z nami."
23. Niebędziesz tam nic robiła,
jeno złotem, srébrem szyła."
24. Złotem szyje srébrem toczy
zapłakała modre oczy.
25. „Na — chusteczki z kieszoneczki,
a otrzyj-że sobie oczki."
26. „Nie na tom je zapłakała,
abym teraz ucierała."

8. e.

od Wyszkowa (Głuchy, Niegów).

Za sto-do-łą zi - mna ro-sa cho-dzi-ła tam Ka - sia bo-sa hej — cho-dzi-ła tam Ka - sia bo-sa.

1. Za stodołą zimna rosa,
chodziła tam Kasia bosa.
2. Białe suknie zaszargała,
rzewnie sobie zapłakała. —
3. Zajechał ją Jasio z pola,
„cóż tu robisz Kasiu moja?"
4. „Wiję wianki, zbieram ziele
sweme bratu na wesiele."
5. „Kasiu moja, Kasiu jedna,
a daj że mi, daj że ze dwa."
6. „Jabym tobie i trzy dała,
bym się brata niebojała."
7. „Otruj brata rodzonego,
będziesz miała mnie samego."
8. „A czém-że bym go otruła
w sklepiem ziela nie kupiła?"
9. „Idź do sadu wiśniowego,
zabij węża zielonego.
10. I przynieś go w fartuszeczku,
i gotuj go w garnuszeczku.
11. I gotuj go pod pokrywą,
dolewaj go małmazyją.
12. I nalej go do szklenice
i wynieś go do piwnice.
13. Będzie brat jechał tą ulicą,
daj mu wino z tą szklenicą."
14. Braciszek jedzie tą ulicą,
trzysta koni za nim liczą
15. Siostra za nim tą ulicą
daje wino z tą szklenicą.
16. „Pij że siostro, pij że sama
jakiego żeś narządzała."
17. „Nie będę ja tego piła
bom paciorka niemówiła."
18. Braciszek pije z konia mgleje:
„siostro moja co się dzieje.
19. Siostro moja, otrułaś mnie"
„niepleć bracie, upiłeś się."
20. „Piłem ci ja miód i wino,
a nigdy mi tak nie było."
21. Braciszek wypił – z konia leci:
„wspomnij siostro na me dzieci!"
22. Braciszkowi w dzwony dzwonią,
a siostrzyczkę w kamień kują
23. „Zakujcież mnie w biały kamień,
niech nie słyszę pieśni o nim."

8. f.

od Szczytna v. Ortelsburga (Jeruty),

Na Po - do - lu mo-dry kamiń na Po - do - lu mo - dry ka miń
Po-do - lan-ka sie-dzi na nim Po-do - lan - ka sie-dzi na nim.

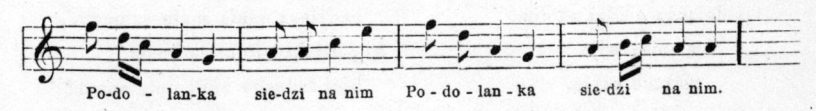

1. Na podolu modry kamiń
podolanka siedzi na nim.
2. Zajechał ją podoleniec:
„podolanko daj mi wieniec"
3. „I o dwa bym niestojała
bym się brata nie bojała."
4. „Otruj brata rodzonego
będziesz miała mnie samego."

5. „Bym wiedziała czém go otruć,
   otrułabym, Boże odpuść!"
6. „Idź do sadu wiśniowego,
   urwij kwiatu zielonego.
7. I zanieś go do folwarku,
   ugotuj go w nowym garku,
8. Ugotuj go w szczernej miedzi
   daj go bratu jak przyjedzie."

9. „Moja siostro — pić mi się chce"
   „mój braciszku, napijmy się."
10. A brat pije z szablą leci,
    „uważ siostro na me dzieci."
11. „Bym na dzieci uważała,
    otruć bym cię niestojała."

8. g.

od Radzynia.

Na Po-do-lu bia-ły ka-mień na Po-do-lu bia - ły ka-mień

Po-do-lan-ka sie-dzi na nim Po-do-lan-ka sie-dzi na nim.

8. h.

od Warszawy.

Na Po-do-lu bia-ły ka-mień bia-ły ka-mień Po-do-lan-ka

sie-dzi na nim Po-do-lan-ka sie-dzi na nim.

1. Na podolu biały kamień,
   podolanka siedzi na nim:
   wieniec wije
   pięknie szyje.
2. Przyszedł do niej podoleniec
   prosił-ci jej o wieniec.
3. „Jak że ja ci wianek dam?
   kiedy swego brata mam."
4. „Otruj że brata swojego,
   będziesz miała mnie samego."
5. „A jakże go otruć mam,
   kiej żadnego ziółka nie znam?"
6. „Idź że do ogródka zielonego,
   urwij ziółka czerwonego.
7. Uwarz potem ziółko w piwie
   niech się braciszek napije.

8. Poszła do ogródka zielonego,
   narwała ziółka czerwonego.
9. Uwarzyła ziółko w piwie;
   jak się brat ziółka napije,
10. Już ci zaraz z konia leci:
    „o siostro, siostro pamiętaj na
    dzieci."
11. „Będęż o nich pamiętała
    za próg nóżką przerzucała."
12. Na podolu biały kamień,
    podolanka siedzi na nim.
13. Przyszedł do niej podoleniec
    prosił ci jej o wieniec.
14. A ona mu wianek dała
    i mogiłę pokazała.
15. Do dom-ci go wprowadziła,
    dzieci za próg wyrzuciła.
16. Podoleniec się spracował,
    złoto, srebro narachował:
17. I wziął ci ją za nogi
    i zaniósł ją zabitą na rozstajne
    drogi.
18. Tam daleko na podolu,
    jest tam rola nie orana
    tylko rydlem pokopana.
19. Na tej roli kruków siła
    a koło niej tam mogiła.
20. Na tej mogile wyrosł-ci dąbeczek
    na niej bieluchny siada gołąbeczek

Wojcicki P. l. B. i M. T. 1. str. 71.

melodja ta używa się także do pieśni: Idzie żołnierz borem lasem.

8. i.

od Kałuszyna.

Na Po-do-lu bia-ły kamień biały ka-mień Po-do-lan-ka
sie-dzi na nim Po-do-lan-ka sie-dzi na nim.

jak Nr. 8. d.

3. Dałabym ci wieniec, dała
   bym się matki nie bojała.
4. Nie tak matki jako brata,
   co gorszego mam niż kata.
5. Oj ty otruj brata swego
   a dajże mi wianka swego.
   Kiedy niewiem czem go otruć.?
6. Pójdź do sadu wiśniowego
   łapaj węża zielonego.
   Kiedy niewiem co z tem robić?
7. Posiekaj go drobniusieńko
   ugotuj go słodziusieńko.
8. Oj w kąteczku w czerpeczku
   ugotuj jemu śniadanie.
9. Ugotuj go w czarnej miedzi
   daj go bratu jak przyjedzie.
10. Jedzie bratek z wojeneczki
    wiezie siostrze sukieneczki.
11. Jedzie bratek granicami
    siostra za nim z szklanicami.

12. Jedzie bratek tą ulicą
ona za nim z tą szklanicą.
13. Pijże bracie czarne piwo
niepiłeś go jako żywo.
14. Brat tego piwa popija
i z konika się pochyla.
15. „Siostro moja, otrułaś mnie"
„nie baj bracie, upiłeś się."
16. Nim siostra dała poduszki
to niestało w nim i duszki.

17. Braciszek z konia leci
siostro moja: bacz na dzieci.
18. Będę o nich baczność miała
będę im łbów nakręcała.
19. Pisze listy podolanka:
teraz dam ci swego wianka.
20. Niechcę teraz już i tego
twego wianka zatrutego.

mel. pieśni: Idzie żołnierz borem lasem.

p. Wojcicki T. 1 str. 232.

8. j.

od Tarczyna (Rembertów).

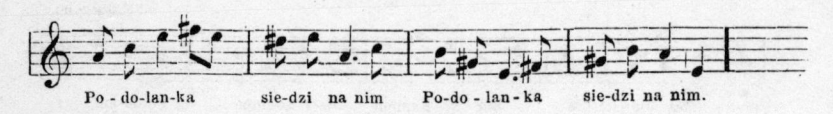

Na Po-do-lu bia-ły ka-mień na Po-do-lu bia-ły ka-mień

Po-do-lan-ka sie-dzi na nim Po-do-lan-ka sie-dzi na nim.

8 k.

od Iłowa (Brzozów).

Na Po-do-lu bia-ły ka-mień bia-ły ka-mień Po-do-lan-ka

sie-dzi na nim Po-do-lan-ka sie-dzi na nim przy-szedł do niej

po-do-le-niec po — do-lan-ko daj mi wieniec po-do-lan-ko daj mi wieniec.

1. Na podolu biały kamień
podolanka siedzi na nim.
2. przyszedł do nij podoleniec
"podolanko daj mi wieniec."
3. "Dyć bym ci go rada dała
bym się brata nie bojała."
4. "Idź do sadu wiśniowego
zabij węża zielonego,
5. Nagotuj go w czarném piwie,
daj go bratu niech wypije."
6. Podała mu dwie szklennice
przez te swoje okiennice —

7. "Siostro, siostro, otrułaś mnie"
"klecisz bracie, upiłeś się."
8. A brat pije — z konia leci
"daj że pamięć na te dzieci."
9. Siedzi krawczyk na warsztacie
śpiewa pieśni o mym bracie.
10. "Czarowałaś brata swego
tak-byś ci ty mnie młodego."
11. "Choćbym jeich tysiąc miała
już bym ich nie czarowała."

8. 1.

od Żychlina, (Chochołów).

Na Po-do-lu bia-ły ka-mień Po-do-lan-ka sie-dzi na nim

od wiersza 8

przyszedł do niej po-do-le-niec Po-do-lan-ko daj mi wie-niec A brat pi-je

z ko-nia le-ci daj że pa-mięć na te dzie-ci bę-dęż o nich

Pa-mię-ta-ła za próg nóż-ką prze-rzu-ca-ła.

p. Nr. 8. k.

8. m.

od Klimontowa (Zakrzów).

Na Po-do-lu bia-ły ka-mień Po do-lan-ka sie-dzi na nim

przy-szedł do ni po - do - le - niec przyszedł do ni po - do - le-niec

po - do - lan - ko daj mi wieniec po - do-lan - ko daj mi wie-niec.

p. Nr. 8. k.

9. Będęż o nich pamiętała
w korycie im jeść dawała.
10. Kijami ich przyodzieję
a tarninę im pościelę.

11. Pisze listy do młodego
„jużem struła brata swego."
12. A on jej też odpisuje
że z przyjaźni już dziękuje.

8. n.

od Chorzell i Janowa (w Przasnyskiém).

Na Po-do-lu bia - ły ka - mień na Po-do-lu bia - ły ka-mień

Po-do - lan - ka sie - dzi na nim.

1. Idź do sadu zielonego
urwij węża czerwonego.
2. Ugotuj go w móździerńcy
daj bratu pić ze szklenicy."
3. A brat pije z konia leci:

„wspomnij siostro na me dzieci.
4. Wczoraj były panienkami
dzisiaj już są sierotkami."
5. Bratu dzwonią, siostrę kują
obojgu im posługują.

8. o.

od Płocka.

Na Po - do - lu bia-ły ka-mień na Po - do-lu bia - ły ka - mień

Po - do - lan-ka sie-dzi na nim.

dalej jak Nr. 8. k. od wiersza 11.

12. Już wszystkie panie w lamencie
mój braciszek żyć nie będzie

13. Już wszystkie panie w żałobie
mój braciszek leży w grobie.

S. p.

od Gostynina.

Na Po-do - ln bia - ły kamień Po - do-lan - ka sie dzi na nim

przyszedł do niéj po - do - le - niec po - do - lan-ko gdzie twój wie-niec

patrz Nr. 8. k.

7. Choćbyś ty mi i dwa dała
tyś mię siostro zczarowała.
9. „Przyjdź że do mnie ślusarzynie

mój braciszek w ziemi gnije."
10. Otrułaś ty brata mego.
otrujesz ty mnie samego.

S. q.

od Rozprzy (Mierzyn).

Na Po-do - lu — bia-ły ka - mień na Po-do - lu

bia - ły ka - mień Po - do-lan - ka sie - dzi na nim.

S. r.

od Czeladzi.

Pod Kra-ko-wem czar - na ro - la pod Kra-ko-wem czar - na ro - la

na tej ro - li bia - ły ka-mień śli-czna pa-ni sie-dzi na nim.

1. Pod Krakowem czarna rola (*bis*)
   na tej roli biały kamień;
   śliczna pani siedzi na nim
2. Siedzi, siedzi — popłakuje
   białe rączki załamuje.
3. Przyszedł do nij cudzoziemiec:
   „moja panno daj mi wieniec."
4. „Jaćby ci go rada dała
   kiebych się brata nie bała."
5. „Otruj, otruj brata swego
   będziesz miała mnie samego."
6. „Otrułabych, Boże odpuść,
   ale nie wiem czém go otruć."
7. „Idź do sadu wiśniowego,
   uchyć gadu jadliwego.
8. A wpuść że go do szklenice
   a spuść że go do piwnice."
9. Brat przyjechał, utrudził się:
   „moja siostro napiłbych się."
10. „Na braciszku, takie wino
    jeszcześ go nie pił jak żywo.
11. A brat pije z konia leci:
    „moja siostro patrz na dzieci.
12. Ona na dzieci patrzała,
    nóżką przez próg wyrzucała.
13. I słała po cudzoziemca:
    „niechcę panno, twego wieńca.

8.

od Bochni.

Pod Kra-ko-wem czar-na ro - la   pod Kra-ko-wem czar-na ro-la
Tam cho-dzi-ły Kra-ko-wian-ki wi-ły wian-ki z ma-cie-rzan - ki.

1. Pod Krakowem czarna rola
   Tam chodziły Krakowianki
   wiły wianki z macierzanki.
2. Przyszedł do niej wojewoda,
   wojewoda z Czarnogroda:
3. „Oj ty panno Krakowianka
   daruj mi jednego wianka."
4. „Czemuż bym nie darowała
   żebym się brata nie bała."
5. „Oj ty otruj brata swego,
   a daj mnie wianka jednego."
   „Kiedy niewiem — czém go otruć."
6. „Idź do sadu wiśniowego,
   wykop węża zielonego."
   „Kiedy niewiem — jak to robić.
7. „Namocz że go w słodkim miedzie
   częstuj brata jak przyjedzie."
8. Jedzie bratek z wojeneczki,
   wiezie siostrze podareczki, —
9. Na koszulkę bielutenką
   na sukienkę zieloneńką.
10. „Kłaniam kłaniam pana brata
    niewidziałam przez trzy lata."
11. Poskoczyła do piwnicy
    i przyniosła miód w szklenicy.
12. „Pijże bracie czarne piwo,
    jeszcześ nie pił jako żywo."
13. Brat tego piwa popija
    i z konika się pochyla
    „ratuj że mnie siostro moja!"

15. Krakowianka listy pisze
do młodego wojewody.
Wojewoda odpisuje:
16. „Otrułaś brata swojego,
strułabyś i mnie młodego."
Krakowianka stała — gorzko
zapłakała:

17. „Teraz że ja nieboraczka,
ni braciszka, ni kozaczka —
poszłaby ja za żebraczka.

Zeg. Pauli p. l. pol. w Gal. str. 81.
Wojcicki p. l. T. 1. str. 232. T. 1. str. 338.
Ł. Gołębiowski Lud polski i t. d. str. 35.

8. t.

Melodia patrz Nr. 8. a.

1. Pod kamieniem róża rośnie,
tam dziewczęta po nią pośli.
2. Wyrwali se po listeczku,
wywijając po wianeczku.
3. Jedna wiła dla brateńka,
druga wiła dla miłego.
4. Przyszedł do niej miły jej
prosił o ten wianeczek:
5. „Oj ja bym ci oba dała,
gdybym się brata nie bała.
6. Oj miła miłeńka,
struj brata rodnego,
będziesz miała mnie samego."
7. „Jakże ja struć brata mam,
ja takiego ziela nie mam
8. „Oj miła miłeńka!
pójdź do sadu wiśniowego
złapaj węża zielonego.

9. Zwarz go w wodzie,
a brat umrze.
10. Brat przyjeżdża z darunkami
siostra do niego z czarami:
11. „Na pij bracie to piwo,
któreś nie pił jak żywo."
12. Pan brat pije, z konia mdleje:
„oj dla boga — co się dzieje.
13. Coś mi smutno, coś mi nudno,
siostro luba, siostro rodno.
14. Siostro moja otrułaś mnie."
„Nie żartuj-że upiłeś się,
pójdź do łóżka i prześpij się."
15. Do miłego dała znać:
„choć miły już do mnie
strułam brata przez ciebie!"
16. „Oj miła miłeńka,
strułaś brata rodnego,
strujesz i mnie miłego!

Zeg. Pauli P. l. pol. w Gal. str. 82 — Wojcicki p. l. T. 1. str. 289, 311.

Z. Pauli str. 83.

1. Rano rano z rana
poszła panna do gaju.
I chodziła i zbierała
stare suknie zaszargała.

2. I przyjechał Jasio z pola
cóż tu robisz Kasiu moja?
3. „Zbieram kwiatki zbieram ziele
memu bratu na wesele"
4. „Otruj brata rodzonego i t. d.

8. u.

od Bodzanowa (Mąkolin).

Na Po - do - lu   bia - ły ka-mień   Po - do-lan - ka   sie-dzi na nim

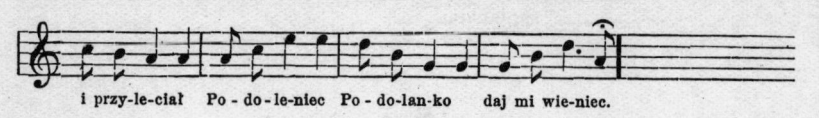

i przy-le-ciał   Po - do - le-niec   Po - do-lan-ko   daj mi wie-niec.

p. Nr. 8. k.

—

Narwij kwiatu zielonego i t. d.

—

A brat pije z konia leci
ratujcie mnie moje dzieci i t. d.

8. w.

od Dobrzynia n. Drwęcą (Działyń).

Na Po-do-lu   bia-ły   ka - mień na Po - do - lu   bia-ły   ka-mień

Po - do-lan - ka   sie-dzi   na   nim   Po-do-lan - ka   sie-dzi na nim.

1. Na podolu biały kamień
podolanka siedzi na nim
2. Przyszedł do niej podoleniec
prosi ją o jeden wieniec.
3. Dałabym ci rada oba
żebym się brata nie bojała.

—

7. Przyszedł brat z kościoła
co gotujesz siostro moja?
8. Drobne rybki, drobne oście.
dam ci jedną na języczek
spuściścisz główkę pod stoliczek

9. Wziąn że sobie w swoje usta
został biały jako chusta.
10. Siostro moja otrułaś mnie"
„upiłeś się, użarłeś się."

—

13. Dzwonią dzwonią w duże
dzwony
pchają, pchają w obie strony.
14. I bronami roztargali
i bronami przychowali.
15. Siedzą krawcy na warstacie
śpiewają pieśń o mym bracie.

3. Od Warszawy (Ołtarzew)

8. x.

od Osterode.

1. Na podolu modry kamiń,
   siedzi podolinka na nim.
2. Przyszedł do niéj podoliniec:
   „podolinko daj mi wiéniec."
3. „Jać bym tobie i dwa dała
   bym się brata nie bojała."
4. „Otruj brata i własnego
   będziesz miała mię jednego."
5. „Bym wiedziała czém go otruć,
   otrułabym, Boże odpuść!"
6. „Idź do sadu wiśniowego,
   wykop węża zielonego.
7. Ugotuj go w tęgiém piwie,
   daj go wypić bratu żywie.
8. Ugotuj go pod przyprawą
   daj go bratu w rękę prawą."
9. Jedzie braciszek z wojenki,
   wiezie siostrze do sukienki:
10. „Siostro moja masz w czém chodzić
    niedaj że się chłopcom zwodzić.
11. Siostro moja! daj mi piwa."
    „na braciszku na-że wina."
12. Brat go pije z konia, mdleje: —
    „siostro moja! źle się dzieje.
13. Siostro moja, otrułaś mię"
    „Nie bredź baśnie, upiłeś się,
    na — poduszkę prześpij że się."
14. „Ciężkie moje przesypianie
    dusza z ciałem się rozstanie."
15. Siedzą krawcy na warsztacie
    śpiewają pieśń o jej bracie.
    „A wy krawcy nie śpiwajcie
    tej piosneczki o mym bracie.
16. „Okujtaż mnie w modry kamiń
    niech nie słyszę pieśni o nim."
17. Siostrę kują, bratu dzwonią,
    obojgu im grób szykują.
18. „Poczkaj ty psie podolinie
    dla ciebie ja z świata ginę."
19. „Otrułaś brata własnego
    otrułabyś mię samego."

ze zbioru ks. Gizewiusza.

8. y.

od Mławy.

1. Pod Malborkiem czarna rola
   syli i sektum — rek rektum —
   doktum — czarna rola,
   siedziała tam Malborszczanka
   syli i sektum i t. d.
2. Wiła wianki z macierzanki,
   Malborszczanko daj mi jeden
   jak Nr. 8. d.
7. Ugotuj go w czarnej jusy
   a nalej go we szklennicę
   a postaw go w okiennicę —
12. Brat go pije, z konia leci:
    „zostawiam ci siostro dzieci!"
13. Wczoraj chodziły w sukieneczkach
    dzisiaj muszą w koszuleczkach.
14. Wczoraj były panienkami
    dziś muszą iść za świniami.

8. z.

od Rawy.

Na Po - do - lu bia - ły ka - mień Po - do - lan - ka sic - dzi na nim su - ri - an - tum re - ktum pre - ku - ria - tum de - ktum do - ktu - ry - ja.

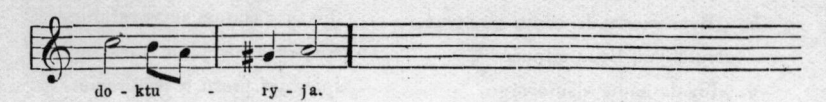

1. Na podolu biały kamień,
podolanka siedzi na nim,
Surjantum rektum
prekuriatum dektum
dokturyja.
Nr. 8. b.
6. Idź do sadu wiśniowego,
znajdzij węża największego.

10. A ona też tak baczyła
po jednemu precz dusiła.

12. Bratu dzwonią, siostrę kują:
cudzoziemcze żeń się ze mną

8. aa.

od Ujazdu.

Na Po - do - lu bia - ły ka - mień su - ro - jan - tum re - ktum
Po - do - lan - ka sie - dzi na nim
pro - ku - ra - tum te - ktum do - kto ry - je.

8. bb.

od Inowłodza (Rzeczyca).

Na Po - do - lu bia - ły ka - mień na Po - do - lu sieriachtum mechtum

kra-ko-re-ktum te-ktum bia - ły ka-mień.
Nr. 8. d.

2. Jakże ja ci wieniec mam dać,
kiedy cię na niego niestać.

6. Idź do sadu wiśniowego,
urwij węża zielonego.

8. cc.

od Sieciechowa.

Na Po - do - lu bia - ły ka-mień bia-ły ka-mień. po - do-lan - ka

sie-dzi na nim po-do - lan - ka sie - dzi na nim.

1. Przyszedł do niej podolaczek,
kłaniał jej się o wianeczek.

Nr. 8. i.

7. I włożysz go do fartuszka,
a z fartuszka do garnuszka.

8. A z garnuszka do ślenicy,
ze ślenicą do piwnicy.

9. Idzie Jasio od kaplice:
Siostro! siostro! pić mi się chce.

10. Pijże bracie, bo ja piła
tylom tobie ostawiła.

11. Jasio pije, z konia zleci
patrzaj siostro! moje dzieci.

12. Będę o nich pamiętała,
w korytku im jeść dawała.

13. I słomę im pościelała,
pokrzywami odziewała.

8. dd.

od Janowca.

Na Po - do - lu bia - ły ka-mień bia-ły ka-mień po - do - lan - ka

sie - dzi na nim po-do - lan - ka sie-dzi na nim.

8. ee.

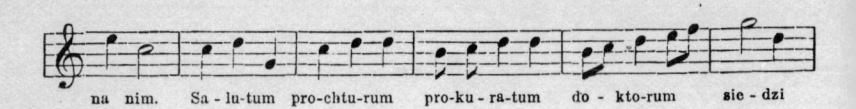

od Sandomierza (Góry-wysokie).

A na Po - do - lu bia - ły ka - mień a po - do - lan ka sie-dzi na nim. Sa - lu-tum pro-chtu-rum pro-ku - ra-tum do - kto-rum sie - dzi na nim sie - dzi na nim.

p. Nr. 8. cc.

9. A moja siostro pijże do mnie
bo moje serce się lęka we mnie

10. A już ja już ja bracie piła
dla ciebie jedną szklankę zbyła.

8. ff.

od Słupi-nowej (Baszowice).

Pod Kra-ko-wem czar-na ro - la czar-na ro - la na téj ro - li kar-czma sto - i.

1. pod Krakowem czarna rola
na tej roli karczma stoi.

2. A w tej karczmie podolanka
wije wianki na kolankach.

p. Nr. 8. cc.

6. Idź do sadu wiśniowego
weź że węża zielonego.

7. Przynieś że go w fartuszku
gotuj że go w garnuszku

8. Gotuj że go pod patyną
oblep że go dobrze gliną.

9. A brat jedzie od Wiślice
moja siostro pić mi się chce.

8. gg.

od Szkalmierza (Charzewice.)

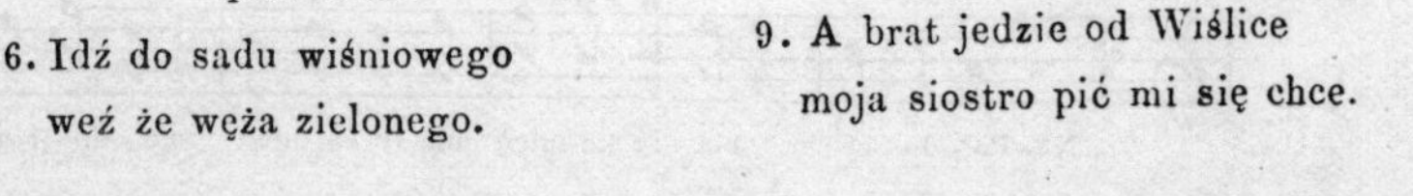

Na Po - do - lu bia - ły ka - mień na Po - do - lu bia-ły ka - mień

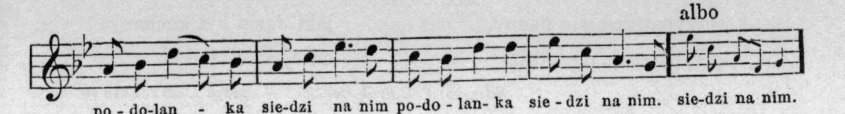

albo

po-do-lan-ka sie-dzi na nim po-do-lan-ka sie-dzi na nim. sie-dzi na nim.

1. Na podolu biały kamiń
podolanka siedzi na nim.
2. Wije wianki z macierzanki
robota toć podolanki.
3. Otruj otruj brata swego
będziesz miała mnie miłego.
4. Rada bym ja to wiedziała
czém bym brata otruć miała.
5. A złap węża prędziusieńko
ugotuj go męciusieńko.
6. Ugotuj go w słodkim miedzie
i patrzaj że jak brat jedzie.
7. A brat jedzie za górami
pije miodek szklaneczkami.

8. Pije miodek, z konia mgleje,
patrzaj siostro co się dzieje!
9. Mondur na mnie poszarpany
rozum w głowie pomieszany.
10 Pije miodek, z konia leci
„patrzaj siostro moich dzieci."
11. Pisze listy do miłego:
jużem struła brata swego.
12. Kiejś otruła brata swego
otrujesz ty mnie miłego.
13. Siedzi sobie na warsztacie
śpiwa pieśni o jej bracie:
14. Murujcież mnie w biały kamiń
niech niesłyszę pieśni o nim.

9. a.

od Krakowa,

Śni-ło się Ma-ry-si na łóż-ku le-żą-cej że jej Ja-sio

u-to-nął przez mo-rze pły-ną-cy.

1. Śniło się Marysi
na łóżku leżącej,
że jej Jasio utonął
przez morze płynący.

2. „Rybacy, rybacy
przez Boga żywego!
czyście niewidzieli
Jasieńka mojego?"

3. Widzieli, widzieli,
ale nie żywego,
w środku morza płynącego,
mieczem przebitego.

4. Skoczyła Marysia
z brzegu wysokiego,
i wyrwała miecz ostry
z boku Jasiowego.

5. Wyrwała, wyrwała,
i w siebie go wbiła;
„przypatrzcie się wszystkie
panny
jakiem go lubiła."

6. Przypatrzcie się panny,   jaki Jasio był kochany
    przypatrzcie mężatki,   od ojca od matki!

(J. Konopka) P. l. Krak. str. 122. — przyj. Ludu r. 1846 str. 48.

9. b.

od Radomia.

To - czy - ło się bia - łe po sto - le ja - błusz-ko aż się też

za-to-czy - ło do dzie-wczy-ny w łóż - ko.

1. Toczyło się białe
po stole jabłuszko
aż się też zatoczyło
do dziewczyny w łóżko.
2. Śniło się dziewczynie
na łóżeczku śpiący,
że jej Jasio utonął
po morzu płynący.
3. Skoczyła dziewczyna
z mostu wysokiego

chcący razem płynąć
obok Jasia swego.
4. Skoczyła, skoczyła
sama się zdradziła
Jasio nie utonął
a ona nie żyła.
5. Sama się zdradziła
z mostu zeskoczyła,
napatrzcie się dobrzy ludzie
jak go to lubiła!

Wacł. z Oleska p. l. w Gal. str. 461.— Wojcicki P. l. T. 1. str. 66.

9. c.

od Kent i Żywca.

Śni - ło się Ka - siń-ce na łóż - ku le - żą - cy że Ja - sio

u - to - nął na łód - ce pły - ną - cy.

1. Śniło się Kasińce
na łóżku leżący

że Jasio utonął
na łódce płynący.

2. „Rybacy, rybacy
na Boga żywego
czyście niewidzieli
Jasieńka mojego?"
3. Widzieli, widzieli
ale nieżywego,
we śtrzodku (środku) tej wody
szablą przebitego.

4. Skoczyła Kasieńka
z wysokiego mostu
wyrwała szabliczkę
Jasieńkowi z boczku.
5. Jak mu je wyrwała
sama się przebiła,
„kiej Jasio nie żyje
nie bede ja żyła."

Zeg. Pauli P. l. p. w Gal. str. 94.

9. d.

od Klimontowa (Zakrzów, Goźlice).

Pły - wa - ło dwa list - ki jak ser-ca po wo - dzie
oj nie wie-dział ojciec, ma-tka o na-szej przy - go - dzie.

1. Pływało dwa listki
jak serca po wodzie
oj niewiedział ojciec, matka
o naszej przygodzie.
2. Śniło się Kasiuni
nade dniem leżący
że utonął serce Jasio
po morzu płynący.
3. Utonął, utonął
i chusteczkę zgubił,
„bodaj w niebie królował
bo mnie szczerze lubił.
4. Matulu, matulu
pozwólcie czółenka
pójdę ja środkiem morza
po swego Jasieńka."
5. „Pozwolę, pozwolę
byleś z nim wróciła

i to małe dzieciąteczko
zaraz upowiła."
6. Płakała Kasiunia
na swoją urodę,
przemówiło do dziewczyny
i skoczyła w wodę.
7. „Pływajcie listeczki
od kraju do kraju,
niezna ojciec ani matka
naszego rodzaju.
8. „Rybacy, rybacy
dla Boga świętego
czyście niewidzieli
Jasieńka mojego."
9. Widzieli, widzieli
ale nie żywego
środkiem morza płynął
boku przebitego.

10. Skoczyła Kasiunia
z lądu wysokiego,
wyjęła miecz z boku
Jasieńka swojego.
11. Wyjęła, wyjęła,
w siebie utopiła:

„patrzajcie się grzeczne panny
szczerzem go lubiła."
12. Patrzaj że Kasiuniu
na ten złoty ganek,
tam ci będzie zapłacony
z rozmarynu wianek.

Wacł. z Oleska p. l. w Gal. str. 281.

9. e.

od Goszczyna (Kozietuły).

Śni - ło się Ma - ry - si na łó - że-czku śpią - cej że jej Ja - sio

u - to - nął po mo-rzu pły - ną - cy.

9. f.

od Błonia i Grodziska.

Śni - ło się Ma - ry - si na łó - że-czku śpią - cej że jej Ja - sio

u - to-nął po wo-dzie pły - ną - cy.

p. Nr. 9. d.
7. I puściła dzieciąteczko
po białym dunaju

płyńże płyńże dzieciąteczko
od kraju do kraju.

9. g.

od Radzymina (Chajęta),

Śni - ło się Ka - sień-ce na łóż-ku le - żą - cej

że jej Ja - sio u - to - nął z mo-stu zje-żdża - ją - cy.

1. Śniło się Kasieńce
na łóżku leżący,
że jej Jasio utonął
z mostu zjeżdżający.
2. Utonął, utonął
i chusteczkę zgubił,
„napatrzcie się grzeczne damy
jak to ja was lubił."
3. „Rybacy, rybacy
dla Boga żywego,
a czyście wy niewidzieli
Jasieńka mojego?"

4. „Widzieli, widzieli
ale nieżywego,
środkiem moża płynącego
mieczem przebitego.
5. Wyskoczyła Kasia
z mostu wysokiego
wyrwała wyrwała miecz
z boku Jasiowego.
6. Wyrwała, wyrwała
sama się przebiła:
„napatrzcie się dobrzy ludzie
jakem go lubiła."

9. h.

od Pułtuska (Dąbrowa).

Przy-śni - ło się Ka - siu-leń - ce w łó - że-czku le - żą - cy
że u - to - nął jej Ja-sie-niek przez mo-rze pły - ną - cy.

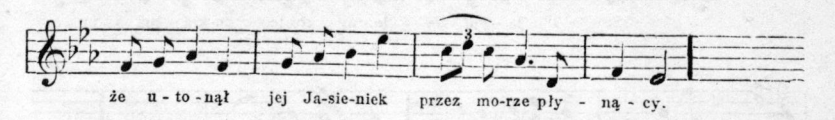

1. Przyśniło się Kasiuleńce
w łóżeczku leżący,
że utonął jej Jasieniek
po morzu płynący.
2. Ach utonął, ach utonął
i chusteczkę zgubił,
„napatrzcie się grzeczne panny
jakto on mnie lubił."
3. „Ach rybacy, ach rybacy
dla Boga żywego,
czyście czasem niewidzieli
Jasieńka mojego."

4. Widzieliśmy, widzieliśmy
ale nie żywego,
pod Toruniem i pod mostem
mieczem przebitego."
5. Spuściła się Kasiuleńka
z mostu wysokiego
i wyrwała ten miecz ostry
z boku Jasiowego.
6. I sama się, i sama się
tym mieczem przebiła,
dzieciąteczko maluteczkie
na wodę puściła.

7. Pływaj że ty dzieciąteczko,
jak te modre kwiatki,
nieznałoś ty swego ojca
nieznajże i matki."
8. Przypłynęło dzieciąteczko
przed babczyne wrota,

„wyjdzi, wyjdzi babuleńko,
biedna ja sierota."
9. „Ach żebym to ja wiedziała
żeś mojego syna,
za rączeńki bym cię wzięła
koszulkę-ć uszyła."

9. i.

od Myszyńca

Śni-ło się Ka-siu-ni na łóż-ku le-żą-cy że u-to-nął
Ja-sie niek po mo-rzu pły-ną-cy.

9. k.

od Lubawy.

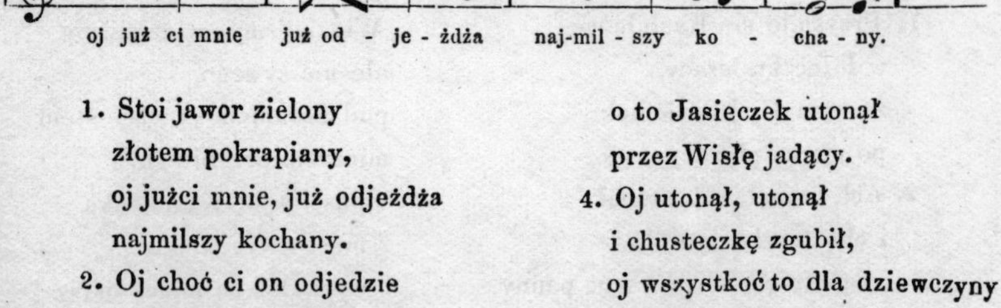

Sto-i ja-wor zie-lo-ny zło-tem po-kra-pia-ny
oj już ci mnie już od-je-żdża naj-mil-szy ko-cha-ny.

1. Stoi jawor zielony
złotem pokrapiany,
oj jużci mnie, już odjeżdża
najmilszy kochany.
2. Oj choć ci on odjedzie
to znowu przyjedzie,
moje serce zasmucone
pocieszone będzie.
3. Przyśniło się Kasiuchnie
na łóżku leżący,

o to Jasieczek utonął
przez Wisłę jadący.
4. Oj utonął, utonął
i chusteczkę zgubił,
oj wszystkoć to dla dziewczyny
co ją szczérze lubił.
5. I skoczyła Kasiuchna
do bystrej wódeczki,
pytała się, pytała się
tej drobnej rybeczki!

6. „Oj rybeczki, oj rybeczki
dla Boga żywego,
niewidziały żeś ta tutaj
Jasieczka mojego?"
7. „Oj widziałym, widziałym
ale nie żywego,
ostrym mieczem przebodzone
bok i serce jego."
8. I skoczyła Kasiuchna
z mostu wysokiego,
i wydarła ostry mieczyk
z boku Jasiowego.
9. I wydarła, wydarła
sama się przebiła,
dzieciąteczko i wianeczek
na wodę puściła.
10. Pływaj pływaj dzieciąteczko
jak te zwiędłe kwiatki,
kiedyś ojca nie zaznało
nie znaj że i matki.
11. Utoń utoń dzieciąteczko
jak to zwiędłe kwiecie,
niezawadzaj że tu ludziom
na tym grzesznym świecie.
12. „A kiedy już umrzewa
umrzyjważ oboje,
niechże nas też pochowają
w jeden grób oboje."

ze zbioru ks. Gizewiusza.

9. 1.

od Bydgoszczy.

Śni-łoć mi się śni-ło o du-sznem zba-wie-niu,
zem-kła mi się nóż-ka sto-jąc na ka - mie-niu.

1. Śniłoć mi się śniło
o dusznem zbawieniu,
zemkła mi się nóżka
stojąc na kamieniu.
2. A ja rozumiała
że to dwa kwiateczki,
poszły do kościoła
nadobne dzieweczki.
3. Jednym progiem wlazły,
w ławkę sobie siadły,
jedna drugiej szepce
która którego chce.
4. A ten malusieńki
to dla Polusieńki,
a ten trochę większy
Jasio mój najmilszy.
5. Na kościele gołka
na dzwonnicy strzołka,
u naszego jegomości
najlepsza gorzołka.
6. Wiktusia ją toczy
upłakała oczy,
a Szymuszek ze zastoła
do Wiktusi skoczy.

7. Wiktusia do komory
a Szymuszek za nią,
a niewyszło trzy godziny
już Wiktusia panią.
8. „Dla Boga, dla Boga
dla Boga świętego,
niewidzieliście ta
Szymusia mojego."
9. Widzieli, widzieli
ale nieżywego,
mieczem to mieczem
mieczem przebitego.
10. Z niego miecz wyjęna
sama się przebiła,
a to małe pacholątko
na morze puściła.
11. „A pływajże pływaj
po bystrém jezierze,
nieuznałoś ojca twego
nieuznaj macierze."

J. Lipiński P. l. Wielkop. str. 155.

9. m.

od Osterode (Kraplewo).

mel. jak Nr. 9. k.

1. „Stoi jawor zielony
złotem pokrapiany,
a już ci mnie już odjeżdża
najmilszy kochany.
2. Oj choć ci on odjeżdża
to on i przyjedzie,
moje serce zasmucone
pocieszone będzie."
3. Przyśniło się Kasiuchnie
na łóżku leżący,
o to Jasieczek utonął
przez Wisłę jadący.
4. Oj utonął utonął
i chusteczkę zgubił,
oj wszystkoć to dla dziewczyny
com ją szczerze lubił.
5. I skoczyła Kasiuchna
do bystrej wódeczki,
pytała się, pytała się
tej drobnej rybeczki.
6. „O rybeczki rybeczki
dla Boga żywego,
niewidziały żeśta tutaj
Jasieczka mojego?"
7. „O widziałym widziałym
ale nieżywego,
ostym mieczem przebodzone
bok i serce jego."
8. I skoczyła Kasiuchna
z mostu wysoczkiego,
i wydarła ostry mieczyk
z boku Jasiowego.
9. Onemu wydarła
sama się przebiła,
a to małe dzieciąteczko
na wodę puściła.
10. „A kiedy już umrzewa
umrzyjważ oboje,
niech że nas też pochowają
w jeden grób oboje."
11. Dzieciąteczko płynie
od kraju do kraju,
nie zaznało ojca matki
ni swego rodzaju.
12. Nie wszystkie sady krztą
(*kwitną*)
co się rozwijają,
nie każdą ksiądz parę odda
co się zalecają.

13 Nie wszystkoć to złoto
co się poleruje,
nie każdemu chłopu wiara
co się deklaruje.
14. Jak wiele ości
na jęczmiennym snopie,
tak też tyle i chytrości
w każdziurecznym chłopie.
15. Jak wiele wełenki
na białej owieczce,
tak też tyle i szczerości
w każdziurnej dzieweczce.

ze zbioru ks. Gizewiusza.

9. n.

od Olsztynka.

1. Stoi koń przed sienią
  pięknie osiodłany:
  „i odjeżdżam ma najmilsza
  jestem twój kochany. —
2. Choć ci i odjadę
  ale i przyjadę,
  wspomnij że mnie ma najmilsza
  kiedy będę w drodze."
3. Chodziła po drodze
  i myślała sobie;
  „czyli ja się utopić mam
  czy chodzić w żałobie."
4. Skoczyła dziewczyna
  z mostu wysokiego,
  i wyjęła złoty stylet
  z boku Jasiowego,
5. Jak ci go wyjęła
  zaraz się przebiła,
  i to swoje smętne serce
  na wodę puściła.
6. Nie każde sady krzcą
  co się rozwijają,
  nie każdego ksiądz oddaje
  co się zalecają.
7. Nie każda jabłonka
  słodkie jabka rodzi,
  niewierzaj ty chłopu dziewcze
  choć on do cię chodzi.
8. Bo on do cię chodzi
  a ino cię zwodzi,
  a i co się sy wykręci
  to o inszej myśli.

9. o.

od Żychlina (Chochołów, Tretki, Zarembów)

Le - cie zi - mie le - cie zi - mie za-wsze o téj po - rze wy-cho-wa-łam go - łą - be-czki w tej cie-mnej ko - mo-rze wy-cho-wa-łam go - łą - be - czki w tej cie-mnej ko - mo-rze.

1. Lecie zimie, lecie zimie
zawsze o tej porze,
wychowałam gołąbeczki
w tej nowej komorze.

2. I chowałam i chowałam
i jeść mu dawałam,
wyleciał gołąbeczek
sama się zostałam.

3. Matulu, matulu
pozwólcie czółneczka,
co pojadę i poszukam
swego Jasineczka.

4. "Pozwolę pozwolę
abyś sama chciała,
a żebyś się z innemi
w kontrat (*konszachi*) niewdawała

5. "Rybaczki, rybaczki
jak Boga żywego,
jeżeliście niewidzieli
Jasieńka mojego."

6. Widzieli widzieli
Jasia nieżywego,
ostrym mieczem przebitego
rzeką płynącego.

7. Kasiula skoczyła
z mostu wysokiego,
i zabrała dzieciąteczko
do Jasia swojego.

9. p.

od Kalisza (znana i w Lubelskiém).

Śni-ło się Ma-ry-sień-ce na łóż-ku le-żą-cy
że Ja-sień-ko u-to-nął po rze-ce pły-ną-cy. albo że Ja-sień-ko
u-to-nął po rze-ce pły-ną-cy.

9. q.

od Grądziąża.

Sni-ło się Ma-ry-si na łó-że-czku śpią-cej że u-to-nął
Ja-sie-niek po mo-rzu pły-ną-cy.

9. r.

od Buska.

Śni-ło się Ma-ry-si na łóż-ku le-żą-cy że Ja-sień-ko

Poczém skrzypce.

u-to-nął po mo-rzu pły-ną-cy.

10. a.

od Kutna (Strzelce,)

Cho-wa-łam se go-łą-be-czka w tej no-wej ko-mo-rze ta-ko le-cie ja-ko zi-mie słu-żą-cy przy dwo-rze.

1. Chowałam se gołąbeczka
w tej nowej komorze
tako lecie jako zimie
służący przy dworze.
2. I chowałam i kochałam
później wypuściłam,
ach ja biedna, nieszczęśliwa
sama się zostałam.
3. Jak poleciał, tak poleciał
i usiadł na dębie,
ach ja jego pięknie proszę
„wróć mi się gołębie."
4. Jak poleciał, tak poleciał
i usiadł na kole,
ach ja jego pięknie proszę
„wróć mi się sokole."
5. Ciężko temu kamieniowi
pod wodę idący,
jeszcze więcej sercu memu
w kochaniu będący.

10. b.

od Garwolina (Ostrożeń, Sokół).

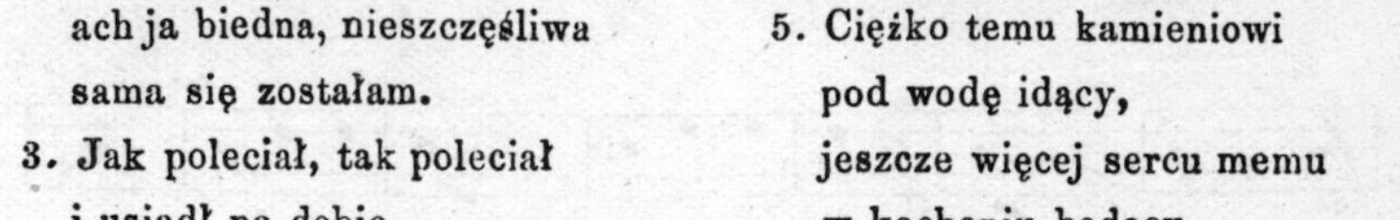

Wy-szła by-ła grze-czna pan-na zpod czar-ne-go mo-rza

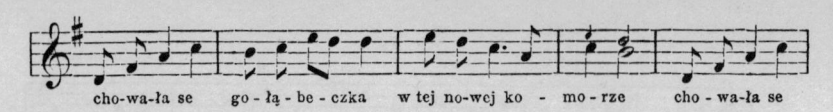

cho-wa-ła se go - łą - be - czka w tej no-wej ko - mo - rze cho - wa-ła se

go-łą - be - czka w tej no-wej ko - mo-rze.

1. Wyszła była grzeczna panna
z pod czarnego morza,
chowała se gołąbeczka
w tej nowej komorze.
2. Jak chowała, tak chowała
i drzwi uchyliła,
gołąbeczek jej wyleciał
ona zobaczyła.
3. Jak wyleciał, tak wyleciał
usiadł se na dębie,

a ona go pięknie prosi
„dysiu mój gołębie.
4. A dysiu mój, dysiu dysiu
dysiu mój dysieńku.
a ty mnie teraz opuszczasz
oj ty mój kochanku.
5. A chowałam i ściskałam
jako sama siebie,
a ty mnie teraz opuszczasz,
bodaj że Bóg ciebie!"

10. c.

od Przysuchy.

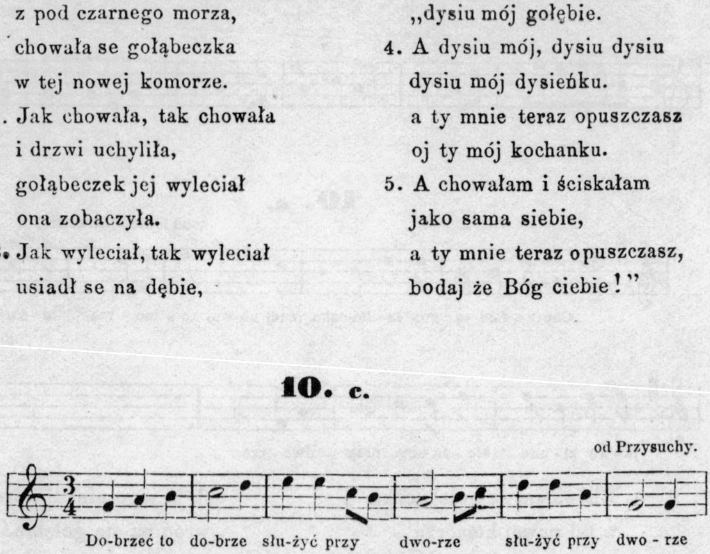

Do-brzeć to do-brze słu-żyć przy dwo-rze słu-żyć przy dwo - rze

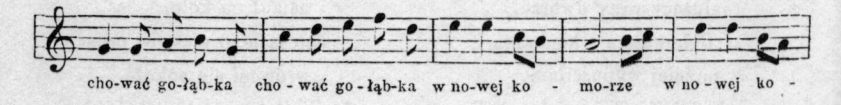

cho-wać go-łąb-ka cho - wać go - łąb-ka w no-wej ko - mo-rze w no - wej ko -

mo-rze pan - na pan - na szła nie -'u - wa - żnie drzwi u-chy - li - ła.

1. Dobrzeć to dobrze
służyć przy dworze,
gołąbka chować
w nowej komorze.
2. Panna szła nieuważnie
drzwi uchyliła,

gołąbek uciek
nie obaczyła.
3. I upad ci jej
na dużem lesie,
panna mu groszek
w fartuszku niesie.

4. Od Warszawy (Raszyn)

4. I upadł-ci jej
na dużej śliwce,
panna mu mówi:
„dyś, dyś, myśliwcze!
5. I upadł-ci jej
blisko na ganku,

panna mu mówi,
„dyś dyś kochanku!"
6. I upadł ci jej
bliżej na progu,
panna mu mówi:
„dyś, chwała Bogu!

10. d.

od Krakowa i Częstochowy.

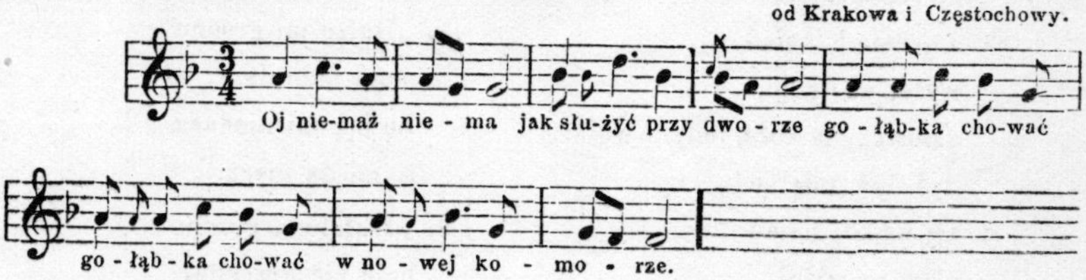

Oj nie-maż nie - ma jak słu-żyć przy dwo - rze go - łąb-ka cho-wać go - łąb - ka cho-wać w no - wej ko - mo - rze.

1. Oj niemaż niema
jak służyć przy dworze,
gołąbka chować
w nowej komorze;
2. Z nieostrożności
jam drzwi uchyliła,
gołąbeczek uciekł
jam nie zobaczyła.
3. I usiadł ci jej
w polu na dębie
dziewczyna woła:
duś duś mój gołębie.
4. I usiadł ci jej
niżej na wiśni,
dziewczyna woła:
duziu duziu zbliż się.

5. I usiadł ci jej
niżej na płocie,
dziewczyna woła:
zbliż się mój kłopocie.
6. I usiadł ci jej
nisko na progu:
kiedyś tu usiadł
to chwała Bogu!
7. Dajże mi grochu
moja najmilsza,
bo jak mi niedasz
to mi da insza.
8. Dałabym ci grochu
lecz się boję grzechu,
bym nie nie została
w tym ludzkim pośmiechu.

Wacł. z Oleska p. l. w Gal. str. 446.

10. e.

od Sierpca, Dobrzynia n. Wisłą.

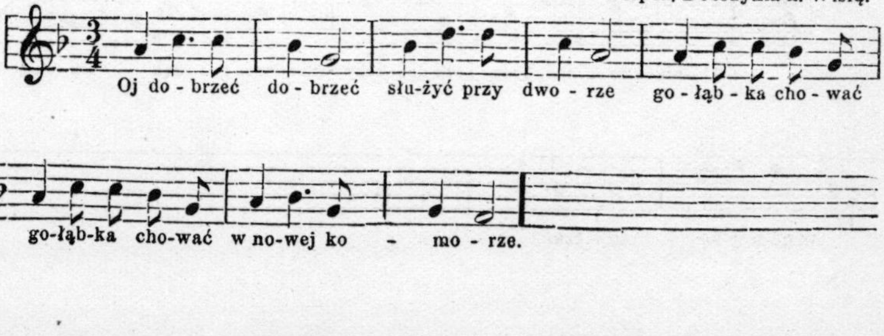

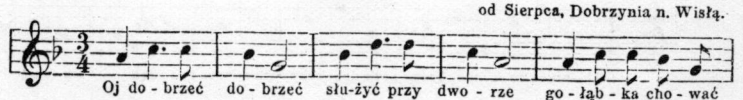

Oj do - brzeć do - brzeć słu-żyć przy dwo - rze go - łąb - ka cho - wać go-łąb-ka cho-wać w no-wej ko - mo - rze.

1. Oj dobrzeć dobrze
służyć przy dworze,
gołąbka chować
w nowej komorze.
2. Jam sobie wyszła
drzwi uchyliła,
gołąbek wyszed
nie zobaczyła.
3. Oj usiad, usiad
wyżej na dębie,
dziewczyna woła, jedyna woła:
dyś dyś gołębie!
4. Oj usiad, usiad
niżej na wiśni,
dziewczyna woła, jedyna woła:
toć cię mam w myśli!

5. Oj usiad, usiad
nisko na płocie,
dziewczyna woła, jedyna woła:
dyś dyś klejnocie!
6. Oj usiad, usiad
w sieni na progu;
„kiedyś tu przyszedł
to chwała Bogu!"
7. „Dajże mi grochu
moja najmilsza,
bo jak mi niedasz
to mi da insza."
8. „Dałabym grochu
boję się grzechu,
bym nie została
w tym ludzkim śmiechu.

10. f.

od Włocławka.

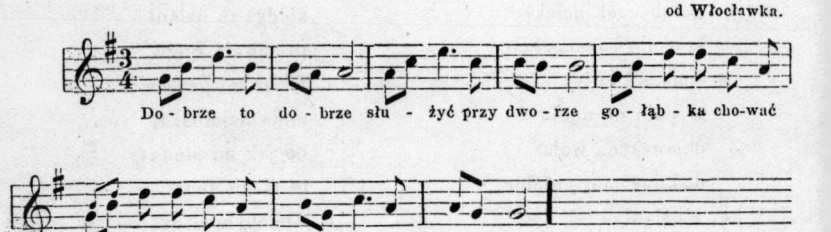

Do-brze to do-brze słu-żyć przy dwo-rze go-łąb-ka cho-wać
go-łąb-ka cho-wać w no-wej ko - mo-rze.

10. g.

od Makowa (Szelków).

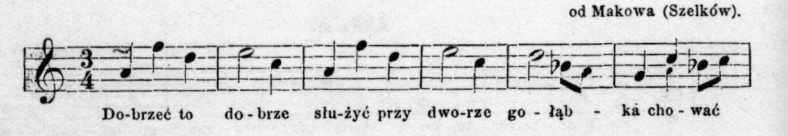

Do-brzeć to do-brze słu-żyć przy dwo-rze go-łąb - ka cho-wać
w no-wej ko - mo-rze.

dalej Nr. 10. e.

3. Choćbyś wołała
i nawoływała,
już ci niebędziesz
gołąbka miała.
4. I usiad ci jej
niżej na płocie,
ona go woła:
dyś dyś klejnocie.

5. I usiad ci jej
niżej na oknie,
ona go woła:
suknia ci zmoknie.
6. I usiadł ci jej
niżej na łóżku,
ona mu wyniosła
groszku w fartuszku.

10. h.

od Osterode.

1. Służyła dziewczyna
przy królewskim dworze,
wysłużyła gołąbeczka
w tej nowej komorze.
2. Poszła do komory
i drzwi uchyliła,
wyleciał jej gołąbeczek
raz nieobaczyła.
3. Wyleciał, poleciał
i usiadł na dębie,
ona woła okieneczkiem
„dyziu, dyź gołębie!

4. Dyziu, dyziuleczku
siwy gołąbeczku,
azaż ja cię nie kochała
o mój Jasiuleczku?"
5. „Kochałaś, kochała
nie zapieram tego,
a ja we świat przecz pojadę
ty już masz inszego."
6. Chodziła po moście
rozmyślała sobie,
czyli ja się mam utopić
czy chodzić w żałobie?"

ze zbioru Gizewiusza.

10. i.

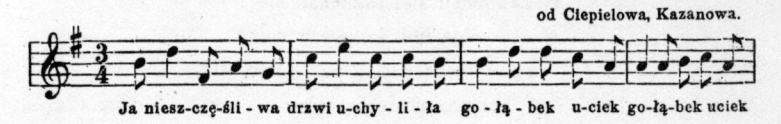

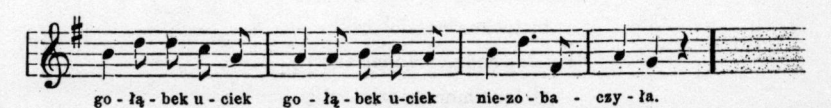

od Ciepielowa, Kazanowa.

Ja niesz-czę-śli - wa drzwi u-chy - li - ła go - łą - bek u-ciek go-łą-bek uciek

albo

nie-zo - ba -czy-ła.   Ja niesz-czę - śli-wa   drzwi u - chy - li - ła

go - łą - bek u - ciek   go - łą - bek u-ciek   nie-zo - ba - czy - ła.

1. Ja nieszczęśliwa
drzwi uchyliła,
gołąbek uciek
nie zobaczyła.
2. Jak ci uciek
padł na jabłoni,
dziewczyna wyszła, jedyna wyszła
gołębia goni.
3. Jak ci uciek
i padł na dębie
dziewczyna wyszła, jedyna wyszła
zliź zliź gołębie

4. I jak ci uciek
i padł na wiśni,
dziewczyna wyszła, jedyna w:
zliź zliź najmilszy
5. I jak ci uciek
i padł na progu,
dziewczyna wyszła, jedyna w:
tuś chwała Bogu.
6. I jak ci uciek
i padł na łóżku
dziewczyna wyszła, jedyna w:
dała mu groszku.

11. a.

od Rożana (Mokrylas, Brzezno).

Za-ko-cha-li się za-ko-cha-li się dwo-je lu-dzień-ków
w so-bie a Pan Je-zus wie a Pan Je-zus wie —
czy na po-cie-chę so-bie.

1. Zakochali się, zakochali się
dwoje ludzieńków w sobie
a pan Jezus wić, a pan Jezus wić,
czy na pociechę sobie.
2. Zakochali się, zakochali się
dolę się nie widzieli,
jak się ujrzeli, jak się ujrzeli,
oboje zachorzeli.
3. Da u Kasiuli, da u jedynej
bieluchna pościołeczka.
da u Jasieńka, biednej sieroty
zielona muraweczka. —

4. Da u Kasiuli, da u jedynej
   miodu, wina zadosyć;
   da u Jasieńka, biednej sieroty
   zdrojowej wody prosić.
5. „Moja matulu, moja jedyna,
   jeślić ja wam miła —
   ześlijcie też mu,ześlijcie też mu,
   memu Jasiowi wina.
6. Moja matulu, moja kochana;
   otwórzcie mi skrzyneczkę;
   niech ja uszyję, niech uhaftuję
   Jasiowi koszuleczkę.
7. Jeślić będzie zdrów, jeślić będzie zdrów,
   niechże ją w zdrowiu schodzi,
   a jeśli umrze, a jeśli umrze
   pochować się w niej godzi."
8. A nad Kasieńką, a nad jedyną,
   ojciec i matka płacze —
   a nad Jasieńkiem, biedną sierotą,
   wrony koniczek skacze.

11. b.

od Ostrołęki (Chrostowo, Troszyn).

Za-ko-cha-li się za-ko-cha-li się dwo-je lu-dzi-sków

w so-bie a Pan Je-zus wie a Pan Je-zus wie czy na pocie-chę so-bie.

dalej jak Nr. 11. a.

na tęż nutę śpiewają pieśń:

Tamój za dworem — tamój za dworem
zieloniejsza murawa,
tamój dziewczyna — tamój jedyna
pasła ślicznego pawa i t. d.
           patrz Serya II.

11. c.

od Szczytna v. Ortelsburg (Rozogi).

Mo - ja ma-mu-lu mo-ja ko - cha - na daj mnie do dwo-ru słu - żyć
boć to we dwo-rze boć to we dwo-rze trze-ba ros - ko-szy u - żyć.

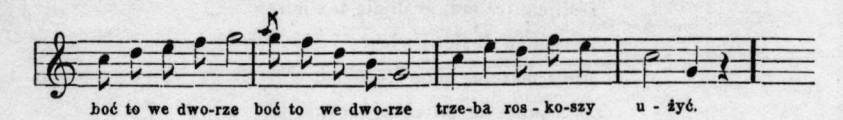

1. Moja mamulu, moja kochana
daj mnie do dworu służyć;
boć to we dworze, boć to we dworze
trzeba roskoszy użyć.

2. Boć to we dworze, boć to we dworze
drogie myto dają;
za roczek za dwa, za roczek za dwa
zieloną suknię skrają.

3. Niewyszło roczek, niewyszło drugi
niewyszło półtora:
jużci dziewczyna, jużci jedyna
niesie dziecie ze dwora.

4. „Moja siostrzyczko, moja jedyna,
doradź że mi doradź —
a gdzież to dziecie, gdzież to maleńkie,
gdzież ja mam je podziać?"

5. „Moja siostrzyczko, moja jedyna
wynieś mi do sieni,
a powiedz jemu, powiedz Jasiowi,
niech się z tobą żeni."

6. „Moja siostrzyczko, moja jedyna
jużem ja tam była,
a jego matka, jego rodzona,
strasznie mnie połajała." (*lub* wybiła)

7. „„Moja Kasiulu moja jedyna,
by to mego syna (*było*)
zaraz bym temu, zaraz bym temu (*dziecku*)
koszulkę uszyła.""

8. „Moja mamuniu, moja jedyna
otwórzcie mi skrzyneczkę
sama uszyję – i wyhaftuję
dziecięciu koszuleczkę.

9. Jeślić będzie zdrów, jeśli będzie zdrów,
niechaj ją w zdrowiu schodzi –
a jeśli umrze, a jeśli umrze,
pochować się w niej godzi.

12. a.
od Makowa (Zakliczewo, Borowo).

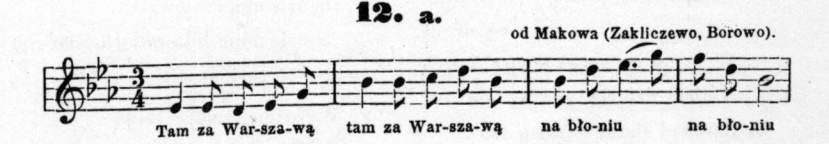

Tam za War-sza-wą tam za War-sza-wą na bło-niu na bło-niu
wy-wi-jał Ja-sio wy-wi-jał Ja-sio na ko-niu na ko-niu.

1. Tam za Warszawą – na błoniu, wywijał Jasio – na koniu.
2. Wójtówna za nim – chodziła, maleńkie dziecie – nosiła.
3. Tak ci je długo – nosiła, aż je na dunaj – puściła.
4. „Płyńże dzieciąteczko – do młyna, rusz młynarzowi – kamienia."
5. Siedzi młynarczyk – na podzie płynie dzieciątko – po wodzie.
6. Drobną siateczkę – zarzucił, maleńkie dziecie – uchwycił.
7. „Coś ty tu dziecie – robiło, coś po tej wodzie – płynęło?"
8. „Matka mnie moja – puściła, sama się panną – czyniła."
9. Tam na ratusie – dzwoniono, panny do dwora – wołano.
10. Do rady panny, – do rady, maleńkie dziecię – u wody.
11. Wszystkie panienki – w rząd stały, tylko wójtówna – za niemi.
12. „Moja wójtówna – co ci to, co cię w czepeczek – owito?"
13. „Główeńka moja – bolała, mateńka mi ją – zawiła.
14. A wywiedźcież mnie – do boru, napalcie ze mnie – popiołu.
15. Rozsiejcie popiół – po polu, narośnie z niego – kąkolu.
16 Będą ten kąkol – panny rwać, i o wójtównie – pieśń śpiewać.

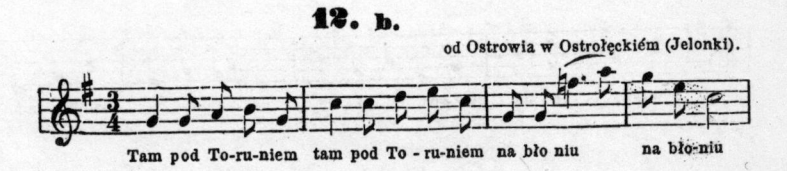

12. b.
od Ostrowia w Ostrołęckiém (Jelonki).

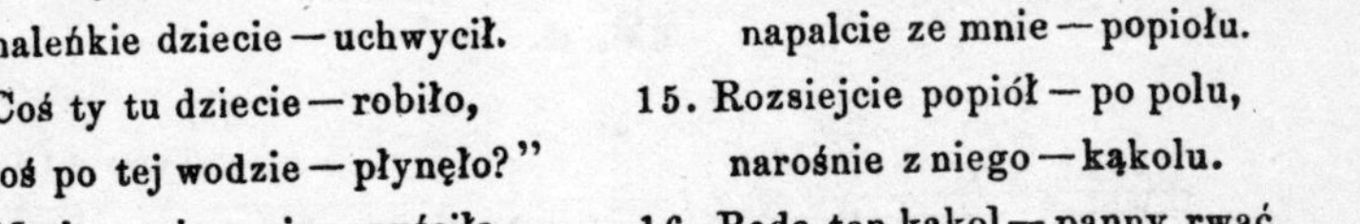

Tam pod To-ru-niem tam pod To-ru-niem na bło niu na bło-niu *wy - wi-ja Ja - sio   wy - wi - ja Ja - sio   na ko - niu   na ko - niu.*

1. Tam pod Toruniem — na błoniu
  wywija Jasio — na koniu.
2. Anusia za nim — chodziła,
  w fartuszku dziecię — nosiła.
3. I puściła je — na wodę
  „napatrz się Jasiu — na swą ślicz
  ną urodę."
4. Wyszedł rybaczek — po chłodzie,
  i ujrzy dziecie — na wodzie.
5. Zaraz ci siatkę — zawiedzie,
  wyciągnął z wody — przytulił do
  siebie

dalej jak Nr. 12. b. od w. 7.

14. I natnijcie mi — smolnych drew
  i połóżcie mnie — wedle nich.
15. Napali się tam — popiołu,
  to rozsiejcie go — po polu.
16. Wyrośnie tamój — modry kwiat,
  będzie mnie żałował
  będzie mnie lutował. (*litował się*)
  cały świat.
17. Wyrośnie tamój — lelija
  będzie mnie żałował
  będzie mnie lutował
  ta marna bestyja.

12. c.

od Płońska.

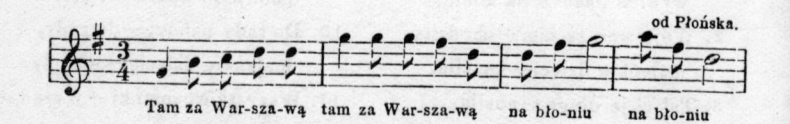

Tam za War-sza-wą   tam za War-sza-wą   na bło-niu   na bło-niu

wy - wi - ja Ja - sio   wy - wi - ja Ja - sio   na ko - niu   na ko-niu.

12. d.

od Tarczyna i Karczewa.

Tam za War-sza-wą   tam za War-sza-wą   na bło-niu   na bło-niu

wy-wi - ja Ja - sio   wy - wi - ja Ja - sio   na ko - niu   na ko - niu.

12. e.

od Kałuszyna i Cegłowa.

Tam za War-sza-wą tam za War-sza-wą na bło-niu na bło-niu

wy-wi-ja Ja-sio wy-wi-ja Ja-sio na ko-niu na ko-niu.

12. f.

od Przysuchy.

Tam pod Krakowem tam pod Krakowem na bło-niu na bło-niu

wy-wi-ja Ja-sio wy-wi-ja Ja-sio na ko-niu na ko-niu.

1. Tam pod Krakowem — na błoniu
wywija Jasio — na koniu.
2. Kasiunia za nim — chodziła
w fartuszku dziecię — nosiła
3. Wyszła nad rzekę — o chłodzie,
i puściła je — po wodzie.
4. „Płyńże dzieciątko — do młyna,
pomożesz ojcu — kamienia."
5. Siedział młynarczyk — na kłodzie
ujrzał dzieciątko — na wodzie.
6. Drobną siateczkę — zarzucił,
małe dzieciątko — uchwycił.
7. Trzeba to dziecię — mianować,
która to będzie — jego mać.
8. Schódźcie się matki — z córkami,
a wy ojcowie z synami.

9. Wszystkie panienki — nad panny,
Kasia wójtówna — za drzwiami.
10. Wszystkie panienki — w wianeczku
Kasia wójtówna — w rąbeczku.
11. „Cożeś to Kasiu — zrobiła,
coś się w rąbeczek — zwinęła."
12. „Oj bo mnie główka — bolała,
w rąbek ją zwinąć — kazała."
13. Weźcież Kasiunię — za rączkę,
i wyprowadźcie — na łączkę.
14. I zapalcie ją — na polu,
i naróbcie z niej — popiołu.
15. Wyrosną na niej — chojaki
będą ją płakać — chłopaki.
16. Wyrośnie na niej — róży kwiat,
będzie ją płakać — cały świat.

12. g.

od Lutomierska (Małyń, Jeżew).

A tam w To-ru-niu a tam w To-ru-niu na bło-niu na bło-niu *je-ździł tam Ja-sio   je-ździł tam Ja-sio   na ko - niu   na ko - niu.*

1. A tam w Toruniu — na błoniu
jeździł tam Jasio — na koniu.
2. I tam Kasińka — chodziła,
dziecie malutkie — nosiła.
3. I rzuciła je — we wodę,
i zapłakała — na swoją urodę.
4. Zaraz to dziecię — złapali,
i do ratusza — znać dali.
5. Zaraz w ratuszu — dzwonili
żeby się matki — z córkami schodzili.
6. Oj wszystkie panny — w wianeczku
jedna Kasieńka — w czepeczku.
7. Zaraz stós drzewa — złożyli
nadobną Kasię — spalili.
8. „Naróbcie ze mnie — popiołu,
i rozsiejcie mnie — po polu.
9. Wyrośnie ze mnie — róży kwiat,
będzie mnie płakać — cały świat.
10. Wyrośnie ze mnie — lelija,
będzie mnie płakać — cała familja.
11. Wyrośnie ze mnie — chojenka,
będzie mnie płakać — mateńka.
12. Wyrośnie ze mnie — koczanek,
będzie mnie płakać — kochanek."

12. h.

od Nowegomiasta n. Pilicą.

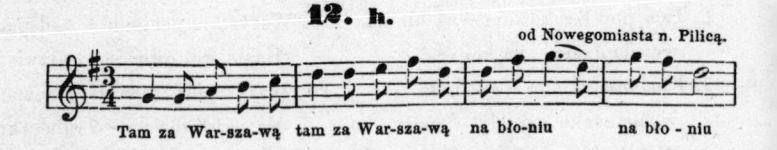

Tam za War-sza-wą   tam za War-sza-wą   na bło-niu   na bło - niu

wy-wi-ja Ja-sio   wy-wi-ja Ja-sio   na ko-niu   na ko-niu.

1. Tam za Warszawą — na błoniu,
wywija Jasio — na koniu.
2. Kasieńka za nim — chodziła,
i dzieciąteczko — nosiła.
3. „Czy chcesz Jasieńku — ojcem być
czy mam to dziecko — utopić."
4. „Niechcę Kasieńku — ojcem być,
można to dziecko — utopić."
5. Wzięła Kasieńka — pod boczki,
rzuciła dziecko — w dunaik głęboczki.
6. Siedział młynarczyk — na podzie,
widzi dzieciątko — na wodzie.

dalej jak Nr. 12. f.

12. i.

od Biłgoraja i Krzeszowa.

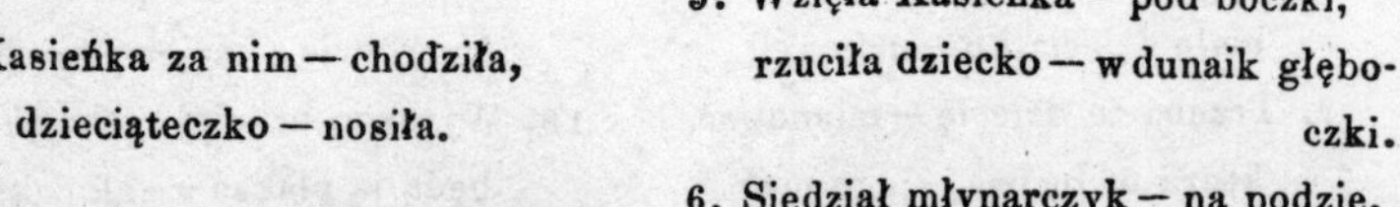

Oj tam za dwo-rem   oj tam za dwo-rem   na bło-niu   na bło - niu

wy - wi-ja Sta-sio wy - wi-ja Sta-sio na ko - niu na ko-niu.

1. Oj tam za dworem — na błoniu,
wywija Stasio — na koniu.
2. Marysia za nim — chodziła,
dziecię na ręku — nosiła.
3. „Rzuć Maryś dziecię — do wody,
nie będzie nam — żadnej przeszkody.
4. Ciś Maryś dziecię — do Bugu,
niebędziesz płakać — po ślubu.
5. Marysia dziecię — rzuciła,
a sama z płaczu — umiera.
6. Płynął młynarczyk — po wodzie,
znalazł dzieciątko — na spodzie.
7. Zaraz do dworu — daje znać,
która to która — jego mać.
8. A we wsi w dzwony — dzwoniono,
panny na ratusz — ściągniono.
9. Wszystkie panny postawały — przed panami,
tylko jedna Marysia — za drzwiami.
10. Wszystkie panny postawały — w wianeczku,
tylko jedna Marysia — w rąbeczku.
11. Moja Marysiu — co ci to
co ci główeczkę w biały rąbeczek — uwito?
12. „Głowa mnie moi panowie — bolała,
tom sobie ją w biały rąbeczek — związała."
13. „Oj nie to to, moja Marysiu — nie to to,
utraciłaś dzieciątko — jak złoto."
14. Wziął ci ją młody kacik — za rączkę,
wyprowadził — na łączkę.
15. „Chcesz że ty, moja Marysiu — moją być,
mógłbym ja cię od tej męki — wyzwolić."
16. „Oj niebyła moja matka — panową,
i ja też niemyślę być — katową.
17. I wziął-ci ją stary kat — pod boczki,
wtrącił-ci ją w Bug — głęboczki.

Wacł. z Oleska P. l. w Gal. str. 489. — Wojcicki P. l. T. 1. str. 93.

12. j.

od Kielc.

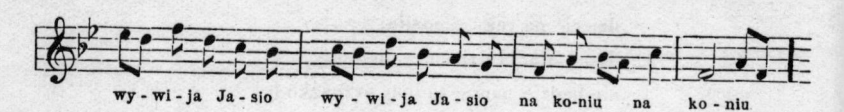

Tam za War-sza-wą tam za War-sza-wą na bło-niu na bło-niu wy-wi-ja Ja-sio wy-wi-ja Ja-sio na ko-niu na ko-niu

12. k.

od Dzikowa, Rozwadowa.

Z tamtej stro-ny Du-na-ja zie-le-nią się dwa ga-ja dwa ga-ja.

1. Z tamtej strony dunaja,
   zielenią się dwa gaja.
2. W jednym ptaszki śpiewają,
   w drugim panny gadają.
3. O kim że to ta mowa? —
   o dziewczynie wójtowa.
4. Że troje dziatek straciła,
   jeszcze się panną nosiła.
5. Skoro się ojciec dowiedział,
   do kata jej iść kazał.
6. Przyszedł ci do niej kat młody,
   i wziął-ci se ją w rozmowy.
7. Jeżelibyś chciała moją być
   radbym cię od śmierci wybawić.
8. „Kiem zasłużyła niech ginę
   bo ja tej śmierci nie minę."
9. Zawiódł ci ją na most wysoki
   wtrącił ją w Sanek głęboki.

Żeg. Pauli P. l. p. w Gal. str. 89.

12. l.

od Kłodawy.

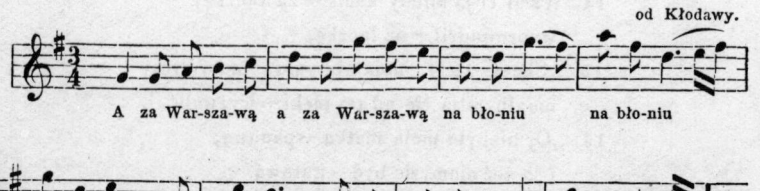

A za War-sza-wą a za War-sza-wą na bło-niu na bło-niu a je-ździ Ja-sio a je-ździ Ja-sio na ko-niu na ko-niu.

1. A za Warszawą — na błoniu
a jeździ Jasio — na koniu.
2. Wójtowna za nim — chodziła
dzieciątko jego — nosiła.
3. I póty je tam — nosiła
aż je też tam w ten zdroiczek —
puściła.

4. „A płyń-że ty dziecię do młyna
do młynarczyka — Marcina.
5. Młynarczyk siedział na podzie
i złapał dziecko — na wodzie.
6. A w środku rynku - zagrano
wszystkie panienki — zwołano:

Dalej no. 12. n.

12. m.

od Wiskitek (Guzów).

Tam za War-sza-wą tam za War-sza-wą na bło-niu na bło-niu

tam je-dzie Jasio tam je-dzie Ja-sio na ko-niu na ko-niu.

Dalej no. 12 h.

12. n.

od Żychlina (Chochołów, Zarembów).

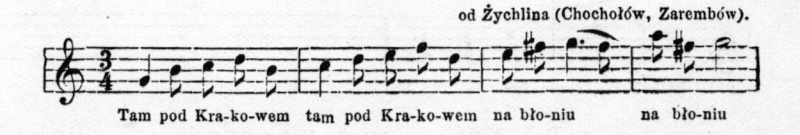

Tam pod Kra-ko-wem tam pod Kra-ko-wem na bło-niu na bło-niu

wy-wi-ja Ja-sio wy-wi-ja Ja-sio na ko-niu na ko-niu.

1. Tam pod Krakowem — na błoniu,
wywija Jasio — na koniu.
2. Marysia za nim chodziła,
w fartuszku dziecie — nosiła.
3. Tak je nosiła — nosiła,
aż je w ten dunaj — rzuciła.

4. Stojał młynarczyk — na podzie,
i złapał dziecię — na wodzie.
5. I zaniósł ci je — do młyna,
do młynarczyka — Marcina.
6. „Moje ty dziecię — mam cię znać,
toć to wójtówna — twoja mać."

7. Wszystkie panienki — stanęły,
   jedna wójtówna — za niemi.
8. „Co ci wójtówno — co ci to,
   że cię w rąbeczek — owito.
9. „Nic ci mi ludzie — nic ci mi,
   tylko tak ludzie — zmyślili.
10. Oj moi ludzie — główka mnie bolała
    upiąć ją sobie — kazała.
11. Wziął ci ją Jasio — za boczki,
    wrzucił wójtównę — w ten dunaj głęboczki.
12. „Toń że Marysiu — toń do dna,
    jużeś ty światu — niegodna.
13. Trzy razy Maryś — tonęła,
    za czwartym razem — ojca matki żądała.
14. „Toń że Marysiu — toń do dna,
    jużeś ty światu — niegodna."
15. „Jakżeś mnie matko — karała,
    raz-ci na tydzień — bijała;
16. I kazałaś mi — z Jasieńkiem,
    koniki pasać — da co dzień."

12. o.

od Wielunia, (Rudlice, Skrzynno).

Pod Kra-ko-wem czar-na ro-la na bło - niu na bło-niu na bło - niu wy-wi-ja tam Ja-si-ne-czek na ko - niu na ko-niu na ko - niu.

1. Pod Krakowem czarna rola — na polu
   wywija tam Jasiuneczek — na koniu.
2. Po tej roli Kasineczka — chodziła
   maluteczkie dzieciąteczko — nosiła.
3. I znalazła taką wodę — u młyna
   co dzieciątko maluteczkie — ciepnęła.
albo: I podeszła z dzieciątkiem pod ogrody
   i ciepnęła swoje dziecko — do wody.
4. Po tej wodzie dwaj rybacy — brodzili
   co dzieciątko maluteczkie — wyjęli.
5. We dwa dzwony na porynku — dzwonili
   ażeby się mieskie panny — schodzili.

Dalej jak no. 12 9.

13. Karałaś mnie moja matko — rózeczką
    a ja sobie do chłopaków — uliczką;
14. Karałaś mnie moja matko — raz w tydzień
    a ja sobie do chłopaków — w każdy dzień.

p. *Wojcicki O. l. Tom I. str. 91. Mel. służy także do pieśni:*
„*Od Krakowa czarna chmura—nie widać.*"

12. p.

od Mysłowic.

Przed bur-mi-strzem na ro-li   przy ja - błoniu   u-wi-ja się

tam Ja-si-nek   na ko - niu.

1. Przed burmistrzem na roli — przy jabłoniu
   uwija się tam Jasinek — na koniu.
2. Zuśka jego podle niego — chodziła
   i maluśkie dzieciąteczko — nosiła.
3. Mówi jeden do drugiego: — weźma to,
   damy dzwonić na ratuszu — czyje to?
4. Po trzy razy na ratuszu — dzwoniono,
   i też wszystkie panny tam — zwabiono.
5. Wszystkie panny poklękały — w wianeczku
   jeno jedna ta Zuziczka — w czepeczku.
6. „O cóż ci to Zuziczko — cóż ci to,
   i że ci tak tę głowiczkę — obwito?"
7. „O boć mnie ta głowiczka — bolała
   tak ją sobie tem czépeczkiem — ściągała."
8. „Oj nie toć to ty Zuziczko — nie toć to,
   straciłaś ty małe dziecię — jak złoto."
9. I wziął ci ją ten Jasinek — pod boczki,
   i wrzucił ci ją w ten stawek — głęboczki.
10. Trzy razy ją woda na wierzch — rzuciła,
    ojca matkę na ratunek — krzyknęła!

11. „Jako ciebie o córko mam — ratować,
gdy nie mogę tego stawka — zgruntować."
12. „Czegóż mnie matka moja nie — karała."
„Karałach cię, żeś mnie słuchać — nie chciała!"
13. „Karaliście mnie przez tydzień — rozdziczką,
słaliście mnie do Jasińka — uliczką.
14. Karaliście mnie jeno przez — ten tydzień,
słaliście mnie do Jasieńka — każdy dzień."

Przyj. Ludu 1846 str. 127.

12. q.

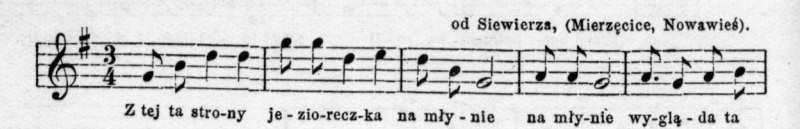

od Siewierza, (Mierzęcice, Nowawieś).

Z tej ta stro-ny je-zio-recz-ka na mły-nie na mły-nie wy-glą-da ta

ko-cha-ne-czek na ko-niu na ko-niu.

1. Z tej ta strony jezioreczka — na młynie,
wygląda ta kochaneczek — na koniu.
2. Dziewczyna ta po tej rosie — chodziła,
maluteczkie dzieciąteczko — nosiła.
3. I znalazła bystrą wodę, — u młyna,
to maluśkie dzieciąteczko — wrzuciła.
4. Rybacy ta po tej wodzie — łowili,
to maluśkie dzieciąteczko — wyjęli.
5. Peda rybak rybakowi — weźmy to,
spytamy się na ratusie — czyje to.
6. Zadzwonili na ratusie — trzy razy,
wszystkie panny krakowianki — do rady.
7. Jaka taka grzeczna panna — w wianeczku
jeno jedna popielczanka — w rąbeczku.
8. „A cóż ci to popielczanko — cóż ci to?
a co cię to w ten rąbeczek — zawito."
9. „A cóżby mi pan katowski — cóżby mi?
a wszystko to dobre ludzie — zmyślili."

10. A wziął ci ją pan Katowski — za boczki,
wrzucił ci ją w dunaiczek — głęboczki.

11. Dziewczyna się po tej wodzie — nurzała,
na ratunek ojca matki — wołała.

12. „A zretujesz pani matko — jeno chciéj,
nie ma na tem dunaiku — i sto łokci."(*głębokości*).

13. I wyrosły na tem miejscu — gwoździczki,
zapłakały tej dziewczyny — siestrzyczki.

14. I wyrosła na tem miejscu — choina,
zapłakała tej dziewczyny — rodzina.

15. I wyrósł ci na tem miejscu — śliczny kwiat,
zapłakał ci tej dziewczyny — cały świat.

mel. ta służy i do pieśni weselnej: „*Z wieczora ja jabłoneczkę sadziła.*" *p. Serya II.*

12. r.

od Sierakowa i Wronek.

Oj tam za dwo-rem na bia-łym ko-niu oj tam za dwo-rem

na bia-łym ko-niu wy-wi-ja Ja-sio na po-znań-skiém bło-niu

wy-wi-ja Ja-sio na po-znań-skiém bło-niu.

12. s.

z Wielkopolski.

Oj ło-wi-ło dwóch ry-ba-ków na rze-ce u-ło-wi-li

ma - łe dzie-cie w ko-leb - ce.   Je-den mó - wi   do dru - gie-go   weź-ma to

spy - ta-my się   na ra - tu-szu   czy - je to.

1. Oj łowiło dwóch rybaków — na rzece
ułowili małe dziecie — w kolebce.
2. Jeden mówi do drugiego — weźma to,
spytamy się na ratuszu — czyje to?
3. Stery razy na ratuszu — dzwoniono,
wszystkie panny, wszystkie panie — zwołano.
4. Wszystkie panny, wszystkie panie — w zieleni
ino jedna burmistrzonka — w czerwieni.
5. „O co ci to burmistrzonko — co ci to?
a co ci to ten wianeczek — zawito."
6. „O nic ci mi moi państwo — nic ci mi,
bo to tak śmieszni ludzie — zmyślili."
7. Wziął ci ją najstarszy brat — pod boczki
wrzucił ci ją w ten stawuszek — głęboczki.
8. „O toń do dna siostro moja — toń do dna,
da boś ty sa tego świata — nie godna.
9. Oj tonęła burmistrzonka — tonęła,
zobaczyła swoją matkę — stanęła.
10. „Oj ratuj mnie matuleńku — ratuj mnie
bo już dzisiaj życie moje — utonie"
(*albo*: niech nie ginę sama jedna — tu na dnie).
11. „Oj toń do dna córko moja — toń do dna,
da boś ty sa tego świata — nie godna."
12. Oj tonęła burmistrzonka — tonęła,
zobaczyła swego ojca — stanęła.
13. „Oj ratuj mnie tatuleńku — ratuj mnie,
bo już dzisiaj życie moje — utonie."
(*albo*: niech nie ginę sama jedna — tu na dnie).
14. „Oj toń do dna córko moja — toń do dna,
da boś ty sa tego świata — nie godna."

15. Oj tonęła burmistrzówna — tonęła,
zobaczyła swoją siostrę — stanęła.
16. „Oj ratuj mnie siostro moja — ratuj mnie
bo już dzisiaj życie moje — utonie."
17. „Oj toń do dna siostro moja — toń do dna,
da boś ty sa tego świata — nie godna."
18. Oj tonęła burmistrzówna tonęła,
zobaczyła kierz rozmarynu — stanęła.
19. „Mój miły rozmarynie,
da siewałam cię po zagonie,
teraz cię siać nie będę,
bo już z tego stawiczka nie wyńdę;
będą cię siać moje siostry,
ale jeszcze nie dorosły.

inni kończą:

O wyrósł przed burmistrzem — śliczny kwiat,
płakał-ci burmistrzonki — cały świat,
o wyrosła przed burmistrzem krzewina,
i płakała burmistrzonki – rodzina.

J. Lipiński P. l. Wielkopols. str. 40. Wójcicki P. l Tom 1. str. 293.

patrz oraz Pieśni weselne.

12. t.

od Płocka.

Oj ło-wi-ło dwóch ry-ba-ków na rze-ce wy-ło-wi-ło
dzie-cią-tecz-ko w ko-leb-ce wy-ło-wi-ło dzie-cią-tecz-ko w ko-leb-ce.

12. u.

od Jadowa (Zabrodzie).

W To-ru-niu na ra-tu-sie w du-ży dzwon dzwo-nio-no

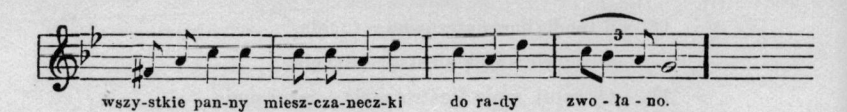

wszy-stkie pan-ny miesz-cza-necz-ki do ra-dy zwo - ła - no.

1. W Toruniu na ratusie — w duży dzwon dzwoniono,
wszystkie panny mieszczoneczki — do rady zwołano.
2. A do rady mieskie panny — do rady, do rady,
wrzuciłyście małe dziecie — do wody, do wody,
3. Wszystkie panny mieszczoneczki w wianeczku,
tylko jedna burmistrzówna — w rąbeczku.
4. „A co ci to burmistrzówna — co ci to?
a co cię tak w ten rąbeczek — upięto."
5. „Ej głoweczka mnie moi ludzie bolała,
upiąćem ją w ten rąbeczek — kazała."
6. Ej nie to to burmistrzówno — nie to to,
utraciłaś małe dziecię — jak złoto."
7. I wziął-ci ją starszy kacik — pod boczki,
i wrzucił ją w ten dunajek — głęboczki.
8. Tu się długo burmistrzówna — nurzała,
zobaczyła swoją matkę — wołała:
9. „A masz ci ich moja matko — jeszcze dwie,
chowaj że je w lepszej cnocie — niźli mnie."
10. „Jednak ja cię moja córko — chowała
pocóżeś się katu w ręce dostała "
11. *Kat:* „A chcesz ci ty burmistrzówno — moja być,
mogę ja cię od tej śmierci — ubronić."
12. „Nie byłam ja kacikową — nie będę,
jakem dziecko zagubiła — niech ginę."

12. w.

od Dobrzynia n. Drwęcą (Działyń, Piotrków)

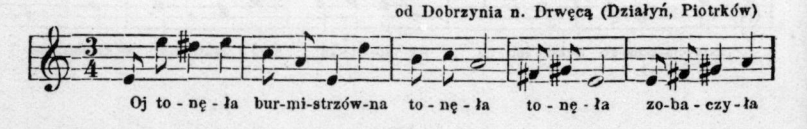

Oj to - nę - ła bur-mi-strzów-na to - nę - ła to - nę - ła zo-ba-czy-ła

zo - ba-czy - ła swe-go oj - ca swe-go oj - ca sta - nę - ła sta - nę - ła.

*) Ten takt czasami opuszczają.

Oj toń do dna córko moja,   a boś ci ty (*bis*) tego świata
toń do dna toń do dna,   nie godna, nie godna.

Mel. Serya 2. „A z wieczora czarna chmura."

12. x.

od Ciechocinka.

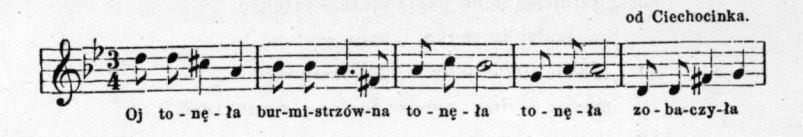

Oj to-nę-ła bur-mi-strzów-na to-nę-ła to-nę-ła zo-ba-czy-ła
oj-ca swe-go sta-nę-ła sta-nę-ła.

12. y.

od Osterode (Kraplewo).

A w To-ru-niu na ra-tu-szu dzwo-nio-no dzwo-nio-no
i wszy-stkie To-ru-nian-ki zwo-ła-no zwo-ła-no.

1. A w Toruniu na ratuszu — dzwoniono,
    i wszystkie Torunianki — zwołano.
2. Oj ochłody Torunianki — ochłody,
    ułowili rybaczkowie — dzieciąteczko u wody.
3. A wszystkie Torunianki — mają wianki,
    jedna jeno burmistrzówna — w rąbuszku.
4. „A cóż ci to burmistrzówno — cóż ci to,
    co ci z twojej głowy — wianuszeczek odjęto."
5. „Oj nic ci mnie miły bracie — nic ci mi,
    oj wszystkoć to złe ludzie — zmyślili.
    co mi z mójej głowy — wianuszeczek odjęli."
6. I pływała burmistrzówna — pływała,
    aż na swego pana brata — spojrzała:

7. „Oj ratuj mę miły bracie — ratuj mę,
bo bodaj tu w tym dunaju — utonę."
8. „Oj idź do dna miła siostro — idź do dna,
jużeś ci ty z bratem gadać — nie godna."
9. I pływała burmistrzówna — pływała,
aż na swego pana ojca — spojrzała:
10. „Ratujcież mnie panie ojcze — ratujcie,
bo bodaj tu w tym dunaju — utonę."
11. „Jakże ciebie miła córko — ratować,
musisz do dna, musisz do dna — zgruntować."
12. „Ratujcież mnie pani matko — ratujcie,
bo bodaj tu w tym dunaju — utonę.
13. „Jakże ciebie miła córko — ratować,
nie możemy wiosełeczkiem — zgruntować.

Ze zbioru ks. Gizewiusza.

12. z

od Olsztynka.

1. A pod Krakowem — na polu
wywija Jasiek — na koniu.
2. Dziewczyna za nim — chodziła
dziecko na ręku nosiła.
3. I przyjechali — nad wodę,
rzucili dziecię — we wodę.
4. Przyszli rybacy — na łowy
naleźli dziecię — u wody.
5. „Cóżeś tu dziecię — robiło,
coś tak wódeczkę — zmąciło?"
6. „Mateczkać mę tu — wrzuciła
radaby panną — oj! była."
7. A w nowem mieście — dzwoniono,
wszystkie panienki — zwołano.
8. Wszystkie panienki — we wiankach
jedna wójtowna — we sznurkach.
9. „Co ci wójtowno — co ci to,
co ci główeczkę — okryto?"
10. „Oj nic mi, nic mi — nic ci mi,
ludzie mi główkę — okryli."
11. Pochowajtaż mę — na polu,
nasiejta na mę — kąkolu.
12. Przyjdą ta panny — kwiatki rwać
będą wójtownę — wspominać.

12. aa.

mel. jak no. 12. y.

od Brodnicy.

1. Pojechali rybaczkowie — na łowy, na łowy,
ułowili dzieciąteczko — u wody.
2. Po trzy razy na ratuszu — brząkali,
wszystkie panny, mieszczkie córki — zwołali.

3. Wszystkie panny mieszczkie córki — we wiankach,
jeno jedna burmistrzówna — w czepeczku.
4. Pytał ci ją ten brat młodszy — „co ci to?
na co ci ten czepuleczek — uszyto?"
5. „Oj nic ci mi mój braciszku — nic ci mi,
oj jenoć te chytre ludzie — zmyślili;
co oni mnie czepuleczek — wsadzili,"
6. I wziął ci ją ten brat średni — za rękę.
poprowadził do starszego na mękę.
7. I wziął ci ją ten starszy brat — za boczki,
wrzucił ci ją w dunaiczek — głęboczki.
8. I pływała burmistrzówna — pływała,
aż ci swego pana ojca — ujrzała.
9. „Ratujcież mnie panie ojcze — ratujcie,
jest czołnuszek i wiosełko — gruntujcie."
10. „Nie mogę cię córko moja — ratować,
nie mogę ja bystrej wody — zgruntować."
11. I pływała burmistrzówna — pływała,
aż ci swoją panią matkę — ujrzała:
12. „Ratujcież mnie pani matko — ratujcie,
jest czółnuszek i wiosełko — gruntujcie."
13. „Płyń że do dna córko moja — płyń do dna,
jużeś ci ty tego świata — nie godna.
albo) jużeś po tym świecie chodzić — nie godna.
14. *Kat:* „A chcesz że ty burmistrzówno — moją być,
mogę ja cię od tyj śmierci — ubronić."
15. „Nie była ja katowną — niechcę być,
a gdziem ja jest osądzona — wolę iść "
16. Oj macieć ich pani matko — jeszcze dwie,
trzymajcież ich w lepszej karze — niźli mię."
17. „I ciebiem ci córko moja — trzymała,
jednakeś się katu w ręce — dostała."

12. bb.

od Kozienic, (Kuźmy, Swierze.)

Tam po-de Lwo-wem tam po-de Lwo-wem na bło-niu na bło-niu

1. Tam pode Lwowem — na błoniu,
   wywija Jasio — na koniu.
2. Kasieńka za nim chodziła
   i dzieciąteczko — nosiła,
   aż go w dunaik wrzuciła.
3. Siedział młynarczyk — na podzie
   uzrżał dzieciątko na wodzie.
4. I wziął siateczkę — zarzucił,
   dzieciątko na ląd — wyrzucił.
5. Trzeba by tego — doznawać,
   która to była — jego mać.
6. Wszystkie panienki — stanęny,
   Kasia Wójtowna — za niemi
7. Wszystkie panienki — w wianeczku,
   Kasia Wójtowna w rąbeczku.
8. Cóż ci Wójtowna — za wina,
   coś się w rąbeczek — zawiła.
9. Oj głoweczka mnie — bolała,
   tom ją w rąbeczek — zawić se kazała.

12. cc.

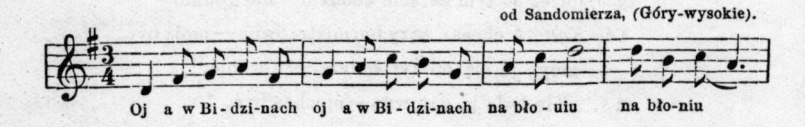

od Sandomierza, (Góry-wysokie).

2. Kasinka za nim (*bis*) chodziła,
   małe dzieciątko (*bis*) — nosiła.
3. I póty go (*bis*) — nosiła,
   aż go w dunaik — aż go w głęboki — wrzuciła.
4. Płynie dzieciątko — płynie maluśkie — do młyna,
   do młynarczyka (*bis*) — Marcina,
5. Siedzi młynarczyk (*bis*) — na kłodzie,
   złapał dzieciątko — złapał maluśkie — na wodzie.

13. a.

od Gniezna.(?)

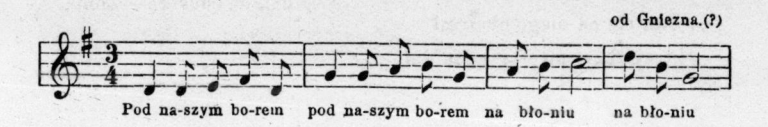

Pod na-szym bo-rem pod na-szym bo-rem na bło-niu na bło-niu

wy-wi-ja Ja-sio wy-wi-ja Ja-sio na ko-niu na ko-niu.

1. Pod naszym borem — na błoniu
 wywija Jasio — na koniu.
2. Zofija mu się — raduje
 z lelij wionek szykuje.
3. „Nie mogę ja tu — czekaty
 muszę za panem jechaty."
4. „Poczekaj Jasiu — za chwilę
 aż ci wioneczka — dowiję.
5. Masz ty konika — biegłego.
 dogonisz pana — swojego.
6. Dogonił ci go — na błoniu
 krople stanęły — na koniu.
7. „A gdzieś ty to był, mój wierny
 służka — gdzieś ty był.
 coś mi tak konia — uznoił.
8. „Służyłem panie — Zofii
 dała mnie wionek — z lelij.
9. „Lepszyś ty służka — niźli ja,
 dała ci wionek — Zofija."
10. U mojej służki, złote poduszki —
 Zofija,
 u mnie samego, z złota szczerego —
 jedyna!

J. Lipiński P. l. Wielkop. str. 100.

13. b.

od Sierpca (Borkowo).

Tam za War-sza-wą tam za War-sza-wą na po-lu na po-lu

wy-wi-ja Ja-sio wy-wi-ja Ja-sio na ko-niu na ko-niu.

1. Tam za Warszawą — na polu
 wywija Jasio — na koniu.
2. Dziewczyna mu się — dziwuje
 złotą chusteczkę — haftuje.
3. „Moja dziewczyno — mam cię znać,
 obiecałaś mi — chustkę dać.
4. Moja dziewczyno — długo mi jej
 czekać
 trzeba mi pana — dojechać.

5. Dojechał ci go — w pół boru
powstała rosa — na koniu.
6. Pan się na niego obejrzał
i trzy razy mu — w gębę dał.

7. „Lepszyś ty Jasiu — niźli ja
dała ci chustkę — Zofija."

13. c.

od Mławy.

Któ-rę-dy Jaś-ku któ-rę-dy Jaś-ku po-je-dziesz po-je-dziesz
czy po za-pło-ciach czy po za-pło-ciach czy bez wieś czy bez wieś.

1. „Którędy Jaśku — pojedziesz
czy po zapłociach — czy bez wieś?"
2. „Zieloną dróżką — pojadę
do tej dziewczyny — do tej jedynej — na radę."
3. „Oj cóż tam będzie — za rada
kiedy dziewczyna — kiedy jedyna — nie gada."
4. „Oj będzieć ona — gadała
kiedy Jasiczka — kiedy kochanego — ujrzała."
5. „Lepszać ja Jasiu — niźli ty,
mam dwa fartuszki — jedwabiem wyszyte."
6. „A któż ci je — wyszywał
kiedy ja w domu — nie bywał?"
7. „Krawczykić mi go — uszyli
czarnym jedwabiem — do ziemi."

13. d.

od Osterode.

1. „Kieni pojedziesz — Michale,
czy po zapłociu — czy bez wieś?"
2. „Zieloną dróżką — pojadę,
do mojej najmilszej — na redę."

3. „A cóż tam będzie — za reda
kiedy najmilsza — nie gada?"
4. „Oj będzieć ona — gadała,
kiedy obaczy — Michała."
5. „Lepszam ja Michale — niźli ty,
mam ja sznuptuszek — wyszyty."
6. „A któż ci go też — wyszywał
kiedy ja w domu — nie bywał."
7. „Kraplewscyć my go — uszyli
czarnym jedwabiem — do zimi.

ze zbioru ks. Gizewiusza.

13. e.

od Brodnicy, Rypina.

Tam za War-sza-wą   tam za Wa-rsza-wą   na po-lu   na po-lu

wy-wi-ja Ja-sio   wy-wi-ja Ja sio   na ko-niu   na ko-niu.

1. Tam za Warszawą na — polu
wywija Jasio — na koniu.
2. A panna mu się dziwuje
chusteczkę jemu — haftuje.
3. Poczekaj Jasiu — ze chwilę
aż ci chusteczkę — wyszyję.
4. A jakże ja mam — zaczekać
kiej ja za panem — w bór jechać.
5. I przyjechali — do boru
stanęła rosa — na koniu,

6. A gdzieżeś Jasiu — nocował
coś tak konika — coś tak swojego —
zmordował.

7. Nocowałem ja — u panny Zofii
dała mi wianek — z lelii.

8. U mego słuźki — złóte łańcuszki —
lelija
u pana samego — ze złota szczerego —
Zofija.

13. f.

od Golubia, (Działyń).

Tam pod To-ru-niem   tam pod To-ru-niem   na bło-niu   na bło-niu tam się wy - wi - ja   tam się wy - wi - ja   Ja - si - nek   na ko-niu.

1. Tam pod Toruniem — na błoniu
tam się wywija — Jasinek na koniu.
2. Zofija mu się — dziwuje
złotą chusteczkę — haftuje.
3. Którędy Jasiu pojedziesz.
czyli ta dróżką — czy bez wieś?
4. Zieloną drożką — pojadę
do tej Zofii — do tej jedynej — na radę.
5. A cóż tam będzie — za rada
kiej ta Zofija — kiej ta jedyna — nie gada.
6. A będzie ona — gadała
byle Jasieńka — ujrzała.
7. „Lepsza ja Jasiu — niźli ty
bo mam fartuszek — wyszyty!"
8. Oj a któż ci go — wyszywał?"
„A ja Jasieńku — boś ty u mnie bywał.
9. „Oj a któż ci go — wyszywał,
kiedym ja w domu — nie bywał?"
10. Wyszywali mi go — dworacy,
czarnym jedwabiem — na nocy.
11. Wyszywali mi go — dworzanie
czarnym jedwabiem — z kieszenie."

13. g.

od Torunia (Łążyn, Kawęczyn, Lubicz).

Któ - rę-dy ty Ja-siu   któ - rę-dy ty Ja - siu   po - je-dziesz po-je-dziesz

czy - li tu dru-żecz-ką   czy-li tu zie - lo-ną   czy bez wieś   czy bez wieś.

1. Którędy ty Jasiu — pojedziesz
czyli tu drużeczką — czyli tu zieloną — czy bez wieś.

2. Zieloną ja dróżką — pojadę
do swej dziewczyny — do swej jedynej na radę.
3. A lepszać ja Jasiu — niźli ty
bo mój fartuszek — bo mój jedwabny — wyszyty.
4. Któż ci go wyszywał — jak ja tu nie bywał? — dworacy,
jeśli nie we dnie — to w nocy.

p. Pieśni weselne.

13. h.

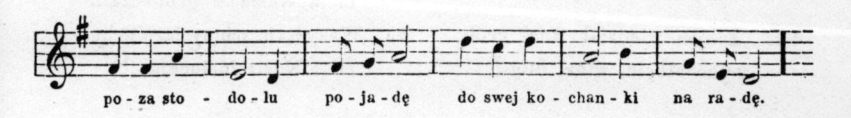

od Wyszkowa, (Dąbrowa).

Któ-rę-dy Ja-siu po-je-dziesz czy po za sto-dół czy przez wieś

po-za sto - do-lu po-ja-dę do swej ko-chan-ki na ra-dę.

1. Którędy Jasiu pojedziesz? do swej kochanki na radę.
czy po za stodół, czy przez wieś. 3. A co tam będzie za rada
2. Po za stodolu pojadę Kiedy kochanka nie rada.

14. a.

od Brudzewa (Chrząblice).

Słu-żył słu-ga u pa - na ze czte - re-ma słu-go - ma

hej hej hej ze czte - re - ma słu - go-ma.

1. Służył sługa u pana 3. A jak ci ją wysłużył
ze czterema sługoma; zaraz się z nią ożenił;
2. I wysłużył Kasieczkę 4. I na wojnę odjechał
w siódmym roku dzieweczkę. i siedem lat wojował;

5. A ósmego powrócił
do domu się obrucił.
6. I stanął tam na dole
a konik pod nim mgleje.
7. „Czy mi Kasia nie żyje
czy mi syna powije?"
8. Kasia syna powiła
zaraz nad nim usnęła.
9. I przyjechał w podwórko
i zapukał w okienko.
10. A ja z konia nie zlezę
póki Kasi nie ujrzę."
11. „A już Kasia nie żyje
rosną na niej lilije."
12. „Żebym wiedział Kasi grób
pojechałbym, widzi Bóg."
13. I zajechał do grobu
wedle serca ochłodu.
14. „Wyjdzi do mnie Kasieczko
przemów do mnie słóweczko."
15. „Masz ci ich tam pełen świat
a mnie Jasiu jeden kwiat."
16. „Zagrajcie jej w organy
mojej Kasi kochanej."
17. „Zagrajcie jej w nowy dzwon,
mojej Kasi wieczny dom."
18. Zagrajcie jej w pozytyw
mojej Kasi za grzychy.
19. Wszystkie panny w zieleni
moja Kasia śpi w ziemi.
20. Wszystkie panny w rąbeczku
moja Kasia w grobeczku.
21. Wszystkie panny jaśniuchno
moja Kasia bieluchno."

14. b.

od Konina.

Słu-żył słu-ga u pa-na ze czte-re-ma ko-nio-ma

ty dy da ze czte-re-ma ko-nio-ma.

1. Służył sługa u pana
ze czterema konioma.
2. I wysłużył Kasieczkę
w siódmym roku dzieweczkę.
3. I jak ci ją wysłużył
zaraz się z nią ożenił.
4. I dał ci ją do rodziny
do swoi matki do jedyny.
5. Już siódmy roczek idzie
Jasio z wojenki jedzie.
6. „Dla Boga co się dzieje
co konik po demną mgleje?
7. Czy i Kasia nie żyje
czy i syna powije?"
8. „Już Kasieńka nie żyje
na i grobie kamienie."
9. Zajechał ci pod okienko;
„a wyńdzi, wyńdzi Kasieńko!"
10. „Wyszła do niego mała cześć
prosiła go z konia zleść.

11. „Ja z konika niezlizę,
z Kasińką się rozmówię."
12. „Już Kasińka nie żyje
na i grobie kamienie."
13. Trzy razy smętarz objachoł,
czem na i grób trafił.
14. Stanął na i grobie
prosto serce wątrobie.
15. „Kasiu Kasiu, Kasińku!
mówżeż do mnie słowińku.
16. „Tylam Boga uprosiła
com do ciebie przemówiła"
17. „Zadzwońcie i w wielki dzwon
moi Kasi wieczny dom.
18. Zagrajcie i w organy,
moi Kasi kochany.
19. Zagrajcie i w piszczele
moi Kasi, a śmiele.
20. Wszystkie panny w czerwieni,
moja Kasia w zieleni.
21. Wszystkie panny w wianeczku
moja Kasia w piaseczku.
22. Wszystkie panny w rozmarynie,
moja Kasia w ziemi gnije.

J. Lipinski p. l. Wielkop. str. 1.

14. c.

od Wieruszowa (Walichnowy. Kąty).

Słu-żył Ja-sio przy dwo-rze przy fran-cu-skim kon-to-rze

przy fran-cu-skim kon-to-rze.

1. Służył Jasio przy dworze
przy francuskim kontorze.
2. I wysłużył Luteńkę
w siódmym roku panienkę.
3. „Chować mi ją siedem lat
aż powrócę z wojny w swat.
4. Jasiek z wojny powrócił
a Luteńki nie zastał.
5. Wyszła do niego pierwsza cześć,
mówiła mu z konia zleźć.
6. „Ja z konika nie zlezę
póki Lutki nie ujrzę."
7. Wyszła druga w zieleni
„twoja Lutka śpi w ziemi."
8. Wyszła trzecia w żałobie
„twoja Lutka śpi w grobie."
9. I zajechał na smentarz
dopiero tam z konia zlaz.
10. „Lutko Lutko, Luteńko,
przemów do mnie słóweńko.
11. „Jakże byto mogło być
wczoraj umrzeć a dziś żyć."
12. „Lutko Lutko, Luteńko,
gdzieś podziała te szmaty
com ci sprawił przed laty?"
13. „Sukniem dała na obraz
a serwetę na ołtarz;
14. A korale w organy,
żeby wdzięcznie zagrały;
15. A pierścienie we dzwony
żeby wdzięcznie dzwoniły."

16. „Lutko Lutko, Luteńko
czyjeż to to dzieciątko?"
17. „Jaśku, Jaśku, nie twoje
przyjmijże jei za swoje
18. A jak się będziesz żenić
nie daj mu krzywdy czynić."

19. „Zadzwoncież jej w wielki dzwon,
mojej Lutce wieczny dom.
20. Zagrajcież jej w organy
mojej Lutce kochany.

Mel: patrz: U mej matki rodzonej.

14. d.

od Kłobucka i Krzepic.

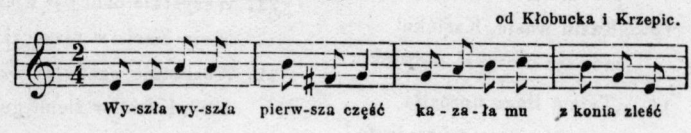

Wy-szła wy-szła pierw-sza część ka - za - ła mu z konia zleść

a ja z ko - nia nie zle - zę pó - ki Han-dzli nie uj - rzę.

1. Wyszła wyszła pierwsza część
kazała mu z konia zleść.
2. „A ja z konia nie zlezę
póki Handzli nie ujzdrzę."
3. Wyszły panny w żałobie
już twa Handzla śpi w grobie."
4. „Żebym wiedział jei grób
jechałbym tam dalibóg."
5. Siedem razy objechał
niż na jej grób natrafił.
6. „Handźlu Handźlu, Handziulko
przemów do mnie słówinko."
7. „A jakżeś ty mógł wiedzieć

by umarły mógł pedzieć." (powiedzieć).
8. „Handzlu Handźlu, Handziulko,
czyjeż że to dzieciątko."
9. „Tak to twoje jak moje
weż że je se za swoje.
10. A jak się ty ożenisz,
nie daj mu krzywdy czynić."
11. Choćbych ich miał i dwieście
żadna nie jest jakeście (jakieś ty-
była).
12. Choćbych ich miał i tysiąc
jużek jej się zaprzysiąg.

14. e.

od Wiskitek (Guzów, Oryszew).

Słu-żył Ja-sio u pa-na za wiel-kie-go dwo-rza-na hej hej

za wiel-kie - go dwo-rza - na.

1. Służył Jasio u pana
za wielkiego dworzana.
2. I wysłużył Kasieńkę
w siódmym roku dzieweńkę.
3. Król na wojnę rozkazał
Jaś na wojnę pojechał.
4. Na wojaczkę wyjechał
w siódmym roku powracał.
5. A w niedzielę po miedzie
Jasio do domu jedzie.
6. I wyjechał na drogę
złamał koniczek nogę.
7. „Ach dla Boga co się dzieje
mój koniczek bardzo mgleje.
8. Boleść serce rozdziera
czy Kasieńka umiera."
9. I przyjechał do okienka
wołał: otwórz Kasieńka.
10. I zajechał przed pokoje
„wyńdzi do mnie serce moje!"
11. Wyszło wyszło siostrów sześć
prosiły go z konia zsieść.
12. Wyszła siódma w zieleni:
twoja Kasia śpi w ziemi.
13. Już Kasieńka nie żyje
mokra ziemia ją kryje,
nad jej grobem kaminie.

14. Wyszła do niego stara teść
prosi Jasia z konia zsieść.
15. „A ja z konia nie skoczę
póki Kasi nie zoczę;
16. Żebym wiedział gdzie jej grob
pojechałbym, widzi Bóg!
17. Trzy razy kościół objechał
zaczem na jej grob najechał.
18. Klęknął konik na grobie
w wielkiej swojej żałobie.
19. „Kasiu moja Kasieńko
przemów do mnie słóweńko."
20. „Nie jeden ja Jasiu kwiat
jest ci tego pełen świat."
21. „Choćby było i tysiąc
niechciałem żadnej przysiądz.

dalej jak Nr. 14 b. od w. 15.

kończą:

25. I wyjechał na drogę
złamał koniczek nogę.
26. Niech konik marnie ginie
kiedy Kasieńka nie żyje.

Z. Gołębiowski Lud pols. str. 270.
Wojcicki P. l. T. 2. str. 295.
J. Lipiński p. l. Wielk. str. 56.

14. f.

od Błonia (Płochocin, Moszna.)

Słu-żył Ja-sio u pa-na za star-szy-go dwo-rza-na hej hej
za star-szy-go dwo-rza-na.

14. g.

od Kałuszyna, Mińska.

Słu-żył Ja-sio u pa-na za star-sze-go fur-ma-na hej hej za star-sze-go fur ma-na.

14. h.

od Brańska i Sokołowa.

Słu-żył Ja sio u pa-na za star-sze-go dwo-rza-na hej hej za star-sze-go dwo-rza-na.

14. i.

od Prasnysza.

Słu-żył Ja-sio u pa-na za star-sze-go dwo-rza-na hej hej za star-sze-go dwo-rza-na.

dalej jak Nr. 14. m.

20. Czy wy też to słychali
żeby zmarli gadali.
21. Ledwo też ja uprosiła
żem te słowa przemówiła.
22. Są obrazy na ścianie
módl się Jasiu kochanie.
23. Są pierścienie na stole
schowaj Jasiu bo twoje.
24. Są obrusy na ławie
schowaj Jasiu łaskawie."
25. „Zadzwońcież jej i t. d.

14. k.

od Osterode (Kraplewo).

Słu-żył Ja-siek przy dwo-rze przy tym śli-cznym kla-szto-rze hej hej przy tym śli-cznym kla-szto-rze.

1. Służył Jasiek przy dworze
   przy tym ślicznym klasztorze
2. I służył ci i służył
   aż Kasieczkę wysłużył.
3. I wysłużył Kasieczkę
   w siódmym roku dzieweczkę.
4. A jak ci ją wysłużył
   zaraz się z nią ożenił.
5. A jak się z nią ożenił
   król na wojnę rozkazał
   Jasiek konia siodłać dał.
6. I ujechał pół drógi
   koń mu mgleje na nogi.
7. „Czy mi Kasia umiera
   czy mi Kasia syna ma.
8. Czy mi Kasia nie żyje
   czy mi syna powije."
9. I przyjechał w podwórze
   zakołatał we dźwierze.
10. Wyszedł ojciec, wyszła teść
    prosim zięcia z konia zleźć.
11. Wyszła tam i młodsza teść
    prosi szwagra z konia zsiąść.
12. „A ja z konia nie zlazę
    aż ja Kasie zobaczę.
13. A ja z konia nie zsiądę
    aż się z Kasią rozmówię."
14. „Jużci Kasia nie żyje
    na jej grobie lelije."
15. „Kiebym wiedział gdzie jej grób
    pojechałbym daliboóg."
16. Trzy klasztory objechał
    nił na Kasi grób wjechał.
17. Uklakł ci jej przy głowie
    prosto serca wątrobie:
18. „Kasiu Kasiu, Kasieczko
    przemow do mnie słoweczko."
19. „A zaż wy to słuchali
    coby zmarli gadali?
20. Ledwiem Boga uprosiła
    żem te słówka przemówiła."
21. „Gdzieś podziała te szaty
    com ci sprawił przed laty.?"
22. „Sukniem dała na ołtarz
    a chusteczkę na obraz.
23. A perełki w organy
    coby mi pięknie grały.
24. A pierścieńce we dzwony
    coby pięknie dzwoniły."
25. „Zagrajtaż jej w organy
    mojej Kasi kochanej:
26. Zadzwońtaż jej w duży dzwon
    mojej Kasi wieczny dom."

14. 1.

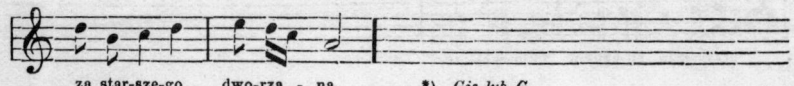

od Szczytna, (Rozogi).

Słu-żył Ja-sio u pa - na za star-sze-go dwo-rza - na hej za star-sze-go dwo-rza - na.

*) *Gis lub G.*

1. Służył Jasio u pana
za starszego dworzana.
2. I wysłużył Kasieńkę
w siódmym roku dziewieńkę.
3. I ożenić nie dośpiał
król na wojnę odesłał.
4. Jak pojechał tak pojechał
w siódmym roku przyjechał.
5. I przyjechał w podwórko
stuku puku w okienko.
6. „Kasiu Kasiu, Kasieńko
wyńdzi do mnie kochanko."
7. Wyszła ci tam młodsza świeść
prosi szwagra z konia zsieść.
8. „Twoja Kasia nie żyje
na jej grobie kamienie."
9. „To już nie mam po co zsiadać
kiedy nie mam już z kim gadać.
10. I objechał w koło kościół
i nadjechał nad jej dół.
11. I nadjechał i stanął
cztery razy konik kląk.
12. „Kasiu Kasiu, Kasieńko
przemów do mnie słóweńko."
13. „Masz ci ich tam pełen świat
jak różowy jesteś kwiat."

14. „Żebym ci ich miał i tysiąc
kiedy ja ci miał raz przysiądz."
15. „Kasiu Kasiu Kasieńko
przemów do mnie słóweńko.
16. Gdzieś podziała ten sygnet (*pierścień*).
com ci go dał nim 'em szed."
17. „Włożyłam go w wielki dzwon
by mi lepiej zadzwonił.
18. „Gdzieś podziała te szaty
com ci sprawił przed laty?"
19. „Włożyłam je w organy
by mi lepiej zagrały."
20. „Zagrajcież jej w organy
mojej Kasi kochanej;
21. Zadzwoncież jej w wielki dzwon,
mojej Kasi wieczny dom."
22. „Zatrąbcież mu trębacze
niech Jasio już nie płacze."

niektórzy dodają:

Jaka taka w salopie
moja Kasia śpi w grobie.
Jaka taka tańcuje
moja Kasia śpi w trumnie.

14. m.

od Ostrołęki i Ostrowa, (Mokrylas, Jelonki).

Słu-żył Ja-sio u pa-na za wiel-kie-go dwo-rza-na
hej hej za wiel-kie-go dwo-rza-na.

1. Służył Jasio u pana
   za wielkiego dworzana.
2. I wysłużył Kasieńkę
   w siódmym roku dzieweńkę.
3. A jak ci ją wysłużył
   zaraz się z nią ożenił.
4. I na wojnę odjechał
   w siódmym roku powracał.
5. A w niedzielę po miedzie
   Jasio do domu jedzie.
6. „Dla Boga, co się dzieje
   konik podemną mgleje.
7. Czy mi się śni czyli je (*jest*)
   czy już Kasia nie żyje — hej
   czy mi syna powije."
8. Kasieńka syna nie ma
   jeno sama umiéra.
9. I przyjechał w podwórko
   i zastukał w okienko,
10. I zawołał: „Kasieńko
    wyńdzi, wyńdzi serdeńko."
11. Wyszed do niego ociec:
    „proszę zięcia z konia zsieść.
12. „A pocóż mnie z konia zsieść
    gdy kochania nie widzieć."
13. Wyszła do niego młoda świedź
    „proszę młodego z konia zsieść."
14. „A pocóż mnie z konia zsieść
    gdy kochania nie widzieć.
15. „Już ci Kasia nie żyje
    na jej grobie kamienie."
16. „Kiebym wiedział gdzie jej grób,
    pojechałbym widzi Bóg."
17. W koło kościół objechał
    jużci na jej grób wjechał.
18. Nad jej grobem kamienie
    pod nim koniczek klęknie.
19. „Kasiu Kasiu, Kasieńko
    przemów do mnie słóweńko — hej
    pociesz moje serdeńko."
20. „Czyś ty Jasiu gdzie słyszał
    żeby zmarły z grobu wstał;
21. Ledwiem Boga uprosiła
    żem do ciebie przemówiła."
22. „Zadzwońcież jej w duży dzwon
    i t. d.

kończą niektórzy:

Jaki taki piwko pije
moja Kasia w ziemi gnije.

Wszystkie panny z panami
moja Kasia z trupami.

14. n.

*) *) od Węgrowa.

Słu-żył Ja-sio u pa-na za star-sze-go dwo-rza-na hej

za star-sze-go dwo-rza-na.   *) Gis lub G.

1. Służył Jasio u pana
 za starszego dworzana.
2. I wysłużył panienkę
 w siódmym roku Kasieńkę.
3. I sam się nie ożenił
 pan go na wojnę wyprawił."
4. W Tykocinie na winie
 tam się konik wywinie.
5. I zajechał w podwórko
 i zastukał w okienko.
6. Starsza siostra usłyszała
 i do szwagra wyszła zara:
 „szwagrze, szwagrze, proszę zsiąść.
7. „A pocóż to ja mam zsiadać
 kiedy nie mam z kim pogadać."

8. Żebym wiedział Kasi grób
 pojechałbym dalibóg."
9. W kościół wjechał na smentarz
 i na grób jej najechał.
10. Najechawszy na jej grób
 konik ukląk dalibóg,
 przeciw serce i wątrob.
11. „Kasiu Kasiu, Kasieńko,
 przemów słówko słóweńko."
12. „Nie jeden ja była kwiat
 masz ci ich tam pełen świat."
13. Żeby było ich tysiąc,
 to ja tobie już przysiąg.
14. Żeby było i więcej
 dotrzymam ci przysięgi."

14. o.

od Siedlec.

Słu-żył Ja-sio u pa-na za wiel-kie-go dwo-rza-na

i wy-słu-żył Ka-sień-kę w siód mym ro-ku dzie-weń-kę.

14. p.

od Maciejowic, (Samogoszcz).

Słu-żył Ja-sio u pa-na za wiel-kie-go dwo-rza-na

hej hej za wiel-kie-go dwo-rza-na.

14. q.

od Łysej Góry, (Bieliny, Dębno).

Słu-żył Ja-sio u pa-na słu-żył Ja-sio u pa-na za star-szy-go

dwo-rza-na za star-szy-go dwo-rza-na.

1. Służył Jasio u pana
  za starszygo dworzana.
2. Wysłużył se panienke
  w siódmym roku Kasieńke
3. Sam na wojnę pojechał
  i Kasieńki odjechał,
4. I wyjechał na droge
  złamał mu konik noge.
5. „O dla Boga co się dzieje
  co koniczek pod mą mgleje,
6. Czyli Kasia umarła
  czy Kasia syna miała.
7. I przyjechał na podwórze
  i zapukał w okienice:
8. „Wynidź wynidź matko moja
  czy też żyje Kasia moja."
9. „Oj nie żyje, nie żyję
  na jej grobie lelije."
10. „Żebym wiedział gdzie jej grób
  pojechałbym, widzi Bóg!
11. I upadłbym na grobie
  moja Kasiu wstań do mnie.
12. Sześć klasztorów objechał
  nim do ciebie przyjechał.
13. Jaka taka w wianeczku
  moja Kasia w grobeczku.
14. Jaka taka w lawendzie
  mojej Kasi nie będzie.
15. Jaka taka wianek wije,
  moja Kasia w grobie gnije."

*niektórzy na tęż nutę: Stała się nam nowina
pani pana zabiła.*

14. r.

od Klimontowa, (Zakrzów, Goźlice).

Słu-żył Ja - sio u pa - na za star-sze-go dwo-rza -na hej hej za star-sze-go dwo-rza-na.

14. s.

od Golubia i Dobrzynia n. Drwęcą (Działyń).

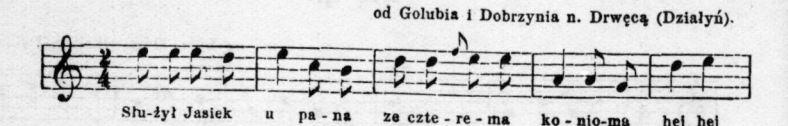

Słu-żył Jasiek u pa - na ze czte - re - ma ko - nio-ma hej hej ze czte-re-ma ko - nio - ma.

1. Służył Jasiek u pana
ze czterema konioma.
2. Cztery latka przesłużył
i Kasieńkę wysłużył.
3. I wysłużył Kasieńkę
w siódmym roku dzieweńkę.
4. Raz z nią nocki nie przespał
na wojenkę iść musiał.
5. O dla Boga co się dzieje
że podemną konik mgleje.
6. Czy mi Kasia umiera
czy mi syna powija.
7. I niewyszło rok, półtora
Jasineczek wraca z pola.
8. I przyjechał w podwóreczko
i zapukał w wodwóreczko
wyńdź wyńdź, kochaneczko.

9. Wyszło siostrów całe sześć
„proszę brata z konia zsieść"
10. „Prędzej z konia nie zsiądę
aż Kasię widzieć będę."
11. „Już ci Kasia nie żyje
na jej grobie lilije."
12. „Żebym wiedział gdzie jej grób
a zmówiłbym: wierzę Bóg!"
13. Siedm razy kościół objechał
aż na jej grób wjechał.
14. „Kasiu moja, serdeńko
przemów do mnie słóweńko"
15. „A czyście wy słyszali
żeby zmarli gadali.
16. Ledwiem Boga uprosiła
żem do ciebie przemówiła.

17. Czy-ści ja to sama kwiat
masz ci ich tam pełen świat.
18. Sama ja se śpie w ziemi
pełno ich tam w zieleni.
19. Choćby było i tysiąc
tobiem Kasiu raz przysiąg.

14. t.

od Brodnicy, (Mszanno).

Słu-żył Ja-sio u pa-na i ze dwo-ma ko-nio-ma
hej hej hej ko-nio-ma.

14. u.

od Lipna (Chlebowo).

Słu-żył Ja-sio u pa-na za star-sze-go dwo-rza-na hej
za star-sze-go dwo-rza-na.

14. w.

od Wyszogrodu.

Słu-żył Ja-sio przy dwo-rze przy tym ślicznym kla-szto-rze hej hej
hej hej przy tym ślicz-nym kla-szto-rze.

14. z.

od Inowłodza. (Rzeczyca).

Słu-żył Ja-siek przy dwo-rze przy ce-sar-skiej ku - mo - rze ku-mo-rze mój Bo- że ku - mo - rze.

2. Ulubił se dziweczkę,
   w siódmym roku Kasieczkę.
3. Jaś na wojenkę pojechał
   swoi Kasi odjechał.
4. I wyjechał na pole
   konik pod nim kuleje.
5. I przyjechał w podwórko
   i zastukał w okienko.
6. Młodsza siostra wyźrała
   z konika mu zsieść kazała.
7. Starsza siostra wyźrała
   z konika mu zsieść kazała.
8. I wyźrała sama świeść:
   proszę Jasia z konia zsieść.

9. Twoja Kasia nie żyje
   na jej grobie kaminie.
10. W koło kościół objechał
    na Kasin grób przyjechał.
11. O Kasieniu serdeńko
    przemów do mnie słóweńko.
12. Trzy dnim Boga prosiła
    bym do ciebie mówiła.
13. Moja Kasia śpi w dole
    ja do innej bez pole.
14. i układ się na grobie
    jego serce w żałobie.

14. y.

od Ujazdu.

Słu-żył Ja-sio u pa - na za wiel-kie-go dwo-rza-na hej hej za wiel-kie - go dwo-rza-na.

14. z.

od Radomia (Prędocinek).

Słu-żył Ja-sio u pa - na za pań-skie - go dwo-rza-na hej hej za pań-skie-go dwo-rza - na.

14. aa.

od Sieciechowa (Brzeźnica).

Słu-żył Ja-sio u pa - na hej hej za pań-skie-go dwo-rza-na.

1. Służył Jasia u pana
   za pańskiego dworzana;
2. Wysłużył se Kasieńkę
   siedmiulatkę panienkę.
3. Pan na wojnę pojechał
   w siódmym roczku przyjechał.
4. I wyjechał na dróżkę
   złomał konik nóżkę.
5. Czyli Kasia umira
   czyli syna powija.
6. I przyjechał przed jej dom
   i tak stanoł kieby dąb.
7. Wyszła do niego świekra mać
   i prosi go z konia zsiaść.
8. Ja z konika nie skoczę
   aż się z Kasią zobaczę.
9. A Kasieńka nie żyje
   leżą na nij kamínie.
10. I pojechał nad jej grób
    i tak stanoł kieby słup.
11. Kasiu moja Kasieńko
    przemów do mnie słóweńko.
12. Czyś ty Jasiu słychać miał
    by umarły gadać miał.
13. Czy ja Jasiu róży kwiat
    masz ich Jasiu pełen świat.
14. Choćbym ich miał i tysiąc
    kiedym żadnyj nieprzysiąg.

14. bb.

od Kozienic, (Kuźmy).

Słu-żył Ja-sio u pa - na za ślicz-ne-go dwo-rza na hej hej hej za ślicz-ne - go dwo-rza - na.

1. Służył Jasio u pana
za ślicznego dworzana.

2. Wysłużył se Kasieńkę
siedmiuletkę dziweńkę.

3. Jak ci ją i wysłużył
zaraz się z nią ożenił

4. I na wojnę odjechał
siedem lat nieprzyjechał.

5. I przyjechał przed ganek:
pokaż Kasiu swój wianek.

6. Wyszła do niego starsza świeść
proszę szwagra z konia zsieść.

7. O nie zsiądę ni skoczę
aż się z Kasią zobaczę.

8. Już Kasińka nie żyje
lezą na nij kaminie.

9. Pięć kościołów objechał
niż na Kasin grub wjechał.

10. Jak na Kasin wjechał grub
stanął na nim jako słup.

11. Moja Kasiu serdeńko
przemów do mnie słóweńko i t. d.

14. cc.

od Piotrkowa, Rozprzy.

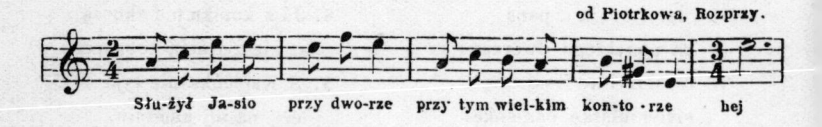

Słu-żył Ja-sio przy dwo-rze przy tym wiel-kim kon-to-rze hej przy tym wiel-kim kon-to-rze.

Na tęż nutę: Stała nam się nowina pani pana zabiła.

15. a.

od Przysuchy.

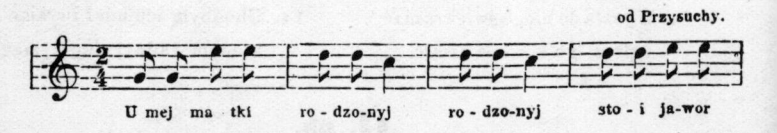

U mej ma tki ro-dzo-nyj ro-dzo-nyj sto-i ja-wor zie-lo-ny zie-lo-ny.

1. U mej matki rodzony
stoi jawor zielony.

2. Pod jaworem łóżeczko
na łóżeczku Jasieczko.

3. Leży, leży choruje
na Kasiunię skazuje.

4. „Moja Kasiu ratuj mnie
zbieraj ziółka, lekaj mnie.

5. Idźże Kasiu do gaju
ukop ziela rozmaju.
6. „Zimna rosa, biały mróz
nie ukopie ziółka już."
7. Jeszcze Kasia nie zaszła
już ci za nią dwa posła.
8. „Wróć się Kasiu wróć z gaju
już twój Jasio kona, ju.
9. Wracaj Kasiu do domu
prowadź Jasia do grobu.

10. „Zadzwońcież mu w wielki dzwon
umar Jasio, wielki pan.
11. Zagrajcie mu w organy
umar Jasio kochany.
12. A ja teraz po tobie
chodzić będę w żałobie.
13. Ja żałobę o ścianę
a z tobą się rozstanę.
14. Ja żałobę o ziemię
a z innym się ożenię."

15. b.

od Słupi nowej, (Baszowice).

A w tym zie-lo-nym dę-bie   gru-cha-ły tam   go-łę-bie   ser-deń-ku ser-deń-ku   go-łę-bie.

1. A w tym zielonym dębie
gruchały tam gołębie.
2. Jakżeś na nich wołała
kiedyś im jeść dawała.
3. I wołałam dyś dyś dyś
nieprzyjeżdżaj Jasiu dziś.
4. Nie przyjeżdżaj że w piątek
będę miała oprzątek.
5. Nie przyjeżdżaj w sobotę
będę miała robotę.
6. A przyjeżdżaj w niedzielę
łóżeczko ci pościelę.
7. I pokoik zamietę
i sama się upletę.
8. U mej matki rodzonej
stoi jawor zielony;
9. Pod jaworem łóżeczko
leży na nim Jasieczko.
10. Leży leży choruje i t. d.

15. c.

od Goszczyna (Kozietuły, Łęczeczyce).

Pod Ja-wo-rem   łó-żeń-ko   łó-żeń-ko   le-ży na niém   Ja-sień-ko

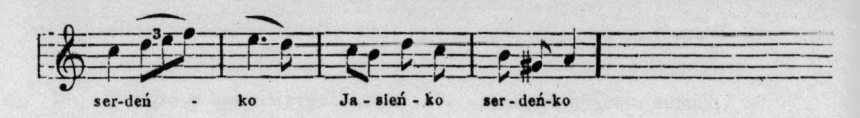

ser-deń - ko Ja-sień-ko ser-deń-ko

15. d.

od Warszawy (Blizny, Latchorzew, Babice).

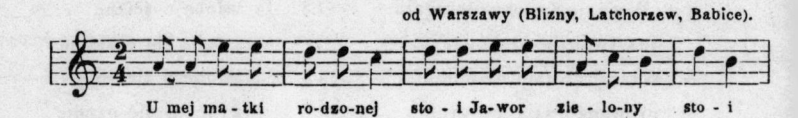

U mej ma-tki ro-dzo-nej sto-i Ja-wor zie-lo-ny sto-i ja-wor zie-lo- ny.

1. U mej matki rodzonyj
stoi jawor zielony;
2. Pod jaworem nizieńko
leży chory Jasieńko.
3. „Idźże Kasiu do gaju
szukaj ziółka ruczaju"
4. Jeszcze Kasia nie doszła
a już wysłali posła.

5. „Wróć się Kasiu do domu
prowadź Jasia do grobu."
6. Jak się Kasia wróciła
za głowę się schyliła.
7. „O mój Jasiu klejnocie
chodziła ja we złocie,
8. A teraz ja w żałobie
mój Jasieńku po tobie.

Wojcicki P. l. Tom I. str. 59.

15. e.

od Gostynina (Leśniewice).

Sto-i Ja-wor zie-lo-ny sto-i ja-wor zie-lo-ny mo-jej ma-tki ro-dzo-nej mo-jej ma-tki ró-dzo-nej. albo mo-jej ma-tki

1. Stoi jawor zielony
mojej matki rodzonyj
2. Pod jaworem łóżeńko
leży na niém Jasieńko.

3. „Leży, leży choruje
na Kasińkę wskazuje.
4. „Bieżaj Kasiu do gaju
przynieś ziela rozmaju.

5. Jeszcze Kasia niedoszła
już za Kasią dwa posła.
6. „Wracaj Kasiu od gaju
prowadź Jasia od naju" (*od nas*)
7. „Zagrajcież mu w organy
mój Jasieńko kochany.
8. Zadzwońcież mu w duży dzwon
bo mój Jasio wieczny dom.
9. Zadzwoncież mu w dwa kije
bo mój Jasio nieżyje.

10. Da mój Jasiu klejnocie
chodziła ja we złocie.
11. Da ja teraz w załobie
Jasineczku po tobie.
12. Ja żałobę na tydzień
kawalera w każdy dzień.
13. Ja żałobę dzień święcę,
nocką w tańcu wykręcę.
14. Ja żałobę o ziemię,
z tobą Bartku się żenię.

15. f.

od Bodzanowa, (Mąkolin, Łętowo).

U mej sio-stry ro - dzo-nej sto - i ja-wor zie - lo - ny hej hej ser - deń - ko zie - lo - ny.

15. g.

od Mławy.

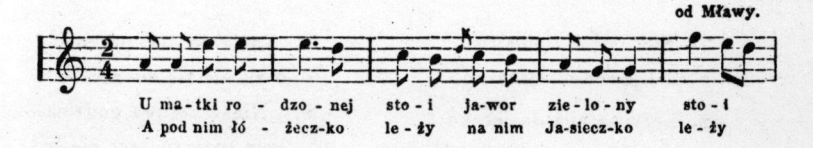

U ma-tki ro - dzo - nej sto - i ja-wor zie - lo - ny sto - i
A pod nim łó - żecz-ko le - ży na nim Ja-siecz-ko le - ży
ja-wor zie - lo - ny.
na nim Ja-siecz - ko.

15. h.

od Osterode.

1. Leży Jasiek, choruje
na Kasiuchnę skazuje:

2. „Idźże Kaśka do gaju
po gałązkę rozmaju."

3. Jeszcze Kaśka nie doszła
jużci za nią trzy posła.
4. „Wróć się Kasiu do domu
szykuj Jaśka do grobu."
5. Kasia ziele cisnęła
za głowę się ujęła:
6. „Ach mój Boże jedyny
wziąłeś mi kwiat lelii.
7. Ach mój Boże kochany
wziąłeś mi kwiat różany.
8. Jakże ja go pochowam
albo jaki mu grób dam?

9. „Pochowaj go we cnocie
w aksamicie, we złocie
10. „Cóż ja sobie poradzę
kokoszeczkę nasadzę.
11. Kurczątczka rozprzedam
kupię sobie w mieście dom.
12. A jeżlić mi niestanie
dodadzą mi mieszczanie.
13. A jak ja się zbogacę
to mieszczanom zapłacę.

Ze zbioru ks. Gizewiusta

15. 1.

od Stawiszyna (Zbiersk).

Sto-i ja-wor zie-lo-ny sto-i ja-wor zie-lo-ny

pod ja-wo-rem łó-żecz-ko pod ja-wo-rem łó-żecz-ko.

1. Stoi jawor zielony
pod jaworem łóżeczko.
2. Leży na nim Jasieczko
„ratuj że mnie Kasieczko."
3. Czem że mam cię ratować
nie mam ziółek gotować
4. „Bież Kasieńku do gaju.
przynieś różczkę rozmaju.
5. Jeszcze Kasia nie doszła
a już za nią dwa posła.
6. „Wróć się Kasiu do domu
prowadź Jasia do grobu."

7. Kasia do dom przybieży
o ziemię się uderzy.
8. „Nieszczęśliwa godzina
com przy śmierci nie była.
9. Mój Jasieńku klejnocie
chodziłam ja we złocie.
10. A ja teraz po tobie
chodzić muszę w żałobie.
11. Do południa w żałobie
po południu tak sobie.
12. Wieczorem się ożenię
a nocką ją o ziemię.

Mel. patrz pieśń; „Cztery konie Jasio miał."

15. k.

od Koziegłów.

Pod ja-wo-rem łó-żeń-ko pod ja-wo-rem łó-żeń-ko le-ży na niem Ja-sień-ko le-ży na niem Ja-sień-ko.

1. Pod Jaworem łóżeńko
leży na nim Jasieńko.
2. Leży leży, choruje
grzeczne panny dyktuje.
3. „Moja Kasiu ratuj mnie
szukaj ziółka, lekuj mnie."
4. Poszła Kasia do gaju
szukać ziela rozmaju.
5. Jeszcze Kasia nie doszła
już ci za nią trzy poszło.
6. „Wróć się Kasiu do domu
wstaw Jasieńka do grobu."
7. Kasia się też wróciła
w grób Jasieńka wstawiła.
8. „A mój Jasiu klejnocie
chodziła ja we złocie.
9. A teraz ja w żałobie
mój Jasieńku po tobie.
10. Będę ja cię żałować
trzy dni w karczmie tańcować.
11. Bo żałoba na tydzień
zalotnicy w każdy dzień
12. Bo żałobą o ziemię,
a z innym się ożenię."

Wacł. z Oleska P. l. w Gal. str. 280.

15. l.

od Wielichowa.

Pod ja-wo-rem łó-żeń-ko pod ja-wo-rem łó-żeń-ko le-ży na nim Ja-sień-ko le-ży na nim Ja-sień-ko.

15. m.

od Kazanowa.

U mej ma-tki ro-dzo-nej sto-i ja-wor zie-lo-ny hej hej

sto - i ja-wor zie - lo - ny.

15. n.

od Kozienic, Głowaczowa.

U mej ma-tki ro - dzo-nej ro-dzo-nej sto - i ja-wor zie - lo - ny zie - lo - ny ser-deń - ko zie - lo - ny.

1. U mej matki rodzony
stoi jawor zielony.
2. W tym jaworze łóżeczko
w tym łóżeczku Jasieczko.
3. Leży leży, choruje
pisze listy, dyktuje.
4. Moja Kasiu dbaj o mnie
szukaj ziółka lekuj mnie.
5. Poszła Kasia do gaju
szukać ziółka rozmaju.

6. Jeszcze Kasia nie doszła
już ci po nią dwa posła.
7. Wróć się Kasiu do dworu
prowadź Jasia do grobu.
8. Kasia ziółka cisnęła
rączkę w rączkę trzasnęła.
9. Mój Jasieńku po tobie
chodzić będę w żałobie.
10. Do południa w żałobie
po południu tak sobie.

15 o.

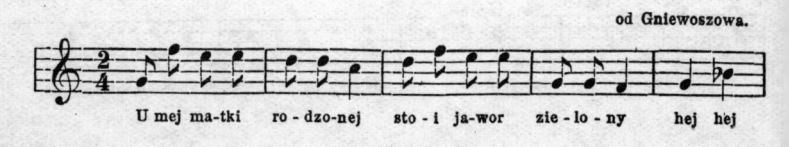

od Gniewoszowa.

U mej ma-tki ro - dzo-nej sto - i ja-wor zie - lo - ny hej hej sto - i ja-wor zie - lo - ny.

16. a.

od Żychlina (Chochołów, Tretki.)

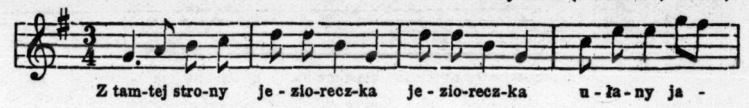

Z tam-tej stro-ny je-zio-recz-ka je-zio-recz-ka u-ła-ny ja-dą hej hej mo-cny Bo-że u-ła-ny ja - dą.

1. Z tamtej strony jezioreczka — ułany jadą
   hej hej mocny Boże! — ułany jadą.
2. Jeden mówi do drugiego — wianeczek płynie.
   hej hej mocny Boże! — wianeczek płynie.
3. Drugi mówi do trzeciego: — dziewczyna tonie
   hej hej mocny Boże — dziewczyna tonie.
4. Trzeci mówi do czwartego: — trzeba ratować
   hej hej mocny Boże! — trzeba ratować.
5. Czwarty skoczył, suknię zmoczył — i sam utonął,
   hej hej mocny Boże! — i sam utonął.
6. Pobiegnij że wrony koniu — z siodłem do domu
   hej hej mocny Boże! — z siodłem do domu.
7. Niepowiadaj że nikomu — że ja utonął
   hej hej mocny Boże! że ja utonął.
8. Ale powiedz wrony koniu — żem się ożenił
   hej hej mocny Boże! — żem się ożenił.
9. Gorzkać moja pani młoda! — piasek i woda
   hej hej mocny Boże! — piasek i woda.
10. Gorzkie moje starostowie! — w wodzie rakowie
    hej hej mocny Boże! — w wodzie rakowie.
11. Gorzkaż moja starościna! — na wodzie trzcina
    hej hej mocny Boże! — na wodzie trzcina.
12. Gorzkież moje muzykanty! — zielone dęby
    hej hej mocny Boże! — zielone dęby!

Wojcicki P. l Tom 2. str. 328

Mel. patrz pieśń: Cztery lata wierniem służył i t. d.

16. b.

od Piątku.

Z tam-tej stro-ny je-zio-recz-ka u-ła-ny ja - dą hej hej

mo-cny Bo-że u - ła-ny ja - dą.

16 c.

od Kutna i Żychlina, (Oporów)

A mam ci ja kę-pę ru-ty w swo-im o - gro-dzie hej

hej w swo-im o - gro - dzie.

1. A mam ci ja kępę ruty — w swoim ogrodzie
   hej hej — w swoim ogrodzie.
2. Uwiję ja parę wianków — puszczę po wodzie
   hej hej! — puszczę po wodzie.
3. I jeden se Jasio wybrał — z wiankiem popłynął,
4. I jak stąpnął jedną nóżką — po pas utonął.
5. A jak stąpnął drugą nóżką — wszystek utonął.
6. A biegajże siwy koniu — z siodłem do domu,
7. Nie powiadaj ojcu matce — że ja utonął.
8. Jeno powiedz rodzineczce — żem się ożenił.
9. A mam ci ja i żoneczkę — w wodzie toneczkę (*topielca*)
10. A mam ci ja i poduszki — w wodzie kamuszki
11. A mam ci ja i pierzynę — na wodzie trzcinę
12. A mam ci ja i druzbeczki — w wodzie rybeczki
13. A mam ci i muzykanty: — nad wodą dęby.

16. d.

od Krakowa (Modlnica).

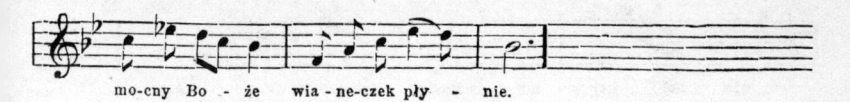

Z tam-tej stro - ny - je - zio-recz - ka dzie-wczy-na to - nie hej hej mo-cny Bo - że wia - ne-czek pły - nie.

1. Z tamtej strony jezioreczka — dziewczyna tonie
  hej hej! mocny Boże — wianeczek płynie.
2. Mówi jeden do drugiego: trza ją ratować,
3. Mówi drugi do trzeciego: — ciężko zgruntować.
4. Jaś to zoczył, z konia skoczył — i sam utonął.
5. A idź że ty kary koniu — z siodłem do domu,
  nie powiadaj ojcu matce — ani nikomu.
6. Nie powiadaj ojcu matce — że ja utonął,
  tylko powiedz ojcu matce — że ja się ożenił.
7. Smutne moje ożenienie — w wodzie tonienie.
8. Jacyż moi są drużbowie — w wodzie rakowie.
9. Zimna moja panna młoda — w jeziorze woda.

J. (Konopka) P. l. Krak. str. 114.

16. e.

od Sochaczewa (Młodzieszyn).

Z tam-tej stro-ny je - zio recz - ka ja - dą pa-no - wie hej hej mo-cny Bo - że ja - dą pa - no - wie.

jak Nr. 16 a.

6. Tylko jego siwy konik — na ląd wypłynął,.
7. A idź że ty siwy koniu — lądem do domu i t. d.
10. A cóż to tam za drużbowie — w wodzie rakowie
11. A cóż to tam za drucheńki — w wodzie rybeńki.

16. f.

od Wyszogrodu (Rembowo).

Z tam - tej stro-ny je-zio - recz - ka je - zio - recz - ka ja-dą pa - no -
wie hej hej mo - cny Bo-że ja-dą pa - no - wie.

16. g.

od Brzezin (Rogów).

Są na bo - ru fi - ja-łecz - ki fi - ja-łecz - ki pój-dzie-wa na
nie hej hej mo-cny Bo - że pój-dzie-wa na nie.

1. Są na boru fijałeczki
pójdziewa na nie,
i uwijem parę wianków
na zalecanie.
2. Uwiję ja parę wianków
puszczę na wodę

i zobaczę i zobaczę
kogo dostanę.

3. Jeden mówi do drugiego
wianeczek płynie, i t. d.

text p. Nr. 16. c.

16. h.

od Kowala (Więcławice).

Z tam-tej stro-ny je - zio-recz - ka je - zio-recz - ka żoł-nie-rze ja -
dą hej hej mo-cny Bo - że żoł-nie-rze ja - dą.

Jeden mówi do drugiego — wianeczek płynie,
Trzeci mówi do czwartego — panienka tonie. i t. d.

16. i.

od Gniewkowa, Torunia.

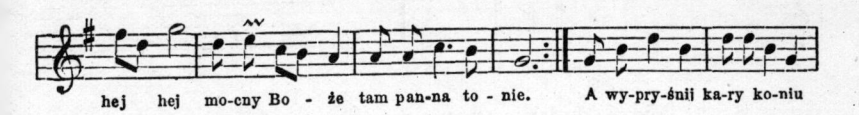

Z tej ta stro-ny je-zio-recz-ka je-zio-recz-ka tam pan-na to - nie

hej hej mo-cny Bo - że tam pan-na to - nie. A wy-pry-śnij ka-ry ko-niu

do do - mu do do - mu nie po-wia-daj oj - cu mat-ce bym ja u - to - nął

hej hej mo-cny Bo - że bym ja u - to - nął.

1. Z tej tam strony jezioreczka
tam panna tonie.
2. Ni czółneczka ni wiosełka
jechaćby po nię.
3. Jaśko skoczył, surdut zmoczył
i sam utonął.
4. A wypryśnij kary koniu
do domu do domu.
5. Nie powiedaj ojcu matce
bym ja utonął.
6. Jeno powiedz kary koniu
żem się ożenił.
7. Ciężkie twoje ożenienie
w morzu tonienie.
8. I te twoje czarne oczy
ryba je toczy.
9. I te twoje czarne włosy
woda roznosi.
10. I ma-ć on ta i pierzyny:
w morzu kępiny.
11. I ma-ć on ta i poduszki
w morzu kamuszki.
12. „Nie chowajcie mnie na smentarzu
tylko przy drodze.
13. Kto pojedzie zaraz ujrzy
to zdrajca leży.
14. Nie taki to zdrajca leży
tylko młodzieniec.
15. Za kogo on życie stracił?
Za panny wieniec.

J. Lipiński P. l. Wielkop. str. 47.

16. k.

od Dobrzynia n. Drwęcą (Działyń)

Pój-dę ja do las-ku na-tnę chru - ści-ku hej hej mo-cny Bo-że na-tnę chró - ści-ku.

1. Pójdę ja do lasku — natnę chruściku
2. A z tego chruściku — zrobię ogródek.
3. A w tym ogródeczku — nasieję ruteczki
4. a z tej ruteczki — zrobię trzy wianeczki
  hej hej puszczę po wodzie.
5. Z tamtej strony jeziora — jadą ułani
6. Mówi jeden do drugiego — wianeczek płynie
7. Mówi trzeci do czwartego — dziewczyna tonie.
8. Czwarty nie rzekł nic — za dziewczyną skoczvł,
9. Zanurzył się w jezierze — i suknie zmoczył.
10. Moje ożenienie — we wodzie męczenie,
11. Moja żoneczka — we wodzie rybeczka
12. Moja pierzynka — to nad wodą trcinka.
13. Moje podścielisko — pod wodą mulisko.

16. l.

od Ostrowia w Ostrołęckim, (Mokrylas).

Na - sie - ję ja dro-bnej ru - ty w no-wym o - gro - dzie hej hej dro-bnej ru - ty w no-wym o - gro - dzie.

1. Nasieję ja drobnej ruty
  w swoim ogrodzie.

Dalej no. 16 c.

7. Nie powiadaj wrony koniu
  że ja utonął.

8. Ale powiedz wrony koniu
żem się ożenił.
9. Nie powiadaj wrony koniu
że z błotnem zielskiem.
10. Ale powiedz wrony koniu
że ze szlachcianką.
11. Nie powiadaj wrony koniu
że z modrą wodą,
12. „Ale powidz wrony koniu
że z wojewodzianką.
13. A ciężkie mi te poduszki
w wodzie kamuszki.

14. A ciężka mi ta pierzyna
na wodzie trzcina;
15. Szukajcie mnie w piannej wodzie
między lądami,
16. Schowajcież mnie przy gościńcu
między drogami.
17. A kto idzie albo jedzie
rozbójnik leży.
18. Nie jestem ci ja rozbójnik
tylko młodzieniec,
19. Utraciłem swoją duszę
za panny wieniec.

16. m.

od Myszyńca.

I sto-ja - ła Ką - sia w wo-dzie w no-wym o - gro - dzie

oj oj mo - cny Bo - że w no-wym o - gro dzie.

1. I stojała Kasia w wodzie
w nowym ogrodzie.
2. I uwija trzy wianeczki
puszcza po wodzie.
3. Z tamtej strony jezioreńka
jadą panowie.
4. Jeden mówi do drugiego:
wianuszek płynie.
5. Drugi mówi do trzeciego,
trzebać ratować.
6. Jeden skoczył, konia zmoczył
i sam utonął.

7. Wypłyń wypłyń siwy koniu
z siodłem do domu.
8. Nie powiadaj ojcu matce
że ja utonął,
9. Jeno powiedz ojcu matce
że się ożenił.
10. Co tam było za żenienie
w morzu tonienie.
11. Co tam byli za drużborze
w morzu węgorze.
12. Co tam były za druchniczki
w morzu płociczki.

16. n.

od Chorzell.

Sto - ja - ła ta Ka-sia w wo-dzie w no - wym o - gro - dzie hej hej mo-cny Bo że w no-wym o - gro - dzie w no - wym o - gro - dzie.

16. o.

od Prasnysza.

Z tam-tej stro-ny je-zio-recz-ka u - ła - ni ja - dą hej hej mo-cny Bo-że u - ła-ny ja - dą.

16. p.

od Bydgoszczy.

Z tam-tej stro-ny je - zio-recz-ka ja - dą pa - no - wie hej hej mo-cny Bo-że ja-dą pa - no - wie.

1. Z tamtej strony jezioreczka
jadą panowie
2. A mam ci ja kierz lawendy
w swoim ogrodzie.
3. Uwiję ja trzy wianeczki
puszczę po wodzie.
4. Obrał-ci się pan najmłodszy
wionka dokroczy,
5. A jak kroczył jedną nogą
wpad pod kolano,
6. A jak kroczył drugą nogą
cały utonął.

7. A idziesz ty wrony koniu
z siodłem do domu.
8. Nie powiadaj wrony koniu
że ja utonął,
9. Ino powiedz wrony koniu
że się ożenił;
10. Pojąłem sobie żoniczkę
w morzu szczubliczkę;
11. A moje złote pierścieńce
z wodą wypłyńcie,
12. A moje złote ostrogi
bijcie pod brzegi;
13. A moi bratowie
w morzu rakowie.
14. Moja pierzyna
na morzu trzcina.
15. Moje poduszki
w morzu kamyszki.

J. Lipiński p. l. Wielkop. str. 90.

16. q.

od Adamowa.

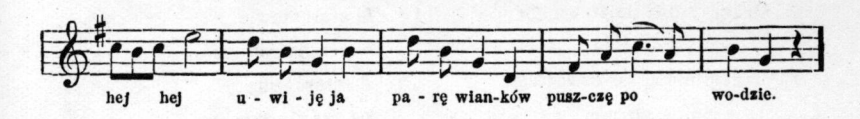

Na-sie-ję ja ja-rej ru-ty w swo-im o-gro-dzie hej hej u-wi-ję ja pa-rę wian-ków pusz-czę po wo-dzie.

16. r.

od Lubartowa.

Na-sie-ję ja-rej ru-tki w swo-im o-gro-dzie hej hej u-wi-ję ja pa-rę wian-ków pusz-czę po wo-dzie.

16. s.

od Kłobucka (Panki, Truskolasy).

Za-sia-ła ja ja-rej ru-tki w no-wym o-gro-dzie hej hej

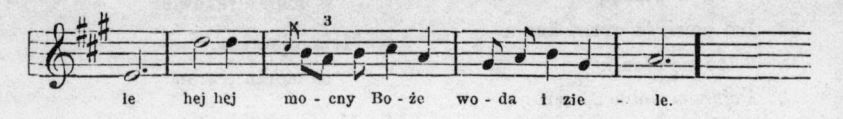

mo - cny Bo - że w no-wym o-gro - dzie. Mo-je we-se - le wo-da i zie - le hej hej mo-cny Bo-że wo-da i zie - le.

1. Zasiała ja jarej rutki
w nowym ogrodzie,
2. Uwiję ja parę wieńców
puszczę po wodzie.
3. Tamtą stroną jezioreczka
jadą rycerze (żołnierze),
4. Puszczę puszczę swój wianyszek
puszczę po wodzie.
5. Jeden mówi do drugiego
wianyszek płynie
6. Drugi mówi do trzeciego
panienka tonie.
7. Trzeci mówi do czwartego
ja pójdę po nie.
8. Hej jak skoczył suknie zmoczył
i sam utonął.
9. O idź że ty kary koniu
z siodłem do domu;
10. Nie powiadaj kary koniu
tego nikomu.
11. A jak wyjdzie matka stara
będzie się pytać:
12. Oj ty koniu, koniu kary
gdzie mój syn młody?

13. Nie powiedaj kary koniu
żem ja utonął;
14. Tylko powiedz kary koniu
żem się ożenił.
15. Moje żenienie
w wodzie tonienie.
16. Moje wesele
woda i ziele.
17. A żona młoda
ta bystra woda.
18. A starostowie
w stawie rakowie.
19. A starościna
na stawie trzcina.
20. Moje drużbiczki
w stawie płociczki.
21. Moi swatowie
w stawie ślizowie (*małe rybki*).
22. Moja pierzyna
w stawie szelina (*chrust, ziele*).
23. Moje poduszki
w stawie kamuszki.

*Żeg. Pauli p. l. pol. w Gal. str. 96.
Wacł. z Oleska p. l. w Gal. str. 507.*

16. t.

od Tarnowa.

Na-sie-ję ja tru-tej ru-ty w no-wym o-gro - dzie hej

hej hej w no-wym o - gro - dzie.

1. Nasieję ja trutej ruty
w nowym ogrodzie,
2. Uwiję ja trzy wianeczki
puszczę po wodzie.
—

7. Biednęż moje ożenienie
w wodzie tonienie.
8. Biednęż moje drużbeczki
w wodzie rybeczki.

Dalej jak no. 16. k.

16. u.

od Sulejowa.

Z tam-tej stro-ny je - zio-recz-ka je - zio-recz-ka pa - no-wie ja - dą hej hej hej hej pa - no-wie ja - dą.

16. w.

od Konina.

Z tam-tej stro-ny je - zio-recz-ka u - ła-ny ja - dą hej hej mo-cny Bo - że u - ła-ny ja - dą.

16. x.

od Osterode.

I mia-łam ja kierz ru - ty w swo-im o - gro - dzie u - wi - nę *ja dwa wian-ki pusz-czę na wo - dę.*

1. „I miałam ja kierz ruty
    w swoim ogrodzie,
    uwinę ja dwa wianki
    puszczę na wodę."
2. Z jednej strony dunaju
    wianki pływają,
    z drugiej strony dunaju
    panowie jadą.
3. Jeden ci się z nich obrał
    wianek pojąć chciał,
    jeszcze wianka nie pojął
    już sam utonął.
4. „Ej koniu mój, mój koniu:
    idź ty do domu
    niemów com ja utonął
    jenom się ożenił."

5. Przyleciał koń przede dwór
    żałośnie zarżał,
    pani się go pytała:
    gdzieś pana podział?"
6. „Ożenił się pan na morzu
    z panną na łożu,
    obrał sobie żoneczkę
    rybkę płoteczkę.
7. Obrał sobie rodzice
    w morzu płocice,
    obrał sobie pierzynę
    na morzu trzcinę,
    obrał sobie poduszki
    w morzu kamiuszki.

ze zbioru ks. Gizewiussa.

17. a.

od Serocka (Arciechów, Kuligów).

Po-je-chał pan na du-naj na du-naj by-stry du-naj bia-łe rą-czki u-my-wał a du-naj się nad-ry - wał.

1. Pojechał pan na dunaj
    na dunaj — bystry dunaj.
2. Białe rączki umywał
    a dunaj się nadrywał.
3. „Podaj służka czułnóżka
    niech przyjadę do brzeżka."
4. Służka czółno podaje,
    pan już gruntu dostaje.

5. „Siadaj służka na mój koń
    a jedź służka w biały dwór."
6. Służka przed dwór przychodzi,
    pani tany wywodzi.
7. „Żeby pani wiedziała
    taneczków by przestała.
8. Bo już jej pan utonął
    tylko konik wypłynął."

9. „Ja o pana nic niedbam
za jednego tysiąc mam.
10. Żebym dzieci nie miała
o pana bym niedbała:
11. A to jedno na ręce,
a to drugie w kolebce;
12. A to trzecie w żywocie,
ach! mój wieczny kłopocie!"
13. Już minęła godzina
pani pana wspomina:
14. Już ci minął i tydzień
pani wzdycha noc i dzień:

15. „A gdzie mój pan nie chodzi
tam się czeladź nie zgodzi.
16. A gdzie mój pan nie bywa
nie orze się, nie siewa.
17. A gdzie mój pan nie chodzi
tam się żyto nie rodzi.
18. I te konie w stajence
i te dzwonią zębami.
19. I to bydło w oborze
i to ryczy: mój Boże!"
Mel: patrz pieśń: U naszego młynarza.

17. b.

od Nowego-dworu.

Po - je-chał pan na du - naj, po - je-chał pan na du - naj i pan nóż - ki u - my-wał bia - ły du - naj się zry-wał.

17. c.

od Osterode.

1. Pojechał pan na łowy
do zielonej dąbrowy.
2. Uwiązał konia swego
kole krza zielonego.
3. Poszedł się sam umywać
do dunaju bystrego.

4. Umywa się umywa
dunaj się z nim obrywa.
5. Służka dodaj czółnuszka
co dojadę do brzeżka.
6. Służka czołna dodaje
pan się do dna dostaje.
Ks. Gizewiusz.

18. a.

od Jędrzejowa, i Wodzisławia.

Cze-go ka - li - no w do - le sto - isz cze-go ka - li - no

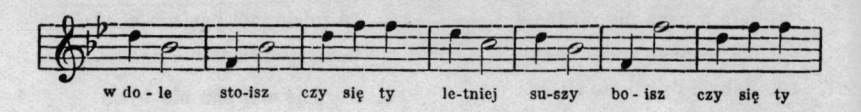

w do - le sto-isz czy się ty le-tniej su-szy bo - isz czy się ty

le-tniej su-szy bo-isz.

1. Czego Kalino w dole stoisz,
czy się ty letniej suszy boisz?"
2. "Pewno bym ja tu nie stojała
gdybym się suszy nie bojała."
3. "Wedruj kalino w ten ciemny las
zaśpiewa ci tam słowiczek wczas."
4. Słowiczek śpiewa, — a Kasia płacze
"dla ciebie Jasiu — wianek swój tracę.
5. Pozbyłam wianka rucianego
a nabyłam żyjącego."
6. Wjeżdża braciszek w podwóreczko
w tem zapłakało dzieciąteczko.
7. "Czyje to dziecię siostro, płacze?"
"Mej sąsiadeczki, panie bracie;
8. Sąsiadeczka mnie uprosiła
bym jej dziecię ponosiła."
9. "Podaj mi chłopcze, ten ostry miecz,
co zetnę siostrze swej główkę precz."
10. Ale dzieciątko choć niemowle było,
tak do wujaszka swego przemówiło:
11. "Któż mnie wujaszku teraz przytuli
gdy dzwony grają już mej matuli?
12. Twoja wujaszku żona jeszcze chodzi
mnie się matula więcej nie urodzi."

Wójcicki P. l. T. 2. str. 64.
J. Lipiński p. l. Wielk. str. 189.

18. b.

od Częstochowy, Wielunia.

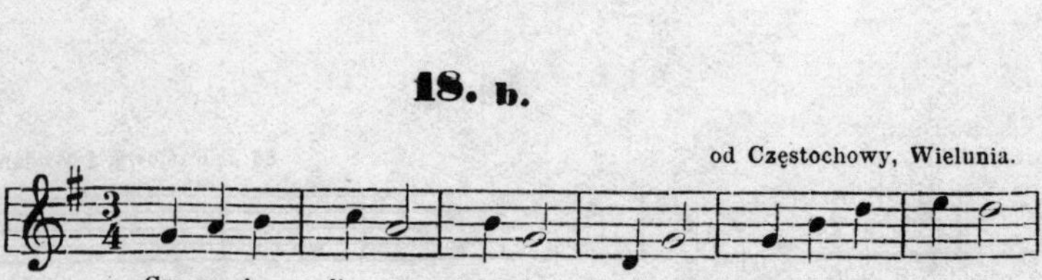

Cze-go ka - li - no w do - le sto - isz cze-go ka - li - no

5. Od Warszawy (Raszyn)

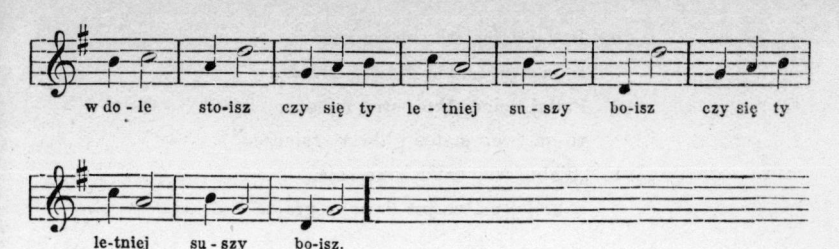

w do-le sto-isz czy się ty le-tniej su-szy bo-isz czy się ty

le-tniej su-szy bo-isz.

18. c.

od Szydłowca (Chlewiska).

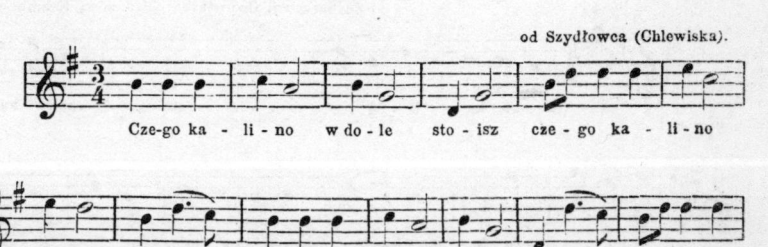

Cze-go ka - li - no w do - le sto - isz cze - go ka - li - no

w do-le sto-isz czy się ty le-tniej su-szy bo-isz czy się ty

le - tniej su-szy bo-isz.

1. Czego kalino w dole stoisz,
 czy się ty letnij suszy boisz?"
2. „Żebym się letnij suszy nie bała
 tobym w tym dole nie stała.
3. Stojałabym ja na onej górze
 ubrałabym się ku jaworze."
4. Słowiczek śpiewa, Kasia płacze,
 „dla ciebie Jasiu wianek tracę."
5. „Utraciłaś se rucianego
 nabyłaś sobie żyjącego."
6. Jedzie braciszek z wojeneczki
 wiezie Kasiuni sukieneczki.
7. „Czyjeż to siostro, dziecie płacze?"
 „Sąsiadeczki to panie bracie."
8. „Jakże ty siostro, w oczy kłamiesz,
 kiedy ty jemu piersi dajesz:

9. Podaj dzieciątko ostre noże
 to ja twej matce główkę zrzezę.
10. Podaj dzieciątko ostre miecze,
 to ja twej matce główkę zsieczę."
11. „Tobie wujaszku żonę rają,
 a mojej matce już dzwony grają."

18. d.

od Sochaczewa, Czerwińska, (Brochów, Kromnów).

Cze-go ka - li - no w do - le sto - isz cze-go ka-li-no w do - le sto - isz czy się na gór - ce su - szy bo-isz czy się na gór - ce su - szy bo-isz.

18. e.

od Rożana (Mroczki).

Cze-go ka - li - no w do - le sto - isz cze - go ka - li - no w do - le sto - isz czy się na gór - ce su-szy bo - isz.

1. „Czego kalino w dole stoisz,
 czy się na górce suszy boisz?"
2. „Żebym sie suszy nie bojała
 w tym dole bym ja nie stojała."
3. „A ty kalino rozwijaj sie,
 a ty dziewczyno, rozmyślaj sie."

4. „A jużem się rozmyśliła,
ojca matki odstąpiła."
5. „Pójdźmy dziewczyno w ten ciemny las,
tam ptaszek śpiewa pieśni o nas."
6. Ptaszek śpiewa, dziewczyna płacze:
„dla ciebie Jasiu wianek trace."
7. Utraciłam go zielonego
a nabyłam go żyjącego."
8. Jedzie braciszek z wojeneczki
wiezie siostrzyczce sukieneczki.
9. Wjechał braciszek w podwóreczko,
tam zapłakało dzieciąteczko.
10. „Czyje to siostro dziecie płacze?"
„Sąsiadeczyne, panie bracie.
11. Mnie sąsiadeczka poprosiła
bym jej to dziecię pobawiła."
12. „A podajcie mnie ostry miecz
co ja Kasieńce głowę zsiec."
13. A to dzieciątko takie było,
że do wujaszka przemówiło:
14. „Tobie wujaszku sto żon rają
mojej matuli w dzwony grają.
15. Tobie wujaszku na stracenie
mojej matuli na zbawienie."

18. f.

od Sierpca, Bieżunia.

Cze-go ka - lin-ko w doł - ku sto - isz czy się ty
le-tniej su-szy bo - isz czy się ty le-tniej su-szy bo - isz.

1. „Czego kalinko w dołku stoisz,
czy się ty letniej suszy boisz?"
2. „Jabym tam w dole nie stojała
żebym się suszy nie bojała."

3. „Stój tu kąlinko, rozwijaj się,
   a ty dziewczyno rozmyślaj się.
4. „Dokogoż ja się przytulić mam
   kiedy ja matki, ojca nie mam.
5. Przytulę ja się do Jasieńka,

jest tam ojciec i mateńka!"
6. Słowiczek śpiewa, panna płacze,
   „za tobą Jasiu wianek tracę."
7. Utraciłam go samochcący
   za tobą Jasiu kochający.

18. g.

od Szczytna (Jeruty, Rozogi).

Po - je-chał brat na wo - jen-kę ku - pił sio-strze na su-kien-kę

i przy-je-chał w po-dwó-recz-ko i za - stu-kał w o - kie-necz-ko.

1. Pojechał brat na wojenkę
   kupił siestrze na sukienkę;
2. I przyjechał w podwóreczko
   i zastukał w okieneczko.
3. Czy śpisz siostro, czyli czujesz
   czy się o brata frasujesz.?"
4. „Oj nie śpię ci ani czuję
   ni się o brata frasuję."
5. „Czyje dziecię siostro, płaczé?"
   „Sąsiadziné panié bracié..
6. Sąsiadężem poprosiła
   bym jej dziecię pobawiła."
7. „Objechałem kraj nie mały,
   nie widziałem takiej mody:
8. Aby panny dzieci miały
   sąsiadami zamawiały" (*zastawiały się*).

9. „Podaj bracie ze ściany miecz
   pójdzie siestrzyna głowa precz."
10. „Nie ścinaj mnie o północy
    bo mnie nikt tu nie obaczy.
11. Tylko zetnij wśród biały — dnia
    wszystkim pannom na widziadło."
12. I usiadł ci w krzesełeńku
    i zaśpiewał dzieciątéńku.
13. „Ej lululu lulusieńko
    ty maleńka sieroteńko.
14. „Tobie wuju winkrat grają
    moją mamę w grób stawiają.
15. Moja mama już nie żyje
    na jej grobie już lilije.
16. „Żebyś było wprzód gadało
    byłobyś ci mamę miało."

18. h.

od Mińska, (Wiązowna).

Cze-go w do - le ka-lin-ko sto-isz czy ty się su - szy le-tniej bo-isz.

18. i.

od Wiskitek.

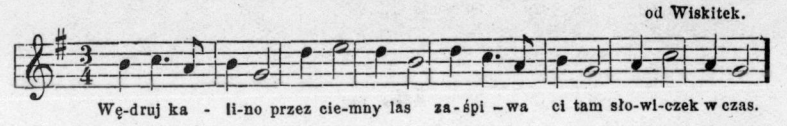

Wę-druj ka - li-no przez cie-mny las za-śpi-wa ci tam sło-wi-czek w czas.

2. Wędruj kalino przez ciemny las
zaśpiwa ci tam słowiczek wczas
3. Kiedy brat na konika siadał
tak swojej siostrze opowiadał.
4. „Nie chodź ty siostro do sąsiady
żeby nie było jakiej zdrady."
5. Siostra braciszka niesłuchała-
i do sąsiady chodziwała.

6. Jedzie braciszek z wojeneczki
wiezie sios trzyczne sukieneczki.

p. Nr. 18. e.

14. Tobie wujaszku sto żon bieży
a moja mama w grobie leży.
15. Tam kędy dróżka uścielona
tam moja mama położona.

18. k.

od Bodzanowa (Łętowo, Mąkolin).

Cze-go ka - li - no w do - le sto - isz cze-go ka - li - no

w do - le sto - isz czy się ty le - tniej su - szy bo - isz

czy ty się le - tniej su - szy bo-isz.

18. l.

od Rypina.

Cze - go ka - lin - ko w doł - ku sto - isz cze-go ka - lin - ko

w doł - ku sto - isz czy się ty le - tniej su - szy bo - isz czy się ty le-tniej   su - szy   bo - isz.

18. m.

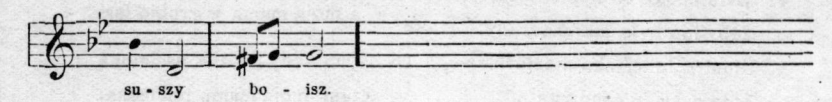

od Torunia (Łążyn, Lubicz).

Cze-go ka - lin-ko w doł-ku   sto - isz   czy się na   gó-rze

su - szy   bo - isz.

1. „Czemuż kalinko w dole stoisz
czy się na górze suszy boisz?"
2. „Ja się na górze suszy nie boję,
kędym urosła tam i stoję."
3. „Stój że kalinko nie bujaj się (albo:
nie gibaj się),
a ty me dziewcze rozmyślaj się."
4. „Jużem ci ja sie rozmyśliła
ojca mateczke opuściła.
5. „Nie słuchaj ty na ludzkie gadki
nieopuszczaj ty ojca matki
6. Nie słuchaj ty na ludzkie pyski
nieopuszczaj ty swej rodziny (albo:
matki jedyny)."

7. „Oj już ci ja się rozmyśliła
ojcam mateczkę opuściła.
8. Przytulęć ja się do Jasieczka
to mój ojczulek i mateczka."
9. „Idziemy dziewcze bez ciemny las
zaśpiewa nam tu słowiczek nasz."
10. Słowiczek śpiewa, dziewcze płacze
„dla ciebie Jaśku wianek tracę.
11. Utraciłam go za stodołą
już teraz nie będę Jaśku twoją."
(Do kogoż się przytulić mam
kiedy ni ojca ni matki mam.
Przytulę ja się do Jasieczka
toć będzie mój ojciec i mateczka).

18. n

od Osterode, (Kraplewo).

1. Pojechał brat na wojenkę
dał siostrzyczce na sukienkę.
2. „Siostro moja masz w czem chodzić,
niedaj że się chłopcom zwodzić.
3. Do roczeczku do siódmego
do przyjazdu do mojego."

4. Siódmy roczek następuje
brat ci z wojny maszeruje.
5. I przyjechał w podwóreczko:
zakołatał w okieneczko:
6. Czy śpisz siostro czyli czujesz
czy się za brata frasujesz?"

7. „Ani ja śpię ani czuje
ni się za brata frasuje."
8. Dziecie wuja usłyszało
rzewnym głosem zapłakało.
9. „Czyjeż siostro dziecie płacze?"
„Sąsiadzine panie bracie."
10. „Cóż u kata za sąsiada
co swemu dziecięciu nie rada?
11. Objechał ja świat nie mały
nie nalazem takiej sprawy,
12. Coby panny dzieci miały
a na sąsiady zmawiały.
13. Podaj służka ten ostry miecz
zetnę siostrze główeczkę precz."

14. „Nie ścinaj mi o północy
bo to ciężko duszy w nocy.
15. Zetnij mi ją śród biały dnia
wszystkim pannom na widziadła."
16. I usiadł se na stołuszku
zakołysał po maluszku.
17. „Tobie wuju żonę rają
mojej matce dzwony grają.
18. Tobie wuju żona chodzi
mnie się matka nie urodzi."
19. „Szczęśliweś by dziecie było
kiebyś prędzej przemówiło."

Ze zbioru ks. Gizewiusza.

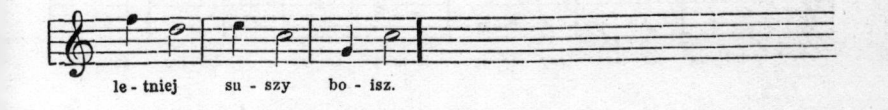

18 o.

od Ujazdu, (Tomaszew).

Cze - go ka - li - no w do - le sto-isz cze-go ka - li - no
w do - le sto - isz czy ty się le - tniej su - szy bo-isz czy ty się
le - tniej su - szy bo - isz.

18. p.

od Jedlińska, Białobrzeg.

Cze-go ka - li - no w do - le sto-isz cze-go ka - li - no
w do-le sto-isz czy się ty le - tniej su - szy bo-isz

216

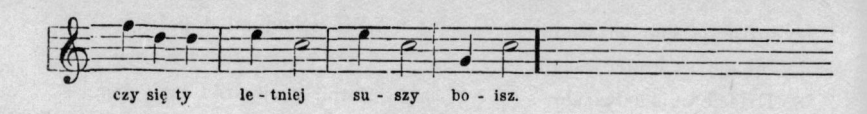

czy się ty le - tniej su - szy bo - isz.

18. q.

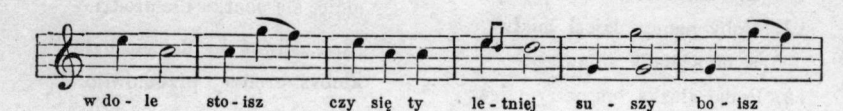

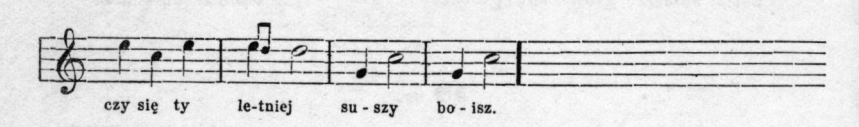

od Gniewoszowa.

Cze-go ka - li - no w do - le sto - isz cze-go ka - li - no

w do - le sto - isz czy się ty le - tniej su - szy bo - isz

czy się ty le - tniej su - szy bo - isz.

18. r.

od Prasnysza (Bogate)

Cze-go ka - lin - ko w doł - ku sto - isz cze-go ka - lin - ko

w doł - ku sto - isz czy się ty le - tniej su - szy bo - isz czy się

le - tniej su - szy bo - isz.

18. s.

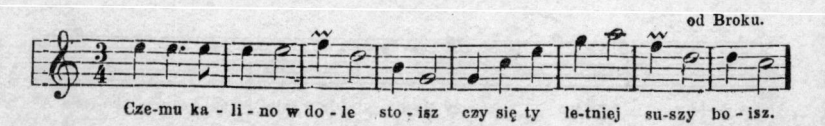

od Broku.

Cze-mu ka - li - no w do - le sto - isz czy się ty le - tniej su-szy bo - isz.

19.

od Garwolina. (Sulbiny).

Desz-czyk pa-da słoń-ce grze-je do ko-chan-ki ser-ce mgle-je

za-przę-gaj-cie ko-nie w san-ki po-ja-dę ja do ko-chan-ki:

1. Deszczyk pada, słońce grzeje
do kochanki serce mgleje.
2. Zaprzęgajcie konie w sanki
pojadę ja do kochanki.
3. I wyjechał w szczyre pole
i nadybał czarne ziele.
4. I ułamał trzy rumianki
dla Kasińki dla kochanki.
5. I zajechał przed pokoje
„wyjdź Kasińku serce moje
6. A Kasińka wyjść niechciała
tylko matkę wysyłała.
7. „Póty z konia nie zeskoczę
póki Kasi nie zobaczę."

8. Kasia mu syna powiła
sama na świecie nie żyła.
9. Ale on temu nie wierzył
zsiadł z konika, w stół uderzył.
10. Usiadł sobie na stołeczku
i kołysze kolibeczkę.
11. I śpiewa kołysający:
„uśnijże mi synu miły.
12. Bodajś się na świat nierodził
kiedyś moją Kasię zgładził."
13. „Twej kochance wiwat biją
mojej matce suknie szyją.
14. Twej kochance wiwat grają
moją matkę w grób wpuszczają."

20. a.

od Żelechowa, (Korytnica).

W do-le ka-lin-ka sto-ja-ła w do-le ka-lin-ka sto-ja-ła

dro-bne ja-gód-ki ra-dza-ła dro-bne ja-gód-ki ra-dza-ła.

1. W dole kalinka stojała
drobne jagódki radzała.
2. Ptaszkowie na niej siadali
drobne jagódki jadali.

3. Panowie do nich strzelali
   jak do wdowuli jechali.
4. I napadli na karczmi — dom:
   „po czemu pani piwa dzban?"
5. „Po złotemu go garniec jest
   pijże go waćpan jeśli chcesz."
6. Pytał się pani: „panowa
   czy to córeczka rodzona?"
7. „Nie córeczka to rodzona,
   tylko kucharka jedyna."
8. Pytał się: „coby jej też dać
   żeby z kucharką pogadać."
9. „Nie na to ja się jednała
   żebym z panami gadała."
10. „Dajże jej waćpan złotych sześć
    gadaj z kucharką jeśli chcesz."
11. I dał kucharce złotych sześć.
    gadał z kucharką nocki część.
12. „A zkądżeś ty jest rodowna?"
    „z Krakowa jestem wójtówna."
13. „A zkądżeś ty jest rodowic?"
    „z Krakowa jestem wójtowic."
14. „Jeno się bracie spowiadaj,
    siłaś panienek nazdradzał?"
15. „Zdradziłem ich jakie sto,
    i ciebie siostre rodzoną."

20. b.

od Maciejowic, (Samogoszcz).

Ka - lin-ka w do-le sto - ja - ła ka - lin-ka w do-le sto - ja - ła

czar-ne ja - gód - ki ra - dza - ła czar-ne ja - gód-ki ra - dza - ła.

1. Kalinka w dole stojała
   czarne jagódki radzała.
2. Ptaszkowie na niej siadali
   czarne jagódki zjadali.
3. Panowie do nich strzelali
   kiej do wdowuli jechali.
4. I przyjechali w karczmi dom
   „po czemu pani piwa dzban?"
5. „Po talarze go garniec jest
   pijże go waćpan jeśli chcesz.
6. „Oj pani pani, paneczka,
   czyli to twoja córeczka?"
7. „Nie jest to moja córeczka
   tylko jest moja służeczka."
8. „Coby to za to pani dać
   żeby z Kasińką pogadać?"
9. „Dajże mi waćpan saskich sześć,
   gadaj z Kasińką kaj zechcesz.
10. Idźże Kasińku łoże słać
    będziesz z panami se gadać."
11. Kasińka łoże ściełała
    łzami poduszki skrapiała.
12. „Nie na to ja się jednała
    żebym z panami gadała."
13 Zkądżeś ty Kasiu rodem jest
   co ty z panami spać niechcesz?"
14. „Jestem ja rodem Welbówna
    samego wójta wójtówna."

15. „A ja też jestem Welbowic
samego wójta wójtowic."
16. „Nierychłośwa się poznali
jużeśwa w grzechu zostali."
17. „Podaj mi siostro ostry miecz
zetnę se główkę, zetnę precz."

18. „Pierwej się bracie spowiadaj
wielaś panienek nazdradzał?"
19. „Nie zdradziłem ich tylko sto
i ciebie rodzona siostro."

20. c.

od Ostrowia i Ostrołęki, (Wysoce starawieś, Jelonki).

Hej w Du - no - wie w Du - no-wie hej w Du-no-wie w Du-no - wie
zje-żdża-ją się pa - no - wie zje-żdża-ją się pa - no-wie.

1. Hej w Dunowie w Dunowie
zjeżdżają się panowie.
2. Jak się prędko zjechali
gospody się pytali.
3. Jest tam karczma na dole
tam zajeżdżaj pachole.
4. Jest tam gospoda dobra
i dziewczyna nadobna.
5. „Hej! szynkarko wina dzban
zapłacę ci jako pan."
6. „Nie naleję wina dzban
bo na tobie zły żupan."
7. Wyjął dukat z kieszeni
potoczył jej po ziemi.
8. Na szynkarko za wino
da za wino za piwo."
9. Dziewka wino toczyła
rączka jej się świeciła.
10. Od sygneta złotego,
od dyamenta drogiego.

11. Nie wiem coby za nią dać,
chciałbym ja z nią poigrać."
12. „Dajmi talar, talar sześć
bierz ją sobie kiedy chcesz."
13. Ściel dziewczyno to łoże
da w tej nowej komorze.
14. Ona idzie płaczący
da on za nią skaczący.
15. Trzy godzin łoże słała
on się pytał ona płakała:
16. Jak się prędko pokładli
zaraz się siebie pytali:
17. „Zkądżeś dziewcze rodziczka
coś tak pięknego liczka?"
18. „Ja z Krakowa z Dunowa
jestem córka wójtowa."
19. „Ja z Krakowa i z Duny
i do tego wójtów syn."

20. d.

od Szczytna.

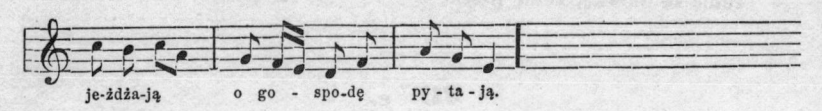

A we Lbo-wie we Lbo-wie za-je-żdża - ją pa-no-wie oj ja-dą za-je-żdża-ją o go - spo-dę py - ta - ją.

1. A we Lbowie, we Lbowie
zajeżdżają panowie.
2. Oj jadą zajeżdżają,
o gospodę pytają.
3. O gospodę o dobrą
o dziewczynę nadobną.
4. Panowie zajechali,
o piwko zawołali.
5. Panna piwko toczyła,
rączka i się świeciła.
6. Od sygneta złotego
od kamienia drogiego.
7. „Pytam ja się karczmarka
czy to twoja córeczka?"
8. „Nie moja to córeczka,
tylko wychowaniczka.
9. „Pytam ja się karczmarka
czy mogę z nią pogadać?"
10. „Połóż panie talar sześć
weź dziewczynę kejni chcesz."
11. Porzucił jej po stole:
„weź karczmarko co swoje.
12. A w tej nowej komorze
uściel malowane łoże."

13. Cztery świece spalili
niż się spać położyli.
14. A piąta się dopalała
i ja się spać położyła.
15. A w nocy o północy
o dziesiątej godzinie.
16. „Proszę dziewcze obróć się
oj prawem liczkiem do mnie.
17. Trzecie kury zapieli
„wstań dziewcze do kądzieli.
18. A jużeś się wyspała
i wianeczek stargała."
19. „Szczekasz karczmarko wraz
ze psem,
że wianeczek stargałam."
20. „Żebym się Boga nie bojał
to bym ci w łeb strzelić dał.
21. Sześć koni zakładajcie
siostrę moją sadzajcie,
22. Jedź siostrzyczko do domu
nie rób darmo nikomu."
23. „Nie darmom jej robiła
bo mnie pięknie nosiła,
w drogie suknie stroiła."

20. e.

od Osterode, (Kraplewo).

Z po - nie-dział-ku na wto-rek przy-wędro-wał pa-cho-łek

ej ej pa-cho-łek. przy-wę-dro-wał pa-cho-łek.

1. Z poniedziałku na wtorek
przywędrował pachołek.
2. Przywędrował do karczmy
do nadobnej szenkarki.
3. „Wtocz karczmarka wina dzban
zapłacę ci jako pan.
4. „A kataś ty jako pan
bo na tobie zły sukman."
5. „Choć ci na mnie zły sukman
ale pieniądze w nim mam."
6. Dziewka piwo toczyła
rączka jej się świeciła.
7. A od czegoż takiego
od pierścienia złotego.
8. „Pytam że się karczmarko
ty nadobna szenkarko:
9. Czy to twoja córeczka
czyli rzędna dzieweczka.
10. Nie moja to córeczka
ale rzędna dzieweczka "
11. „Oj coby dać, toby dać
z tą dzieweczką poigrać."
12. „Daj pachole talar sześć,
weź dzieweczkę kieni chcesz."

13. Rozliczył jej po stole:
„Masz karczmarko za swoje."
14. A ty dziewcze ściel łoże
w tej tu nowej komorze."
15. „Jużcim ja go posłała,
i łzamim go oblała."
16. „Pytam ja się dzieweczka
zkądżeś ty jest rodziczka?"
17. „Z podolam ja rodziczka
sołtysowam córeczka."
18. „A i jam też z tamtela
sołtysów syn z podola."
19. Piewszy kurzy zapieli:
„wstań dziewcze do kądzieli.
20. Jużeś ci się wyspała
i wianeczek sprzedała."
21. „Łżesz karczmarko jako pies
jej wianeczek cały jest,
bo to siostra moja jest.
22. Bym ci ja tu szablę miał
zaraz bym cię rąbać dał."
23. „Pójdź siostrzyczko do domu
nie rób darmo nikomu."

ze zbioru ks. Gizewiusza.

20. f.

od Olsztynka.

1. Z poniedziałku na wtorek
przywędrował pachołek.
2. Przywędrował do gaju
a w tym gaju karczma je.
3. Przywędrował do karczmy
do nadobnej sząkarki (*karczmarki*).
4. Przywędrował w zieleni
panna chodzi po sieni.
5. „Pytam że cię karczmarko
gdzie jest gospoda dobra
i dziewczyna nadobna."
6. „U karczmarza na rogu

tam je gospoda dobra
i dziewczyna nadobna."

7. „Wlej karczmarko wina dzban
zapłacę ci jako pan.

8. „A kataś ty jako pan
bo na tobie zły sukman."

10. Dziewka piwko toczyła
rączka jej się świeciła.

11. Od czegóż się świeciła?
od kamienia drogiego
od pierścieńca złotego.

12. „Pytam że cię karczmarko
czy to twoja córeczka
czyli rzędna dzieweczka."

13. „Nie mojać to córeczka
jeno rzędna dzieweczka.

14. „Oj coby dać, toby dać
z tą dziewczyną nocować..

15. „Rzuć pachole talar sześć
weź dziewczynę kieni chcesz."

16. I rzucił jej po stole
„weź karczmarko co swoje.

17. A ty dziewcze ściel łoże
w tej ta nowej komorze."

18. Jeszcze łoża nie słała
już się łzami zalała.

19. Jak ci wyszło w północy,
wzięli z sobą rozmawiać:

20. Wykręć się dziewcze do mnie
pogadawa oboje.

21. Pytam że cię dzieweczko
skądeś ty jest rodziczką?"

22. „Z podola ja rodziczka
szołtysowa córeczka."

23. „A i jać też z tamtela
szołtysów syn z podola."

24. Pierwsi kurzy zapieli
(Karczmarka): wstań dziewko do
kądzieli.

25. Jużeś ci się wyspała
i wianuszek stargała.

26. „Łżesz karczmarko jako pies
jej wianuszek cały jest,
bo to moja siostra jest.

27. Bym sie Boga nie bojał
karczmarkę bym ćwiertował. —
bym ci ja tu szablę miał
karczmarkę bym rąbać dał.

28. „Nie dam ja jej ćwiertować
chowała mę jako mać."

29. „Chowała cię jako mać
a dała z chłopem gadać.

30. Bierz siostrzyczko co swoje
powędrujem oboje.

31. Weź siostrzyczko co swego
nie dorabiaj nikogo.

20. g.

od Bodzanowa, (Mąkolin).

Z po-nie-dział-ku na wto-rek przy-je-chał tu pa - cho - łek

dy - li   dy - li   dy - li   dy-li   przy-je-chał tu   pa-cho-łek.

1. Z poniedziałku na wtorek
   przyjechał tu pachołek.
2. Kazał piwko fundować
   i wieczerzę gotować.
3. „Utocz że mi piwa dzban
   zapłacę ci jako pan."
4. „Zapłacisz mi jako pan
   a na tobie zły żupan."

5. I wyszedł ci do sieni
   cisnął dukat z kieszeni.
6. „Czy to twoja córeczka
   czy służąca dzieweczka."

dalej patrz Nr. 20. e.

patrz: *Wojcickiego: Klechdy. Wydanie drugie. Warsz. 1851. Tom 2. str. 61. 141.*

20. h.

od Zwolenia, Janowca.

W do - le ka - lin - ka sto - ja - ła w do - le ka - lin-ka sto - ja - ła

dro-bne ja - gód-ki ra-dza - ła dro-bne ja - gód - ki ra - dza-ła.

1. W dole kalinka stojała
   drobne jagódki radzała
2. Ptaszkowie na niej siadali
   drobne jagódki zjadali.
3. Strzelcowie do nich strzelali
   jak do gdowuli jechali.
4. I napadli karczmi dom:
   po czemu pani piwa dzbon?
5. Po talarze go garniec jest,
   pijże go wasan niźli chcesz.
6. Pytam się pani pani ja
   czyli to córka rodzona,
   czyli kucharka zjednana.
7. A coby dać coby dać
   żeby z Kasińką nockę spać:

8. Dajże mi wasan złotych sześć
   idź se z Kasińką gdzie zechcesz.
9. Kasińka łoże ścielała
   łzami poduszkę skrapiała.
10. Nie na to ja się jednała
    żebym z panami sipiała.
11. Jakiegoś Kasiu rodu jest
    co ty z panami spać niechcesz?
12. Jestem z Krakowa Orłówna
    jeszcze do tego wójtówna.
13. Jestem z Krakowa Orłowic
    jeszcze do tego wójtowic.
14. Podaj mi siostro ostry miecz
    zetnę se główkę zetnę precz.

15. O pierw się bracie spowiedaj
wieleś panienek nazdredzał.

16. Nie zdredziłem ich tylko sto
i ciebie rodzona siostro.

21.

od Kłobucka (Truskolasy, Panki).

Gna-ła pa-ste-recz-ka do - li - ną do - li - ną hej do - li - ną
do - li - ną do - li - ną.

1. Gnała pastereczka doliną
myśliweczek za nią z nowiną.
2. „Zaczekaj pasterko na chwilę
aże ci powiem nowinę."
3. Nowinę jej powiedział
wianeczek jej odebrał.
4. „Zajdźże pasterko do domu
nie powiadaj nikomu.

5. Ona do dom przygnała
braciszkowi pedziała.
6. Wziął braciszek strzelbiczkę
trafił myśliweczka w główeczkę.
7. „Poczekaj szelmo szelmowski
tak to zwodzisz dzieweczki.
8. „Nie uwiodłem tylko sześć
twoja siostra siódma jest."

22. a.

od Żelechowa, (Sokół, Gończyce).

W ko tły bę - bny za-bę-bnio - no na wo-jen-kę roz - ka - za - no
o - dy da-dy da - na o - dy dy-dy dy - na na wo-jen-kę za - trą - bio - no

1. W kotły bębny zabębniono
na wojenkę zatrąbiono.
ody dady dana
ody dydy dyna
na wojenkę zatrąbiono.

2. Jabym tam na nią jechał,
gdyby mi konia osiodłał.
ody dady i t. d.

3. Starsza siostra usłyszała
i konika osiodłała.

6. Od Warszawy (Raków)

4. Młodsza siostra usłyszała
zaraz rzewnie zapłakała,
5. „Nie płacz nie płacz, siostro brata
powróci się za trzy lata."
6. Mie wyszło roku, półtora
już Jasieńko z wojny jedzie.
7. „Jak się macie matko moja
czyli zdrowa Kasia moja.
8. „Zdrowa zdrowa, zdrowiusieńka
tylko idzie za Stasieńka."
9. „A ty chłopcze podaj skrzypce
pójdę jej grać na wesele.
10. Stanę ja se u podwoja
czy mnie pozna Kasia moja?"
11. Kasia Jasia zobaczyła
cztery stoły przeskoczyła,
na piątym się ukłoniła.
12. „Kłaniam, kłaniam, Jasiu pierwszy
a ty Stasiu idź do inszy.
13. Staś mówi: „gdzieś wianek działa
coś mi wczoraj ślubowała."
14. W kościele'm go ostawiła
bym twoją miłą nie była.

22. b.

od Piotrkowa (znana w Radomiu i na Podlasiu)

Słu - żył Ja-sio u pa-na za star-sze - go dwo - rza-na
o - dy da-dy da o - dy da-dy da za star-sze - go dwo - rza - na.

1. Służył Jasio u pana
za starszego dworzana,
ody dady da—ody dady da.
2. I wysłużył Kasieńkę
w siódmym roku dziweńkę.
3. Król na wojnę rozkazuje
Jasio w drogę się gotuje.
4. Matuleńku bądź mi zdrowa
chowajże mi Kasię doma.
5. Do roczeńku do siódmego
do przyjazdu do mojego.
6. Już siódmy roczek schodzi
Jasio z wojny nie przychodzi.
7. W karty grają, psy szczekają,
„wyńdzi służko co tam mają."
8. Wyjrzyj służko na nowy dwór
„czy nie jedzie Jasio mój."
9. Jedzie Jasio uzbrojony
a pod nim koniczek wrony.
10. Przyjechał naprzeciw dwora
„wyńdzi Kasiu serce," woła.
11. „Twoja Kasia nic dobrego
teraz idzie za inszego."
12. „A za kogo za takiego?"
„za starostę Mielżyńskiego." (?).
13. „Podaj mi służko skrzypeczki
pojadę grać na wesele
14. Dla nadobnej Kasineczki,
i szklenicą się podzielę.

15. Stanę sobie w rogu stoła
    niech zobaczy Kasia moja."
16. Skoro Kasia zobaczyła
    przez trzy stoły przeskoczyła.
17. „Ty Jasieńku ty mój pierwszy
    ty starosto szukaj inszej."
18. „Porąbajcie, posiekajcie
    a Kasi mojej nie dajcie.
19. Kto odbiera me kochanie
    niechaj straszne ma skonanie."
20. Wszyscy się tam pasowali
    i szablami wywijali.
21. I Jasio dobył pałasza
    nikogo się nieustrasza.
22. Kasia we środku stanęła
    za rękę Jasia wzięła.
23. Wszystkich wraz rozbroniła
    i do starosty mówiła:
24. „Starosto kłaniam tobie
    bo ja biorę Jasia sobie.
25. Jedź choć z sercem rozgniewaném
    mnie zostaw z Jasiem kochanym."
26. I starosta rozgniewany
    odjechał Kasi kochanej.

Wojcicki P. l. T. 1. str. 53.

22 c.

z nad Omulewa.

1. Już to mija czwarty roczek
   jedzie z dala parobeczek
   hej hej jedzie z dala kochaneczek
2. Kasia siedziała na dzieży
   jak go ujrzy tak wybieży.
3. Jak go ino zobaczyła
   cztery stoły przeskoczyła,
   piąty nóżką obaliła
   hej hej obaliła.
4. „A witajże mój najpierwszy
   wszakciż ty mi był najmilszy."
5. Kasia Jasia uściskała
   mile się z nim przywitała.
6. I Jasio dosiadł konika
   i z Kasińką se umyka.
7. A cierachy (ślachta) się zostali,
   za Kasińką płakali
   hej hej płakali.

Wojcicki P. l. Tom I. str. 114.

22. d.

od Kałuszyna (Wiszniew).

W sur-my gra-ją psy szcze-ka-ją a wyj-rzyj-cież co tam ma-ją a wyj-

rzyj cież co tam ma-ją.

1. „W surmy grają, psy szczekają
a wyjrzyjcież co tam mają.
2. A wyjrzyjcież za nowy dwór
czy nie jedzie kawalir mój."
3. „Jedzie jedzie z cudzej strony
pląsa pod nim konik wrony."
4. I przyjechał do podwoja:
„pomaga – Bóg matko moja,
czyli żyje Kasia moja?"
5. „Wydałam ją za inszego
za muzyka królewskiego."
6. „Podaj chłopcze skrzypce moje
pójdę jej grać na wesele,
7. Stanę ja se u podwoja
zobaczy mnie Kasia moja."
8. Kasia Jasia zobaczyła
cztery stoły przeskoczyła,
na piątym się ukłoniła."
9. „Kłaniam, kłaniam Jasiu pierwszy
a ty sobie szukaj inszej.
10. Szukaj sobie inszej żony
na ten obiad sporządzony."

22 e.

od Wyszkowa, (Niegów. Głuchy).

Słu-żył Ja-sień - ko przy dwo-rze wy-słu-żył Ka - się jak zo-rze

hej — wy-słu-żył Ka - się jak zo-rze.

1. Służył Jasieńko przy dworze
wysłużył Kasię jak zorze.
2. Tylko jedną nockę z nią spał
król mu na wojnę rozkazał.
3. „Ostawiam cię Kasiu w cnocie
jak dyament w szczerym złocie.
4. Do roczeńku do siódmego
do przyjazdu do mojego."
5. Siódmy roczek następuje
Jasio z wojny maszeruje.
6. Kury pieją, psy szczekają,
„wyjrzyj, wyjrzyj co tam mają,
7. Wyjrzyj, wyjrzyj za nowy dwór
czy nie jedzie Jasieńko mój."
8. „Jedzie, jedzie — spuszcza z góry
pod nim bryka konik wrony."
9. I przyjechał w podwóreczko
i zastukał w okieneczko.
10. „Kłaniam, kłaniam matko moja
czy mi chowasz córkę doma?
11. „Czegożem ją chować miała
za drugiegom ją wydała."
12. „A za kogoż za takiego?"
„Za trębacza królewskiego."
13. „Moja matko daj mi skrzypce
pójdę jej grać na wesele."
14. „Niechodź zięciu, nie chodź pierwszy,
bo cię tam pobiją jenszy"
15. „Nie pobiją matko moja,
stanę ja se u podwoja,
oj zobaczy mnie Kasia moja."

16. Kasia Jasia zobaczyła
 przez trzy stoły przeskoczyła.
17. A na czwartym pozostała,
 prawą rączeńkę mu dała.
18. „A cóż tamój takowego,
 złoty sygnet Jasia mego?
19. Witam, witam Jasiu pierwszy
 ty trębaczu szukaj jenszej."
20. „W cudzych stronach ja bywałem
 jenszych żon ja nie szukałem.
21. „Dopierom mu ślubowała
 i takem sobie myślała.
22. Daj mnie Boże ciebie widzić
 odstąpię go żeby i dziś.
23. Pojedź pojedź nieboraczku
 zapłacę ci po trojaczku.
24. Zapłacę ci mało wiele
 za twoje wszystkie niedziele."

22. f.

od Czerwinska (Kromnów, Sladków).

O - że - nił się żoł-nie - re-czek z po-nie-dział-ku na wto - re-czek

po-jął so-bie Ka - si-necz-kę i nie spał z nią tyl-ko noc-kę.

1. Ożenił się żołniereczek
 z poniedziałku na wtoreczek.
2. Pojął sobie Kasineczkę
 i niespał z nią tylko nockę
3. Tylko jednę nockę z nią spał
 na wojenkę precz odjechał.
4. „Bywaj zdrowa, matko moja
 chowajże mi Kasię doma
5. Do roczeńku do siódmego
 do przyjazdu do mojego."
6. Siódmy roczek następuje
 żołnierz z wojny maszeruje.
7. I przyjechał w podwóreczko
 stuku puku w okieneczko.
8. „Wyńdzi, wyńdzi matko moja
 czy mi chowasz Kasię doma."
9. „Wydałam ją za inszego,
 za trębacza królewskiego."
10. „Podaj skrzypce matko moja
 zagram Kasi na wesele."
11. „Ja ci skrzypców nie mogę dać
 ty mi ludzi chcesz rozegnać."
12. „Ja ci ludzi nie rozpędzę
 tylko Kasię widzieć będę.
13. Kasia Jasia zobaczyła
 cztery stoły przeskoczyła,
 na piątym się ukłoniła.
14. „Kłaniam kłaniam Jasiu pirwszy
 poślejniejszy szukaj inszej.
15. Lepsze z pirwszym zakochanie
 niżli z drugim ślubowanie."

22. g.

od Warszawy, (Czerniaków).

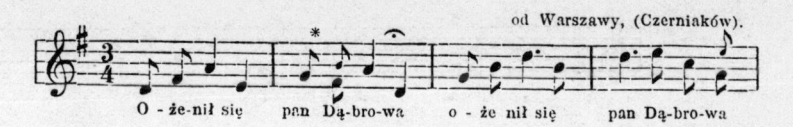

O - że-nił się pan Dą-bro-wa o - że nił się pan Dą-bro-wa pan Dą-bro-wa od Kra-ko-wa pan Dą-bro-wa od Kra-ko-wa.— pan Dąbrowa

1. Ożenił się pan Dąbrowa
pan Dąbrowa od Krakowa.
2. Pojął sobie panieneczkę
w dwunastu latach dziweczkę.
3. Jeszcze i nocki z nią nie spał
król go na wojnę odesłał.
4. „Trzymaj ją matko roczków ze sześć siódmego ją podziej gdzie chcesz.
5. Siódmy roczek już nadchodzi
już się Kasi za mąż godzi.
6. Przyjechał Jasio z wojenki
i przywiózł Kasi sukienki.
7. „Wyjrzyj, wyjrzyj matko nasza
byś żądała szwagra Jasia."
8. I stanął se u podwoja
„Kłaniam, kłaniam matko moja
a gdzie jest córka twoja?"

9 „Idzie ona za inszego
za trębacza krakowskiego."
10. „Niechże ona idzie zdrowa
będzie zaraz ona moja."
11. I stanął se u podwoja
„wyjrzyj, wyjrzyj Kasiu moja."
12. Kasia Jasia zobaczyła
cztery stoły przeskoczyła,
piąty nóżką obaliła.
13. Wlazł na lipkę i zapłakał
„czegoż ja też tu doczekał.
14. Lipko moja rozwiń mi się
Kasiu moja namyślij się."
15. „Jużem ja się namyślała
Dąbrowskiemu wianek dała."

22. h.

od Biały w Rawskiem (Grzymkowice).

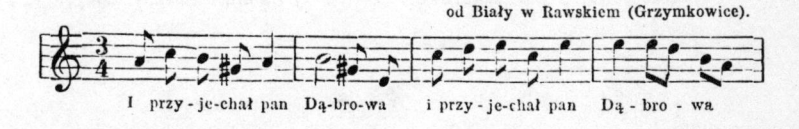

I przy-je-chał pan Dą-bro-wa i przy-je-chał pan Dą - bro - wa czte-ry mi-le od Kra-ko - wa, czte-ry mi - le od Kra-ko-wa.

Inni tak śpiewają:

I przy-je-chał pan Dą-bro-wa i przy-je-chał pan Dą-bro-wa czte-ry mi-le od Kra-ko-wa czte-ry mi-le od Kra-ko-wa.

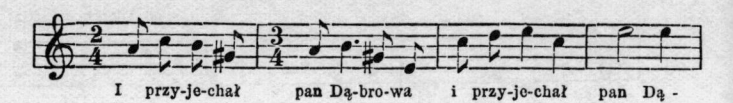

1. I przyjechał pan Dąbrowa
cztery mile od Krakowa.
2. Pojął sobie Kasineczkę
te krakowską panieneczkę.
3. Jeszcze z nią nocki nie przespał
już na wojenkę pojechał.
4. „Oddaję ci matko córkę —
córkę twoją, żonkę moją..
5. Chowajże ją roczek i sześć
a w siódmym ją podziej gdzie chcesz."
6. Siódmy roczek już nadchodzi
Kasińce się za mąż godzi;
7. Wydaje ją za inszego
za starostę Krakowskiego.
(*albo* za Jasieńka Krakowskiego).
8. Poszła Kasia do kościoła
jedzie z wojny pan Dąbrowa.
9. „Kłaniam, kłaniam matko moja
gdzie twa córka, żonka moja?
10. „Wydaję ją za inszego
za starostę Krakowskiego
(za Jasińka krakowskiego).
11. „Podaj że mi skrzypce moje
będę jej grać na wesele."
12. Wlazł na lipkę i zapłakał
„a czego ja też doczekał?
13. Lipko moja rozwiń mi się
Kasiu moja namyśli się."
14. Jużem ja się namyśliła
cztery stoły przeskoczyła
piąty nóżką obaliła.
15. Ty Dąbrowski ty mój pirwszy
ty Jasińku szukaj inszyj."

22. 1.

od Gniezna.

Wy-je-chał pan na wo-jacz-kę wy-je-chał pan na wo-jacz-kę

spo-tkał pan-nę   Zo - si-necz-kę   spo-tkał pan-nę   Zo - si-necz-kę.

1. Wyjechał pan na wojaczkę
spotkał pannę Zosineczkę.
2. I zawiózł ją do rodziny
do swej matki do jedyny.
3. „Moja matuś ja cię proszę
wychowaj mi moją Zosię.
4. Aż do roczku do siódmego
do przyjazdu do mojego."
5. Siódmy roczek już nadchodzi
już się Zosi za mąż godzi;
6. Pan Dąbrowa z wojny jedzie
trzysta koni z sobą wiedzie.
7. A do domu przyjechawszy
po pokojach poglądawszy,
8. „Moja matuś ja cię proszę
wydaj że mi moją Zosię.

9. „Wydałam ją za inszego
za trębacza królewskiego."
10. „A dajcie mi te piszczele
pójdę jej grać na wesele."
11. „Niechodź że ta, bobyś zdradził
wesele byś rozprowadził."
12. „Matuleńku nie na zdradę,
do Zosińki na biesiadę.
13. A stanę ja w końcu stoła
zobaczy mnie Zosia moja."
14. Zosia także zobaczyła
przez trzy stoły przeskoczyła.
15. „Witajże panie Dąbrowa
siedem lat mnie boli głowa.
16. Dopiero mi wyszumiała
jakem ciebie oglądała.
J. Lipiński P. l. Wielkop. str. 159.

22. k.

od Dobrzynia n. Drwęcą (Działyń).

I za - je-chał w po-dwó - recz - ko   i za - je-chał w po-dwó - recz-ko

i za - pu-kał   w o - kie-necz-ko   i za - pu-kał   w o - kie - necz-ko.

1. I zajechał w podwóreczko
i zastukał w okieneczko.
2. Sama matka wyleciała
białe rączki załamała,
modre oczki upłakała.
3. „Wy matusiu jak się macie,
a czy Kasię w domu macie?"

4. „Wydałam ją za jennego
za trębacza wojskowego."
5. „A dajcie mi skrzypce moje
pójdę im grać na wesele;
6. Ustanę ja w rogu stoła
czy mnie pozna Kaśka moja."

7. Kaśka Jaśka zobaczyła
cztery stoły przeskoczyła,
na piątym się ukłoniła.

8. „Witaj że Dąbrowski milszy
a ty trębacz szukaj inszej.
9. Jemu będę ślubowała
bom go sobie ukochała."

22. l.

od Osterode

1. Z poniedziałku na wtoreczek
przywędrował żołniereczek (*albo*: ożenił się.)
2. Jeno jedną nockę spał
a na drugą odwędrował.
3. „Zostań z Bogiem matko moja
chowajże mi córkę doma.
4. Aż do roczku do siódmego
do przyjazdu żołnierskiego."
5. Siódmy roczek następuje
żołnierz z wojny maszeruje:
6. „Szczęść ci Boże (*albo*: witaj, witaj matko moja),
chowałażeś córkę doma?"
7. „Oj chowałam ja chowała
za drugiegom ją wydała
8. „A za kogoż takowego?"
„za trębacza królewskiego."
9. „Podaj matko skrzypce moje
pójdę jej grać na wesele.
10. „Ach nie chodźcie ino siedźcie
bo się z niemi pobijecie"
(*albo*: oj nie chodźcie, moje dziecię
bo mi ludzi rozdraźnicie.)

11. „Nie na bitwę, nie na zwadę
do Kasiuchny na biesiadę.
12. Usiądę ja w rogu stoła
obaczy mnie Kasia moja."
13. Kasia Jasia obaczyła
cztery stoły przeskoczyła.
14. A na piątym rączkę dała
a na szóstym ślubowała.
15. Lepszy pierwszy ukochany
niżli drugi ślubowany.
16. Bo ten pierwszy to znajomy
a ten drugi z cudzej strony.
17. „A ty chłopcze z cudzej strony
wsiądź na konia, szukaj żony."
18. Wsiadł na konia i zapłakał
„oddajże mi com ci zadał.
19. Zadałem ci trzy dukaty
oddajże mi aby złoty."
20. „Oj zaczekaj nieboraczku
będę wracać po trojaczku."
21. Lepsze pierwsze zakochanie
niżli z drugim ślubowanie.

ze zbioru ks. Gizewiusza.

22. m.

z Galicyi.

1. Wziął Jasio Kasiuneczkę
w siódmym roku za żoneczkę.

2. Król na wojnę rozkazuje
Jasio w drogę się gotuje.

3. Oddał Kasię do rodziny
   do matusi do jedynej.
4. „Trzymaj matko Kasię moję
   do roczeńku do siódmego,
   do przyjazdu do mojego."
5. A w niedzielę po obiedzie
   pan Kołtoński z wojny jedzie.
6. W zamku grają, psy szczekają
   patrzy matka co tam mają.
7. „Kłaniam, kłaniam matko moja
   a czy zdrowa Kasia moja?"
8. „Zdrowa, zdrowa dla innego
   dla starosty Bilińskiego."
9. „Daj mi matko skrzypce moje
   niech ja zagram Kasi swojej."
10. „Oj synu mój źle mi radzisz
    wesele mi rozprowadzisz."
11. „Siądę ja sy na konia sokoła
    czy mnie pozna Kasia moja?"
12. Jak go Kasia zobaczyła
    cztery stoły przeskoczyła.
13. Pan Biliński z swojej strony
    musiał szukać inszej żony.
    (Lepsze było nie znać się
    niż kochawszy rozstać się).

Żeg. Pauli P. l. p. w Gal. str. 107.
Wojcicki P. l. Tom 1. str. 287.
J. Konopka P. l. Krak. str. 121.

22. n.

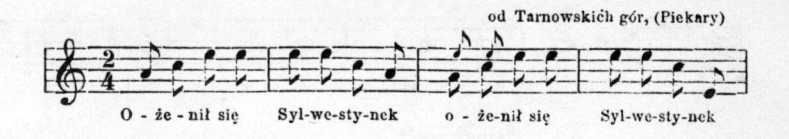

od Tarnowskich gór, (Piekary)

O - że - nił się Syl-we-sty-nek o - że-nił się Syl-we-sty-nek

Syl-we - sty-nek miej-ski sy - nek.

1. Ożenił się Sylwestynek
   Sylwestynek miejski synek.
2. Pojął ci sę kochaneczkę
   w siedmiu latach Kasineczkę.
3. „Naści matko córkę swoję
   córkę swoję, żonkę moję.
4. Chowaj że ją roczek i sześć
   a na siódmy daj komu chcesz."
5. Już ci siódmy roczek idzie
   Kasia za innego idzie.
6. Jasineczek z wojny jedzie
   i stanął se przede wrota
   nieznać strzébła ode złota.
7. „A dajcież mi dudki moje
   zagram Kasi na wesele."
8. A on se siadł na róg stoła
   suknia na nim fabelowa.
9. Jak go Kasia zobaczyła
   przez pięć stołów przeskoczyła.
10. „A witajże mój najpirwszy
    zalotniczku mój najmilszy."

22. o.

od Kozienic (Starawieś)

W ko-tły bę-bny u - de - rzo-no na wo-jen-kę po - wo - ła - no da - li da - li da - li da - li da - li da - li na wo-jen-kę po - wo-ła - no.

patrz Nr. 22. a.

22. p.

od Warszawy i Pragi (Las, Zerzeń).

Na Po - do - lu w szczy-rym po - lu sto - i ku-źnia sto - i ku-źnia na ka - mie - niu sto - i ku-źnia sto-i ku-żnia na ka-

*albo

mie - niu. — do - lu

1. Na podolu w szczyrem polu
stoi kuźnia na kamieniu.
2. A w tej kuźni kowal kuje
nigdy ognia nie zgasuje.
3. Ty kowalu kowalczyku
ukuj że mi trzech koników.
4. Ukuj że mi bardzo rano
na wojenkę nakazaną.
5. Na wojenkę mam pojechać
swoją żonę matce oddać.
6. Naści matko córkę swoję
ślubowaną żonę moję.
7. Chowajże ją roczek i sześć
a siódmego oddaj gdzie chcesz.
8. Już siódmy roczek nadchodzi
Kasińce się za mąż godzi.
9. Skrzypce grają, psy szczekają
,,wyjrzyj chłopcze co tam mają.
10. Wyjrzyj chłopcze za nowy dwór
czy nie jedzie Jasieńko mój."
11. Jedzie, jedzie z ślubnej góry
a pod nim koniczek wróny.
12. ,,Po czem żeś go chłopcze poznał
żeś go zaraz moim nazwał?"
13. Po siodełku po zielonym
po koniczeńku po wronym.
14. Przyjechał ci w podwóreczko
stuku puku w okieneczko.

15. Wyjrzyj, wyjrzyj matko moja
czyli chowasz córkę doma?
16. Wydałam ją za inszego,
za pisarza nadwornego.
17. Podaj chłopcze skrzypce moje
pójdę jej grać na wesiele.
18. Pomalusku Jasiu idźcie
aby się tam nie pobijcie.
19. Nie bójcie się matko moja
stanę ja se w rogu stoła.
20. Czy mę pozna czy nie pozna
Kasia moja.
21. Kasia Jasia zobaczyła
cztery stoły przeskoczyła
a za piątym się skłoniła.
22. Kłaniaj kłaniaj Jasiu pierwszy
kawalerze mój najmilszy.
23. A ty drugi szukaj żony
póki masz lud zaproszony.
24. A gdzieżeś te śluby działa
coś je ze mną ślubowała?
25. Jest w kościele ołtarz duży
tam zostały nasze śluby.
26. Ty Kasieńku ślicznej cnoty
a wróć że mi choć ze złoty.
27. Kasia Jasia użaliła
choć talara mu wróciła.

Mel. patrz pieśń: Za górami, za lasami tańcowała Małgorzata z huzarami.

23.

od Osterode.

Był tam sto-łarz miesz-ka-ją cy z mał-żon-ką w zgodzie ży-ją-cy pięć-dzie-siąt lat z so-bą ży - li w sta-ro-ści cór - kę spło-dzi - li. Ta có-recz-ka się cho-wa-ła o - na na to nic nie dba-ła ży - ła cno - tli - wie.

1. Był tam stolarz mieszkający
z małżonką w zgodzie żyjący.
2. Pięćdziesiąt lat z sobą żyli
w starości córkę spłodzili.
3. Ta córeczka się chowała —
ona na to nic niedbała,
żyła cnotliwie.
4. W jednem mieście zegiermistrz był
tę pannę sobie oblubił.
5. I jak ci ją odejść miał
coś jej za ślub oddać miał
on ostatni raz.
6. Zdjął z palca pierścień złoty:
„na że, na że, ma najmilsza
toć to ślub nasz."
7. Trafiło się w krótkim czasie
i przyszedł ci złotnik zasie,
on ją mile chciał.

8. Do wesela onego
przyszedł z kraju obcego
on pierwszy bratkan.
9. I pytał się ludzi wiele
„a cóż to tam za wesele
co ja go słyszę."
10. A ludzieć mu mówią o tem:
„że ta panna z tym złotnikiem,
on ją mile chciał."
11. „Muszę ja tam do niej iść
abym ja się mógł z nią zejść,
na pogadanie."
12. A on bez próg wstępujący
i wyjąwszy miecz brojący
co z sobą nosił.

13. Ciął Jasieczka bez piersi,
wyjął prędko, i sam się — (*przebił*)
córka: „stój! woła.
14. Matko, matko, wasza wola
moja nie była."
15. Matka to obaczyła
prędko prowóz porwała
obwiesiła się.
16. Ojciec nożem chleb krajał
przerznął gardło i tam padł,
już więcej nie wstał.

(w zwrotkach tych do każdego *krótszego* wiersza
używa się dwóch ostatnich taktów melodyi).

ze zbioru ks. Gizewiusza.

24. a.

od Wielunia (Rudlice, Skrzynno).

A mo-ja ko-cha-na a mo-ja wdo-wu-niu a przyj-mij-że mnie żoł-nie-rzz na noc-kę do do-mu.

1. „A moja kochana
a moja wdowuniu,
a przyjmijże mnie żołnierza
na nockę do domu."
2. „Nie przyjmę żołnierzu
nie przyjmę rycerzu,
moja główka sfrasowana
siedem lat po mężu.
3. Siedem lat wędruje
siedem lat wojuje,
a ja nie wiem biedna wdowa
czy umarł czy żyje."
4. I otarł pot z czoła
i siadł na róg stoła,

da i rzucił złoty pierścień
do koła, do koła.
5. „Dla Boga dla Boga
dla Boga żywego,
da poznałam złoty pierścień
Jasieńka mojego."
6. Siedem świec spaliło
siedem świec spaliło —
niżeli się owo państwo
do siebie przyznało.
7. I ósmej połowa
i ósmej połowa —
„już ja teraz mężateczka
nie wdowa, nie wdowa."

24. b.

od Radomia, (Odechów).

Wdo-wa po-kój fun-du-je żoł-nierz jej się dzi-wu-je
Nie dzi-wuj się żoł-nie-rzu nie dzi-wuj się żoł-nie-rzu bo ja wdo-wa
sfra-so-wa-na mąż na woj-nie wo-ju-je sa-ma nie-wiem czy ży-je
czy-li jesz-cze wo-ju-je.

1. Wdowa pokój funduje
żołnierz jej się dziwuje.
„Nie dziwuj się żołnierzu (*bis*)
bo ja wdowa sfrasowana,
mąż na wojnie wojuje—
sama niewiem czy żyje
czyli jeszcze wojuje."

2. „A czy każesz wdowuniu
na podwórko zajechać."
„Oj nie każę żołnierzu (*bis*)
bo ja wdowa sfrasowana
mąż na wojnie wojuje —
sama niewiem czy żyje
czyli jeszcze wojuje."

3. „A czy każesz wdowuniu
moim koniom obrok dać?"

„Oj nie każę żołnierzu (*bis*)
bo ja wdowa sfrasowana i t. d.

4. „A czy każesz wdowuniu
moim ludziom obiad dać?"
„Oj nie każę żołnierzu (*bis*)
bo ja wdowa sfrasowana i t. d.

5. „A czy każesz wdowuniu
mnie samemu obiad dać?"
„Oj nie każę żołnierzu (*bis*)
bo ja wdowa sfrasowana i t. d.

6. Siedli sobie za stolcem
taczają se pierścicńcem.
Już cztery świece zgorzało
niż się państwo poznało
i piątej do wpołowa
„a już ci ja nie wdowa
już mąż u mnie w pokoju."

24. c.

od Piaseczna (Łęg na Urzeczu, Opacz).

Żoł-nie-rzy nic wi-dać żoł-nie-rzy się py-tać da-wno mąż mój wo - ju - je   a ja nie wiem   czy ży - je.

1. Żołnierzy nie widać
żołnierzy się pytać,
dawno mój mąż wojuje
a ja niewiem czy żyje.
2. Mówiłam pacierzy
prosiłam żołnierzy,

bo ja wdowa sfrasowana
nie mam już męża i pana.
3. „A każesz mi obiad dać."
„Oj nie każę żołnierzu
bo ja wdowa sfrasowana
nie mam już mężą i pana.

24. d.

od Warszawy, (Wilanów).

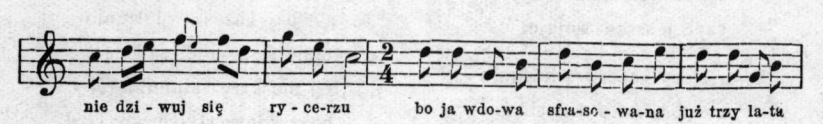

Wdo-wa dwór   bu - du - je   wdo-wa dwór   bu - du - je   żoł-nierz jej się

dzi-wu-je   żoł-nierz jej się   dzi - wu-je.   Nie dzi-wuj się   żoł-nie-rzu

nie dzi - wuj się   ry - ce-rzu   bo ja wdo-wa   sfra-so - wa-na   już trzy la-ta

o-wdo-wio-na   mąż na woj-nie   wo-ju-je   sa - ma nie wiem czy ży-je.

1. Wdowa dwór buduje (*bis*)
żołnierz jej się dziwuje.
Nie dziwuj się żołnierzu
nie dziwuj się rycerzu
bo ja wdowa sfrasowana
już trzy lata owdowiona —
mąż na wojnie wojuje
sama niewiem czy żyje.
2. Każesz że wdowulu (*bis*)
na podwórze zajechać (*bis*)

Nie każę żołnierzu
nie każę rycerzu
bo ja wdowa i.t. d.
3. Każesz że wdowulu (*bis*)
moim koniom do stajni (*bis*)
Nie każę żołnierzu i.t. d.
4. Każesz że wdowulu
moim koniom siana dać.
Nie każę żołnierzu i.t. d.

5. Każesz że wdowulu
   moim koniom wody dać.
   Nie każę żołnierzu i.t. d.
6. Każesz że wdowulu
   moim sługom obiad dać.
   Nie każę żołnierzu i.t. d.
7. Każesz że wdowulu
   mnie samemu obiad dać.

Nie każę żołnierzu i.t. d.
8. I usiadł w rogu stoła
   turnął pierścień do koła,
   w fartuszek go złapała —
   pani pana poznała.
   Siedem świec tam zgorzało
   nim się państwo poznało.
   i ósmej połowa —
   nasza pani nie wdowa.

24. e.

od Bodzanowa (Łętowo, Mąkolin).

Wdo-wa dwór bu-du-je wdo-wa dwór bu-du-je żoł-nierz jej się dzi-wu-je żoł-nierz jej się dzi-wu-je.

1. Wdowa dwór buduje (bis)
   żołnierz jej się dziwuje
2. „Każesz że wdowulu
   mnie w podwórko zajechać?"
   „Nie każę panulu
   bo ja wdowa sfrasowana
   nie mogę ja nocki spać
   bo mój mąż na wojnie
   siedem lat wojuje,
   sama nie wiem czy żyje."
3. „Każesz że wdowulu
   moim ludziom obiad dać?"
   „Nie każę panulu.
   bo ja wdowa sfrasowana
   nie mogę ja nocki spać,
   bo mój mąż na wojnie
   siedem lat wojuje,
   sama niewiem czy żyje."

4. Każesz że wdowulu,
   mnie samemu obiad dać?"
   „Nie każę panulu
   bo ja wdowa i.t. d.
5. „Każesz że wdowulu
   mnie samemu łoże słać?"
   „Nie każę ja panulu,
   bo ja wdowa i.t. d.
6. Puścił pierścień po stole
   „patrzaj pani czy twoje?"
   „Dla Boga świętego
   pierścień to pana mojego."
   Dwie świece zgorzały
   niż się państwo poznali —
   i trzeciej połowa —
   chwała Bogu nie wdowa.

24. f.

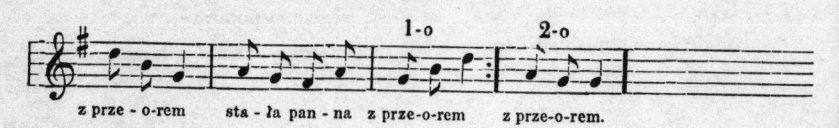

od Wyszkowa.

A wie-czo-rem za bo-rem a wie-czo-rem za bo-rem sta-ła pan-na z prze-o-rem sta-ła pan-na z prze-o-rem z prze-o-rem.

1. A wieczorem za borem
   stała panna z przeorem.
2. Stała, stała płakała
   złotą rutkę zbierała.
3. Oj zbierała, zbierała
   na wianeczek zerwała.
4. „Naści tobie przeorze
   idź że sobie nieboże."
5. „Nie przeór ja nie przeór
   jeno żołnierz - Jasio twój."
6. „A zkądżeś ty w takowym
   w kaptureczku czerwonym.
7. „A z Rusi ja głębokiej
   gdziem wojował dwa roki."
8. „A cóż cię tak przebrało
   że cię w księdza wydało."
9. „Przebrał ci mnie mróz i śnieg
   co mi na kark z bólem biegł"
   (kajem legł).
10. Przebrał ci mnie wielki strach
    co mi na kark z głodem lazł."
11. „A pocóżeś tam chodził
    gdzieś niepotrzebny był."
12. „Bogać chodził — zagnali,
    chleba, butów nie dali."
13. „Pójdź że Jasiu, pójdź księże
    niech cię matuś rozwiąże.
14. Pójdź że Jasiu, pójdź żywo
    do tatusia na piwo.
15. Pójdź że Jasiu na nocleg
    bo wyglądasz jako zbieg.
16. By szubiennik by jaki —
    pójdź do matuś na flaki."

24. g.

od Osterode.

1. Na majowej rosie
   Jasiek konia pasie.
2. Pasający śpiewa
   łzami się zalewa.
3. „Zrzyj koniu tę trawę
   pojedziewa w drogę.
4. Pojedziewa w drogę
   po naszą niebogę.
5. Na most koniu, na most
   (*albo*: stąpaj koniu na most).
   do Krakowa na noc.

6. Z Krakowa do Lgnowa *albo*:
   Elgnowa).
   jest tam grzeczna wdowa."
7. Wdowa dwór buduje
   złotem go maluje;
8. „Cóż ci wdowo po tém
   po tym dworze złotym?"
9. „Cóż komu do tego
   do dworu mojego?
10. Mam ja troje dziatek
    samam jako kwiatek.
11. Kiedy mię pozbędą
    za mną płakać będą.
12. W nim ci mieszkać będą
    w tym dworze żyć będą."
13. „Dajże mi chusteczki
    z twojej kieszoneczki,
14. Co się będę cieszył
    a do ciebie śpieszył."
15. Za roczeczek za dwie
    a za trzeci ledwie.

Ze zbioru ks. Gizewiusza.

25. a.

od Łowicza, (Złaków kościelny i borowy).

A w Kra-ko-wie na u-li-cy tra ra ra ra ra pi-ją pi-wko rze-mieśl-ni-cy tra ra ra ra.

1. A w Krakowie na ulicy
   piją piwko rzemieślnicy;
2. Piją piją, przepijają,
   grzeczną Kasię namawiają.
3. A jak ci ją namówili
   do pojazdu ją wsadzili.
4. „Siadaj Kasiu siadaj z nami
   będzie z ciebie grzeczna pani"
5. Kasia wsiadła, pojechała
   matka o tem nie wiedziała;
6. Matka wstała do kądzieli
   szuka Kasi po pościeli.
7. „Wstajcie bracia wstajcie oba
   szukać Kasi — bo jej trzeba."
8. Bracia wstali, pojechali
   i we Lwowie ich dognali.
9. I dognali ich we Lwowie
   śliczna Kasia czép na głowie.
10. „O Jasiu bym powiedziała
    bym się zdrady nie bojała."
11. „Ty się żadnej zdrady nie bój
    tylko powiedz gdzie Jasio twój."
12. „Siedzi Jasio za stolikiem
    pije piwko z pacholikiem."

25 b.

od Kalisza.

A w Kra-ko-wie na u-li-cy pi-ją wi-no ka-no-ni-cy

pi - li   pi - li   za-pła - ci - li   grzecz-ną pan - nę   na - mó - wi - li

grze-czną pan - nę   na - mó-wi - li.

1. A w Krakowie na ulicy
   piją wino kanonicy (*kanoniery*)
2. Pili, pili, zapłacili,
   grzeczną pannę namówili.
3. A jak ci ją namówili
   do powozu ją wsadzili.
4. Matka spała, nie wiedziała
   gdzie córusia wędrowała.
5. „Wstańcie, wstańcie syny moje
   gońcie, gońcie siostrę swoję;
6. A jak ci ją dogonicie
   ręce, nogi obetnijcie."
7. Dogonili ją we Lwowie
   ona stoi w złotogłowie.
8. „Kłaniam, kłaniam siostro nasza

gdzieś podziała swego Jasia?"
9. „Nie powiem wam bracia mili
   bo byście mi go zabili."
10. „Nie bój, nie bój siostro nasza
    nie spadnie włos z twego Jasia."
11. „Chodzi sobie po ryneczku
    sługa za nim po miemiecku."
12. „Kłaniam, kłaniam szwagrze młody
    napijmy się krwi jak wody."
13. „Nie w takich ja wojnach bywał
    krwi jak wody ja nie pijał."
14. Wziął go jeden wedle pasa:
    już płynie krew z mego Jasia.
15. Wziął go drugi wedle szyje:
    już krew Jaś za wodę pije.

25. c.

od Kutna i Krośniewic.

A w Kra-ko-wie   da w Kra-ko-wie   tam pi - ja - li   sze-wczy-ko-wie

to - dy da   to-dy da   up-sa sa   to-dy da   to-dy da   up-sa sa

1. A w Krakowie da w Krakowie
   tam pijali szewczykowie.
2. Pili, pili, nie płacili
   i dziewczynę namówili.
3. A jak że ją namówili
   do karety posadzili.
4. Wstaje matka od kądzieli
   szuka córki po pościeli.

5. „Wstańcie bracia, wyjeżdżajcie, siostrę waszą doganiajcie."
6. Gnali, gnali, nie dognali aż ją w Warszawie spotkali.
7. Chodzi sobie po ryneczku nosi dziecię w fartuszeczku.
8. „Kłaniam, kłaniam siostro nasza gdzieś podziała szwagra Jasia?
9. „Jabym wam to powiedziała żebym się zdrady nie bała."
10. „Ty się siostro zdrady nie bój jeno powiedz keń Jasio twój."
11. „Siedzi sobie za stołami pije wino z szewczykami."

12. „Witaj, witaj, szwagrze młody napijesz się krwi jak wody."
13. „Srebro, złoto zabierajcie, jeno Jasia nie rąbajcie."
14. „Srebro złoto zabierzemy i Jasieńka porąbiemy."
15. Pierwszy uciął kwatereczką, drugi uciął szabeleczką.
16. Trzeci uciął go w olszynie. „patrzaj Kasiu Jasio ginie."
17. Czwarty rozdarł bok rozcięty „to masz Jasiu psie przeklęty."

Wojcicki P. l. Tom I. str. 111.
Wacł. z Oleska P. l. w Gal. str. 509.

25. d.

od Osterode, (Kraplewo).

A w Lu-ba-wie na ry-necz-ku pi-ją pi-wko z go-rza-łecz-ką

pi-ją pi-wko z go - rza-łecz-ką.

1. A w Lubawie na ryneczku piją piwo z gorzałeczką.
2. Piją, piją rozlewają grzeczną damę namawiają.
3. A jak ci ją namówili w kolaseczkę ją wsadzili.
4. Matka wstała, zawołała córki nie masz kieni spała.
5. „Wstawaj synu ty najstarszy siodłaj konia co najlepszy
6. Wstawaj synu ty średniejszy siodłaj konia co podlejszy.
7. Wstawaj synu ty najmłodszy bądź starszemu do pomocy —
8. A gońtaż mi córkę moję córkę moję, siostrę swoję. (*albo:* a podobno siostrę swoję).
9. A jak ci ją dogonita ręce nogi obetnijta.
10. Dogonili ją w Krakowie ona chodzi w złotogłowie. (Dogonili ją w Pułtusku ona chodzi w jadamaszku).

11. „Witaj witaj siostro nasza
pokaż że nam swego Jasia"
12. „Jać bym wam go pokazała
bym się zdredy nie bojała."
13. „Ty się Kasiu zdredy nie bój
tyś je siostra, a ja brat twój."
14. „Hajno chodzi po ryneczku
nosi suknię (czapkę) po szlachecku
15. Hajno chodzi pod oknami (*lub* pod sieniami).
nosi czapkę z filarami
(*lub* ma skórzaki z szylorami.)
16. Hajno siedzi za stolikiem
pije piwko z pacholikiem."
17. Witaj witaj szwagrze młody
napijem się krwi jak wody."
18. Jeden ci go z przodku wita
a drugi go z tyłu chwyta.
19. A ten trzeci nic nie rzecze
jeno z wierzchu mieczem siecze.
20. Ocięlić go aż do kości,
Kasia mgleje od żałości.
21. Ocięlić go aż do pasa:
„naż to tobie, siostro nasza.
22. „Podaj Kasiu twą chusteczkę
co ja utrę swą rączeczkę."
23. „Nie przed ciebiem ją sprawiała
cobym ci ją krwawić dała."
(*albo:* Idź że Kasiu do komory
a wynieś mi obrus biały.
Nie na tom ja obrus prała
co bym ci go krwawić dała).
24. Idź że Kasiu do skrzyneczki
a podaj mi me chusteczki."
25. „Nie na tom ja chusty prała
co bym ci je krwawić dała."
26. „Idź że Kasiu do mej matki
a przynieś mnie byle szmatki."
27. „U twej matki drobne dziatki
zdadzą jej się lada szmatki."
28. „Idźże Kasiu do piwnicy
wynieś im pić we szklenicy.
29. I poczęstuj bratów swoich
bratów swoich, katów moich"
(*albo:* a podobno katów moich).
30. „Nie na tom ja piwo brała
cobym ci go rozlewała."
31. „Idź że Kasiu do obory
wypądź sobie cztery woły.
32. Co mię będziesz pamiętała
żeś dobrego Jasia miała."

ze zbioru ks. Gizewiusza.

25. e.

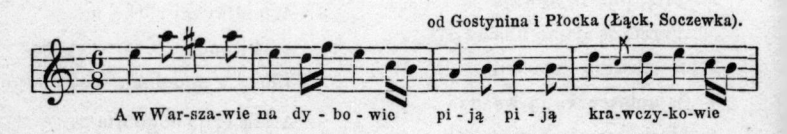

od Gostynina i Płocka (Łąck, Soczewka).

A w War-sza-wie na dy - bo - wie   pi - ją   pi - ją   kra-wczy-ko-wie

pi - ją   pi - ją   kra-wczy - ko - wie.

niektórzy (acz rzadziej) śpiewają to w takcie ³/₄

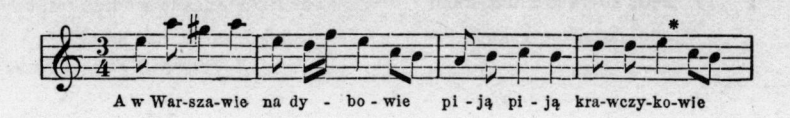

A w War-sza-wie na dy-bo-wie pi-ją pi-ją kra-wczy-ko-wie

* albo: *pi-ją pi-ją kra-wczy-ko-wie kra-wczy-ko-wie*

albo: *kra-wczy-ko-wie.*

1. A w Warszawie na dybowie
piją piją krawczykowie.
dalej patrz N. 25. d. i c.
15. Jeden go ciął kole kolan:
na cóżeś nam siostrę pojąn (*pojął*).
16. Drugi go ciął kole pasa
jużeś teraz siostro nasza.
17. Trzeci go ciął kole szyje
jużci Jasio krewkę pije.
18. „Bież że Kasiu do komory
przynieś że mi ręcznik biały;
19. Bież że Kasiu do piwnicy
przynieś że tam bawełnicy."
20. „Nie na to ją siostra miała
żeby ci ją krwawić dała."
21. Bież że Kasiu do skrzyneczki
wybierz że tam talareczki.

25. f.

dolina Kościelisko w Tatrach.

1. W Chochołowie na ryneczku
piją chłopcy palineczku (*wódkę*).
2. Jedni piją drudzy grają
trzecie dziewcze namawiają.
3. A skoro go namówili
na koniczka wysadzili.
4. „Jedź, jedź Kasiu nasza
nie dowi się matka wasza."
5. A matka się dowiedziała
sąsiada jej powiedziała.
6. „A łapajcie Kasię swoję,
a kandy ją dościgniecie
rączki, nóżki obetniecie."
7. Dościgli ją aż we Lwowie
ona stoi w złotogłowie.
8. „Witaj że ty Kasiu nasza
gdzieś podziała swego Jasia?"
9. „Oto jest za stołami
pije piwko z husarami."
10. „Chodźcie ino szwagrze młody
będzie krwi jako wody."
11. „Srebro złoto odbirajcie
mego Jasia nie rubajcie."
12. Srebro złoto odebrali
mego Jasia porubali.
13. Zacięli go wedle pasa:
i to z tobą Kasiu nasza.
14. Zacięli go wedle brody:
otóż tobie szwagrze młody!
15. Wielka się mi wola stała
młoda wdowa wnet ostała.
16. „Będę chodzić po kiermaszach
jako sarna po szałasach.

17. Będę zbyrkać kluczykami
jako sarna różyczkami.

18. Będę skakać wedle krzaki
jako sarna bez potoki.
L. Zejszner. P. Podhalan str. 121.

25. g.

od Bochni.

A w Kra-ko-wie na grzy-bo-wie a w Kra-ko-wie na grzy-bo-wie

hej hej hej hej pi - li pi-wko sze-wczy-ko-wie.

1. A w Krakowie na na grzybowie (*bis*)
pili piwko szewczykowie;
2. Jeszcze nie powypijali
grzeczną pannę namawiali.
3. A jak ci ją namówili
do powozu ją wsadzili.
4. Matka o tem nie wiedziała
szynkarka jej powiedziała.
5. Matka wstaje od kądzieli
szuka córki po pościeli.
p. N. 25 b. do wierza 10.
11. A no li jest za stolikiem
pije piwko z pacholikiem.
12. „Srebro złoto zabierajcie
a Jasieńka nie rąbajcie."
13. „Witaj witaj szwagrze młody
napijesz się krwi jak wody"

14. „Nie w takich ja wojnach bywał
krwie jak wody ja nie pijał
15. Idźże Kasiu do piwnicy
utocz wina dwie szklenice."
16. A on do nich ze szklaneczką
a oni go szabeleczką.
17. Jeden rąbie wedle pasa
„naści teraz jucho nasza!"
18. „Drugi rąbie wedle pięty:
naści teraz psie przeklęty!"
19. „Trzeci rąbie koło szyje:
za siostrę cię szwagrze biję!"
20. Zaczem siostra z winem przyszła
to już z Jasia dusza wyszła.
21. Srebro, złoto zrabowali
i Jasieńka porąbali.
Żeg. Pauli P. l. p. w Gal. str. 102.

25. h.

od Pilicy, Kromołowa (Szyce, Dzwonowice).

A w Kra-ko-wie na u - li - cy pi-ją pi-wko pa - cho-

li - cy   pi - ją pi - ją   na - le - wa - ją   Ma - ry - się se

na - ma - wia - ją.

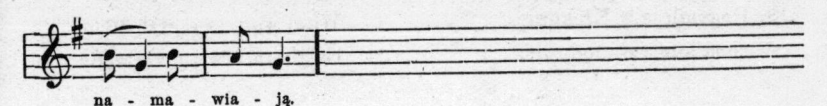

1. A w Krakowie na ulicy
pią piwko pacholicy.
2. Piją, piją nalewają
Marysię se namawiają.
3. Jak ci se ją namawiali
ojciec matka nie słychali.
4. Jak się matka dowiedziała
swoim synom powiedziała.
p. N. 25 b. od wiersza 5 do 8.
9. A on stoi na ganeczku
w złotym ślubnym kaftaneczku.
N. 25. b. od wiersza 8 do 13.
14. Ciął go jeden wedle szyje:

już się szwagier krwie napije.
15. Ciął go drugi wedle pasa:
przypatrz że sie siostro nasza.
16. Ciął go trzeci pod kolana:
patrzaj siostro jaka rana!
17. Ciął go czwarty wedle pięty
już ci jest Jasio zacięty.
18. „Siadaj, siadaj siostro nasza
bo już nie masz swego Jasia."
19. „Jakże ja siadać z wami mam
kiedy ja Jasia chować mam.
20. „Bądź że zdrową siostro nasza
i pochowaj swego Jasia."

25. 1.

od Siewierza (Mierzęcice, Przeczyce).

Wstań-cie wstań-cie sy-ny mo - je wstań-cie wstań-cie sy-ny mo - je goń - cie goń-cie sio-strę swo-ję goń-cie goń-cie sio-strę swo - ję.

inni śpiewają to w tempie 3/4

Wstań-cie wstań-cie sy-ny mo - je wstań-cie wstań-cie sy-ny mo-je goń-cie goń-cie sio-strę swo-ję goń-cie goń-cie sio-strę swo - ję.

1 „Wstańcie wstańcie syny moje
 gońcie gońcie siostrę swoję.
2. A jakci ją dogonicie.
 ręce nogi obetnijcie:
3. Dogonili ją w Krakowie
 ona stoi w złotogłowie.

4. „Witaj witaj siostro nasza
 pokaż nam też swego Jasia."
5. „Siedzi siedzi z paniętami
 pije winko z książętami."
6. „Witaj witaj szwagrze młody
 będzie tu krwie jako wody."

25. k.

od Mogielnicy

W Lu-bli-necz-ku na ry-necz - ku pi - li piw-ko kwa-te - recz - ką.

1. W Lublineczku na ryneczku
 pili piwko kwatereczką.
   dalej jak Nr. 25. h.
14. A trzeci mu nic nie mówi
 lepiejże go szablą broni.
15. „Idź że Kasiu do skrzyneczki
 przynieś jedwabnej chusteczki."
16. „Nie dla ciebiem chustki prała
 ażebym ich krwawić dała."

17. „Idźże Kasiu do stodoły
 przynieś że mi garstkę słomy."
18. „A mam ci ja bydła dosyć
 nie dla ciebie słomy nosić."
19. „Idź że Kasiu do obory
 wypuść sobie cztery woły,
 cztery woły cztery krowy.
20. Jak się moi bracia zjadą
 tobie Kasiu nic nie dadzą."

25. l.

od Jedlińska.

A w Lu-bli - nie na u - li - cy pi - ją pi - ją rze-mieśl-ni-cy
p. N. 25 l.

25. m.

od Warszawy, (Czerniaków, Siekierki).

A w War-sza - wie na grzy-bo-wie pi - li pi - wko sze-wczy-ko - wie hej hej a w War-sza-wie na grzy-bo-wie pi - li pi-wko sze-wczy-ko-wie sze-wczy-ko-wie.

1. A w Warszawie na grzybowie
pili piwko szewczykowie.
2. Pili, pili — rozlewali
dziewczynę se namawiali.
3. Namówili, pojechali
i nikomu znać nie dali.
4. Wstała matka do kądzieli
córki nie ma na pościeli.
5. „Wstańcie, wstańcie syny moje
gońcie, gońcie siostrę swoję.
6. Syny wstali, nie dognali,
do Krakowa przyjechali.
7. Ujrzeli ją na ryneczku
nosi synka w fartuszeczku.
8. „Witaj, witaj siostro nasza
gdzieś podziała szwagra Jasia?"
9. „Jasio siedzi za stolikiem
pije piwko z pacholikiem."
10. „Witaj, witaj, szwagrze młody
napijmy się krwi jak wody."
11. „Nie na takich wojnach bywał
a krwi jak wody nie pijał."
12. Wyszła kula armatowa
nie przeprosi siostra ni bratowa.
13. Wycięna go wedle pasa:
oto widzisz siostro nasza.
14. Wycięna go kole kostek:
oto widzisz niedorostek.

25. n.

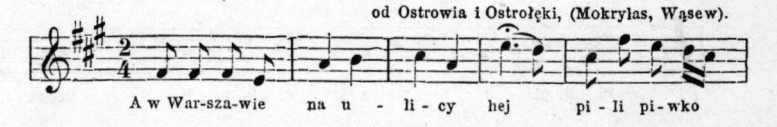

od Ostrowia i Ostrołęki, (Mokrylas, Wąsew).

A w War-sza-wie na u - li - cy hej pi - li pi-wko żan-dar - mi-cy hej pi - li pi-wko żan-dar - mi - cy.

1. A w Warszawie na ulicy
pili piwko pacholicy.
2. Pili pili, niepłacili
grzeczną damę rozmówili.
3. A jak ci ją rozmówili
do pojazdu ją wsadzili.
4. Wsadziwszy ją pojechali
złota srebra jej zabrali.
5. Matka o tem nie wiedziała
szynkareczka powiedziała.
6. „A wy bracia w domu śpicie
a o siostrze nic nie wicie.
7. Wasza siostra z pacholcami
wtenczas wstali i ją wzięni.
8. Wstańcie syny co najstarszy
siodłaj konia co najżwawszy.
9. I ty synu co najmłodszy
siodłaj konia co najlepszy.
10. Gońcie, gońcie siostrę swoją
siostrę swoją, córkę moją.

11. A jak ci ją dogonicie
to jej nogi obetnijcie."
12. Gnali, gnali — nie dognali
aż w Krakowie ją poznali.
13. Chodzi Kasia po ryneczku
ubior na niej po niemiecku.

patrz Nr. 25. c. od wiersza 8.

26. „Idź że Kasiu do piwnicy
przynieś wina trzy szklenicy."
27. Niźli Kasia z winem przyszła
już z Jasieńka dusza wyszła.

25. o.

od Radzymina.

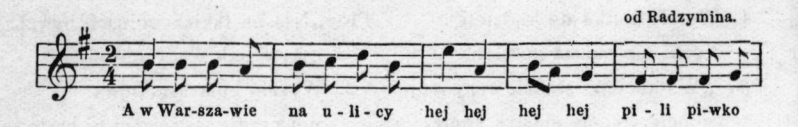

A w War-sza-wie na u - li - cy hej hej hej hej pi - li pi-wko

rze-mieśl-ni - cy hej hej hej hej.

25. p.

od Białegostoku.

Pi - li pi - li ro - zle-wa - li pi - li pi - li ro - zle-wa - li

grzecz-ną da-mę na-ma-wia - li grzecz - ną da-mę na - ma-wia li.

1. Pili pili, rozlewali
grzeczną damę namawiali.
2. A jak ci ją namówili
do pojazdu ją wsadzili.
3. Wszystkie panny uczęstował
włodarzównie resztę oddał.
4. Włodarzówna siądź koło mnie
będziesz miała męża ze mnie.

5. Włodarzówna nie od tego
i usiadła koło niego.
6. Ludzie bydło wyganiali
włodarzówny wyglądali.
7. Włodarzówna z karczmy idzie
dziwują się wszyscy ludzie.
8. Włodarzówna w pojazd wsiada
żołnierza ma za sąsiada.

25. q.

mel: Idzie żołnierz borem lasem:

od Dobrzynia n. Drwęcą.

A w Toruniu na ulicy
piją piwko pacholnicy,
patrz Nr. 25. l.—25. o,
Chodzi ona od drzwi do drzwi
suknia na niej od złota brzmi.

Chodzi on tam pod tasami
ubior na nim z galonami.
—
A zajrzyjcie do komory
a wisi tam ręcznik biały.

25. r.

od Inowłodza, (Rzeczyca).

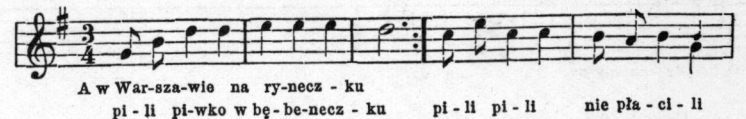

A w War-sza-wie na ry-necz-ku
pi - li pi-wko w bę-be-necz-ku   pi - li pi - li   nie pła - ci - li

rom tom ta rom ta da - na już dzie-wczynę na - mó-wi - li rom tom ta rom ta da-na

1. A w Warszawie na ryneczku
pili piwko w bębeneczku.
pili pili nie płacili
już dziewczynę namówili.
2. Jak ją sobie namówili
do powozu ją wsadzili
jak wsadzili do karety
pojechali gwałtu rety
3. Starsza siostra rano wstała
i na matkę zawołała:
wstańcie matko do kądzieli
szukaj córki po pościeli.
4. Po podwórzu pochodziła
swoich synów pobudziła,
wstańcie bieżcie syny moje
gońcie, łapcie siostrę swoję.
5. Gnali gnali nie dognali
aż ją w Krakowie poznali,
chodzi ona po ryneczku
nosi kwiatki w fartuszeczku.

6. Da ja bym wam powiedziała
bym się zdrady nie bojała,
Ty się siostro zdrady nie bój
o Jasiuniu nam powiadoj.
7. Siedzi on tam za stołami
pije piwko z czeladziami:
o jak się masz szwagrze młody
napijesz się krwi jak wody.
8. Nie w takiej ja wojnie bywał
krwi jak wody ja nie piłał.
9. Jak go zaciął wedle pasa:
to dla ciebie siostro nasza.

Jak go zaciął wedle pięty:
masz ty Jasiu swe wykręty.

10. Jak go zaciął wedle szyje,
już szwagerek krewkę pije.

Jak go zaciął wedle ucha:
ginie Jasio jako mucha.

26.

Lubelskiego.

By-waj zdro-wa i szczę-śli-wa o dzie-wczy-no mo - ja
a bądź na mnie pa-mię-tli - wa je-śli ła-ska two - ja o da da
dy - na dy-na o da da.

1. Bywaj zdrowa i szczęśliwa
o dziewczyno moja,
a bądź na mnie pamiętliwa
jeśli łaska twoja.

2. „O mój Jasiu mój kochany
droga ci szczęśliwa,
ja zostanę mój Jasieczku
zawsze ci życzliwa.

3. A nie będziesz że ty Jasiu
tego żałować,
bo mój ojciec chce twą Kasię
za inszego dać?"

4. Proś ty ojca, proś ty matki
aby czekać chcieli
choć to blisko już ostatki
do drugiej niedzieli.

5. Stanął Jasio sobie w drodze
z koniem na popasie,
aż mu mówią na gospodzie
Kasia zaręcza się.

6. Siada na koń droga mu nie spora
zajechał przed pokoje
do jaworowego dwora
„wyjdzi serce moje!"

7. Kasia na ganku stojała
nic z nim nie gadała,
czy to, czy to że zchardziała
czy to że nie chciała.

8 „Czemuś Kasiu nie gadała
twojemu Jasiowi?
czemuś podarunki brała
ja się kłaniał ojcowi?"

9. „Zabierz sobie swoje dary
szukaj sobie inszej pary,
w podarunkach nie chodziłam,
ani ciebie nie lubiłam."

10. Jasio na koniku siedział
nic nie odpowiedział,
Kasi niby zaniechał
do gospody zajechał.

11. Jak mu się zachciało pić
kazał wina utoczyć.
Oj pije wino i pije
a tak smutno płacze:
ja dla Kasi tylko żyję
Kasia teraz skacze.

12. „Podaj chłopcze mi skrzypeczki
podaj mi oboje,

zagram jeszcze dla Kasieczki
patrząc na śmierć swoję."
13. A po kim w żałobie chodzisz
czy też tylko ludzi zwodzisz?
Oj ja ludzi nie zwodzę
po moim Jasieńku chodzę,
14. Bom szczerze go pokochała
i śmierć jego opłakała,
niechaj wiem, gdzie Jasia grób
będę klęczyć — widzi Bóg!

15. Klęczy Kasia na grobie
po Jasiu w żałobie:
o mój Jasio Jasieńko:
przemów do mnie słóweńko.

16. „Nie wartaś Kasiu nie warta
idźże ty sobie do czarta,
za życiaś mnie nie kochała,
po śmierci się rozpłakała."

Wojcicki p. l. Tom I. str. 119.

27. a.

Od Zwolenia (Czarny las).

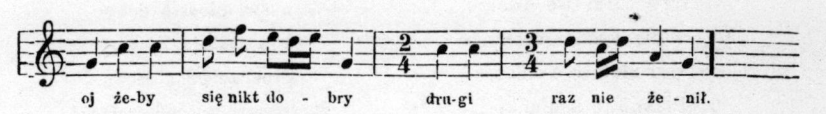

Oj mia-łem do-bre wo - ły na kieps - kiem po-mie-niał

oj że-by się nikt do - bry dru-gi raz nie że-nił.

1. Oj miałem dobre woły
na kiepskiem pomieniał.
Oj żeby się nikt dobry
drugi raz nie żenił.
2. Bo to ta druga żona
ona wiele szkodzi,
ona moim dzieciom
nigdy nie dogodzi.
3. Onaby se chciała
często pożartować,
a z mojemi dziećmi
trza się poswarować.
4. Jedno dziecko małe
drugie jeszcze mniejsze,

a trzecie w powiciu
to najuprzykrzejsze.
5. Ni go ukołysać
ani go ta obić—
a moja Marysiu
cóż będziewa robić.
6. To będziewa robić
co Bóg dopomoże
trzeba Boga prosić:
chowaj nam go Boże.
7. Chowaj nam go Boże
chowaj nam go Panie,
bo ja sama nie wiem
co się ze mną stanie.

27. b.

od Janowca.

Oj mia-łem do-bre wo - ły na kiepskiem se po-mie - nił

da że - by się nikt do-bry oj dru - gi raz nie że - nił.

28. a.

Od Olkusza.

U na-sze - go pa - na u na-sze-go pa - na trzy cór-ki we dwo-rze trzy cór-ki we dwo - rze.

1. U naszego pana
trzy córki we dworze,
a dla każdej córki
wór złota w komorze.
2. Piękne to panienki
jak kwiateczki w lecie,
wyjźrały ze dwora
a ktoś do nich jedzie.
3. Jadą na zaloty,
dwóch paniczów z miasta,
młody pan kastelan
i młody starosta.
4. Wiezą z sobą złota,
srebra bardzo wiele —
a każdy je do nóg
swojej pannie ściele.
5. Ściele niemi drogę
pod ołtarz w kościele —
a we dworze wielkie
sprawują wesele.
6. Przyjechali sami,
pojadą nie sami,
przyjechali bez żon,
pojadą z żonami.
7. „Bywaj że nam zdrowa
nasza siostro droga
byś dostała męża,
proś że pana Boga."
8. Siostra w domu płacze
że sama została,
nie płacz, nie płacz panno
byś męża dostała.
9. Wyjźrała ze dwora
ujźrała na błoniu,
młody panicz jedzie
na prześlicznym koniu.
10. „Mój ojcze kochany
wydaj mnie za niego,
jeżeli nie pragniesz
nieszczęścia mojego.
11. Wydałeś już siostry
wydaj i mnie biedną,
bo cóż będę robić
w domu sama jedna."
12. Ojciec wydać niechce,
panna z żalu płacze —
a panicz odjechał
już go nie zobaczę.

13. U naszego pana — bo umarła panna —
wielki płacz we dworze zlituj się mój Boże!
J. Konopka P. l. Krak. str. 103.

28. b.

od Miechowa.

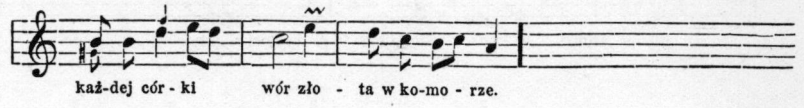

U na-sze-go pa-na trzy cór-ki we dwo-rze a dla każ-dej cór-ki wór zło-ta w ko-mo-rze.

29.

od Osterode.

Wszyst-kim lu-dziom jest świa-do-mo in-nym bra-tom o-znaj-mio-no żem dla sie-bie brat-ki po-zbył a któż te-mu przy-czy-ną był.

1. Wszystkim ludziom jest świadomo
innym bratom oznajmiono
żem dla siebie bratki pozbył
a któż temu przyczyną był?
2. Rodzice mnie to zrobili
co mi ją brać zabronili,
a my sobie przyślubili
abym się nie opuścili.
3. „Ach mój synu, tyś nasz jeden
dla tego się ty z nią nie żeń —
boć możesz inszę dostać
a to się przy nas nié ma stać.
4. Patrzaj synu patrz w dobroci
póki się nam złość nie wróci,

bym cię panom nie podali
do więzienia wsadzić dali.",
5. „Ach coż ja mam więcej gadać
do więzienia mnie chcą wsadzać.
ach cóż ja mam więcej mówić
wolałbym był bratki nie miéć.
6. Już mnie więcej nie frasujcie
mnie tłomoczek wyszykujcie.
bo ja muszę w świat wędrować
cudze strony przeświadować"
7. I poszedł się z nią pożegnać
że niemoże z nią swój ślub brać
jak jej wziął ręce całować
już niemogła więcej gadać.

8. Zaraz na miejscu została
i z nim więcej nie gadała,
bo dusza już z Bogiem była
i z nim więcej nie mówiła.

9. Wy rodzice przykład bierzcie
a w tych sprawach niewzbraniajcie
boć się dla was szkoda stanie —
widzisz ty sam ach mój panie!
ze zbioru ks. Gizewiusza.

30.

od Stawisk.

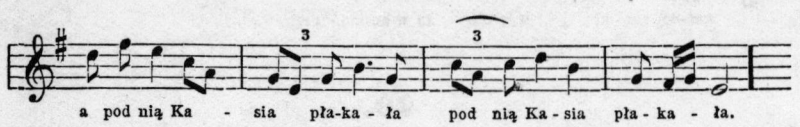

Ko - ło dwo-ru to - po - la sto-ja - ła a na niej zu - zu - la ko - wa - ła
a pod nią Ka - sia pła-ka - ła pod nią Ka - sia pła - ka - ła.

1. Koło dworu topola stojała
a na niej zuzula (*kukułka*) kowała.
a pod nią Kasia płakała.

2. Bóg wie gdzie Jasio w drodze
stoi w mieście na załodze
a mnie płacz niebodze.

3. Na wysokiej górze kaplica stojała
i w niej poniewoli Kasieńka ślub brała,
i żałośnie narzekała.

4. „Wolałabym moja pani matko
twardym kamieniem być
wychowałaś mnie tak gładko
a każesz że starym żyć."

5. „Usiądź ino córko moja za cisowym stołem
nazwij ino jego córko moja siweńkiem sokołem;
każę ja ci córko moja odmalować łoże"
„Moja droga pani matko, ja się nie położę:

6. Niech mi robią zaraz łoże z trojakiego drewna
bo ja umrę, bo ja umrę — jestem tego pewna.
Niech mnie w ziemi pochowają
a czasem też wspominają."

7. Pani matka córkę w grobie pochowała
a Kasia jeszcze z grobu tak się odzywała.
o matko moja zabiłaś mnie
bo Jasiowi nie dałaś mnie;
za zbawienie duszy proście
bo na mnie już trawka rośnie.

Wojcicki P. t. Tom I. str. 123.

31. a.

od Serocka (Dzierzenin).

Szła Ka‑sia do du‑na‑ju nóż‑ki myć Ja‑sio je‑chał na ło‑wy prze‑stę‑pu‑je dro‑gę nie pusz‑cza nie‑bo‑gę prze‑stę‑pu‑je dro‑gę nie pusz‑cza nie‑bo‑gę sam na ło‑wy nie je‑dzie.

1. Szła Kasia do dunaju nóżki myć,
Jasio jechał na łowy —
przestępuje drogę
niepuszcza niebogę —
sam na łowy nie jedzie.

2. „Gdziesz to idziesz dziewczyno tak
późno
będzie ci dróżka różną *(zbłądzisz)*
przenocuj się u mnie,
pójdziesz jutro we dnie —
dróżeńkę pokażę
za służkę ci będę
oj za służkę ci będę."

3. „Jakże ja mam z waćpanem nocować
nie mam czem kontentować *(nagro‑
dzić)*

liche na mnie szaty
nie mam ja zapłaty —
jeno sama dla siebie."

4. „Kiedy nie masz za nocleg zapłaty
wygrasz se ze mną w karty;
przypatrzę się tobie
i twojej ozdobie
bo mam serce do ciebie."

5. „Puść mnie Jasiu, puść tylko na chwilę
niech se nóżki umyję."
Kasia nóżki myła,
tak sobie mówiła:
„Nieś mnie Jezu Chryste
przez te wody czyste
przez ten dunaj głęboki."

6. Kasia wleci w tę wisłę, w ten dunaj
Jasio się też zadumał.
Trudno jej tam bronić,
trudno ją ochronić
bystra woda w dunaju.

7. „Zakładajcie sieci i te wędy
do dziewczyny do owtej —
zakładajcie prędko

niedługoć to wędką,
ona zdrady nie ujdzie."

8. I sieci i te wędy zarzucili
Kasię na ląd wyrzucili —
„Dziękuję ja Bogu
żem powstała z grobu
z tak bystrego dunaju."

31 b.

od Ostrołęki, Ostrowa (Wysoce, Wąsew).

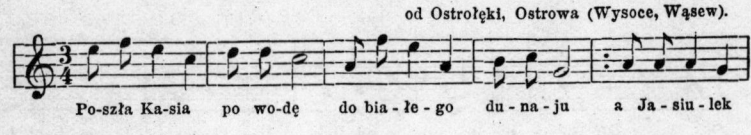

Po-szła Ka-sia po wo-dę do bia-łe-go du-na-ju a Ja-siu-lek za nią nie dał jej po-ko-ju by-stra wo-da w du-na-ju.

1. Poszła Kasia po wodę
do białego (*albo*: bystrego) dunaju
a Jasiulek za nią,
nie dał jej pokoju —
bystra woda w dunaju!

2. „Gdzież to idziesz tak późno
będzie ci dróżka różna.
Wiem ja te przechody
co chodzą dla wody —
bystra woda w dunaju!"

3. „Puść mnie Jasiu na chwilę
niech ja nóżki umyję.
Kasia nóżki myła
i tak się modliła:
przeprowadź mnie Chryste
przez tę wodę czystę —
bystra woda w dunaju!"

4. Kasia skoczy na dunaj,
Jasiulek się zadumał:
„a trudnoć ją gonić,
albo jej zabronić,
bystra woda w dunaju!"

5. „Załóżcie sidła, wędki
po dziewczynę po owtą —
zakładajcie prędko
nie sidłem to wędką,
bo nie ujdzie zdrady mej."

6. Kasia dunaj przepłynęła
i tak sobie mówiła:
„dziękuję ja Bogu
żem powstała z grobu,
z tak bystrego dunaju!"

31. c.

od Kikoła, (Mazowsze, Działyń).

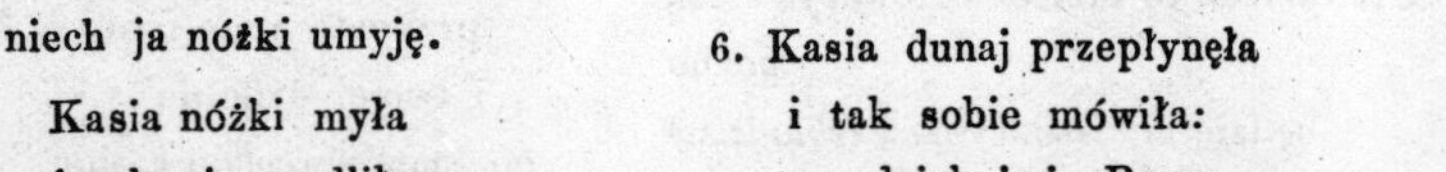

Po-szła Ka-sia przez gaj po wo-dę a Jaś jej za-stę-

1. Poszła Kasia przez gaj po wodę
a Jaś jej zastępuje drogę.
Zastępuje drogę
nie puszcza niebogę
sam na łowy nie pójdzie.

2. Gdziesz to idziesz Kasiu tak późno
jest ci tam dróżeczka różną,
ja cię w tém wspomogę
dróżki dopomogę
i za służkę ci będę.

3. Niechcę ja służków chować
nie mam ich czem kontentować —
liche na mnie szaty
nie mam ja zapłaty
tylko sama dla siebie.

4. A niechcę ja zapłaty
tylko Kasiu graj w karty;
przypatrzę się tobie
i twojej ozdobie
bo mam serce do ciebie.

5. I ja w karty grać nie umiem
ani się w nich znać rozumiem
puść mnie Jasiu do domu.

6. Przenocuj się dzieweczko
każę usłać łóżeczko —
pójdziesz jutro sobie
pokażę ja tobie
dróżeczkę do domu.

7. Którędy ja przyszła tędy i pójdę
wiem ci ja dróżeczkę co ja nią wyjdę.
Dróżkę wedle kraju
białnego dunaju
i różne wychody
wedle białnej wody
co ja trafię do domu.

8. A ja nocować tu nie będę
przez tego Jasia obędę (się),
trzeba się zawinąć
bo tu przyjdzie zginąć
już widzę, już widzę.

9. Puść mnie Jasiu na chwilę
pójdę nogi umyję —
będęć ja ci milszą
będę ci wdzięczniejszą
o mój Jasiu kochany.

10. Dziewczyna nogi myła
i tak sobie mówiła:
nieś mnie panie Chryste
przez te wody czyste —
wynieś z tej bystrej wody.

11. Dziewczyna buchnęła w dunaj
Jasio nad nią się zadumał —
przypłynęła do lądu
co duchu się ogląda,
mówi: chwała Bogu
com ja wyszła z grobu
z tak bystrego dunaju.

31. d.

od Torunia (Złotorya).

Szła Kasia przez gaj do wody a Jasiek jechał na łowy
zastępuje drogę niepuszcza niebogę sam na łowy nie jedzie.

** częściéj tak*
zastępuje drogę niepuszcza niebogę.

1. Szła Kasia przez gaj do wody
a Jasiek jechał na łowy.
Zastępuję drogę
niepuszcza niebogę
sam na łowy nie jedzie.
2. Puść że mnie Jasiu na chwilę
puść że mnie Jasiu na steczkę —
umyję ja nóżki
bom się obrudziła,
umyję w białnej wodzie.
3. Kasia sobie nóżki myła
i na dunaj się puściła.
Com ja za nocliwy

com za nieszczęśliwy
żem cię z rąk puścił.
4. Zakładajcie rybacy sieci na wodę
na Kasińkę na moję —
czy siecią czy wędką
złapię ja cię prędko
nie ujdziesz mi, nie ujdziesz.
5. Wypłynęła Kasia na kępę
i tak sobie rzecze:
chwała tobie Bogu
żem powstała z grobu
z tej bystrej wody.

31. e.

od Bobrownik, Włocławka.

Szła dziewczyna przez gaj do wody Jaś na łowy odjeżdżał
zastępuje drogę niepuszcza niebogę sam na łowy nie jedzie.

31. f.

od Płocka.

Szła Ka-sia przez gaj do wo - dy Ja - sio je-dzie na ło-wy prze-stę-pu - je dro - gi nie-puszcza nie - bo - gi sam na ło - wy nie je-dzie. — na ło - wy nie je - dzie

31. g.

od Bielska w Płockiem.

Szła Ka-sia przez gaj do wo - dy Ja-sio je - dzie na ło-wy prze-stę-pu - je dro - gi nie pusz-cza nie - bo - gi sam na ło - wy nie je-dzie.

albo tak

prze-stę-pu - je dro-gi nie-pusz-cza nie - bo-gi.

1. Szła Kasia przez gaj do wody
Jasio jedzie na łowy,
przestępuje drogi
niepuszcza niebogi
sam na łowy nie jedzie.
2. „Gdzież idziesz Kasiu tak późno
będzie ci dróżka różną;
ja cię w tém wspomogę
iść dróżką pomogę
i za sługę ci będę."

3. „Nie mam czem sług chować
ani czem ich radować;
liche na mnie szaty
nie mam ja zapłaty
tylko sama dla siebie."
4. „Przenocuj u mnie Kasieńko
każę posłać łóżeńko;
przenocujesz sobie
ja pokażę tobie
dróżeczkę do domu."

„Wiem ja te uchody
koło bystrej wody,
trafię ja i sama.
5. Puść mnie Jasieńku na chwilę
niech sobie nóżki umyję."
Kasia nóżki myła,
tak sobie mówiła:
„nieś mnie Jezu Chryste
przez tę wodę czystę,
przez ten dunaj szeroki
przez ten dunaj głęboki."

6. Wskoczyła Kasia w dunaj
a Jasio się zadumał:
ani mnie jej gonić
ani mnie jej bronić,
bystra woda uniosła.
7. „Jednak mi uciec niemożna
choćbyś była wielmożna
ja cię złapam prędko
nie sidłem to wędką —
tak ty będziesz moja."

Wojcicki P. l. T. 1. str. 63.

31. h.

od Radzymina (Dąbrówka, Małopole).

Szła Ka-sin-ka do wo-dy do by-stre-go du-na-ju

a Ja-si-nek za nią nie dał że jej po-ko-ju.

32.

od Rawy i Skierniewic (Żelazna, Zalesie).

Za-szu-mia-ła lesz-czy-na bia-ła ro-la plo-nu-je

i sto-i tam ślicz-na Kra-ko-wian-ka bia-łe kwia-ty zry-wu-

* albo

je. — i sto-i tam

1. Zaszumiała leszczyna
    biała rola plonuje —
    i stoi tam śliczna krakowianka
    białe kwiaty zrywuje.
2. Pan się o niej dowiedział,
    we sto koni przyjechał
    „pojmij pojmij śliczna krakowianko
    choć mnie pana samego."
3. „Nie mam śrebra ni złota
    dy ja biedna sierota;
    pojmij pojmij śliczny królewiczu
    co ci pan Bóg przeznaczył."
4. Pan się o to rozgniewał
    i do kata list pisał:
    „przyjedź przyjedź zetnij krakowiankę
    co mną panem wzgardziła."
5. Krakowianka w zieleni
    kat koło niej w czerwieni:
    „pojmij, pojmij śliczna krakowianko
    choć mnie kata samego."
6. „Kiej nie byłam panową
    nie myślę być katową,
    ścinaj, ścinaj moją białą szyję
    bo ja śmierci nie minę."
7. Krakowiankę ścinają
    aniołowie wołają:
    „nie lękaj się śliczna krakowianko
    bo wstępujesz do raju."

33.

z Górnego Szląska.

O-ła-wo O-ła-wo ty na-sza dzie-dzi-no dwo-je ślicz-nych dzia-tek do Tu-rek za-ję-li.

1. Oławo Oławo,
    ty nasza dziedzino —
    dwoje ślicznych dziatek
    do Turek zajęli.
2. Zajęli braciszka
    zajęli siostrzyczkę —
    miły mocny Boże
    zajęli siostrzyczkę.
3. A braciszka dali
    do ciemnej piwnicy
    a siostrzyczkę dali
    do jasnej świetlicy.
4. Siedem lat tam była
    złotem srebrem szyła,
    a na ośmy roczek
    snił ci jej się śniczek.
5. Snił ci jej się śniczek
    że umarł braciszek,
    snił ci jej się drugi
    że jeszcze jest żywy.
6. Tak bardzo płakała
    rękami łamała —
    miły mocny Boże
    rękami łamała.

7. „Cóż dziewczyno płaczesz?
cóż tak lamentujesz —
miły mocny Boże
cóż tak lamentujesz?"
8. „Śnił ci mi się śniczek
że umarł braciszek —
śnił ci mi się drugi
że on jeszcze żyje."
9. I dostała klucze
od ciemnej ciemnicy —
miły mocny Boże
od ciemnej ciemnicy.
10. Gdy ciemnicę odewrzyła
na brata zawołała
„żywyś bracie żywy
aboś jest umarły?"
11. „Żywych siostro żywy
pod kolana zgięty —
miły mocny Boże
pod kolana zgięty.
12. W moich białych włosach
myszy gniazda mają,
moje czarne oczy
gady wyjadają."
13. Wzięła go za rękę
i precz wędrowała
od wsiczki do wsiczki
aż do swojej matusiczki.
14. Gdy do matki przyszła
o nocleg prosiła —
miły mocny Boże
o nocleg prosiła.
15. „Małą świetlicę mam
dla czeladki ją mam,
idźcie do stodoliska
na zgniłe snopczyska."
16. Gdy do stodoły przyszła
tak bardzo płakała —
miły mocny Boże
matka nas nie poznała.
17. A małe pachole
bieży ku stodole,
ten głos usłyszało
matce powiedziało.
18. „Moja miła matuchno
miałoch ja braciszka —
miałoch ja braciszka
albo i siostrzyczkę?"
19. „Miałoś dziecię miało
aleś ich nie znało —
miły mocny Boże
aleś ich nie znało."
20. „A nie są ci to oni
ci podróżni ludzie —
miły mocny Boże
ci podróżni ludzie?"
21. Chnet do stodoły bieżała
rękami łamała —
miły mocny Boże
jach was nie poznała.
22. Choćby (*gdyby*) ja była wiedziała
żeście moje dzieci
nocowałach by was
w tej nowej świetlicy —
miły mocny Boże
w tej nowej świetlicy.

Przyj. Ludu Rok II. Nr. 38. fol. 304. ze zbioru J. Lompy z Górnego Szlązka.

34.

1. Rabują Tatarzy
w Jażdowieckim zamku;
nic w nim nie znaźli
jak jedno pachole.
2. „W której że to wieży
gdzie pan z panią leży?"
„Nie śmiem wam powiadać
dałby mnie pan ściąć."
3. „Nie bój się pachole
weźmiemy cię z sobą
do tatarskiej ziemi."
„A pan z panią leży
na najwyższej wieży."
4. Pierwszy raz strzelili
nic nie urobili —

drugi raz strzelili
wnet pana zabili —
trzeci raz strzelili
panią z sobą wzięli.
5. Jak idą tak idą
przez łąki zielone
za mury zczernione.
6. Obejrzy się pani
na swe smutne mury:
Mury moje mury
co oczerniawiacie,
że pana nie macie.
7. Pana wam zabili
panią z sobą wzięli
do wiecznej niewoli
do tatarskiej ziemi.

Wojcicki P. l. Tom 1. str. 85.— Nadto patrz tamże Tom I. str. 109 i 125—oraz Tom 2. str. 350.

35. a.

od Warszawy (Wilanów).

Gdzież od-jeż-dżasz Ja - siu Ja-siu-lecz-ku pa-nie na ban-kie-cik do War-sza-wy Ma-ry-siu ko - cha-nie.

1. „Gdzie odjeżdżasz Jasiu
Jasiuleczku panie?"
„Na bankiecik do Warszawy
Marysiu kochanie."
2. „Nie jedź że mój Jasiu
bo cię tam zabiją"
„Oj pojadę oj pojadę
mam tam okazyją."

3. Siadł sobie Jasieńko
za nowym stolikiem
ej i pije, ej i pije
z grzecznym pacholikiem.
4. Jedną szklankę wypił
a drugą naliwa
ej i zdrajca pacholiczek
szabelki dobywa.

35. b.

od Zwolenia, (Czarny las).

Keń to je-dziesz Ja - siu Ja-si-necz-ku pa - nie do War-sza-wy na ban-kie-cik Ma-ry-siu ko - cha-nie.

1. Keń to jedziesz Jasiu
Jasineczku panie?
Do Warszawy na bankiecik
Marysiu kochanie.

2. A nie jedź tam Jasiu
bo cię tam zabiją.
Pojadę, pojadę —
mam tam okazyją.

3. Przyjechał Jasieńko
przed warszawskie wrota
oj już go ominęna
warszawska ochota.

4. I siadł ci se Jasio
za cisowym stolikiem —
i pije miód, pije wino
z grzecznym pacholikiem.

5. Wyciął go pachole
przez obłazy w głowę —
ostała, ostała
Marysieńka wdowa.

6. Jechali żołnierze
borami lasami
napisali cztery listy
do Marysi pani

7. Marysieńka pani
listów nie czytała —
padła i zemglała
od żalu struchlała.

8. Nie płacz Maryś pani
Jasienia swojego
będziesz chciała, będziesz miała
mnie pana samego.

9. Choćby was tu było
jak w halach kamienia
nie masz i nie będzie
mego pocieszenia.

10. Choćby was tu było
jakby w polu owiec
nie masz i nie będzie
jak mój pierwszy wdowiec.

35 c.

od Kozienic (Majdan, Nowawieś).

A gdzież Ja-siu je-dziesz Ja-sie-neń-ku pa-nie do War-sza-wy na ban-kie-cik Ma-ry-siu ko - cha-nie.

1. A gdzież Jasiu jedziesz
   Jasieńku panie?
   Do Warszawy na bankiecik
   Marysiu kochanie.
2. Nie jedź Jasiu, nie jedź
   bo cię tam zabiją.
   Oj pojadę Marysieńku
   mam tam okazyją.
3. Przyjechał Jasieńko
   przed warszawskie wrota
   jużci jużci Jasieneńka
   minęła ochota.
4. Siedzi Jasio siedzi
   za nowym stolikiem
   pije, pije miód i wino
   z młodym pacholikiem.
5. Pije on go pije
   już reszty dopija —
   jużci jużci pacholiczek
   szabelki dobywa.
6. Uciął ci go uciął
   bez urazy w głowę —
   oj ostawił, oj ostawił
   Marysieńkę wdowę.
7. Jechali żołnierze
   borami lasami
   napisali cztery listy
   do Marysi pani.
8. Marysieńka pani
   listów nieczytała
   co sporzała to omglała
   od żalu struchlała.
9. Nie płacz Maryś nie płacz
   Jasieńka swojego
   będziesz city, będziesz miała
   choćby mnie samego.
10. Gdyby was tak było
    jak na polu owiec —
    niema niema i niebędzie
    moim dzieciom ojciec.
11. Gdyby was tak było
    jak na polu gruszek. —
    niema niema i niebędzie
    do moich poduszek.

35. d.

od Słupi-nowej (Baszowice).

Gdzie to je-dziesz Ja-siu gdzie to je-dziesz Ja-siu do Kra-ko-wa Ka-siu do Kra-ko-wa Ka-siu.

1. Gdzie to jedziesz Jasiu?
   Do Warszawy Kasiu.
2. Nie jedź Jasiu nie jedź
   bo cię tam zabiją.

   Pojadę Kasiu moja
   bo mam okazyją.
3. Wyjechał Jasiniek
   na Warszawskie pole.

I rozpuścił strusie piórko
konikowi po głowie.
4. Wyjechał Jasinek
przed Warszawskie wrota,
już opadła ominęła
Warszawska ochota.
5. Siedzi Jasio siedzi
za nowym stolikiem
pije sobie miód i wino
z swoim pacholikiem.
6. Pije Jasio pije
pije i popija
ten kowalczyk ten sk.... syn
szabelki dobywa.
7. Zacią̨n ci go zacią̨n
niezorazy ręki—
zawijały warszawianki
w jedwabne chusteńki.
8. Zacią̨n ci go zacią̨n
niezorazy głowy—
zostawił cię moja Kasiu
młodziusieńką wdową.
9. Jechali furmani
dołami górami,
wieźli listy od Jasienia
do Kasieni pani.
10. Kasia listy wzięna
listów nieczytała
co por'ziała na podpisy
padła i zemglała.
11. Nie frasuj się Kasiu
nie frasuj się luto

będziesz miała byleś chciała
kawalera jutro.
12. Choć ci by ich było
jak maczku drobnego
nie będę ja miała
kochania takiego.
13. Choć ci by ich było
jak na morzu piany
nie będzie już taki
jak Jasio kochany.
14. Choć ci by ich było
jak na morzu trzciny
niebędzie już taki
jak Jasio jedyny.
15. W szeroki rękawek
pieniąžki wsypała—
swemu Jasieniowi
zadzwonić kazała.
16. A dzwońcie mu dzwońcie
moje drogie dzwony —
memu Jasieniowi,
żeby był zbawiony.
17. Niechowajcież mi go
przy dużym kościele
boby się cieszyli
moi przyjaciele.
18. A chowajcie mi go
przy małej zberezi,
kto ta przyjdzie lub przyjedzie:
żołnierz ci tu leży

35. e.

od Opola Szląs: (Kotorz).

Hej w Ber-li-nie w Ber - li - nie na tej to ró-wni - nie

szyn-ku-je tam ma mi-ła Ha-nu-leń-ka ro-dzo-na w Ber-li-nie na wi - nie.

1. Hej w Berlinie, w Berlinie
na tej to równinie —
szynkuje tam ma miła
Hanulińka rodzona
w Berlinie na winie.

2. Przyszedł do niéj Janiczek
zasmucony wszystek.
Kauże se wina nalać
i jeszcze przy nim drzymał
siadł se za stoliczek.

3. O mój miły nie drzymaj
pódź pomódz nalewaj —

żeby ludzie nierzekli
naszej łaski niezwykli
żeś ty jest mój miły.

4. Hanulińko jedyna
pomódz że mi z więzienia,
Z więzienia ci pomogę
ale z wojny nie mogę
boć to rzecz daremna.

5. Byłech ja we więzieniu
siedem lat pod ziemią;
Przecie mi nic nie było
twe serce mnie cieszyło
żeś ty jest ma miła.

36. a.

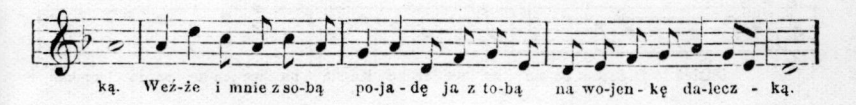

Od Czerska.

Gdzież to je-dziesz Ja-siu na wo-jen-kę Ka-siu na wo-jen-kę da-lecz-

ką. Weź-że i mnie z so-bą po-ja-dę ja z to-bą na wo-jen-kę da-lecz - ką.

1. „Gdzież to jedziesz Jasiu?"
„Na wojenkę Kasiu —
na wojenkę daleczką."

„Weź że i mnie z sobą
pojadę ja z tobą
na wojenkę daleczką."

2. „Cóż tam będziesz robić
Kasiu Kasiuleczku
na wojence daleczkiej?"

„Będę chusty prała
po talarku brała
Jasiu Jasiuleczku."

3. „Gdzież je będziesz prała
Kasiu Kasiuleczku
na wojence daleczkiej?"

„U Króla w ogrodzie
na tej bystrej wodzie
Jasiu Jasiuleczku."

4 „Gdzież je będziesz ożymać
Kasiu Kasiuleczku
na wojence daleczkiej?"
„U kółka lipiny
Jasiu mój jedyny
na wojence daleczkiej."
5. „Gdzież będziesz maglować
Kasiu Kasiuleczku
na wojence daleczkiej?"
„U Króla w piwnicy
na złotej maglownicy
Jasiu Jasiuleczku."
6. „Gdzież wa będziem spała
Kasiu Kasiuleczku
na wojence daleczkiej?"
„U Króla w komorze
malowane łoże
Jasiu Jasiuleczku."
7. „Czém się odziejewa
Kasiu Kasiuleczku
na wojence daleczkiej?"

„Jest na wodzie trzcina
to nasza pierzyna
Jasiu Jasiuleczku."
8. „Cóż se podłożywa
Kasiu Kasiuleczku
na wojence daleczkiej?"
„Są na boru szyszki
to nasze poduszki.
Jasiu Jasiuleczku."
9. „Cóż będziewa jadła
Kasiu Kasiuleczku
na wojence daleczkiej?"
„Ty zwierzynkę – ja jarzynkę
Jasiu Jasiuleczku."
10. „Cóż będziewa piła
Kasiu Kasiuleczku
na wojence daleczkiej?"
„Ty Jasiu choć wino
a ja lada piwo
Jasiu Jasiuleczku."

36. b.

od Cegłowa.

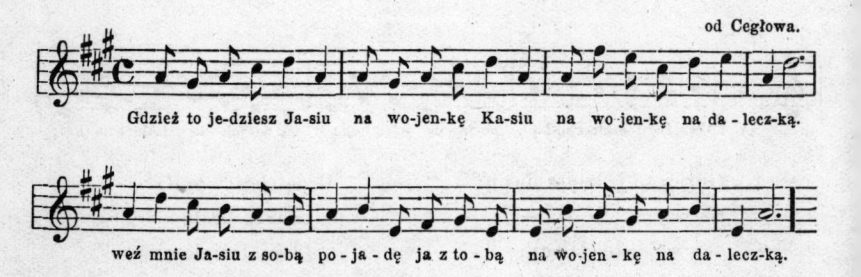

Gdzież to je-dziesz Ja-siu na wo-jen-kę Ka-siu na wo-jen-kę na da-lecz-ką.

weź mnie Ja-siu z so-bą po-ja-dę ja z to-bą na wo-jen-kę na da-lecz-ką.

36. c.

od Stawiszyna (Zbiersk).

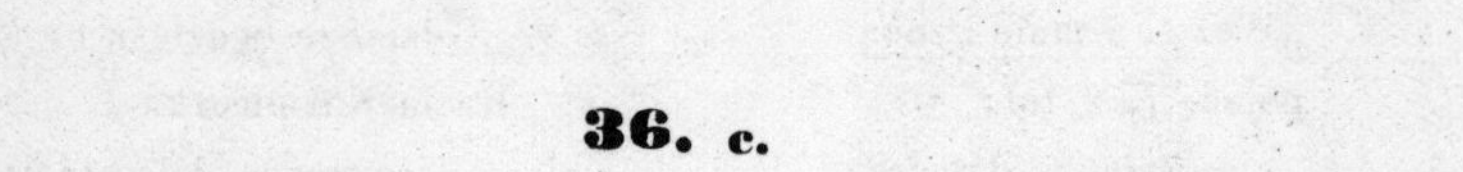

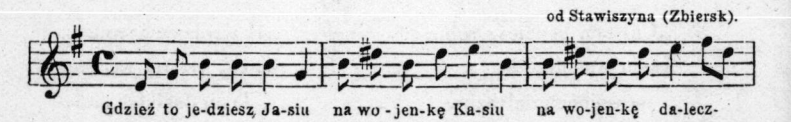

Gdzież to je-dziesz Ja-siu na wo-jen-kę Ka-siu na wo-jen-kę da-lecz-ką. Weź mię Jasiu z sobą ra - da ja-dę z to-bą na wo-jen-kę da-lecz - kę.

1. „Gdzież to jedziesz Jasiu?"
„Na wojenkę Kasiu
na wojenkę daleczką."
„Weź mnie Jasiu z sobą
rada jadę z tobą
na wojenkę daleczką."
2. „Co będziesz robiła
Kasiu Kasineczku
na wojence daleczkiej?"
„Będę chustki prała
złotem wyszywała
na wojence daleczkiej."
3. „Gdzież je będziesz prała
Kasiu Kasineczku
na wojence daleczkiej?"
„U Króla w ogrodzie
na bieżącej wodzie
na wojence daleczkiej."
4. „Gdzież będziesz suszyła
Kasiu Kasineczku
na wojence daleczkiej?"
„U Króla na górze
na jedwabnym sznurze,
na wojence daleczkiej."
5 „Gdzież będziesz manglować
Kasiu Kasineczku
na wojence daleczkiej?"
„U Króla w piwnicy
w tej złotej manglicy
na wojence daleczkiej."
6. „Gdziesz je będziesz składać
Kasiu Kasineczku
na wojence daleczkiej?"
„U Króla we skrzyni

co ją tysiąc czyni
na wojence daleczkiej."
7. „Pod czem będziem spali
Kasiu Kasineczku
na wojence daleczkiej?"
„Jest na morzu trzcina
to nasza pierzyna
na wojence daleczkiej."
8. „Co będziemy jedli
Kasiu Kasineczku
na wojence daleczkiej?"
„Są na boru grzyby
a we wodzie ryby
to je będziem łowili."
9. „Co będziemy pili
Kasiu Kasineczku
na wojence daleczkiej?"
„Jest piwo w piwnicy
w tej złotej szklenicy
(*albo*: jest tam w zdroju woda
to nasza ochłoda)
na wojence daleczkiej."
10. „Gdzież będziem spoczywać
Kasiu Kasineczku
na wojence daleczkiej?"
„Jest przy morzu kamiń
odpoczniemy na nim
na wojence daleczkiej."
11. „Czem się będziem bawić
Kasiu Kasineczku
na wojence daleczkiej?"
„Ułowiemy rybkę
włożym ją w kolibkę
na wojence daleczkiej."

36. d.

od Poznania.

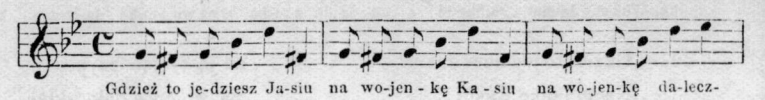

Gdzież to je-dziesz Ja-siu na wo-jen-kę Ka-siu na wo-jen-kę da-lecz-ką. Weź mnie Ja-siu z so-bą po-ja-dę ja z to-bą na wo-jen-kę da-lecz - ką.

patrz Nr. 36 c. z odmianami takiemi:

8. „Co będziemy jedli
  Kasiu Kasineczku
  na wojence daleczkiej?
„Kurczątka smażone
  gołąbki pieczone,
  na wojence daleczkiej."
9. „Co będziemy pili
  Kasiu Kasineczku
  na wojence daleczkiej?"

„Jest piwo w piwnicy
  w tej nowej szklenicy
  na wojence daleczkiej."
11. „Kto nas będzie budzić
  Kasiu Kasineczku
  na wojence daleczkiej?"
„Jest ptaszek na Rusi
  ten nas budzić musi
  na wojence daleczkiej."

p. J. Lipiński P. l. Wielkopols. str. 77.

36. e.

od Kowalewa.

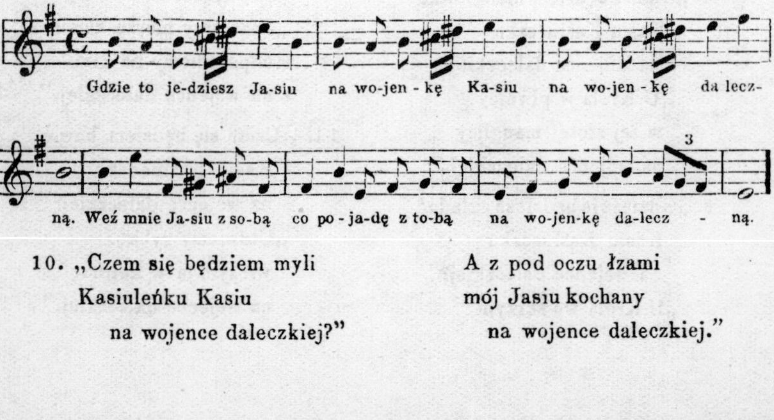

Gdzie to je-dziesz Ja-siu na wo-jen-kę Ka-siu na wo-jen-kę da lecz-ną. Weź mnie Ja-siu z so-bą co po-ja-dę z to-bą na wo-jen-kę da-lecz - ną.

10. „Czem się będziem myli
  Kasiuleńku Kasiu
  na wojence daleczkiej?"

A z pod oczu łzami
  mój Jasiu kochany
  na wojence daleczkiej."

36. f.

od Łodzi i Zgierza.

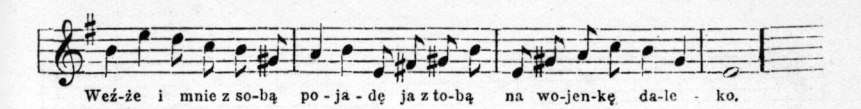

Gdzież to je-dziesz Ja-siu na wo-jen-kę Ka-siu na wo-jen-kę da-le - ko.

Weź-że i mnie z so-bą po - ja - dę ja z to-bą na wo-jen-kę da-le - ko.

36. g.

od Siewierza (Mierzęcice. Sączow).

Kaj to je-dziesz Ja-siu Ja-siu Ja - siu-leń-ku Ja-siu na wo-jen-kę Ka-siu

na wo-jen-kę da-lecz - ko. Weź mnie Ja-siu z so - bą po - ja - dę ja z to - bą

na wo-jen-kę da - lecz - ko. *albo* Kaj to je-dziesz i t.d.

1. „Kaj to jedziesz Jasiu Jasiu
Jasiuleńku Jasiu?"
„Na wojenkę Kasiu
na wojenkę daleczko."
„Weź mnie Jasiu z sobą
pojadę ja z tobą
na wojenkę daleczko."
2. „Cóż tam będziesz robić Kasiu
Kasiuleńku Kasiu?"
„Na wojence Jasiu
na wojence daleczko.
Będę chusty prała
złotem przerabiała
na wojence daleczko."

3. „Kaj je będziesz suszyć Kasiu
Kasiuleńku Kasiu?"
„Na wojence Jasiu
na wojence daleczko.
Przy królewskiej górze
na jedwabnym snurze
na wojence daleczko."
4. „Kaj je będziesz chować Kasiu
Kasiuleńku Kasiu?"
„Na wojence Jasiu
na wojence daleczko..
We królewskiej skrzyni
ułożę się przy niej
na wojence daleczko."

36. h.

od Wieruszową (Mieleszyn).

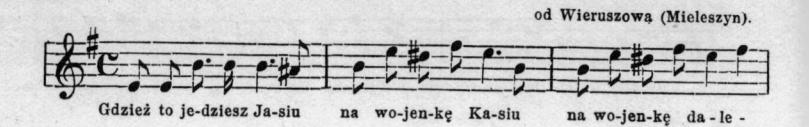

Gdzież to je-dziesz Ja-siu na wo-jen-kę Ka-siu na wo-jen-kę da-le-ko. Weź mnie Ja-siu z so-bą po-ja-dę ja z to-bą na wo-jen-kę da - le - ko.

36. i.

od Wielunia (Czarnożyły).

Kaj to je-dziesz Ja-siu na wo-jen-kę Ka-siu na wo-jen-kę da - le - cą weź mnie Ja-siu z so-bą po-ja-dę ja z to-bą na wo-jen-kę da - le - cą.

dalej jak Nr. 36. g. z odmianami.

2. „Kasiu Kasiuleńku
coż tam będziesz robić
na wojence dalecej?"
„Będę chusty prała
po talarze brała
na wojence dalecej."

3. „Kasiu Kasiuleńku
coż tam będziesz jadła
na wojence dalecej?"
„Kurczęta, zwierzęta
i te gołębięta
na wojence dalecej."

36. k.

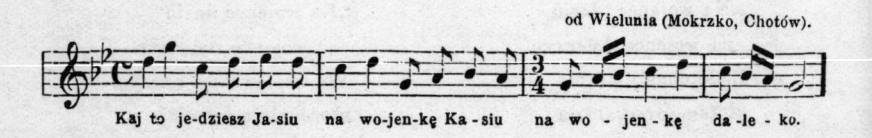

od Wielunia (Mokrzko, Chotów).

Kaj to je-dziesz Ja-siu na wo-jen-kę Ka-siu na wo - jen-kę da-le-ko.

36. l.

od Koła i Turku.

Po-ja - dę ja z to - bą po - ja-dę ja z to-bą ach mój mi-ły dwo-rza-nie.

w tak da-le - ką kra - i - nę. Co tam bę-dziesz ro-bić co tam bę-dziesz ro-bić

ach na - do-bna dzie-wczy-no w tak da - le-kiej kra-i-nie.

1. „Pojadę ja z tobą (*bis*)
   ach mój miły dworzanie
   w tak daleką krainę."
2. „Co tam będziesz robić (*bis*)
   ach nadobna dziewczyno
   w tak dalekiej krainie?
3. „Będę chustki prała
   złotem wyszywała
   ach mój miły dworzanie
   w tak dalekiej krainie."
4. „Gdzie je będziesz prała (*bis*)
   ach nadobna dziewczyno
   w tak dalekiej krainie?
5. „Na białym kamieniu
   na bystrym strumieniu
   ach mój miły dworzanie
   w tak dalekiej krainie."
6. „Gdzie je będziesz wieszać (*bis*)
   ach nadobna dziewczyno
   w tak dalekiej krainie?"

7. „Na zielonej górze
   na jedwabnym sznurze
   ach mój miły dworzanie
   w tak dalekiej krainie."
8. „Gdzie je będziesz maglić (*bis*)
   ach nadobna dziewczyno
   w tak dalekiej krainie?"
9. „Mam ja maglę złotą
   oblewaną cnotą
   ach mój miły dworzanie
   w tak dalekiej krainie."
10. „Gdzie je będziesz chować
    ach nadobna dziewczyno
    w tak dalekiej krainie?"
11. „Mam ja złotą skrzynię
    pełno w niej pierścieni
    ach mój miły dworzanie
    w tak dalekiej krainie."

36. m.

od Nieszawy.

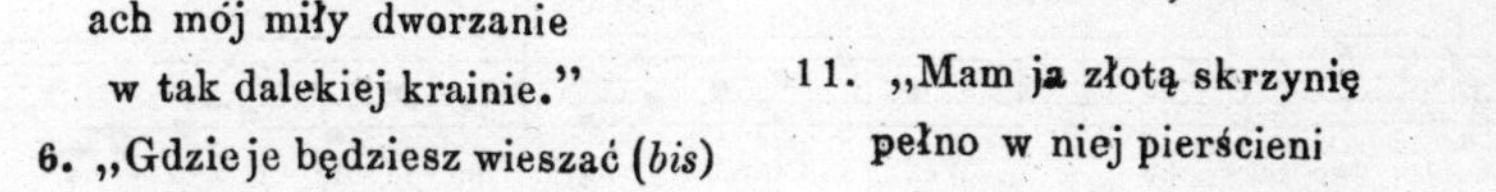

Gdzież to je-dziesz Ja-siu na wo-jen-kę Ka-siu na wo-jen-kę da-lecz-ną.

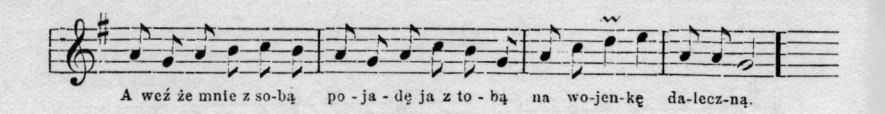

A weź że mnie z so-bą po-ja-dę ja z to-bą na wo-jen-kę da-lecz-ną.

36. n.

od Płocka.

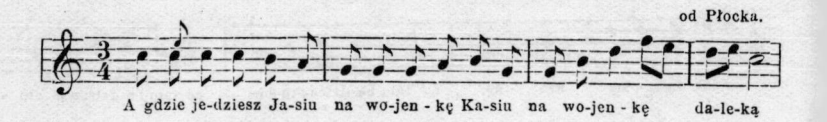

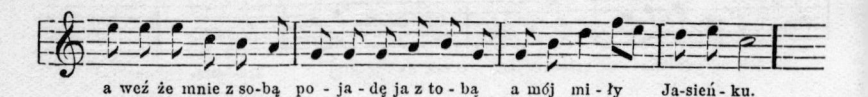

A gdzie je-dziesz Ja-siu na wo-jen-kę Ka-siu na wo-jen-kę da-le-ką a weź że mnie z so-bą po-ja-dę ja z to-bą a mój mi-ły Ja-sień-ku.

jak Nr. 36. l.

5. „A gdzie będziesz prasować
nadobna Kasieńku
na wojence dalekiej?"
„U Króla w pokoju
na złotym stoliku
a mój miły Jasieńku."

6. „Na czem będziem spali
nadobna Kasieńku
na wojence dalekiej?"
„Są pod płotem gnaty
to nasze piernaty
a mój miły Jasieńku."

36. o.

od Drobina.

Gdzie to je-dziesz Ja-siu na wo-jen-kę Ka-siu na wo-jen-kę da-lecz-ko Weź że i mnie z so-bą po-ja-dę ja z to-bą na wo-jen-kę da-le-ko.

3. „Gdzież je będziesz prała
na wojence Kasiu
na wojence dalekiej?"

„Na bystrym strumieniu
na płaskim kamieniu
na wojence dalekiej."

4. Gdzież je będziesz kładła
na wojence Kasiu
na wojence dalekiej?

,,Do tej złotej skrzyni
co Król siada przy niej
na wojence dalekiej."

5. Na czem będziem spali i. t. d.

Są na boru szyszki
to nasze poduszki i t. d.
6. Czem się odziejewa i t. d.
Jest na stawie trzcina
to nasza pierzyna i t. d.
7. Cóż tam będziem jedli i t. d.
Są w boru orzechy
to nasze pociechy i t. d.

36. p.

od Wyszogroda (Kobylniki).

Gdzież to je-dziesz Ja-siu na wo-jen-kę Ka-siu na wo-jen-kę da-lecz-

ką. Weź mnie Ja-siu z so bą po-ja-dę ja z to-bą na wo-jen-kę da-lecz - ką.

36. q.

od Raciąża.

Gdzież to je-dziesz Ja-siu na wo jen-kę Ka-siu na wo-jen-kę da-le-ko

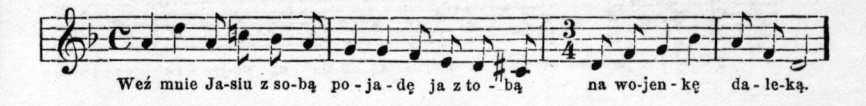

Weź mnie Ja-siu z so-bą po-ja-dę ja z to-bą na wo-jen-kę da-le-ką.

36. r.

od Makowa (Perzanowo, Czerwonki).

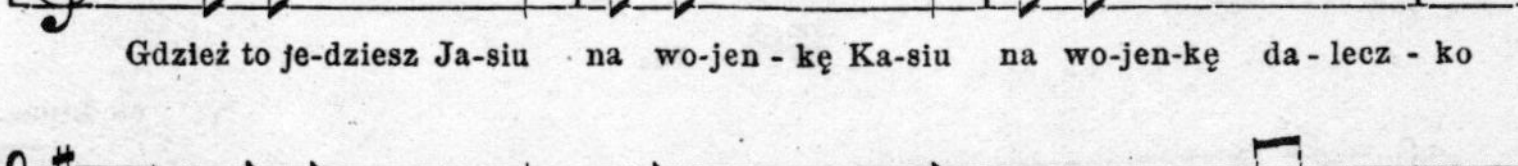

Gdzież to je-dziesz Ja-siu na wo-jen-kę Ka-siu na wo-jen-kę da-lecz-ko

weź mnie Ja-siu z so-bą po-ja-dę ja z to-bą na wo-jen-kę da-le-ko.

36. s.

od Osterode.

1. A na onej górze
stoją dwa żołnierze
konie sobie siodłają.
2. I przyszła do niego
najmilejsza jego
,,kieni jedziesz Jasieczku?"
3. ,,Na wojenkę jadę
więcej nie przyjadę,
możesz ty tu się żenić."
4. ,,Weź mnie Jaśku z soba
rada jadę z tobą
na wojenkę daleczko."
5. ,,Cóż tam będziesz jadła
najmilejsza moja
na wojence daleczko?"
6. ,,Są w wiezierze ryby
a na boru grzyby
tem ci ja się wyżywię."
7. ,,Cóż tam będziesz robić
najmilejsza moja
na wojence daleczko?"
8. ,,Będę chusty prała
złotem wyszywała
po talarku zbierała."
9. ,,Kieniż je upierzesz
najmilejsza moja
na wojence daleczko?"
10. ,,Jest na morzu kamiń
wypierzę ja na nim
i chusteczki uklepię."
11. ,,Kieniż je ususzysz
najmilejsza moja
na wojence daleczko?"
12. ,,Na wysokiej górze
na jedwabnym sznurze
tam ci ja je ususzę."
13. ,,Kieniż je zwałkujesz
najmilejsza moja
na wojence daleczko?"
14. ,,U króla w piwnicy
w złotej wałkownicy
na wojence daleczko."

ze zbioru ks. Gizewiusza.

36. t.

od Jedlińska.

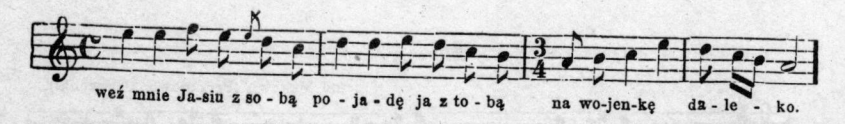

Gdzież to je-dziesz Ja-siu na wo-jen-kę Ka-siu na wo-jen-kę da-le-ko weź mnie Ja-siu z so-bą po-ja-dę ja z to-bą na wo-jen-kę da-le-ko.

36. u.

od Lipna.

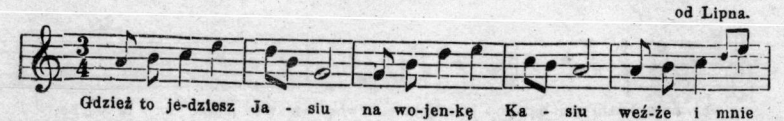

Gdzież to je-dziesz Ja-siu na wo-jen-kę Ka-siu weź-że i mnie z so - bą, po-ja-dę ja z to - bą.

37. a.

dolina Kościelisko.

Córka pewnego *gazdy* (gospodarza w Tatrach) poślubioną była człowiekowi który uchodził za bardzo porządnego parobka, a był zbójnikiem. Pewnego razu w nieobecności męża, znalazła w skrzyni jego między bielizną skrwawioną rękę, a po pierścionku na palcu poznała że to była ręka jej brata najmłodszego. Płakała w cichości nad swą niedolą, i gdy powiła syna śpiewała mu nad kołyską aby broń Boże! nie wdał się w ojca swego. Podsłuchana za drzewem przez męża, gdy znagloną została do powtórzenia śpiewu, nadała mu obrót przeciwny a pochlebny dla zbójcy. Nic jednak na tem nie wskurała, bo mąż wyprowadził ją z chaty do gaju i tam zamordował.

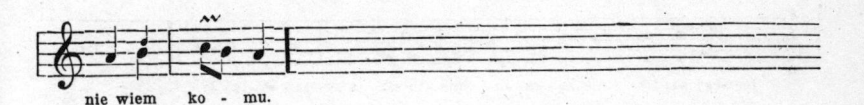

mel. od Andrychowa,

Ha-niu mo - ja, pójdź do do - mu wy - dam ja cię

nie wiem ko - mu.

1. Haniu moja pójdź do domu
wydam ja cię niewiem komu
2. Wydam ja cię Janiczkowi
hej walnemu zbójniczkowi.
3. Janku Janku tęgiś zbójnik
wiesz po wirchach każdy chodnik,
4. We dnie idziesz, w nocy wrócisz
a mnie biedną tylko smucisz.
5. Masz koszulkę uznojoną
a szabliczkę zakrwawioną.
6. Janku Janku kędyś ty był
coś se szabliczku zakrwawił?
7. Wyrubałem tu jedliczku
co stojała w okieneczku.
8. We dnie w nocy hurkotała
mnie smutnemu spać nie dała.
9. Przyniósł ci jej szaty prać,
a nie dał ich rozwijać.
10. Ona prała rozwijała
prawą rączkę nadybała.
11. W tej rączeczce pięć paluszków
a na małym złoty pierścień.
12. Na tym pierścieniu troje wrotka
„dyć to mego brata rączka."
13. Nie długo się o- (za) bawiała
do matusi odsyłała.
14. „Matko moja przemilejsza
czy mam bratów wszyskich doma?"

15. „Córuś moja, nic z jednego
z tych to siedmiu najmłodszego."
16. Skoro wyszedł rok, półtora
nagrodził jej Pan Bóg syna:
17. „Lulaj buba synu mój
niebądź tak jak ojciec twój.
18. Na kąski bym cię siekała
orłom krukom rozsypała!"
19. Mąż to za smerekiem (*choiną*) słuszy
i od złości cały dyszy:
20. „Spiewaj Haniu jakieś śpiewała
kiedyś syna powijała."

21. „Lulaj buba synu mój
byś tak był jak ojciec twój.
22. We winie bym cię kąpała
a w jedwabie powijała."
23. „Oblecz Haniu drugą szatkę
a pójdziema na przechadzkę."
24. „Dwa roczeczkim z tobą żyła
na przechadzkę nie chodziła."
25. I wziął ci ją za rączeczku
i zawiódł ją do gaiczku.
26. Oczka czarne jej wydłubał
rączki białe jej odrubał.

L. Zejszner P. l. Podhalan str. 171.   *L. Siemieński. Wieczornice Tom 3. str. 106.*

37. b.

od Myślenic.

Przy ga - i-czku przy zie-lo-nym o rze dzie-wcze je-dnym ko-niem.

jesz-cze ski-by nie zo - ra - ła   ma-tu-sia ją   za - wo-ła - ła.

1. Przy gaiczku przy zielonym
orze dziewcze jednym koniem;
jeszcze skiby niezorała
matusia ją zawołała.
2. „Moje dziecię pójdź do domu
wydam ja cię niewiem komu,
wydam ja cię za jednego
za hetmana zbójeckiego."
3. „Kiedy my się pobierzemy
gdzież bywać będziemy?
Tu w zielonym gaiczku
zbudujemy se chałpeczku."
4. Żyli z sobą czy rok, czy dwa
nagrodził im pan Bóg syna.

Miła syna kolébała
i tak mu pięknie śpiewała:
5. „Lulaj, lulaj synoszku mój
byś nie był tak jak ojciec twój,
na kąski bym cię rąbała
wronom, srokom rozdawała.
6. We dnie idzie, w nocy przyjdzie,
nic dobrego nie przyniesie,
ino szabelkę skrwawioną
i koszulkę uznojoną."
7. „Śpiewaj miła, jak'ś śpiewała
jakieś syna kolébała"
„Kiedy ja syna kolébała
tom mu tak pięknie śpiewała:

8. Lulaj, lulaj synu mój
żebyś był taki jak ojciec twój,
we winie bym cię kąpała
w paciejoty powijała.."
9. On wziąwszy ją za rączeczkę
wywiodłszy ją na łączeczkę,
rączki, nóżki jej odrąbał
a oczyczka jej wydłubał.
10. „Gdzie to jedziecie furmani?
„od Dąbrowy do Morawy."
„Nie masz tu kogo od Morawy
od mej matusi kochanej?
11. Na rąbeczku bym pisała
do matusi bym posłała,
w jakie mnie miasto wydała;
masz ich matusiu jeszcze dwie
wydaj ich lepiéj jako mnie.
12. Ja się matusiu dobrze mam,
rączek, nóżek, oczków nie mam
wron koło siebie dosyć mam."
13. Skoro począł syn płakaty
nie począł mu żadnej rady:
„Stań że miła—jakieś była
ukój że mi tego syna."
14. „Jakże ja syna koić mam,
rączek, nóżek, oczków nie mam;
wron, srok dość koło siebie mam."

Żeg. Pauli P. l. pols. w Gal. str. 87.
Pisne swets. lidu slov. w Uchr. Tom 2. str. 35 (Kollara).

38. a.

Pieśń ta (podług Wojcickiego) ułożona z prawdziwego zdarzenia, które zachowało stare podanie. Złodzieje przybywszy do gospody zamożnej, gdzie wabił kufer niepusty, zabawiali szynkarkę, gdy towarzysze wyprzątali komorę z rzeczy i pieniędzy. Gdy ujrzeli że światło z komory widać, śpiewem go ostrzegali żeby zatkał szparę, a uchylił głowy, bo widno czapkę; ażeby zaś nie brzęczały pieniądze, radzili wełną przewrócić kożuch. Gospodyni hasała ciągle, i zapóźno poznała szkodę, kiedy już wszyscy gładko się wynieśli.

W niektórych okolicach do pieśni tej mieszają mowę złodziejską, o której wiadomość znaleść można w dziełku: Małe tajemnice Warszawy.

od Mogielnicy, Rawy.

Do-bry dzień karcz-mar-ko do - brze so - bie ży-jesz trzech złodziejów

za karcz-mą jest a z czwar - tym tań-cu-jesz trzech zło-dzie-jów za karcz-mą jest

a z czwar - tym tań-cu-jesz.

1. Dobry dzień karczmarko
z Bogiem sobie żyjesz —
trzech złodziejów za karczmą
jest
a z czwartym tańcujesz.
2. Staw piwa półgarca
pij sama do siebie
a pamiętaj o złodziejach
co ich masz u siebie.
3. Odrzynaj, odrzynaj
od góry do końca —
hej bo ja już idę
z karczmarką do tońca.
4. A widzisz że bracie
są pieniądze w łacie
oj bierz że ich, bierz że ich
a dla mnie i dla się.
5. Widzisz że Florku
kiełbasy na kołku,
a przytem i sery
dwadzieści i cztery.
6. Wszystkie konie bierzcie
kasztanka niechajcie,
przyjedziecie za góreczkę
tam mnie poczekajcie.
7. Nie jedźcie tam drogą
tylko manowcami
a ja wsiędę na kasztanka
pojadę za wami.
8. Bywaj że mi zdrowa
karczmareczko moja,
oj pójdziesz do komórki —
komóreczka goła.
9. Bywaj że mi zdrowa
karczmareczko tłusta,
oj pójdziesz do stajenki —
stajeneczka pusta.

38 b.

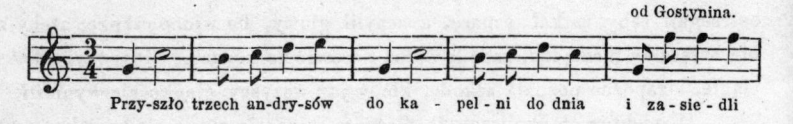

od Gostynina.

Przy-szło trzech an-dry-sów do ka - pel - ni do dnia i za-sie - dli

se za sto-łem za-krze - sa - li o-gnia.

1. Przyszło trzech *andrusów*
do *kapelni* do dnia
i zasiedli se za stołem
zakrzesali ognia.
2. Ognia zakrzesali
dylawki zapalili
oj młodą *kapelniczkę*
do tańca pojęli.
3. Młoda *kapelniczko*
nie gniewaj się na nas
jak *artychy podkirzemy*
poknajemy zaraz.
4. A widzisz ty Florku
klawizy na kołku
oj *siuchtem* się przymykaj
niedźwiadka odmykaj.
5. *Płanyta* na grzędzie
i to nasze będzie.

6. Maćku do komory
a Florku na górę
rób wiązki z podwiązki
a z koszuli wory.
7. Przewróć kożuch wełną
niech ci *włos nie brzęczy*
a macajże nogą szczebla
wystawiaj czémprędzéj.
8. Ty się Florku popraw
boć *kaniole* widać
kapelniczko moja
drygaj maszli drygać.
9. Nalej że *ołówka*
kiż sama do siebie
a ja wyjdę na podwórko
pochodzę tam sobie.
10. Siądź ty na gniadego
mnie ostaw siwego.
11. Nie jedź prosto *strugą*
tylko manowcami
a ja wsiądę na łysego
poknaję za wami.

12. *Struga* brukowana
kapelnia murowana,
oj *kapelniczka* chlusta
komóreczka pusta.
13. Oj żeby ona wiedziała
by se zapłakała.
14. Poślej po grajczyka
potańcujem sobie;
jakeś była wczora panią
dziś będziesz ubogą.
15. Kup se szklankę piwa
pij sama do siebie
a bodaj ja takich gości
nie miała u siebie.
16. Poślej po grajczyka
niechaj przyjdzie duda
oj *kapelniczko* moja
będziesz sobie chuda.
17. Ostaj że z Bogiem
bywaj że mi zdrowa
a jak ja pojadę
zaboli cię głowa.

W języku złodziejskim: *andrus* złodziej; *kapelnia* karczma; *kapelniczka*, szynkarka; *dylawka*, fajka; *artycha*, gorzałka; *podkirzyć*, wypić; *poknać*, pojechać; *klawizy*, sukmany; *siuchtem, szuchty*, ostrożnie; *niedźwiadek*, kuferek; *plany*, suknie; *chudy*, człowiek okradziony; *tłusty*, bogaty; *grzęda*, kołek; *planeta*, płaszcz; *wystawiać*, uciekać; *kaniola*, czapka; *ołówek*, piwo; *struga, wstęga*, droga.

38. c.

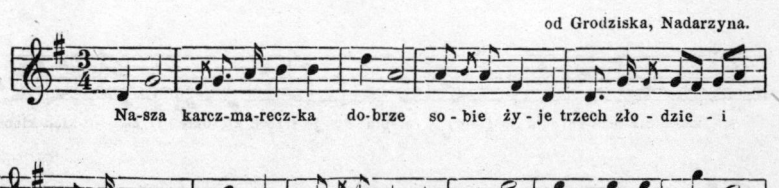

od Grodziska, Nadarzyna.

Na-sza karcz-ma-recz-ka do-brze so-bie ży-je trzech zło-dzie-i

za o-kien-kiem o-na z czwar-tym pi-je na-sza karczma-recz-ka do-brze so-bie ży-je trzech zło-dzie-i za o-kien-kiem o-na z czwar-tym pi-je.

1. Nasza *kapelniczka*
dobrze sobie żyje,
trzech *andrusów* jest za *lipką*
ona z czwartym pije.
2. „Przewróć kożuch wełną
niech ci *groch nie brzęczy*,
macaj nogą szczebla
uciekaj czemprędzej.
3. *Nisko rznij, nisko rznij*,
bo ci *grabice* widać,
a jak ciebie kto zobaczy
toby cię mógł wydać.
4. A widzisz że Florku
postronki na kołku

a *okrasę* na *grzędzie*
i to nasze będzie.
5. A nie jedźcie *wstęgą*
ino manowcami
a ja siądę na *hołotę*
poknaje za wami.
6. Nalej w dzban *wariata*
pij sama do siebie
a ja wyjdę za *lipkę*
i przyjdę do ciebie.
7. Szusta sobie szusta
karczmareczka pusta —
i zajrzała do komórki
komóreczka pusta.

Lipka, okno — *nisko rznąć*, schylać się — *grabice*, ręce — *postronki*, kiełbasy — *okrasa*, słonina — *hołota*, koń — *wariat*, miód.

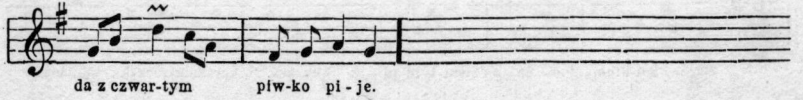

38. d.

od Karczewa, Czerska.

Oj na-sza karcz-ma-recz-ka da z Bo-giem so-bie ży-je

trzech zło-dzie-i za o-kien-kiem da z czwar-tym piw-ko pi-je oj na-sza

karcz-ma-recz-ka da z Bo-giem so-bie ży-je trzech zło-dzie-i za o-kien-kiem

da z czwar-tym piw-ko pi-je.

38. e.

od Kempna, Ostrzeszowa.

Karcz - ma - recz-ka na - sza do - brze so - bie ży - je trzech zło - dzie-i ma za ścia-ną a. z czwar-tym so - bie pi - je.

1. Karczmareczka nasza
dobrze sobie żyje
trzech złodziei ma za ścianą
z czwartym sobie pije.
2. Wleźcież do komory
nie stójcie za ścianą
bo ja sobie potańcuje
z karczmarką kochaną.
3. A widzisz ty Florku
kiełbasa na kołku
a i sukmana na grzędzie
i to nasza będzie.
4. Oj nisko żnij, nisko żnij
bo cię bez piec widać
oj karczmarko podrygaj,
maszli ty podrygać.
5. Oj nisko żnij, nisko żnij
by cię nie widziała
oj od płaczu, od żalu
będzie umglewała.

6. Dożynajże Maćku
dożynaj do końca (ką
bo ja jeszcze z karczmarecz-
pójdę raz do tońca.
7. Dożynaj, dożynaj
dożynaj do włoska,
zaprzęgajcie, nieczekajcie
koniki do wózka.
8. A jak pojedziecie
nie jedźcie też drogą,
niechże ja się natańcuje
z karczmarką ubogą.
9. Nie jedźcież dróżeczką
tylko manowcami
a wsiądę ja na siwego
trafię ja za wami.
Hej! hej — za góreczką poczekaj!

J. Lipiński P. l. Wielkop. str. 196.

38. f.

od Mielca, Baranowa.

Je - chał szyn-karz z miasta karcz - ma w po-lu sta - ła tam gdzie mło-da szyn-ka-recz-ka pie - niąż - ki skła-da-ła. Je-chał i t. d.

1. Jechał szynkarz z miasta
karczma w polu stała
tam gdzie młoda szynkareczka
pieniążki składała.
2. Wrócił się do miasta
towarzyszów zabrał,
muzykanty se podmówił
szynkareczce zagrał.
3. Pomaga-Bóg szynkareczko
dobrze sobie żyjesz —
trzech złodziei masz za ścianą
a ty z dwoma pijesz.
4. Pójdźcież bracia do izby
nie stójcie za ścianą
niech że ja się nacieszę
z karczmarką kochaną. *strych)*
5. Idźcież tam we dwóch na górę *(pod*
trzeci do komory;
powiążcież sobie rękawy
zróbcież z koszul wory.
6 Obróć kożuch wełną
niech ci groch nie brzęczy
a stąpaj że po schodach
stąpajże czemprędzej.
7. A widzisz ty Florku
sukmanę na grzędzie
czapeczka na kołku,
i to nasze będzie.
8. Zatkaj dziurę wiechciem
bo się światło chwieje
jak zobaczy szynkareczka
źle się nam udzieje.
9. Schylaj głowę nisko
bo ci czapkę widno,
jak zobaczy szynkareczka
to nam będzie wstydno.
10. Karczmareczka nasza
kluczyki u pasa;
złodzieje w komorze
cóż ci to pomoże?
11. Swieca się nie świeci
na kominku zgasło —
ej dajże karczmareczko
i ze szyi pasmo.
12. Uważaj że Florku
są uzdy na kołku —
konie ubierzemy
w drogę pojedziemy.
13. Nie jedź prostą drogą
ale manowcami
a ja siądę na łysego
pojadę za wami.
14. Bywaj że mi zdrowa
ja się idę chłodzić
którem słowa wypowiedział
będą ci się pełnić.
15. Wyszła karczmareczka
ręce załamała:
bodaj cim ja takich gości
już nigdy nie miała.

Żeg. Pauli P. l. pols. w Gal. str. 104.
Wojcicki P. l. T. 1. str. 219.

U tego ostatniego po każdym wierszu powtarza się:

Tańcujże mi karczmareczko
tańcujże mi tłusta
póki będzie komóreczka
i skrzyneczka pusta!

38. g.

od Zawichosta.

Na - sza szyn-kar-ka z Bo - giem so - bie ży-je trzech złodziejów za o-kien-kiem z czwar-tym pi - wko pi-je.

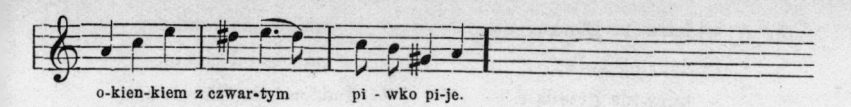

1. Nasza szynkarka
z Bogiem sobie żyje
trzech złodziejów za okienkiem
z czwartym piwko pije.
2. Nie nachylaj Kuba czuba
bo ci czapkę widać
a i ty szynkareczko
drygaj maszli drygać.
3. Da widzisz ty Florku
kiełbaski na kołku
da i kaftany na grzędzie
wszystko nasze będzie.
4. Da widzisż ty Stachu
syreczki na dachu
da i skrzyneczki otwieraj
koszulki zabieraj.

38. h.

od Bodzanowa (Łętowo, Mąkolin).

Do-bry wie-czór karcz-ma-recz-ko z Bo - giem so - bie ży-jesz trzech zło-dzie - i masz za o - knem z czwar - tym so - bie pi - jesz Idź Ku- ba na gó - rę Sta - cho do ko-mory rób z wiąz-ki pod-wiąz-ki a z ko- szu-li wo-ry da dy da-na da dy da - na da dy da - na da dy dy - na.

1. Dobry wieczór karczmareczko
z Bogiem sobie żyjesz
trzech złodziei masz za oknem
z czwartym sobie pijesz.
2. Idź Kuba na górę
Stacho do komory
rób wiązki z podwiązki
a z koszuli wory.
3. Przewróć kożuch wełną
niech ci groch nie brzęczy
macaj szczebla nogą
uciekaj czemprędzej.
4. Nisko rznij, nisko rznij
bo ci czapkę widać
ej jak karczmarka zobaczy
to się będzie gniwać.

5. A widzisz ty Florku
te flaki na kołku
te kury na grzędzie
niech to nasze będzie.
6. Nalej kwartę piwa
pij sama do siebie —

wsiądę na konika,
pojadę od ciebie.
7. Jedźcież do Ciuciewa
to się tam zjedziewa
choć nas dogonicie
i cóż nam zrobicie?

38. i.

od Białegostoku.

Ej szyn-ka - recz-ką na-sza ej sto - i u kon-wa-sa ej po - la - ła far - tu szek ej do sa - me-go pa - sa.

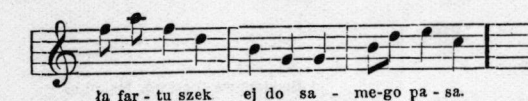

1. Ej szynkareczka nasza
ej stoi u konwasa
ej polała fartuszek
ej do samego pasa.
2. Ej szynkareczka tłusta
ej komóreczka pusta,

ej stajnia murowana
ej dróżka brukowana.
3. Ej szynkareczka nasza
ej to ta w Bogu żyje
ej co dzisiaj zarobi
ej to jutro przepije.

38. k.

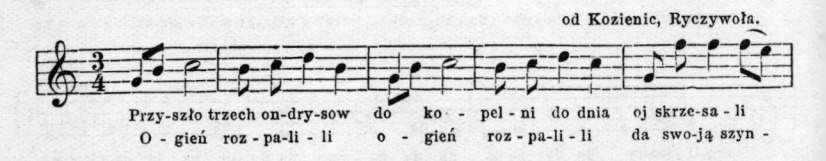

od Kozienic, Ryczywoła.

Przy-szło trzech on-dry-sow do ko - pel-ni do dnia oj skrze-sa-li
O - gień roz-pa-li-li o - gień roz-pa-li-li da swo-ją szyn -

se o - gnia da skrze - sa - li o-gnia oj skrze-sa-li se o - gnia
ka - recz - kę w ta - niec za-pro-si-li da swo-ją szyn - ka - recz-kę

da skrze - sa - li o-gnia.
w ta - niec za pro-si-li.

7. Od Warszawy (Czerniaków)

38. I.

od Chmielnika, (Sędziejewice).

Oj na-sza kar-czmar-ka do-brze so-bie ży-jesz trzech zło-dzie-jów za kar czem-ką a ty z czwar-tym pi-jesz.

38. II.

od Szkalmierza, (Charzewice).

Da jest ci tam ma-sło co się z fa-ską trza-sło oj da da dy da dy-da co się z fa-skę trza-sło oj da da ej dy da.

1. Da jest ci tam masło
co się z faską trzasło —
da jest ci tam sery
dwadzieścia i cztery.
2. Da jest ci tam sadło
co jej z pieca spadło,
kiełbasy na kołku
i to będzie w worku.
3. Pieniądze we skrzyni
bierz je do kieszeni.
W półskrzynku korale
i to będzie moje.
4. Siadajcie siadajcie
z karczmy wyjeżdżajcie,
ja za wami jadę
na mnie poczekajcie.
5. Siwego mi konia
u płota uwiążcie,
ja pojadę w lasy
wy za mną podążcie.
6. Bywaj że mi zdrowa
karczmareczko moja —
o bo już fortuneczka
za granicą twoja.

39. a.

Kobieta od kilku lat zamężna, nie miała dzieci. W czasie niebytności męża, parobek ustrugał jej dziecko z drewna i włożył w kolebkę. Kobieta ciągle je kołysała. Razu pewnego żydzi przybyli kupić od niej krowę którą miała na sprzedanie i pytają się gdzie jest owa krowa?— Kobieta nie ruszając się od kolebki, śpiewa:

od Gostynina, (Sierakówek, Leśniewice).

A jest tam w o - bo-rze na dłu-gim po - wro-zie a lu - laj - że lu - laj Ku-buś mój.

Kupcy obejrzawszy krowę spytali wiele za nią żąda. Ta im odśpiewała:

1. A cztery dukaty
i cztery talary
by mi się po stole
tulały —
a lulajże lulaj
kubuś mój!

Kupcy oświadczyli że odliczyli pieniądze, a wezwawszy ją aby sobie porachowała, usłyszeli:

2. Porachujcie sami
mój kupcze kochany —
a lulajże lulaj,
kubuś mój!

Kupcy mówią żeby sobie pieniądze schowała, lecz ta śpiewa:

3. Schowajcież mi sami
mój kupcze kochany
a lulaj i t. d.

Pytają się gdzie je mają schować. Na to:

4. Owińcie tam w chustkę
włóżcie pod poduszkę
włóżcie pod głowami —
mój chłopcze kochany
a lulaj i t. d.

Kupcy się oddalili. Mąż przybywszy pyta co się stało z krową? Żona śpiewa:

5. Mój mężu kochany
już krowa sprzedana
a lulaj i t. d.

On jej się pyta co za nią wzięła? Ona:

6. I cztery dukaty
i cztery talary
aż mi się po stole
tulały.

A gdzież są te pieniądze?

7. Są tam pod głowami
mój mężu kochany
a lulaj i t. d.

Mąż szuka, lecz nie znalazłszy pyta czy sama widziała i brała te pieniądze Ona:

8. Djabli ich wiedzieli
jak pieniądze mieli
a lulaj i t. d,

Mąż wpada w gniew, mówiąc że złodzieje ją okradli i pyta którą drogą poszli?

9. Poszli oni drogą
nie krótką nie długą
a lulaj i t. d.

A jakie mieli czapki?
10. A jeden miał jasną,
a drugi przyciasną
a lulaj i t. d.
A jakie buty:
11. Mieli oni buty
nie całe, nie kute
a lulaj i t. d.

A pasy jakie?
12. Mieli oni pasy —
nie z krowy to naszy?
a lulaj i t. d.

Poczem mąż wywlókł drewniane dziecię z kolebki i spalił, a kobiecie batem porządnie skórę wymłócił.

39. b.

od Końskich, (Błaszków).

Kobiecie dzieci umierały. Prosiła męża żeby jej z drewna dziecko ustrugał i kołysze je. Kupcy przychodzą: Niech będzie pochwalony i t. d.

Na wiek wie-ków a-men mo-i go - spo - da-rze a lu - laj-że

Sta-chu ma-lut - ki a lu - laj-że dzie-cie ma-lu-tkie.

1. *Kupcy mówią*: Niech będzie pochwalony Jezus Chrystus.
   Ona śpiewa: Na wiek wieków amen — moi gospodarze
   a lulaj że Stachu malutki
   a lulaj że dziecię malutkie.
2. *Kupcy mówią*: Podobno macie tu woły do sprzedania?
   Ona śpiewa: Są ci tam w oborze — moi gospodarze
   a lulaj że i t. d.
3. *Kupcy mówią*: Pójdźcież nam ich pokażcie.
   Ona śpiewa: A idźcież tam sami — sąsiedzi kochani
   a lulaj że i t. d.
4. *Kupcy mówią*: A cóż za nich chcecie?
   Ona śpiewa: A dajcie tam dajcie — co tam sami chcecie
   a lulajże i. t. d.
5. *Kupcy mówią*: Pójdźcież pieniądze odrachujcie.
   Ona śpiewa: Odrachujcie sami — sąsiedzi kochani
   a lulaj że i t. d.

6. *Kupcy mówią:* Pójdźcież pieniądze schowajcie.
   Ona śpiewa: Zawiążcie tam w chustkę — włóżcie pod poduszkę
   a lulajże i t. d.

   Mąż przychodzi. Ona do męża:

7. *Ona śpiewa:* O mężu mój mężu — sprzedałam tu woły
   a lulaj że i t. d.
8. *Mąż mówi:* A wielażeś za nich wzięła?
   Ona śpiewa: A dalić tam dali — co tam sami chcieli
   a lulaj że i t. d.
9. *Mąż mówi:* Gdzieżeś pieniądze podziała?
   Ona śpiewa: Zawiązali w chustkę — kładli pod poduszkę
   a lulaj że i t. d.
10. *Mąż mówi:* Żono toć tu łajno?
    Ona śpiewa: Kata oni zrobili — co łajna włożyli
    a lulaj że i t. d.
11. *Mąż mówi:* A którędy oni pośli?
    Ona śpiewa: Jeden poszedł tędy — a drugi owędy
    a lulaj że i t. d.
12. *Mąż mówi:* A w czem że oni byli?
    Ona śpiewa: A jeden był w modrym — a drugi nie w dobrym
    a lulaj że i t. d.
13. *Mąż mówi:* A jakież oni czapki mieli?
    Ona śpiewa: A jeden był w lisi — a u drugi kutas wisi
    a lulaj że i t. d.

Pieśń ta znana także w Poznańskiem i w Prusach.

40. a.

Było trzy siostry, wszystkie rosłe i gładkie, ale najmłodsza celowała urodą starsze. Przyjechał panicz z dalekiej ukrainy, spotkał siostry na łące, jak rwały kwiaty i zioła na wieniec. Ładna była najstarsza, lecz on upodobał sobie najmłodszą i chciał ją pojąć za żonę.

W dni kilka poszły siostry do boru zbierać jagody: najstarsza rozmiłowana w paniczu, zabiła najmłodszą: próżno ją średnia obronić chciała. Wykopała dół głęboki; tam zwłoki martwe przysypała mogiłą, przed rodzicami udając, że siostrę wilcy porwali. Nadjechał panicz, pyta o narzeczoną; wszyscy ze łzami opowiadają o zgonie okropnym. Gorzko i żałobliwie śmierć jej opłakał: ale czas ukoił jego żale, a zabójczyni pocieszając panicza tyle zjednała sobie serce jego, że prosił o jej rękę, którą mu też dać obiecano i dzień ślubu naznaczonym został.

A na mogile zabitej siostry, wierzba wyrosła. Szedł pasterz, wykręcił z gałązki tej wierzby piszczałkę i zadął; lecz jakże się zdziwił, gdy niedobył z niej zwykłego tonu, jeno zawsze śpiewała piosneczkę żałobliwym głosem:

od Lipna i Rypina.

Graj pa-stusz-ku graj Bóg ci po-ma - gaj star-sza sio-stra mnie za-bi-ła młod-sza sio-stra mnie bro-ni-ła graj pa-stusz ku graj Bóg ci po-ma - gaj.

Poszedł do rodziców zabitej, a piszczałka wciąż jednemi odzywała się słowy. Gdy matka zadęła, usłyszała piosnkę:

Graj matulu, graj,
Bóg ci pomagaj!
Starsza siostra mnie zabiła
Młodsza siostra mnie broniła,
Graj matulu, graj,
Bóg ci pomagaj! i t. d.

Bierze ojciec do ręki i toż samo słyszy, w ten sposób:

Graj tatulu, graj,
Bóg ci pomagaj i t. d..

Zapłakana średnia siostra bierze piszczałkę od ojca — zawsze jedna piosnka:

Graj siostrzyczko graj
Bóg ci pomagaj.
Starsza siostra mnie zabiła
Tyś to siostro mnie broniła i t. d.

Słysząc te pieśni zbladła zabójczyni. Wtedy ojciec i matka podali jej piszczałkę: zaledwie dotknęła usty, krew zamordowanej siostry oblała jej lica, a piszczałka ostatni raz zaśpiewała piosenkę:

Graj siostrzyczko, graj,
Boże cię skaraj!
Tyś to siostro mnie zabiła
młodsza siostra mnie broniła.
Tyś to siostro mnie zabiła
boś mi szczęścia zazdrościła.
A w dołku'ś mnie pochowała
czarną ziemią przysypała.
Wyrosły ci tam wierzbeczki
co będą śpiewać piosneczki:
Graj siostrzyczko graj,
Boże cię skaraj.

Poznano wtedy zbrodnię. Przywiązano zbójczynię za ręce i nogi, do dzikich koni i rozszarpano żywcem; a panicz nie żałując jej, pojął za żonę pozostałą siostrę.

p. Wojcicki. Klechdy. Wydanie drugie Warsz. r. 1851 Tom II. str. 15 i 121.

40. b.

od Warszawy.

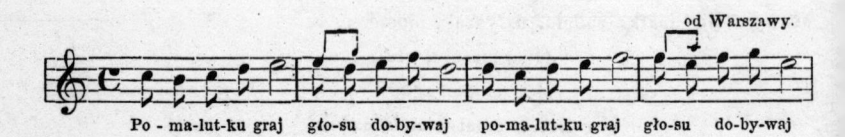

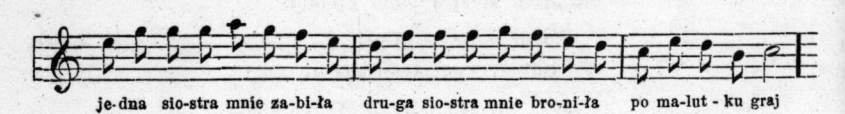

Po - ma-lut-ku graj gło-su do-by-waj po-ma-lut-ku graj gło-su do-by-waj

je-dna sio-stra mnie za-bi-ła dru-ga sio-stra mnie bro-ni-ła po ma-lut - ku graj

40 c.

od Siewierza i Tarnowskich gór.

Taż sama klechda, z tą tylko różnicą że tu dwie siostry starsze zabiły trzecią najmłodszą. Skrzypki które owczarek z wierzbiny wystrugał, tak wygrywały:

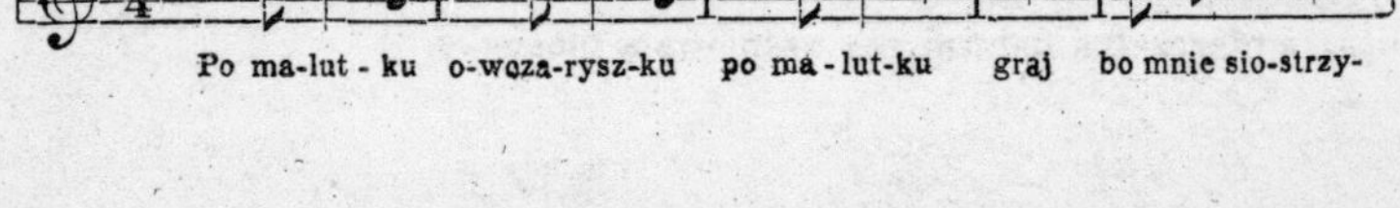

Po ma-lut - ku o-wcza-rysz-ku po ma - lut-ku graj bo mnie sio-strzy-

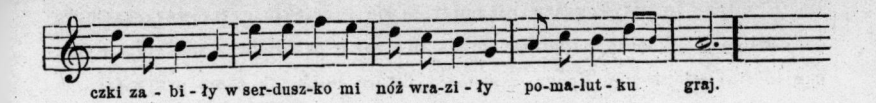

czki za-bi-ły w ser-dusz-ko mi nóż wra-zi-ły po-ma-lut-ku graj.

Ojcu te skrzypeczki grały tak:
 Pomalutku panie ojcze
 po malutku graj!
 Bo mnie siostrzyczki zabiły
 w serduszko mi nóż wraziły,
 po malutku graj!

Gdy którakolwiek z siostr wzięła skrzypeczki, to tak wygrywały:
 Po malutku że siostrzyczko
 po malutku graj!
 Boś ty mnie kazała zabić
 i w serduszko nóż mi wrazić
 pomalutku graj!

 Jedna z nich wzięła i rozstrzaskała z gniewem skrzypki o ziemię — a wtedy wyleciał z nich biały gołąbeczek i wzniósł się prosto do nieba. Siostry śmiercią ukarane zostały.

41. a.

od Gostynina i Kowala.

 Miała matka trzy córki dorosłe: Otylię, Franusię i Anusię. Gdy zaniemogła ciężko na oczy a żadne lekarstwo skutkować nie chciało, ktoś dla usunięcia grożącéj staruszce ślepoty, poradził jej przykładać na oczy wodę uleczającą ze źródła poblizkiego, którego położenie wskazał: Posłano więc najstarszą z córek z dzbankiem po tę wodę, lecz gdy ta chciała jéj zaczerpnąć, smok czy robaczysko pilnujące źródła (a w niém pokutujące) odezwało się z głębi:

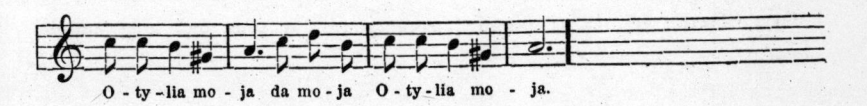

Je-śli bę-dziesz ślu-bo-wa-ła z te-go mo-rza bę-dziesz wo-dę bra-ła

O-ty-lia mo-ja da mo-ja O-ty-lia mo-ja.

Otylia to usłyszawszy niezmiernie się przelękła i rzuciwszy czemprędzéj dzbanek, uciekła napowrót do domu, gdzie przybyła z wielkiém wyrzekaniem. Wysłano więc drugą, Franusię, którą smok tak samo przywitał:

> Jeśli będziesz ślubowała
> Z tego morza będziesz wodę brała,
> Franusiu moja!

I ta nielepszą obdarzona odwagą, przybiegła bez wody do domu. Pozostała trzecia, Anusia, kochająca bardziéj od tamtych swoją matkę, wiedząc że woda ta jest jedyném dla niéj lekarstwem, postanowiła poświęcić się dla matki i poszła ślubować okrutnemu robakowi. Usłyszawszy więc śpiew:

> Jeśli będziesz ślubowała,
> Z tego morza będziesz wodę brała,
> Anusiu moja da moja —
> Anusiu moja.

Oświadczyła z płaczem, że ślubuje i otrzymała żądaną wodę, której użycie przyprowadziło wkrótce staruszkę do zdrowia, co całéj rodzinie wielką pociechę przyniosło. Teraz więc chodziło o spełnienie przyjętego ślubu i ze drżeniem oczekiwano wyroku. Jakoż, zaraz po przyjściu do zupełnego zdrowia staruszki, ukazał się ów smok, a przyczołgawszy się do chaty, woła:

A o-twórz że mi o-twórz A-nu-siu mo-ja a boś ty mi ślu-bo-wa-ła kie-dyś z mo-rza wo-dę bra-ła A-nu-siu mo-ja da mo-ja A-nu-siu mo-ja.

Przelękniona okrutnie Anusia nie chciała mu otworzyć drzwi, ale matka przekonawszy ją że winna dopełnić ślubu dla uniknienia większych nieszczęść i kary, kazała jéj zaraz takowe otworzyć; a w tém ono licho znowu się odzywa:

Przesadź mnie za próg Anusiu, przesadź mnie za próg;
a bo tyś mi ślubowała
kiedyś z morza wodę brała
Anusiu moja da moja — Anusiu moja.

Anusia napędzana przez matkę podała mu gałgan czy wiecheć, by mu dopomódz przeleźć przez próg. W chacie wskazała mu miejsce pod ławą, a to się odzywa:

Na krześle posadź Anusiu — na krześle posadź;
a boś ty mi ślubowała i t. d.

Podała mu powróz aby wlazł na stołek, poczem to odzywa się:

A dajże mi jeść Anusiu — a dajże mi jeść;
a bo tyś mi ślubowała i t. d.

Nagotowała mu klusek i maku, i podała to na misce:

Na półmisku daj Anusiu — na półmisku daj;
a boś ty mi ślubowała i t. d.

Kiedy więc dała na półmisku i postawiła na stole, ono śpiewa:

A nakryjże stół Anusiu — a nakryjże stół;
a boś ty mi ślubowała i t. d.

Nie mając nakrycia pożyczyła takowe ze dworu, nakryła, i położyła drewniane łyżki.

Srébrne łyżki daj Anusiu — srebrne łyżki daj;
a boś ty mi ślubowała i t. d.

Pożyczyła srebrnych łyżek ze dworu i położyła przed nim, w tém słyszy:

A dajże mi pić Anusiu — a dajże mi pić;
a boś ty mi ślubowała i t. d.

Przyniosła wody, i postawiła mu ją w szklenicy:

Złoty kubek daj Anusiu — złoty kubek daj;
a boś ty mi ślubowała i t. d.

Pożyczyła złoty puhar ze dworu, i postawiła przed nim, a to się odzywa:

Pójdź że ze mną jeść Anusiu — pójdź że ze mną jeść;
a boś ty mi ślubowała, i t. d.

Nie chciała zrazu na to przystać, lecz matka i siostry nakłoniły ją, ubolewając że się musi z takiem robaczyskiem żywić. Usiadła więc do stołu, lecz co weźmie klusek to go nieznacznie pod stół ciska.

Po skończonej wieczerzy, smok woła:

A pościel że mi Anusiu — a pościel że mi;
a boś ty mi ślubowała i t. d.

Wzięła garstkę barłogu i rzuciła pod ławę, lecz robak zażądał:
A na łóżeczku Anusiu — a na łóżeczku;
a boś ty mi ślubowała i t. d.

Przyniosła więc prześcieradło, pierzynę i poduszki, i posłała mu łóżko; wtedy robak zaśpiewał:

Pójdźże ze mną spać Anusiu — pójdź że ze mną spać
a boś ty mi ślubowała i t. d.

Przerażona tem Anusia chciała uciekać, lecz smok zastąpił jej drogę. Gdy wreszcie po długim oporze zdołano ją przekonać że uledz musi konieczności, położyła się w łóżku tak, że on został od ściany a ona od brzega, a kosę ostrą między niemi układła. Koło północy smok zdjął z siebie skorupę, rzucił ją pod ławę, i ukazał się w postaci ładnego młodzieńca. Matka widząc skorupę pod ławą, wstała w nocy, wywlekła takową i rzuciła w piec gdzie się żarzyły węgle; skorupa się spaliła, a smutny młodzieniec zaśpiewał nazajutrz:

Có-żeś zro-bi - ła A - nu-siu có - żeś zro-bi - ła zro-bi - ła

mia-łem też to sko-rup-czys-ko w pie-cuś spa-li - ła -pa - li - ła A - nu-siu mo-

ja da mo - ja A - nu-siu mo - ja.

Oświadczył że co miał cztery lata pokutować, to teraz po stracie skorupy osiem. Oddalając się, oddał jej piękną laskę, z którą kazał za lat osiem udać się do źródła gdzie pokutował, i uderzyć tą laską we wodę — poczem zniknął. Wkrótce Anusia powiła syna, lecz i ten zaraz po urodzeniu zniknął. Stosując się do rozkazu, po ośmiu latach poszła nad wodę i gdy w nią uderzyła, z wody natychmiast wytrysnął piękny pojazd zaprzężony sześciu białemi końmi, a w nim siedział ów ładny młodzian który był królewiczem i siedmioletniego chłopczyka trzymał za rękę. Przywitał się ze swoją Anusią, podziękował za wybawienie od zaklęcia, a pojąwszy ją, do zamku swego zaprowadził.

(porównaj z klechdą p. t. Żaba w zbiorze Wojcickiego).

41. b.

od Opoczna.

O-twórz-że mi A-nu-liń-ku o-twórz-że mi żon - ko wten-cza-seś mi ślu - bo-wa - ła kie-dyś wo-dę bra - ła.

41. c.

od Rakowa.

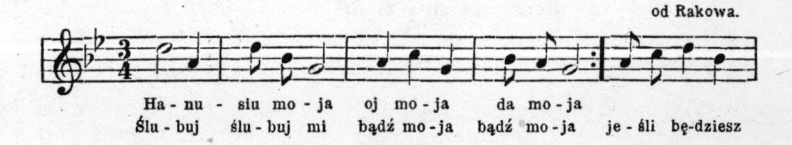

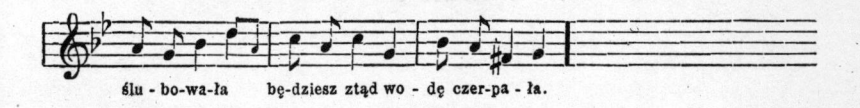

Ha - nu - siu mo - ja oj mo - ja da mo - ja
Ślu - buj ślu - buj mi bądź mo - ja bądź mo - ja je - śli bę-dziesz
ślu - bo-wa-ła bę-dziesz ztąd wo - dę czer-pa - ła.

41. d.

od Sandomierza (Bilcza).

Na koń-cu nos na hembul-cu broda o-twórz że mi mo-ja pan-no mło-da wtenczaseś mi ślu - bo-wa - ła kiejś u zdro-ju wo-dę bra - ła pła-czą-cy.

1. Na końcu nos — na hembulcu broda
otwórz że mi moja panno młoda

wtenczaseś mi ślubowała
kiejś u zdroju wodę brała
  płaczący.
2. Na końcu nos — na hembulcu broda
nakryjże mi moja panno młoda;
w tenczaseś mi ślubowała
kiejś u zdroju wodę brała
  płaczący.
3. Na końcu nos — na hembulcu broda
dajże mi jeść moja panno młoda;
wtenczaseś mi i t. d.
4. Na końcu nos — na hembulcu broda
pościel że mi moja panno młoda;
wtenczaseś mi i t. d.

DODATKI.

Do stronicy 26.

3. dd.

od Mstowa, (Krasice)

Jest tu ta-ka no-wi-na jest tu ta-ka no-wi-na pa-ni pa-na za-bi-ła pa-ni pa-na za-bi-ła.

1. Jest tu taka nowina:
pani pana zabiła.

2. Wsadziła go w ogrodzie
obsiała go leliją.

3. Rośnij rośnij lilija
rośnij większa niźli ja.

4. Lilija nie urosła
pani za mąż nie poszła.

5. Idź ta zajrzy przede bór
czy nie jedzie kto w nasz dwór?

6. Jadą jadą panowie
nieboszczyka bratowie.

7. Przede dwór zajechali
i o brata spytali.

—

Choćby sto kur zabiła
tyleby krwie nie było.

3. ee.

od Kozienic (Majdan).

Sta-ła się nam no-wi-na sta-ła się nam no-wi-na pa-ni pa-na za-bi-ła pa-ni pa-na za-bi-ła.

Do stronicy 70.

5. ccc.

od Warszawy i Pragi (Las, Zerzeń).

Ja-sio ko-nie po - ił Ka-sia wo-dę bra - ła oj na-ma-wiał ci ją by z nim wę-dro - wa - ła.

p. Nr. 5. a.

11. Oj miała ja miała
złocistą spódniczkę
obiecałeś kupić
Jasiu kamieniczkę.

12. Tę ci kamieniczkę
ktokolwiek wyłupi:
wracaj że Kasieńku
do matuli głupia.

13. Oj miała ja miała
Jasiu pierścień złoty
obiecałeś kupić
Jasiu wieniec z ruty.

14. Ten ci to wianuszek
ktokolwiek wyłupi;
wracaj że Kasieńku
do matuli głupia.

p. Nr. 5. d.

17. I zawiesił jej się
fartuszek na krzaczku
ratuj mnie Jasieńku
ratuj mnie robaczku.

19. I urwała sobie
listeczek z jawora:
oj płyńże ty listeczku
do matuli dwora.

20. Mamula wyjrzała
łzami się oblała:
widzisz ojcze widzisz,
jak to Kasia ginie.

21. I urwała sobie
listeczek z jawora:
oj płyńże ty listeczkn
do siostrzyczki dwora.

22. Siostrzyczka wyjrzała
łzami się oblała:
widzisz bracie widzisz
jak to Kasia ginie!

23. Jechał ci braciszek
po wysokiej górze
spuścił się do Kasi
po jedwabnym sznurze.

—

26. Poszła do kościoła
stanęła za drzwiami. i t. d.

5. ddd.

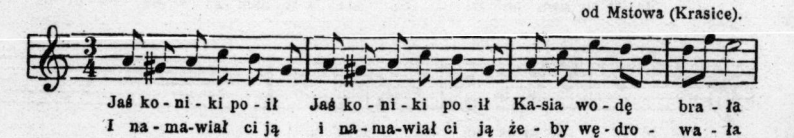

od Mstowa (Krasice).

Jaś ko - ni - ki po - ił Jaś ko - ni - ki po - ił Ka-sia wo - dę bra - ła
I na - ma-wiał ci ją i na - ma-wiał ci ją że - by wę - dro - wa - ła

Ka sia wo - dę bra - ła.
że - by wę-dro - wa - ła.

p. N. 5 gg. i 5 qq.

2. I zawędrowali
aż przed boże-męki:
a zdejmaj że Kasiu
złoty pierstrzeń z ręki.

3. Ona go zdejmuje
niezdejmywający
i modli się, modli:
Boże wszechmocący.

4. I zawędrowali
przede młyn na piasek:
tu se odpocznijwa
nadobny Wojtaszek.

5. A zdejmaj że Kasiu
te nowe trzewiki:
kupwa sobie kupwa
te kare koniki.

6. A zdejmajże Kasiu
te nowe korale:
kupwa se Wojtaszek
na koniki stroje.

7. I wrzucił ją w stawik
i nie sporzał za nią—
sercu by się roztrąć
patrzający na nią.

8. Rybaki rybaki
włoki zaciągajcie i t. d.

Do stronicy 114

7. ee.

od Warszawy (Raków).

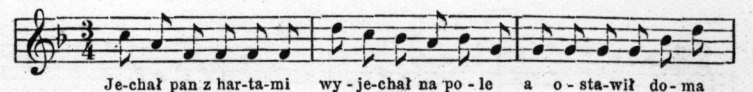

Je-chał pan z har-ta-mi wy-je-chał na po-le a o-sta-wił do-ma
to ma-łe pa-cho-le że-by do-mu pil-no-wał że-by do-mu pil-no-wał.

7. ff.

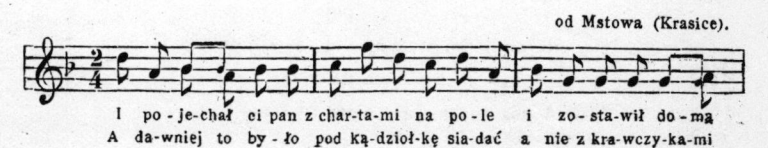

od Mstowa (Krasice).

I po-je-chał ci pan z char-ta-mi na po-le i zo-sta-wił do-ma
A da-wniej to by-ło pod ką-dzioł-kę sia-dać a nie z kra-wczy-ka-mi

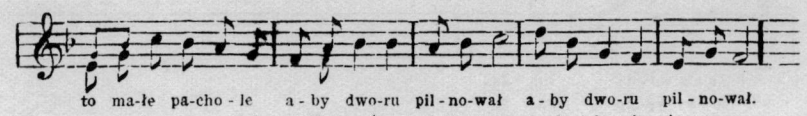

to ma-łe pa-cho-le   a-by dwo-ru pil-no-wał   a-by dwo-ru pil-no-wał
po po-ko-ju ga-dać   a Ka-si-ńku nie-bo-go   nie by-ło ci nic z te-go.

Do stronicy 168.

13. dd.

od Warszawy (Raków).

Tam za War-sza-wą   tam za War-sza-wą   na bło-niu   na bło-niu

wy-wi-ja Ja-sio   wy-wi-ja Ja-sio   na ko-niu   na ko-niu.

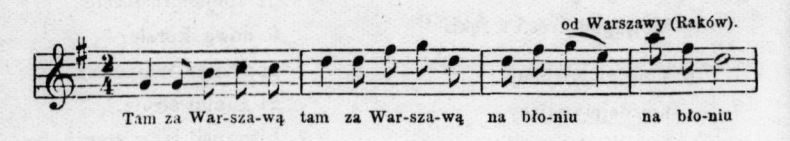

Do stronicy 173.

13. i.

od Ryczywoła.

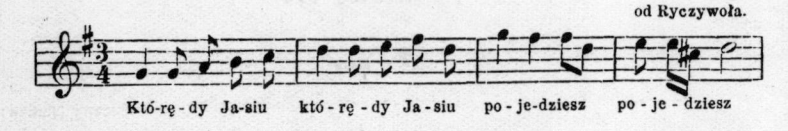

Któ-rę-dy Ja-siu   któ-rę-dy Ja-siu   po-je-dziesz   po-je-dziesz

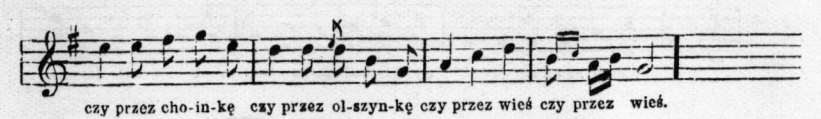

czy przez cho-in-kę   czy przez ol-szyn-kę   czy przez wieś   czy przez wieś.

1. Którędy Jasiu — którędy Jasiu
   pojedziesz
   czy przez olszynkę — czy przez choinkę
   czy przez wieś?
2. Przez wieś dziewczyno — przez wieś jedyna
   pojadę
   do swej dziewczyny — do swej jedynéj
   na radę.
3. A cóż to tamój — a cóż to tamój
   za rada

8. Od Szkalmierza i Działoszyc.

kiedy dziewczyna — kiedy jedyna
nie rada.
4. Czarna chmureczka — czarna chmureczka
na niebie
przyjm mię dziewczyno — przyjm mię jedyna
do siebie.
5. Da jakże ja cię — da jakże ja cię
przyjąć mam?
ja sieroteczka — ja sieroteczka
a tyś pan.
6. Ja sieroteczka — ja sieroteczka
uboga
na tobie suknia — na tobie suknia
chędoga.
7. Nie uważajże — nie uważajże
na suknie
kiej ja cię kocham — kiej ja cię kocham
okrutnie.
8. Poszła dziewczyna — po gorzałeczkę
do żyda
ni gorzałeczki — ni kochaneczki
toć bida.
9. Poszedł Jasiunio — poszedł Jasiunio
po drobnej leszczynie
orzeszki szczypie — w kieszonkę sypie
nadobnej dziewczynie.

Do stronicy 206.

16. y.

od Stopnicy, Oleśnicy (Sichów duży).

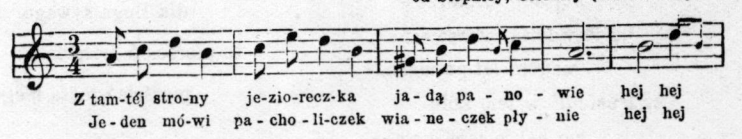

Z tam-téj stro-ny je-zio-recz-ka ja-dą pa - no - wie hej hej
Je - den mó-wi pa - cho - li-czek wia - ne - czek pły - nie hej hej

mo - cny Bo-że ka - wa-le - rc - wie.
mo - cny Bo-że wia - ne-czek pły - nie.

patrz Nr. 16. a.

A byli ta starostowie
wielorybowie,
a były ta starościne
wielorybine.

A byli ta i drużbowie —
wodni rybkowie,
a byli ta i druchniczki
wodne rybniczki.

16. z.

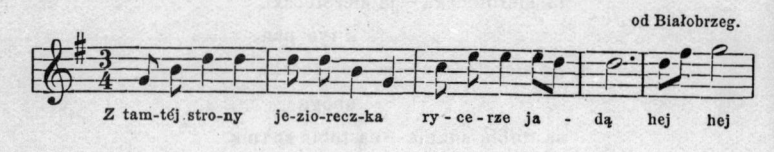

od Białobrzeg.

Z tam-téj stro-ny je-zio-recz-ka ry - ce - rze ja - dą hej hej mo-cny Bo - że ry - ce-rze ja - dą.

Do stronicy 241.

24. h.

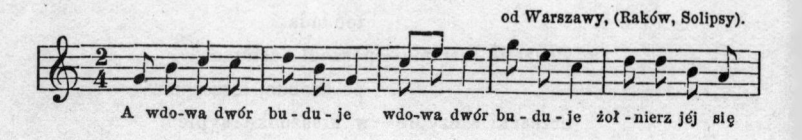

od Warszawy, (Raków, Solipsy).

A wdo-wa dwór bu - du - je wdo-wa dwór bu - du - je żoł -nierz jéj się dzi-wu-je żoł-nierz się dzi - wu-je.

2. Nie dziwuj się żołnierzu
hej hej żołnierzu —
bo ja wdowa sfrasowana
siedem lat po mężu.
3. I usiedli w tem kole
hej hej w tem kole —
puścił ci jej złoty pierścień
po stole po stole.

4. Och dla Boga żywego
dla Boga żywego
to pierścień męża mego
pierścień męża mego.

5. Siedem świec zgorzało
zgorzało zgorzało i t.d.

II.
TAŃCE.

POLSKIE TAŃCE, MAZURY, KUJAWIAKI (Obertasy), WALCE.

TAŃCE.

1.

od Warszawy.

Nu Mazurze bij nóż - ka-mi i daj w o-gnia podkówkami
Dana dana na - o - ko - ło i o - bróć-wa się we - so - ło

i ty Kaśka skacz - że ży - wo żebyś niecho - dzi-ła krzy-wo
wte-dy Mazur we - sół ży - je kiej tań-cu-je kie-dy bi - je

2.

od Warszawy (Młociny).

I-dzie wo-da mię-dzy dę-by naj-mi - lej-sza daj mi gę - by

Ja-bym gę-by nie wzbra-nia-ła by - le ma-tka nie wie-dzia-ła.

3.

od Warszawy.

A bie-daż mi nad bie-da-mi mam ko-chan-kę za wo-da-mi
Mu-szę je-chać mu-szę pły-nąć by ko-chan-ki nie po-mi-nąć.

Za wo-da-mi za by-stre-mi, du-na-ja-mi głę-bo-kie-mi.

4.

od Warszawy (Młociny, Łomianki).

Nie pój-dę ja gra-bić sia-na bo się bo-ję Per-sy-ja-na

bo Per-sy-jan sie-dzi w li-pie i wy-trzesz-czył na mnie śli-pie.

Patrz Nr. 15.

5.

od Warszawy (Młociny).

A wyj-rzyj-że dzie-wczy-no da za o-wczar-skie po-le je-że-li ta
Oj ja-dą, ja-dą ja-dą da już ci są w zie-le-ni oj je-dzie je-

nie ja-dą da na-si o-wczar-ko-wie.
dzie je-dzie da ko-cha-nek przed nie-mi.

6.

od Warszawy (Młociny, Wawrzyszew).

Pa-słam wo-ły pod ło-zi-ną za-kłu-łam się ro-go-zi-ną

za-kłu-łam się mi-mo wo-li co ta kie-go co mnie bo-li.

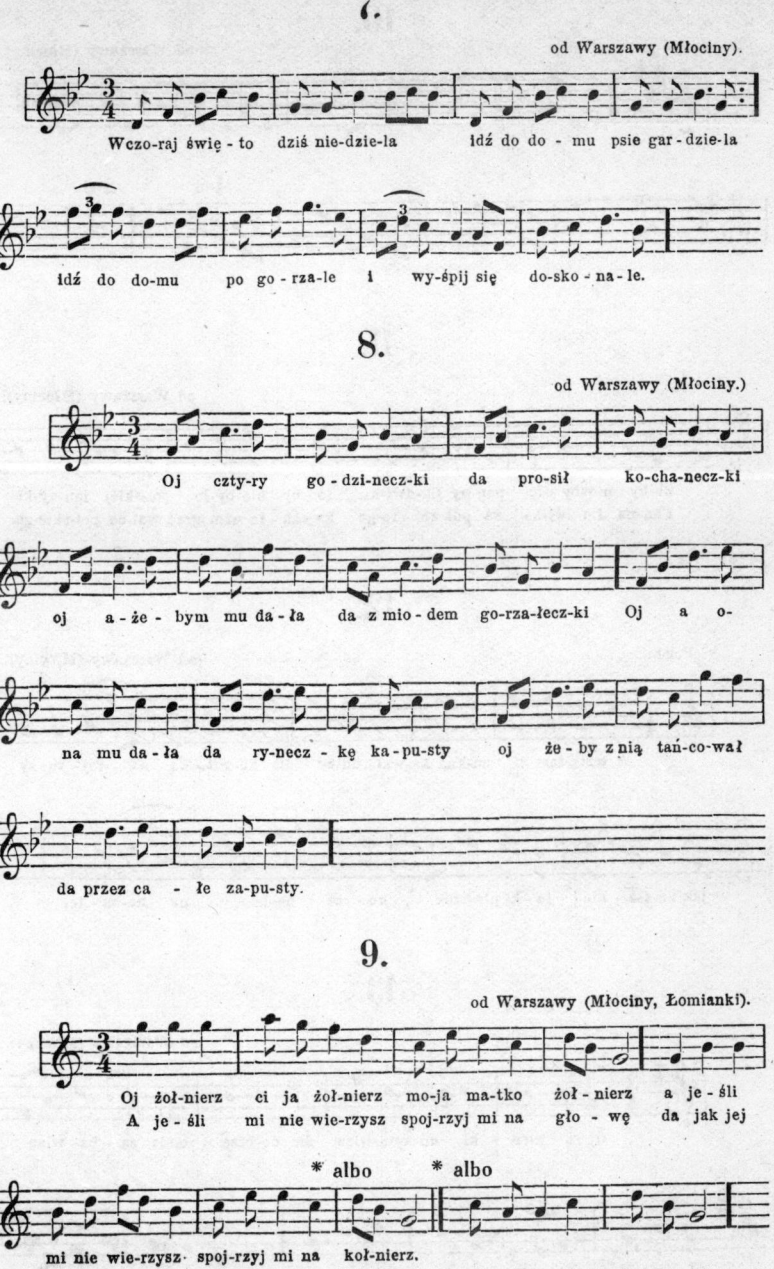

7.

od Warszawy (Młociny).

Wczo-raj świę-to dziś nie-dzie-la idź do do-mu psie gar-dzie-la
idź do do-mu po go-rza-le i wy-śpij się do-sko-na-le.

8.

od Warszawy (Młociny.)

Oj czty-ry go-dzi-necz-ki da pro-sił ko-cha-necz-ki
oj a-że-bym mu da-ła da z mio-dem go-rza-łecz-ki Oj a o-
na mu da-ła da ry-necz-kę ka-pu-sty oj że-by z nią tań-co-wał
da przez ca - łe za-pu-sty.

9.

od Warszawy (Młociny, Łomianki).

Oj żoł-nierz ci ja żoł-nierz mo-ja mat-ko żoł-nierz a je-śli
A je-śli mi nie wie-rzysz spoj-rzyj mi na gło-wę da jak jej

* albo   * albo

mi nie wie-rzysz spoj-rzyj mi na koł-nierz.
o-go-li-li ca-lut-ką po-ło-wę.

10.

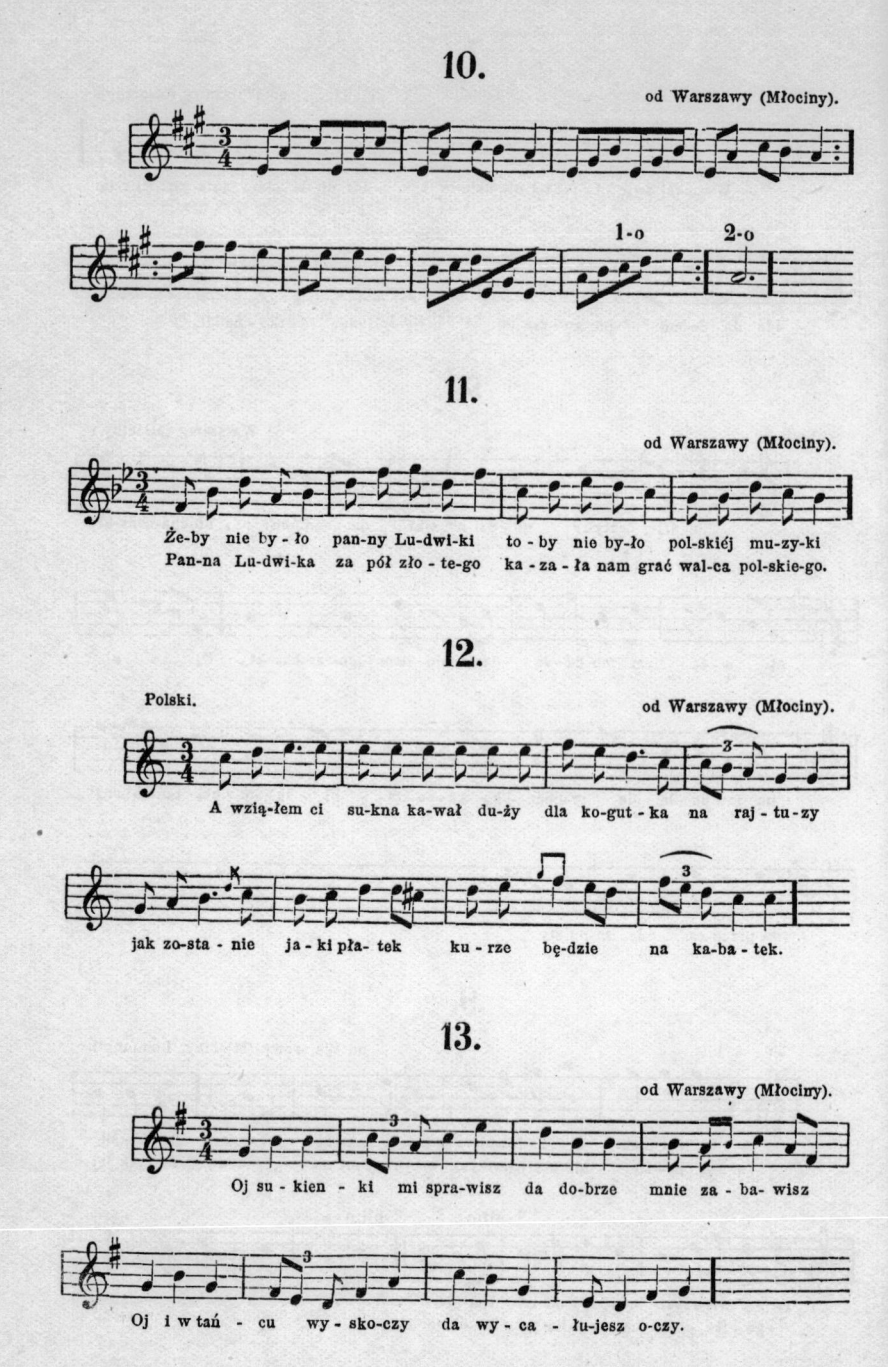

od Warszawy (Młociny).

11.

od Warszawy (Młociny).

Że-by nie by-ło pan-ny Lu-dwi-ki to-by nie by-ło pol-skiéj mu-zy-ki
Pan-na Lu-dwi-ka za pół zło-te-go ka-za-ła nam grać wal-ca pol-skie-go.

12.

Polski.

od Warszawy (Młociny).

A wzią-łem ci su-kna ka-wał du-ży dla ko-gut-ka na raj-tu-zy
jak zo-sta-nie ja-ki pła-tek ku-rze bę-dzie na ka-ba-tek.

13.

od Warszawy (Młociny).

Oj su-kien-ki mi spra-wisz da do-brze mnie za-ba-wisz
Oj i w tań-cu wy-sko-czy da wy-ca-łu-jesz o-czy.

14.

od Warszawy (Wawrzyszew).

Oj zi-mny kie-by wo-da da mar-twy kie-by kło-da oj ty Ja-sień-ku mło-dy da ty mi dasz wy-go-dy

15.

od Warszawy (Wawrzyszew).

Patrz Nr. 4.

16.

od Warszawy (Wawrzyszew).

Oj dzie-wczy-no bo-so cho-dzisz na trze-wicz-ki nie zą-ro-bisz
A pój-dę ja na po-rzycz-ki za ro-bię ja na trze-wicz-ki.

17.

od Warszawy (Wawrzyszew).

Da kie - dyś u - cie - ka - ła da u - cie - kła - byś by - ła
Da kie - dy ją po - ja - dę da z ko - ni-kiem do Wi - dnia

a - leś ty mnie cze - ka - ła da boś mi ra - da by - ła.
da bę-dziesz mnie pła - ka - ła da dzie-wczy-no do ty - dnia.

18.

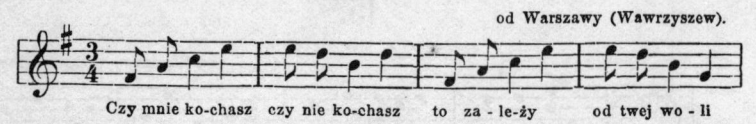

od Warszawy (Wawrzyszew).

Czy mnie ko-chasz czy nie ko-chasz to za - le - ży od twej wo - li

Tyl - ko na mnie krzy-wo nie patrz bo mnie ser-ce bar-dzo bo-li.

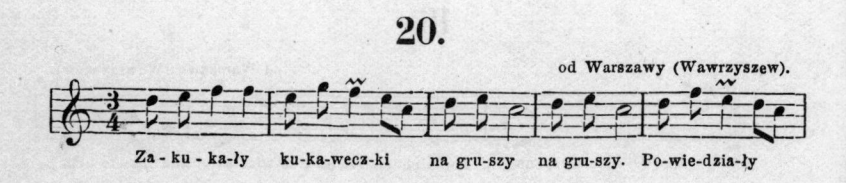

19.

od Warszawy (Wawrzyszew).

20.

od Warszawy (Wawrzyszew).

Za - ku - ka - ły ku-ka-wecz-ki na gru-szy na gru-szy. Po-wie-dzia-ły

Ba - bi-czan-ki że ja naj - głup - szy naj-głup-szy po-wie-dzia-ły

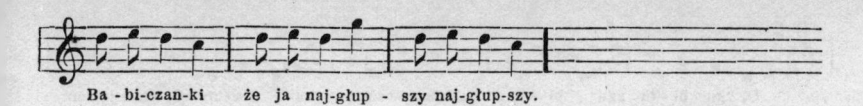

Ba - bi-czan-ki że ja naj-głup - szy naj-głup-szy.

21.

od Warszawy (Opalin).

Któ-raż z dzie-wcząt gę - by ma dać? bo się śmie-je nie chce ga-dać.
Śni - ło mi się o Fra - nu - li Fra - nu - la się do mnie tu - li.

Śni - ło mi się że mam Kry - się, po-ma-cam się wym-kła mi się.
Śni - łaś mi się i ty Gier - ka bę-dzież z to-bą po-nie-wier-ka!

22.

od Warszawy (Opalin, Mościska).

Oj na po-dwó - rzu sta - ła oj da na Ja - sia wo - ła - ła

oj po-szłam za sta - re - go oj da i nie ra - da z nie - go.

23.

od Warszawy (Opalin, Mościska).

Prze-no-cuj mnie prze-no - cuj bo mnie deszczyk ob-mo-czył Nie bę-dę cię

no - co - wać bo ty bę-dziesz fi - glo-wać.

24.

od Warszawy (Boraków).

Oj cho-dzi - ła dzie - wczy - na da mię-dzy o - płot - ka - mi

Oj zgu - bi - ła zgu - bi - ła da wia-ne-czek ru - cia - ny Oj choć je-den
zgu - bi - ła da to dru - gi u - wi - ła da i tak bę - dzie cią-gle
da w wia-necz-ku cho - dzi - ła.

25.

od Warszawy (Łomianki Kiełpin).

fine

da Capo.

26.

od Warszawy (Kiełpin Łomianki).

Oj w po - lu groch, w po-lu groch dro-bne strącz-ki na nim
oj do-bry mój Ja-sie-niek do-brze i mnie za nim.

27.

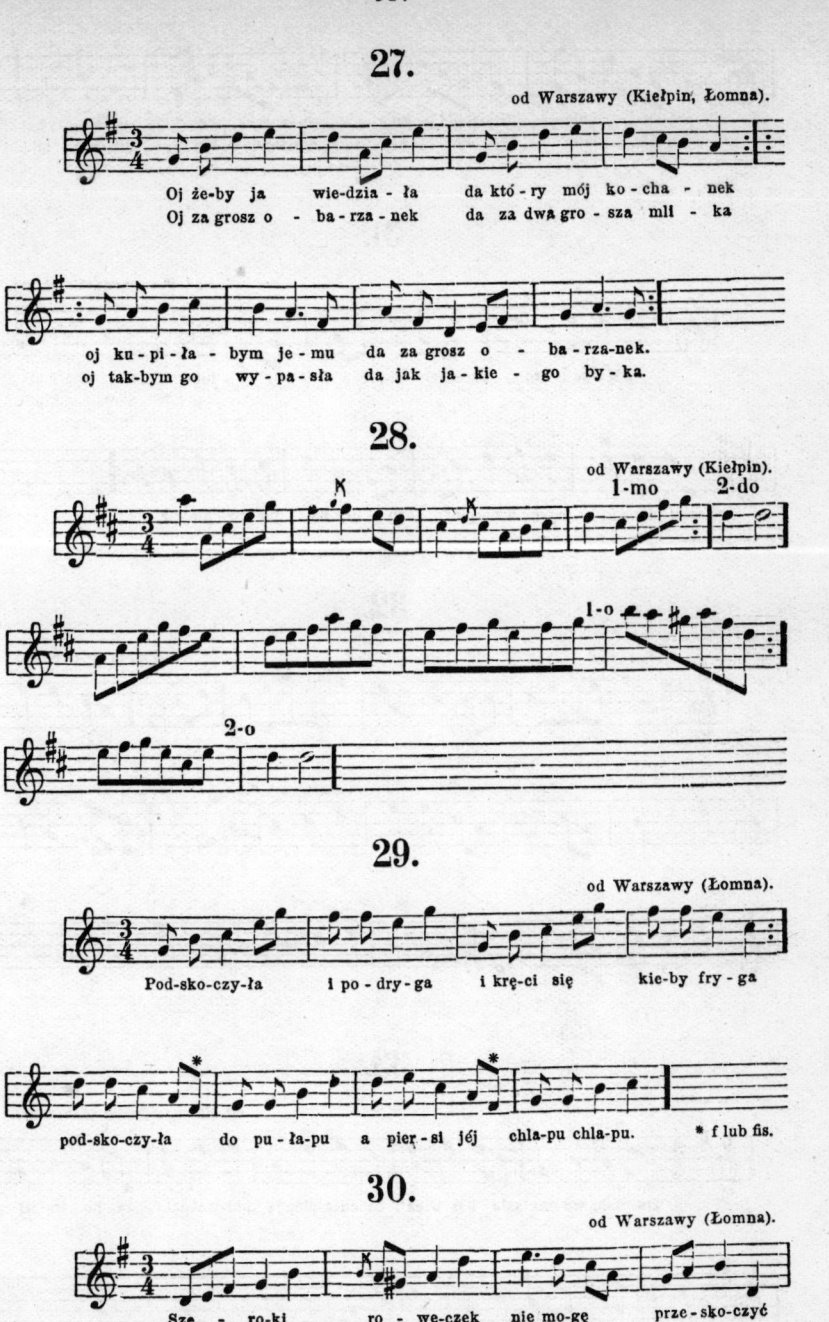

od Warszawy (Kiełpin, Łomna).

Oj że-by ja wie-dzia - ła da któ - ry mój ko - cha - nek
Oj za grosz o - ba - rza - nek da za dwa gro - sza mli - ka

oj ku - pi - ła - bym je - mu da za grosz o - ba - rza-nek.
oj tak-bym go wy - pa - sła da jak ja - kie - go by - ka.

28.

od Warszawy (Kiełpin).

29.

od Warszawy (Łomna).

Pod-sko-czy-ła i po - dry - ga i krę-ci się kie-by fry - ga

pod-sko-czy-ła do pu - ła-pu a pier - si jéj chla-pu chla-pu. * f lub fis.

30.

od Warszawy (Łomna).

Sze - ro-ki ro - we-czek nie mo-gę prze - sko-czyć
W pią - tek na - mo - czy - ła w so - bo-tę wy - pra - ła

pro-sił mnie Sta-sień - ko ko-szul - kę na-mo-czyć
a w nie - dzie - lę ra - no Sta-sień - ka u - bra - ła.

31.

od Warszawy (Boraków).

Ma-zu - re - czek się na-pił oj i mie - le i mie - le
wści-bił czu - pry-nę w po-piół czu - pry-ną po po - pie - le.

32.

od Warszawy (Łomna).

33.

od Nowego-dworu (Jabłonna).

Da dzie-wu-cha szła bez wieś da chło-piec ją pro-wa-dzi da po - trą-cił
ją z bo-ku da o - na się z nim wa-dzi.

34.

od Nowego-dworu (Jabłonna).

Jak pój-dziesz z kar-czmy do dom trąć-że mnie no - gą da no-gą
a ja się też do - miar-ku-ję pój-dę za to - bą za to-bą.

35.

od Nowego-dworu.

36.

Od Nowego-dworu (Jabłonna).

37.

od Pragi (Tarchomin).

A mo - ja wój-to-wa a daj-cież mi sy - na bę-dę
wam za sy - na dwie nie - dzie - li żę - na.

Dwie niedzieli żęła
a półtory prała,
będę wam wójtowa
syna odrabiała.

Będę odrabiała
i będę służyła,
jak córka z matulą
będę z wami żyła.

38.

Muzur. od Pragi (Tarchomin).

39.

Polski. od Pragi, Radzymina.

40.

od Pragi.

41.

od Pragi (Ząbki, Bródno).

Oj zie - le - ni się zie - le - ni da i tra-wka przy zie-mi

oj bę-dziesz ty Ma - ryś mo - ją da już się nie od - mie - ni

oj bę-dziesz ty Ma-ryś mo - ją da już się nie od-mie - ni.

42.

od Pragi (Białołęka).

Oj mo - ja ma-tu - lu có - żem za-ro-bi - ła Mia-łam

ja ko-chan-ka ju - żem go straci - ła.

43.

Od Pragi (Białołęka, Marki).

Bądź że mo - ją nie bądź czy - ją bę-dzież so - bie go-spo-dy-nią
By-łaś do - brą nie bądź in - ną to cię ku - ła - ki o-mi - ną

bądź że mo - ją bądź że pręd - ko go-spo - dy - nią, bę-dziesz skrzę-tną.
by - łaś do-brą bądź że jesz - cze bę-dziesz je - dną w ca - łej wie - sce

44.

Od Pragi (Białołęka).

45.

od Pragi, Okuniewa.

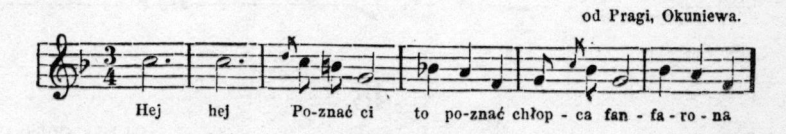

Hej hej Po-znać ci to po-znać chłop - ca fan - fa - ro - na
Choć pu - sto w kie-sze-ni gło-wa na - je - żo - na.

46.

od Pragi, Okuniewa.

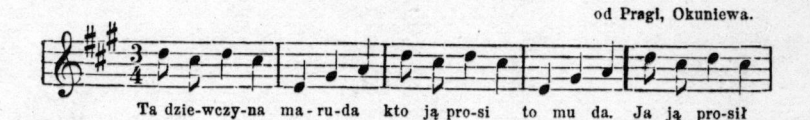

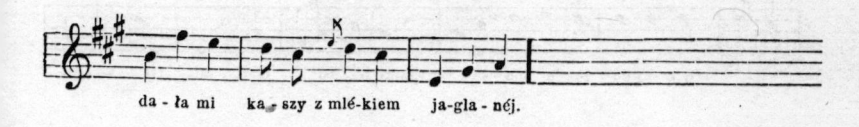

Ta dzie-wczy-na ma-ru-da kto ją pro-si to mu da. Ja ją pro-sił
da - ła mi ka - szy z mlé-kiem ja-gla - néj.

47.

od Pragi, Mińska.

1-mo

2-do

48.

Od Pragi (Miłosna).

U - ży-waj Ru - zień-ko świa-ta pó - ki jesz-cze mło- de la - ta

Bo jak cię marszcz - ki po-wle-ką to i chłop-czę - ta u - cie-ką.

49.

Od Pragi (Miłosna).

Oj w sto-do - le ja spa - ła mysz-ki się bo - ja - ła. Oj ko - tek

mysz-ki go-nił mnie Pan Je-zus bro - nił.

Mel. patrz Nr. 9 i 26.

50.

od Pragi, Okóniewa.

51.

od Pragi (Grochów).

Oj je-dzie Ja-sio je-dzie da mi - ja mo-je wro-ta oj gdzie ja

się po-dzie-ję da u - bo - ga sie - ro-ta.

52.

od Pragi, (Grochow, Miłosna).

Hej je - cha - li przez wsi-sko da zła - ma - li o - si-sko
Oj mó - wi-łem nie jedź-cie da zła-mie-cie i trze-cie.

oj je - cha - li przez po - le da zła-ma - li dwie ko - le.
da o -ni nie słu - cha - li da wszyst-kie po - ła-ma - li.

53.

od Pragi (Gocław, Grochów).

54.

od Pragi (Grochów).

55.

Od Pragi (Gocław).

Oj Te-reś mo - ja Te-reś da ko-mu łóż-ko ście-lesz Da to-bie

mój Ja-sień-ku da chodź se na nim po - leż.

56.

Od Pragi (Gocław).

57.

od Pragi (Gocław).

Po-szła pan-na na żo-łę-dzie na-zbie-ra-ła co to bę-dzie. Żo-łądź po żo-łę-dzi żo-łądź, aż nie mógł far-tu-szek ob-jąć.

Patrz Nr. 161.

58.

od Pragi (Las).

Cie-szy-ła się ma-tka je-dy-nacz-kiem sy-nem oj że mu za-pi-sa-ła wró-ble za ko-mi-nem.
Wró-ble z za ko-mi-na la-tem wy-le-cia-ły oj sy-na je-dy-na-ka dzie-wczy-ny nie chcia-ły.

* albo naczkiem sy-nem

59.

od Pragi (Las).

Za-siał wał-koń ko-prem ro-lą a sam po-szed na swy-wo-lą

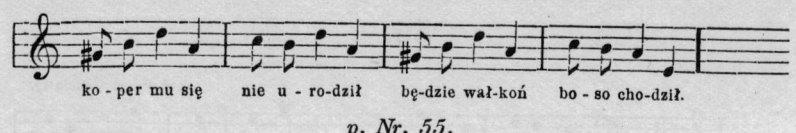

ko - per mu się nie u - ro-dził bę-dzie wał-koń bo - so cho-dził.

p. Nr. 55.

60.

od Pragi (Las, Zbytki).

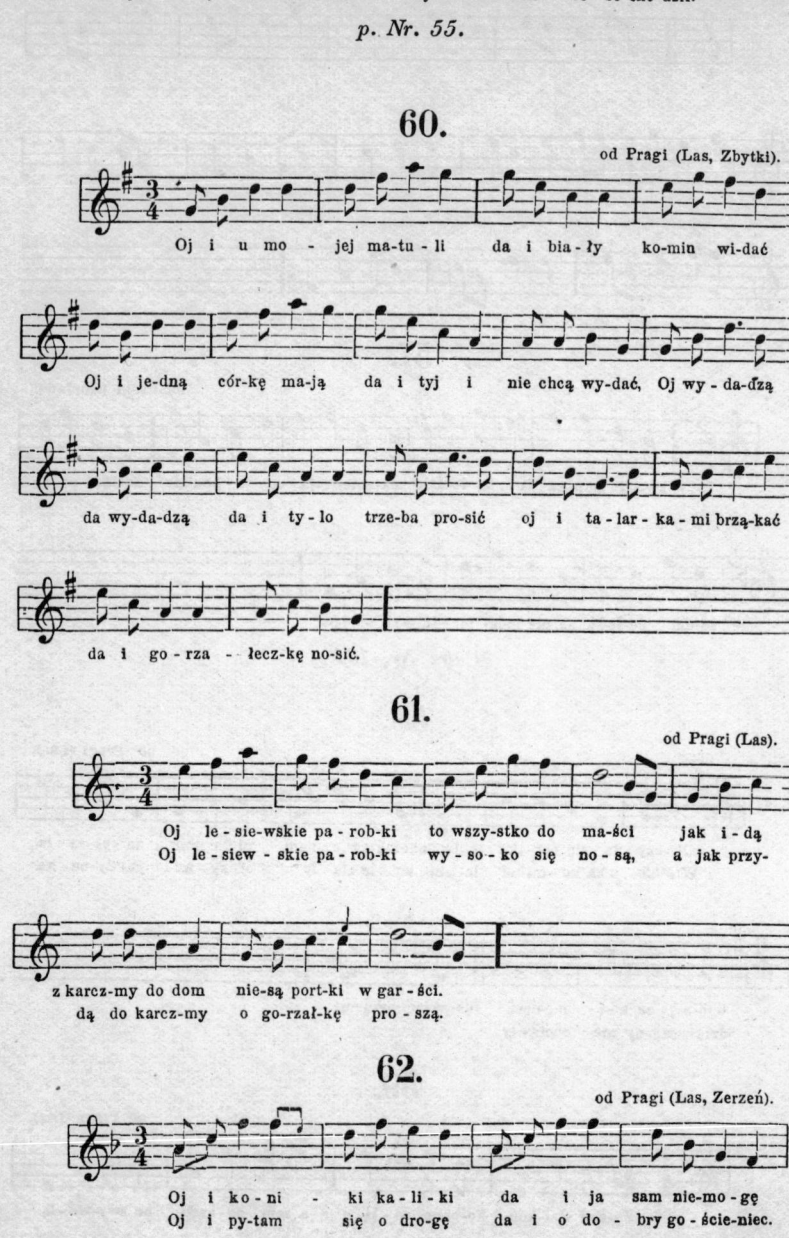

Oj i u mo - jej ma-tu - li da i bia - ły ko-min wi-dać

Oj i je-dną cór-kę ma-ją da i tyj i nie chcą wy-dać, Oj wy - da-dzą

da wy-da-dzą da i ty - lo trze-ba pro-sić oj i ta - lar - ka - mi brzą-kać

da i go - rza - łecz-kę no-sić.

61.

od Pragi (Las).

Oj le - sie-wskie pa - rob-ki to wszy-stko do ma-ści jak i - dą
Oj le - siew - skie pa - rob-ki wy - so - ko się no - są, a jak przy-

z karcz-my do dom nie-są port-ki w gar - ści.
dą do karcz-my o go-rzał-kę pro - szą.

62.

od Pragi (Las, Zerzeń).

Oj i ko - ni - ki ka - li - ki da i ja sam nie-mo - gę
Oj i py-tam się o dro-gę da i o do - bry go - ście-niec.

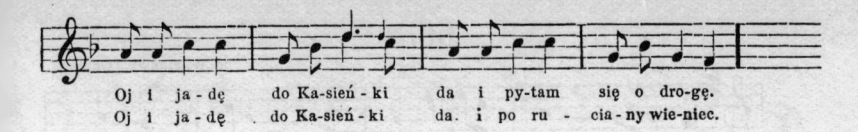

Oj i ja - dę do Ka-sień - ki da i py-tam się o dro-gę.
Oj i ja - dę do Ka-sień - ki da. i po ru - cia - ny wie-niec.

63.

od Pragi (Zérzeń).

Oj dla-bo-ga co się sta-ło na ka - li-nie ja-gód ma-ło. Czy nie by - ło
czy o - pa-dły, czy o - ber-wał Ja - sio ła-dny.

64.

od Pragi (Zérzeń).

Za-graj że mi ma - zu-recz - ka z no-gi na no - gę na no-gę
Za-graj-że mi ma - zu-recz - ka a - by ła - dne - go ła-dne-go
Niech-że ja se po - tań-cu - je cho-ciaż nie mo - gę nie mo-gę.
Niech-że ja se po - tań-cu - je do dnia bia - łe - go bia - łe - go.

65.

Od Warszawy (Górce),

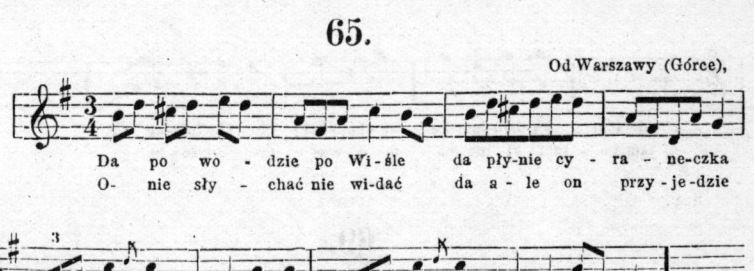

Da po wo - dzie po Wi - śle da pły-nie cy - ra - ne-czka
O - nie sły - chać nie wi-dać da a - le on przy - je-dzie
Oj nie sły - chać nie wi-dać da me-go ko - cha-ne - czka.
Da mam w Bo - gu na-dzie-ję da że on mo - im bę - dzie.

Patrz Nr. 43. 85. 89.

66.

od Warszawy (Górce).

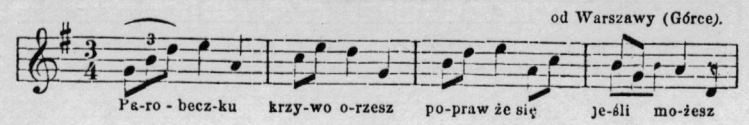

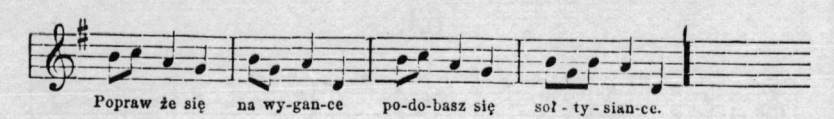

Pa-ro-becz-ku krzy-wo o-rzesz po-praw że się je-śli mo-żesz
Popraw że się na wy-gan-ce po-do-basz się soł-ty-sian-ce.

67.

od Warszawy (Górce).

Wyj-rzyj dzie-wu - cho na gó-ry wyj-rzyj na gó - ry na gó ry,
Je-chał Ba-bi-czak na la-sy je-chał na la - sy na la-sy
czy nie i-dzie czy nie je-dzie Gór-cza-wiak któ - ry da któ-ry.
i dał wie-niec zie-lo-niu-chny Ma-ry-si na - szej da na-szej

68.

od Warszawy (Górce. Blizny).

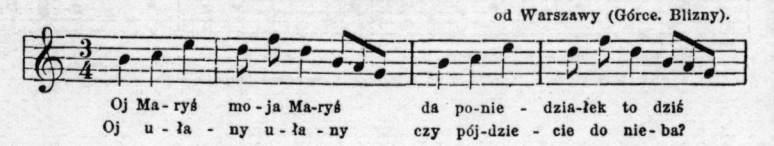

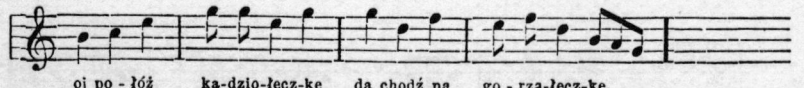

Oj Ma-ryś mo-ja Ma-ryś da po-nie-dzia-łek to dziś
Oj u-ła-ny u-ła-ny czy pój-dzie-cie do nie-ba?
oj po-łóż ką-dzio-łecz-kę da chodź na go-rza-łecz-kę.
oj tam go-rzał-ki nie ma to i was nie po trze-ba.

69.

od Warszawy (Górce).

So-bie ja gram nie ko-mu a wy ba-by do do-mu, Co tu ka-
Oj wa-ra chłop-cy wa-ra da ja se grać ka-za-ła, za-pła-cę

ci po ba-bach co sia-da - ją po ła-wach.
mu - zy - kę są ma bę - dę tań - co - wa - ła.

70.

od Warszawy (Górce, Blizny).

Oj czy ja - dła czy nie ja-dła da zaj-mij że ją do ra - dła
dzie-wu-cha się nie wy - spa - ła da bo dłu - go tań - co-wa - ła. 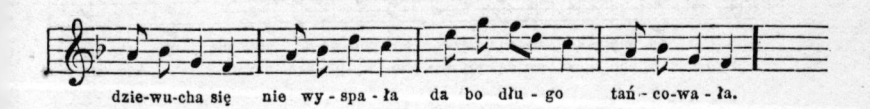

71.

od Warszawy (Babice Górce).

Je-śli bę-dziesz wo-dę bra-ła pa - mię-taj nie kłó - cić je-śli bę-dziesz
Bo gdy wo - da się za - mą-ci trze-ba cze-kać ran - ka a gdy wyjdziesz
mnie ko-cha - ła pa - mię-taj nie smu - cić. 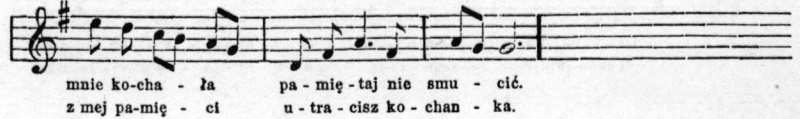
z mej pa-mię - ci u - tra - cisz ko - chan - ka.

72.

od Warszawy (Babice).

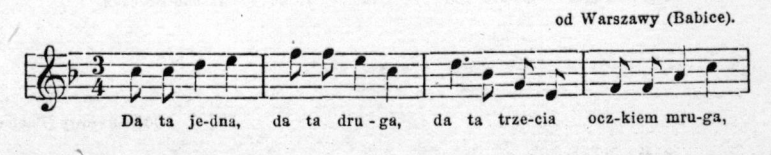

Da ta je-dna, da ta dru - ga, da ta trzecia ocz-kiem mru-ga,
da ta czwar-ta szpil-ką ko - le da ta pią - ta ku sto - do - le da szó-sta się

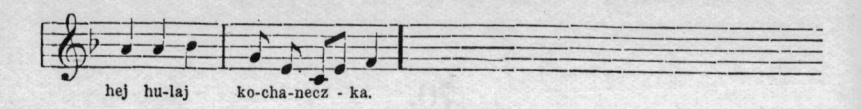

do mnie śmie-je da sió-dma mi wód-kę le - je ó-sma cią-gnie do ta-necz-ka

hej hu-laj ko-cha-necz - ka.

73.

od Warszawy (Babice).

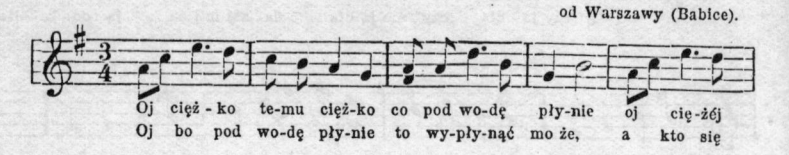

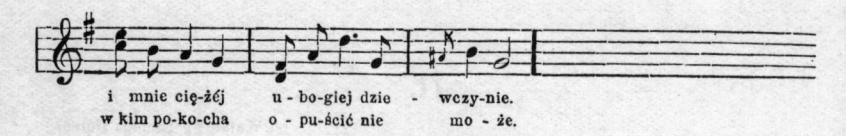

Oj cięż - ko te-mu cięż-ko co pod wo-dę pły-nie oj cię-żéj
Oj bo pod wo-dę pły-nie to wy-pły-nąć mo że, a kto się

i mnie cię-żéj u - bo-giej dzie - wczy-nie.
w kim po-ko-cha o - pu-ścić nie mo - że.

74.

Od Warszawy (Babice).

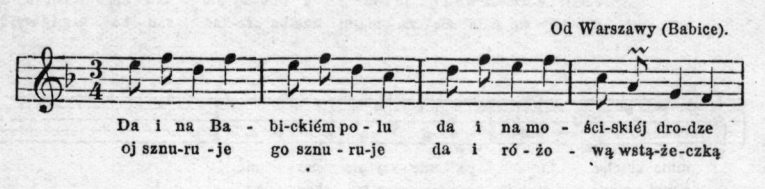

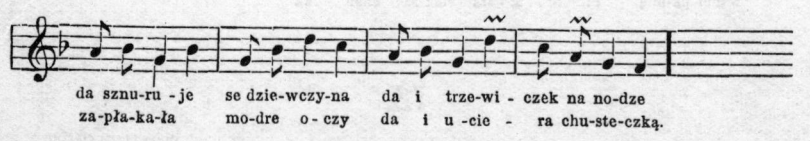

Da i na Ba - bi-ckiém po - lu da i na mo - ści-skiéj dro-dze
oj sznu-ru -je go sznu - ru-je da i ró - żo - wą wstą-że-czką

da sznu-ru - je se dzie-wczy-na da i trze-wi - czek na no-dze
za-pła-ka-ła mo-dre o - czy da i u-cie - ra chu-ste-czką.

75.

Od Warszawy (Babice).

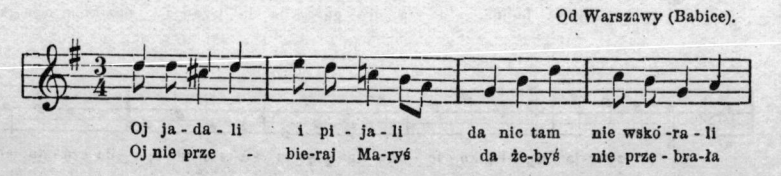

Oj ja - da - li i pi - ja - li da nic tam nie wskó -ra - li
Oj nie prze - bie-raj Ma-ryś da że-byś nie prze - bra-ła

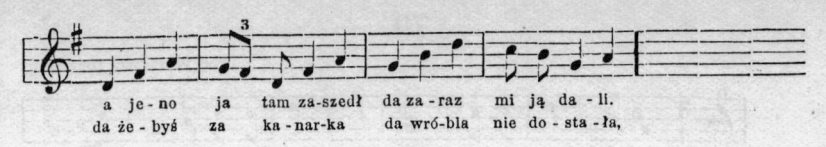

a je - no ja tam za-szedł da za - raz mi ją da - li.
da że - byś za ka - nar-ka da wró-bla nie do - sta - ła,

Patrz Nr. 26.

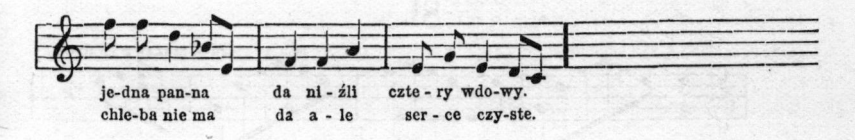

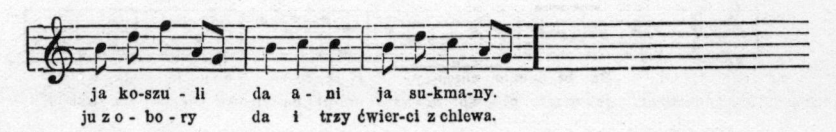

76.
od Warszawy (Babice, Latchorzew).

Da po wo-dzie po wi-śle pły-nie ka-czor si - wy da trzy-maj się
A jak - że go u-trzy-mać kie-dy on u - cie - ka a za - wo-łaj

ko-chan-ko me-go ko-nia grzy-wy.
ce-siu, ceś, to on cię po - cze-ka.

77.
od Warszawy (Babice, Latchorzew).

Oj roz-stąp się ka-mie-niu da na czte - ry po - ło-wy oj le-psza
U wdo-wy chleb go - to-wy da ser - ce za - ka-li - ste a u pan-ny

je-dna pan-na da ni - źli czte - ry wdo-wy.
chle-ba nie ma da a - le ser - ce czy-ste.

78.
Od Warszawy (Babice).

Oj pa - no - wie pa-no-wie da da - li - ście mi da - li da a - ni
Oj pa - no - wie pa-no-wie da da - li - ście mi chle - ba da ćwierć gno-

ja ko-szu - li da a - ni ja su-kma-ny.
ju z o - bo - ry da i trzy ćwier-ci z chlewa.

79.
od Warszawy (Babice).

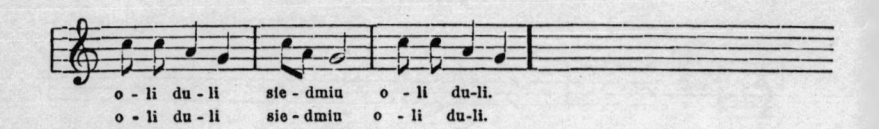

Sied-miu mi się za-le-ca-ło da sie-dmiu za mną bie-gło sie-dmiu
Sie-dmiu wro-ta o-twie-ra-ło da sie-dmiu i mnie strze-gło sie-dmiu

o-li du-li sie-dmiu o-li du-li.
o-li du-li sie-dmiu o-li du-li.

80.
Od Warszawy (Babice).

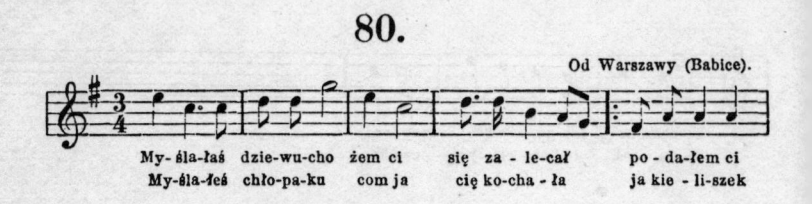

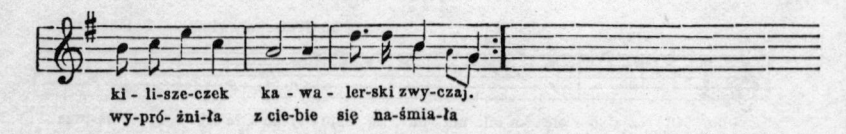

My-śla-łaś dzie-wu-cho żem ci się za-le-cał po-da-łem ci
My-śla-łeś chło-pa-ku com ja cię ko-cha-ła ja kie-li-szek

ki-li-sze-czek ka-wa-ler-ski zwy-czaj.
wy-pró-żni-ła z cie-bie się na-śmia-ła

81.
Od Warszawy (Babice).

82.
od Warszawy (Babice).

Oj Ba-bi-ckie chłop-cy ży-ją so-bie wca-le da wy-sta-
Oj je-den pi-wo ro-bi dru-gi bu-tel-ku-je, da trze-ci

wi - li bro-war na ba - bi-ckiej ska - le.
kor-ki ro - bi a czwar ty szyn - ku - je.

83.

od Warszawy.

84.

Fujarka   Od Warszawy (Babice, Zielonki).

A cóż to - bie, cóż to-bie da u-kła-dziesz się spisz so-bie a go-rzej
mnie, go-rzej mnie da z ko - ni - ka - mi na zi-mnie.

85.

od Warszawy (Babice).

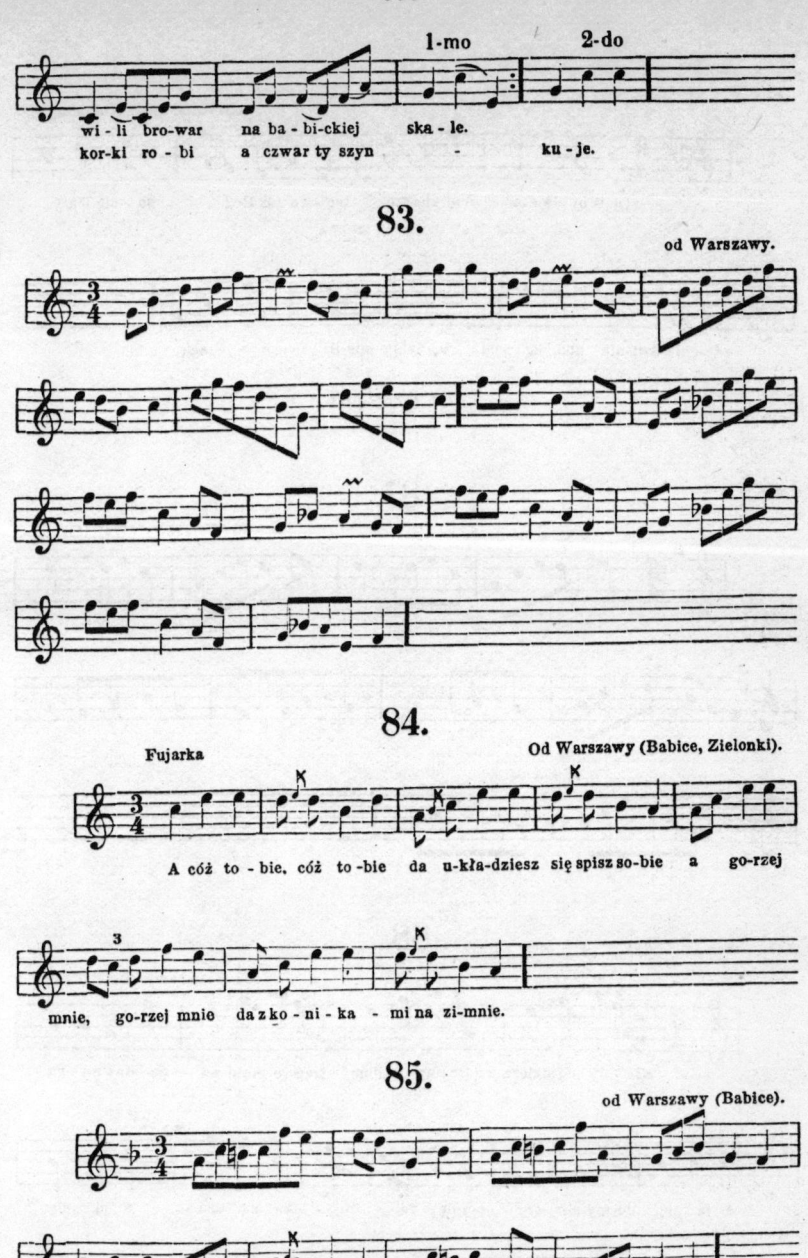

Patrz Nr. 65.

86.

od Warszawy (Wojcieszyn).

Oj Woj-cie-sze Woj-cie-sze mo - że nas Bóg po - cie - szy,

zde-chła świ-nia pod la - sem bę-dziem mie-li o - kra-sę,

Patrz Nr. 4. 15.

87.

od Warszawy (Wojcieszyn).

88.

od Warszawy (Latchorzew).

Kie - dy pój-dziesz z karczmy do dom trąć-że mnie no - gą da no-gą

a ja się do-my-śliw-szy pój-dę za to - bą za to-bą, a ja się

do-my-śliw-szy pój-dę za to - bą za to-bą.

89.

od Warszawy (Ołtarzew).

Patrz Nr. 65.

90.

od Warszawy (Ołtarzew).

Masz ca-ło - wać po - ca-łuj - że, masz żar-to-wać po - żar - tuj-że

1-mo 2-do

nie na-my - ślaj się czas dłu - gi nie będziesz ty, bę-dzie dru-gi

91.

Od Warszawy (Ołtarzew).

Trze - ci ro-czek te-mu bę - dzie com cho - dzi-ła po żo-łę - dzie
I Ja-sień-kam za-wo - ła - ła bym co pręd-zéj na zbie-ra - ła

com cho-dzi - ła tom cho-dzi - ła bo się żo-łędź za - ro-dzi - ła.
Ja - sio zbie - ra trzę - sie dę - by jam mu za - to da - ła gę - by.

Patrz Nr. 98.

92.

od Warszawy (Ołtarzew).

93.

od Warszawy (Ołtarzew).

Do - bre le -ki bez a - pte - ki da u wu-jen - ki mo-jej
Do - bre le - ki bez a - pte - ki da ko-go brzu - cho bo - li

bo wu - jen - ka u ko-min-ka da z kie - li - sze-czkiem sto-i.
bo wu - jen - ka u ko-min-ka da zty - gie - le-czkiem sto-i.

94.

od Warszawy (Ołtarzew).

95.

od Warszawy (Ołtarzew).

tr   *tr*

1-mo   2-do

96.
od Warszawy (Ołtarzew).

97.
Od Warszawy (Chrzanów).

1-mo   2-do

patrz Nr. 41.

98.
od Warszawy (Chrzanów).

Bo - daj u-marł kto mi ga-ni do - bra żo - na z pie-nię-dza-mi

a kto we-źmie bez pie-nię-dzy to u - ży - je bie - dy nę - dzy.

99.

od Warszawy (Chrzanów).

p. Nr. 19. 89.

100.

od Warszawy (Chrzanów, Ożarów).

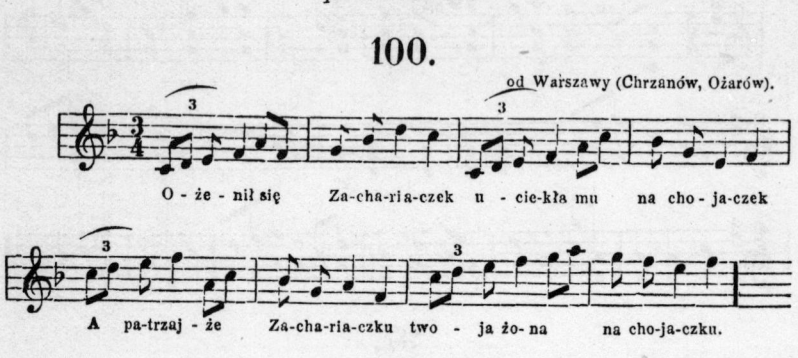

O - że - nił się Za-cha-ria-czek u - cie-kła mu na cho - ja-czek

A pa-trzaj - że Za-cha-ria-czku two - ja żo-na na cho-ja-czku.

101.

od Warszawy Chrzanów).

Oj daj daj Ma- ry-sie-czku ej daj daj go - rza-łe-czki

za - pła-cę ci na pó-le-czku za - pła - cę ci peł - ne nie-cki.

Mel. Nr. 51.

102.

Od Warszawy (Chrzanów).

103.

od Warszawy (Chrzanów).

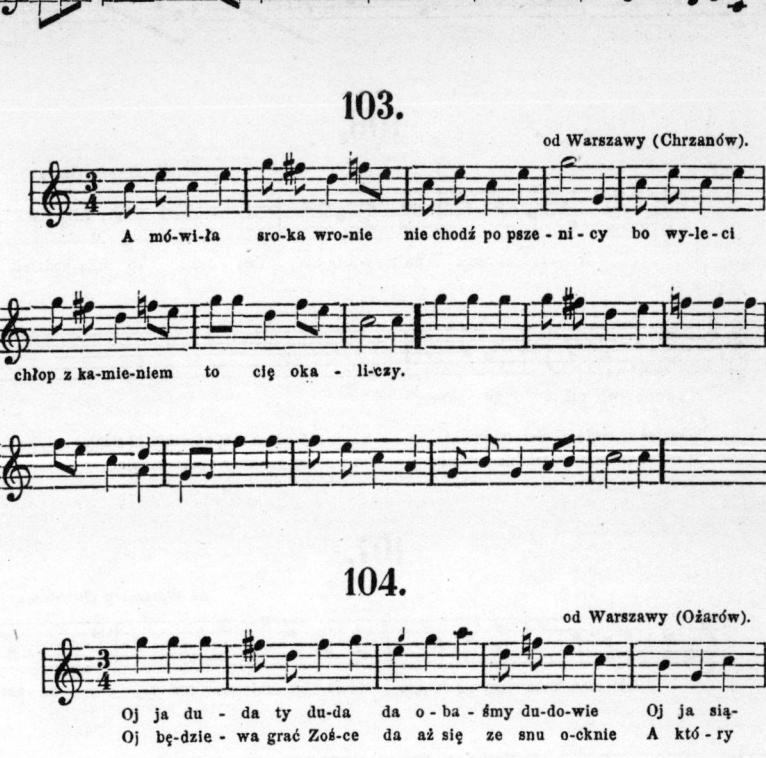

A mó-wi-ła sro-ka wro-nie nie chodź po psze - ni - cy bo wy-le-ci chłop z ka-mie-niem to cię oka - li-czy.

104.

od Warszawy (Ożarów).

Oj ja du - da ty du-da da o - ba - śmy du-do-wie Oj ja sią-dę przy no-gach da ty sią - dziesz przy gło-wie.
Oj bę-dzie - wa grać Zoś-ce da aż się ze snu o-cknie A któ - ry się zmor-du-je da to so - bie od-pocz-nie.

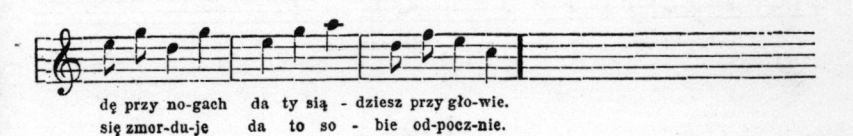

105.

od Warszawy (Ożarów).

106.

od Warszawy (Ożarów).

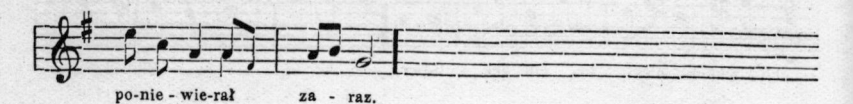

A czyś ci mnie na przy-piec-ku na - laz co mną będziesz po-nie - wie-rał za - raz.

Wziąłeś ci mnie od ojca od matki
Wziąłeś za mną wszelakie dostatki.

A cóżeś tam za dostatki miała?
ej pół kury i półtora jaja.

107.

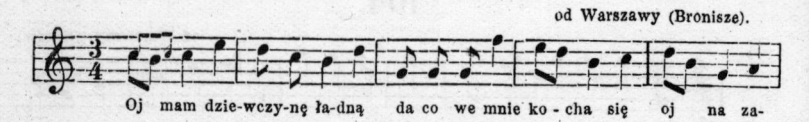

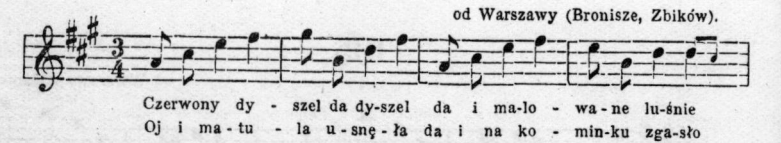

od Warszawy (Bronisze).

Oj mam dzie-wczy-nę ła-dną da co we mnie ko - cha się oj na za-lo-ty łep-ska da na żo-nę nie zda się.

108.

od Warszawy (Bronisze, Zbików).

Czerwony dy - szel da dy-szel da i ma-lo - wa-ne lu-śnie
Oj i ma-tu - la u-snę-ła da i na ko - min-ku zga-sło

oj i za-cze - kaj chło-pa - lu da i jak ma - tu - la u-śnie.
oj i dzie-wczy - nie we-so - ło da i chło-pa - ko-wi ja-sno.

109.

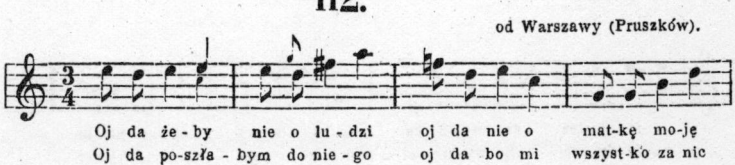

od Warszawy (Pruszków).

Da choć nie mam ko-ra-li da na-wią-żę se la-ku (*kwiatu*)
Da świe-żu - teń - kie-kwiat-ki da pręd-ko po-wię-dnie-ją

da świe-żu - teń - kie kwia-tki dla cie - bie nie - bo - ra - ku.
da two - je czar-ne ocz - ka da każ-dy dzień się śmie-ją.

110.

od Warszawy (Pruszków).

„Da gdzie-żeś się mój Ja-sień-ku za-bawił cze - mu - żeś się

na sło-we-czku nie sta-wił?" Oj w War-sza-wie mo-ja Ba-siu w War-sza-wie

da na do-brem na pi -we-czku na ka-wie.

111.

od Warszawy (Pruszków).

Oj za-wsze mo-ja pa-ni da ro-bo - tę mi ga-ni da a ja jej

nie ga-nię da choć chu - de śnia-da-nie.

112.

od Warszawy (Pruszków).

Oj da że - by nie o lu - dzi oj da nie o mat-kę mo-ję
Oj da po-szła - bym do nie-go oj da bo mi wszyst-ko za nic

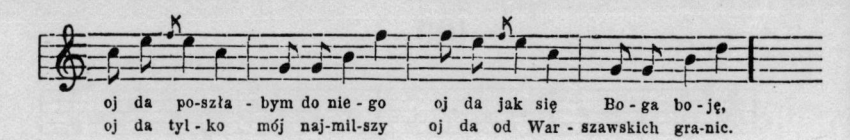

oj da po-szła - bym do nie - go oj da jak się Bo - ga bo - ję,
oj da tyl - ko mój naj-mil-szy oj da od War - szawskich gra-nic.

113.

od Warszawy (Pruszków).

Oj nie chodź do ta-ne-czka bo wia-nek w tań - cu zle - ci wiatr go por-wie na śmie-ci da wró-cisz bez wia-ne-czka.

114.

od Warszawy (Pruszków).

Da i po - si - wia-ły gó-ry da i po - si - wia-ły la-sy  da i kie-dy ja cię ko-chał da i mi-nę - ły te cza-sy.

Da i minęły te czasy,
Da i minęły momenta
Da i kiedy ja cię kochał
Da i patrzał ci w oczęta.

Da i minęły te czasy,
Da i próżno ci się smucić,
Da i co już raz uleci,
Da i temu się niewrócić.

115.

od Warszawy (Pruszków, Zbików).

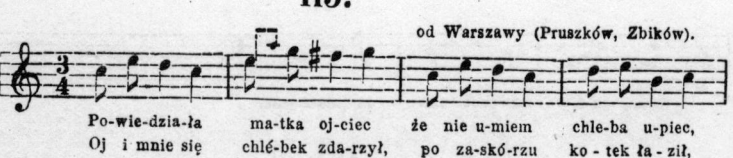

Po-wie-dzia-ła ma-tka oj-ciec że nie u-miem chle-ba u-piec,
Oj i mnie się chlé-bek zda-rzył, po za-skó-rzu ko - tek ła - ził,

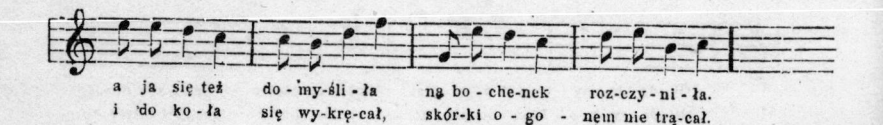

a ja się też do - my-śli - ła na bo - che-nek roz-czy-ni - ła.
i do ko - ła się wy-krę-cał, skór-ki o - go - nem nie trą-cał.

116.
od Warszawy (Solipsy, Skorosze).

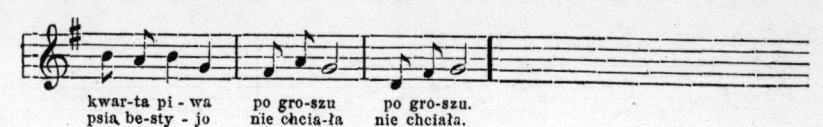

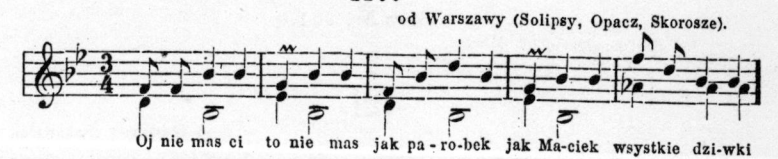

Cze-mu-żeś się nie o-że-nił Bar-to-szu, Bar-to-szu, kie-dy by-ła
Cze-mu-żeś się nie o-że-nił Baj-da-ła, Baj-da-ła? Cze-mu-żeś mnie

kwar-ta pi-wa po gro-szu po gro-szu.
psią be-sty-jo nie chcia-ła nie chciała.

117.
od Warszawy (Solipsy, Opacz, Skorosze).

Oj nie mas ci to nie mas jak pa-ro-bek jak Ma-ciek wsystkie dzi-wki

wy-tań-co-wał jak i-no do karc-my za-sed.

P. mel. Nr. 7.

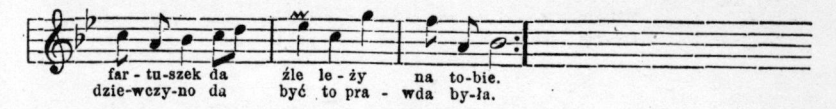

118.
od Warszawy (Solipsy, Opacz).

„Da mo-ja dzie-wczy-no da źle mó-wią o to-bie co-sić ten
„Źle le-ży źle le-ży da bom go skro-chma-li-ła" Da mo-ja

far-tu-szek da źle le-ży na tobie.
dzie-wczy-no da być to pra-wda by-ła.

119.
od Warszawy (Solipsy).

Oj gra-ją mi gra-ją da cho-ciaż mnie nie zna-ją, da choć pie-

nię-dzy nie mam da to mi po cze-ka-ją.

P. mel. Nr. 3.

120.

od Warszawy (Rakowiec).

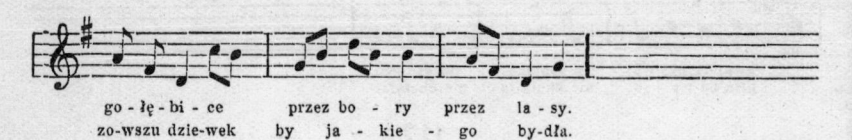

Szklan-ny piec szklan-ny piec *) że - la - zne za-wia-sy le - cia - ły go - łę - bi - ce przez bo - ry przez la - sy.
Le - cia - ły, le-cia-ły zgo-rza - ły im skrzy-dła ej na Ma- zo-wszu dzie-wek by ja - kie - go by-dła.

Patrz Nr. 331.

*) *Upał na dworzu.*

121.

od Warszawy (Rakowiec).

Ka - wa - le - rzy to nie szcze-rzy a dzie-wczy-na głu-pia wie-rzy Krót-kać bę - dzie twa o - cho - ta kiej cię zdra-dzi ten nie - cno-ta.

122.

od Warszawy (Rakowiec).

Mat-ko mo - ja mat - ko wiel-ką bie - dę czu - ję bo mój nic do bre - go skó - rę ta - ta - ru - je.
Có - ruś mo - ja có - ruś na to nie na - rze - kaj weź ta no - gi za pas do la - su u - cie - kaj.

123.

od Warszawy (Raków, Wyczułki).

W zie - lo-nym ga - i - ku ku - ka-wecz - ka ku - ka, już ten nie ka - wa - ler co bo - ga - téj szu - ka.

124.
od Warszawy (Raków).

125.
Od Warszawy (Raków).

Oj nad gó - rą nad gó - rą da już się nie-bo mro-czy oj two - je
Oj Ba - siu mo - ja Ba-siu da przez twe czar-ne o-czy, mój ko - nik

mnie zdra-dzi-ły da Ba - siu czar-ne o - czy.
na po-dwó-rzu da mo-knie w cie-mnéj no-cy.

126.
od Warszawy (Raków, Szczęśliwice).

Oj si - wy koń si - wy koń da si - wo - jab-ko - wi-ty oj da - ła
Oj kiej ci Ma-ryś da - ła da niech-że i tak bę-dzie, o - de-mnie

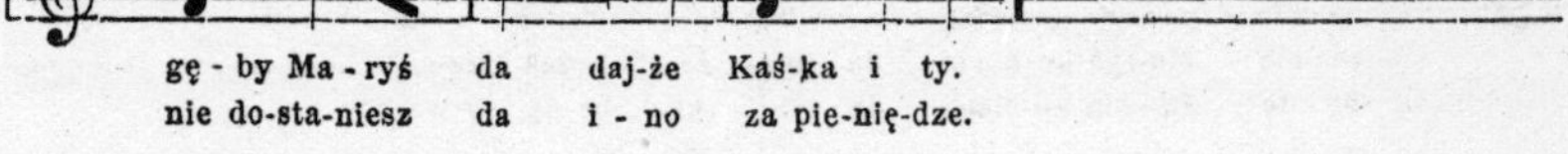

gę - by Ma - ryś da daj-że Kaś-ka i ty.
nie do-sta-niesz da i - no za pie-nię-dze.

127.

od Warszawy (Szczęśliwice).

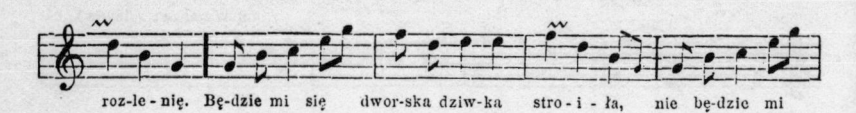

Nie że-nię się z dworską dziw-ką nie że-nię, rad się przy téj dworskiej dziwce roz-le-nię. Bę-dzie mi się dwor-ska dziw-ka stro-i-ła, nie bę-dzie mi dwor-ska dzi-wka ro-bi-ła.

128.

Pasterska. od Warszawy (Raków, Opacz).

A za wo-dą mo-je woł-ki za wo-dą że-nił bym się z Fa-lę-cian-ką ze mło-dą a za stru-gą mo-je woł-ki za stru-gą weź że ty se Fa-len-cionkę ja dru-gą.

129.

od Warszawy (Raków, Okęcie).

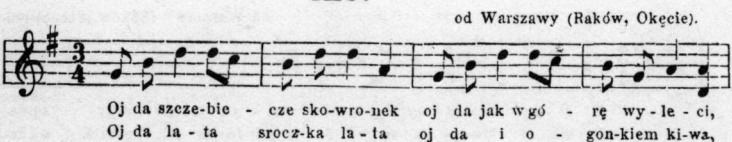

Oj da szcze-bie-cze sko-wro-nek oj da jak w gó-rę wy-le-ci,
Oj da la-ta srocz-ka la-ta oj da i o-gon-kiem ki-wa,

Oj ja cię Ma-ryś ko-cham da ju-że ro-czek trze-ci.
Oj bę-dę Ja-sia ko-chać da pó-ki bę-dę ży-wa.

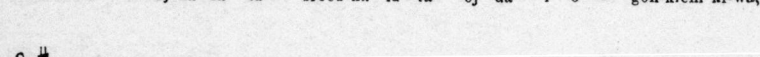

130.
od Warszawy (Raków, Okęcie).

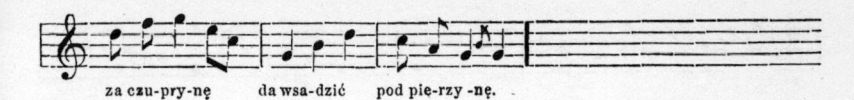

Oj co z ta - kie - mi czy-nić da co się nie chcą że-nić Oj zła-pać

za czu-pry-nę da wsa-dzić pod pie-rzy-nę.

131.
od Warszawy (Raków, Rakowiec).

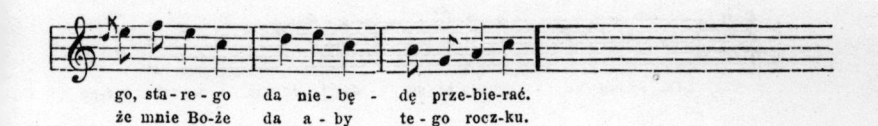

Oj nie daj że mnie Bo-że da w wia-necz-ku u-mie-rać daj mło-de-
Oj sta - re - go do sta-nu da mło-de - go do bocz-ku da wy - daj

go, sta - re - go da nie - bę - dę prze-bie-rać.
że mnie Bo-że da a - by te - go rocz-ku.

132.
od Warszawy (Rakowiec).

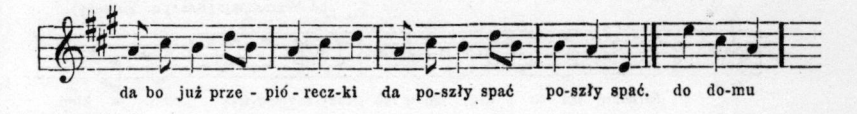

A pójdź Ja-siu do do-mu da bo już czas bo już czas

da bo już prze - pió - recz-ki da po-szły spać po-szły spać. do do-mu

133.
od Warszawy (Raków, Kalinowo).

Oj nie dbam ja o pa - łac da choć-by ma - lo - wa-ny, oj by - le też

mnie ko-chał da Ja-sień-ko ko-cha-ny.

134.

od Warszawy (Raszyn, Opacz).

135.

Od Warszawy (Raszyn).

Da i cóż ko - mu do te-go da i do wia - ne-czka me-go
da i niech mi się ro - zle - ci da i do ździe - bła je-dne-go.

136.

od Warszawy (Raszyn. Falenty).

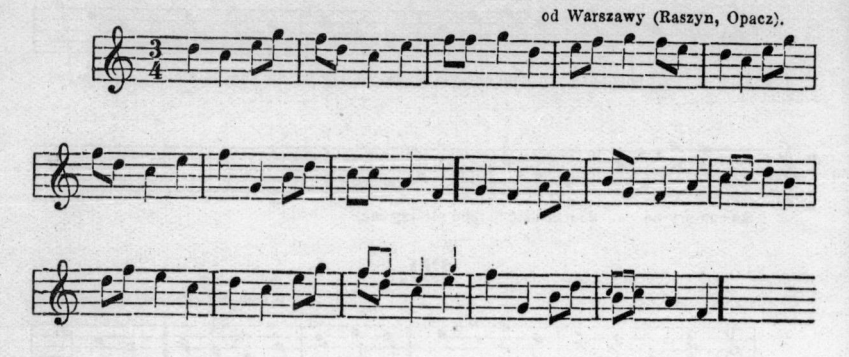

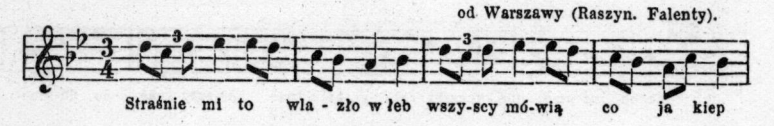

Straśnie mi to wla - zło w łeb wszy-scy mó-wią co ja kiep
za tę ła-skę swej ma-tu - si człek do śmier-ci kpem być mu-si. Oj dy - na
da-na dy-na człek do śmier-ci kpem być mu-si.

Mel. Nr. 46.

137.

od Warszawy (Raszyn).

Sie - dzi pta-szek w sta-réj wierz-bie — zi-ma tam, kie-dy ja się mło-dej żon-ki do - cze-kam? Do - cze-kam się mło-dej żon-ki — na je-sień, jak o - pa-dnie dro-bny li-stek z cze-re-sien.

P. mel. Nr. 32.

138.

od Warszawy (Raszyn).

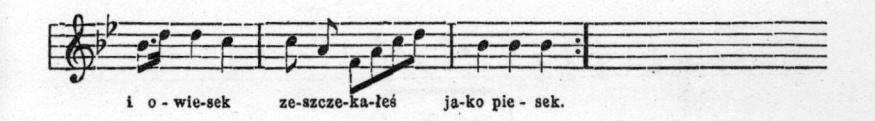

A pę-dzia - łeś ze mnie weź-miesz je-no ży - tko z po-la ze-rzniesz. A tyś ze - rznął i po-wią-zał mnie sie-ro - cie świat za-wią-zał. A tyś po - żął i o - wie-sek ze-szcze-ka-łeś ja-ko pie - sek.

139.

od Warszawy (Raszyn Falenty).

Wie - je wia-ter po dę - bi - nie mo-ja mło-dość mar-nie gi - nie
Wo-da pój-dzie przyj-dzie wo - da mo-ja nie wró - ci u ro - da.
gi-nie mło-dość i u - ro - da prę-dzej gi-nie ja - ko wo-da.

P. mel. Nr. 343.

140.

od Warszawy (Raszyn).

141.

od Warszawy (Raszyn).

P. mel. Nr. 346.

142.

od Warszawy (Raszyn).

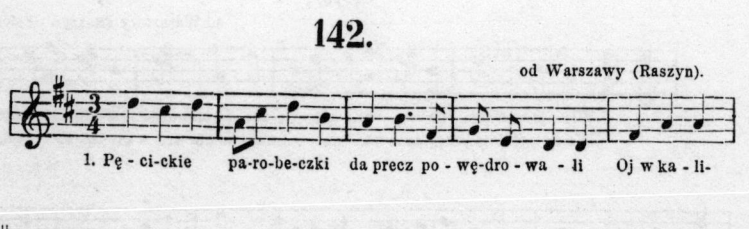

1. Pę - ci-ckie pa-ro-be-czki da precz po - wę-dro - wa - li Oj w ka-li-no-wym la-sku da no - ckie no-co-wa-li Oj w Ka-li - no-wym la-sku

da no - cke no - co - wa - li.

2. Oj Pęcicki ekonom
da gonił nas na koniu:
Pęcickie parobeczki
da wróćta się do domu.

3. Oj da chociaż byś ci wa
i oka zabaczyli
oj to byśwa po niego
da więcej niewrócili.

4. Oj Pęckie parobeczki
da wróćta się i jeszcze,
gospodarze w karczmie piją
da robić im się niechce.

5. Oj już nam obiecują
da ćwiercią złoto mierzyć—
oj tym juchom gospodarzom
oj da nietrza nic wierzyć.

143.

od Warszawy (Falenty).

144.

od Warszawy (Falenty).

Oj go-rza-łecz-ko mo-ja nie du-żom cię pi - ła da czty - ry kwa-te-recz-ki pią-tąm na-chy - li - ła.

145.

od Warszawy (Falenty).

146.

od Warszawy (Falenty).

147.

od Warszawy (Szopy).

Tań-co- wa - ła nie u-mia - ła je - no no - gą za - mia ta - ła
A tań- cuj - że a tań- cuj- że da ty mo- je tań-co-wa-dło
a ma- tu - la ją po u-dzie a tań-cuj-że ja - ko lu-dzie.
a kiéj tań-co - wać nie u-miesz da to-byś se le-piéj sia-dło.

148.

od Warszawy (Szopy).

Oj je - dna so-bie jedna ja u ma- tu - li by - ła da po-wiedzie-li lu-dzie da że ja nie ro - bi - ła.

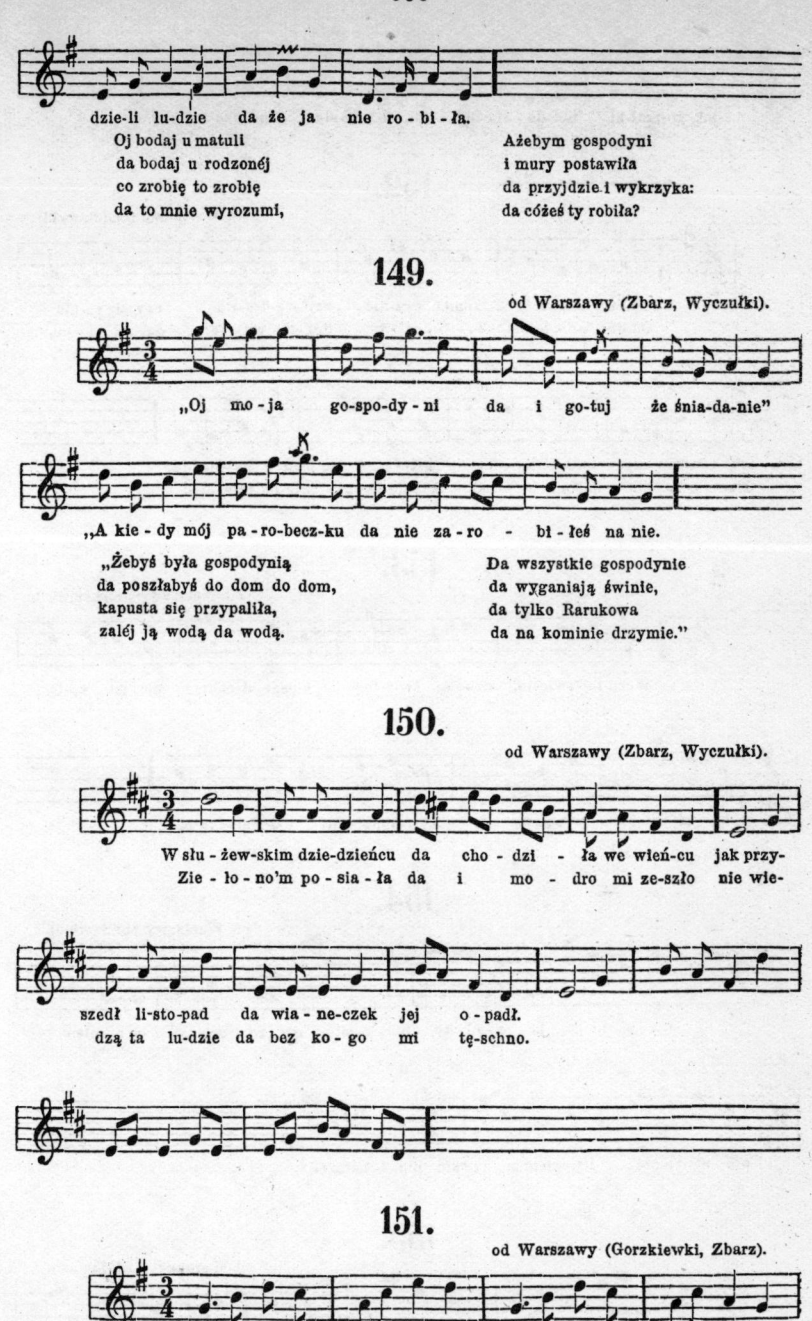

Oj bodaj u matuli
da bodaj u rodzonéj
co zrobię to zrobię
da to mnie wyrozumi,

Ażebym gospodyni
i mury postawiła
da przyjdzie i wykrzyka:
da cóżeś ty robiła?

149.

od Warszawy (Zbarz, Wyczułki).

"Oj mo - ja go-spo-dy - ni da i go-tuj że śnia-da-nie"

"A kie - dy mój pa - ro-becz-ku da nie za - ro - bi - łeś na nie.

"Żebyś była gospodynią
da poszłabyś do dom do dom,
kapusta się przypaliła,
zaléj ją wodą da wodą.

Da wszystkie gospodynie
da wyganiają świnie,
da tylko Rarukowa
da na kominie drzymie."

150.

od Warszawy (Zbarz, Wyczułki).

W słu - żew-skim dzie-dzieńcu da cho - dzi - ła we wień-cu jak przy-
Zie - ło - no'm po - sia - ła da i mo - dro mi ze-szło nie wie-

szedł li-sto-pad da wia - ne-czek jej o - padł.
dzą ta lu-dzie da bez ko - go mi tę-schno.

151.

od Warszawy (Gorzkiewki, Zbarz).

Go - rza-li-ny mi się chce go-rza - li - ny mi daj-cie

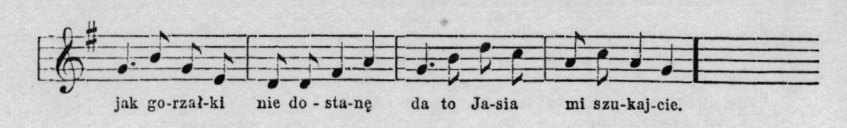

jak go-rzał-ki nie do - sta-nę da to Ja-sia mi szu-kaj-cie.

152.

od Warszawy (Gorzkiewki).

Oj sam nie-wiem co mam czy-nić czy wę-dro-wać czy się że-nić
Je-dno wo - ła: ta - tu, ta - tu, dru-gie wo - ła: daj mi pa - pu,

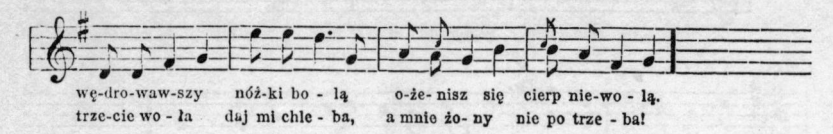

wę-dro-waw-szy nóż-ki bo - lą o-że-nisz się cierp nie-wo - lą.
trze-cie wo - ła daj mi chle - ba, a mnie żo- ny nie po trze - ba!

153.

od Warszawy (Gorzkiewki).

Wczo-raj świę-to, dzi-siaj świę-to i psze-ni-czki nie po - żę-to

da jak-że ją po-żąć ma - ją, wczo-raj gra - li, dzi-siaj gra-ją.

154.

od Warszawy (Służewiec).

Oj a - ni ja a-ni ty nie u-mie-my ro - bo - ty oj ku-piem so-

bie wo-re-czek bę-dziem no - sić pia - se-czek.

155.

od Warszawy (Służewiec).

156.

od Warszawy (Służewiec).

Oj du-tki mo-je du-tki da go-spo - darz ma - lu - tki oj go-spo - dy-ni mniej-sza da a - le ro-bo-tniej-sza.

157.

od Warszawy (Służewiec).

Da i da-na da i da-na da i nie-chce ko-nik sia-na da i wo - lał - by on siecz-kę da i pa - ro - bek dzié-wecz-kę.

P. mel. Nr. 147.

158.

od Warszawy (Służew).

Pa-ro-becz-ku gru-ba sieczka Go-spo-da-rzu zła skrzyneczka
Pa-ro-beczku wstał-byś do dnia u-rze-zał-byś sno-pek ze dwa

Pa-ro-becz-ku dro-bnij je-no Go-spo-da-rzu po-praw je-no.
Go-spo-da-rzu wstał-byś i ty, nie-chceż ci się o-ko-wi-ty?

159.

Od Warszawy (Służew).

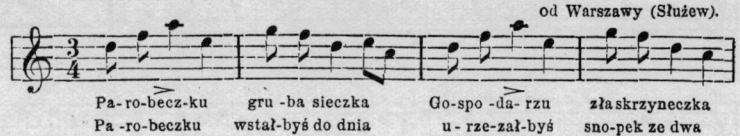

Oj ko-ni-ki na gó-rach da o-wce na do-li-nie da co mi Bóg
Oj na-zna-czył na-zna-czył da dzie-wczy-nę na-do-bną oj poj-mę so-

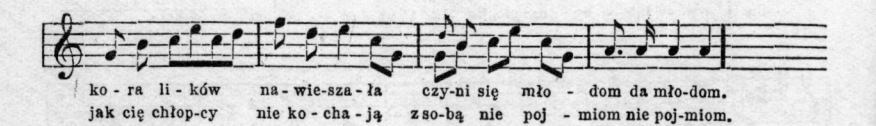

na-zna-czył da to i mnie nie mi-nie.
bie poj-mę da do sie-bie po-do-bną.
(albo: da dla sie-bie spo-so-bną).

160.

od Warszawy (Służew.)

Bo-daj żeś-ty ka-ta zia-dła z two-ją u-ro-dóm u-ro-dóm
Ko-ra-li-ki nie-po-mo-gą kiej la-tka wyj-dom da wyj-dom

ko-ra li-ków na-wie-sza-ła czy-ni się mło-dom da mło-dom.
jak cię chłop-cy nie ko-cha-ją z so-bą nie poj-miom nie poj-miom.

161.

od Warszawy (Służew, Służewiec).

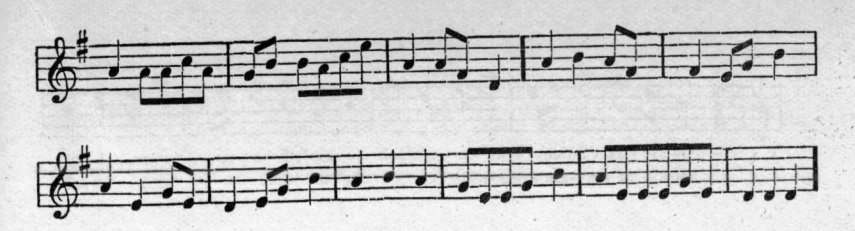

162.

od. Warszawy (Służew, Służewiec).

Oj ty mo - ja dzie-wu-cho ty mój ko - ra - li - ku oj spo-do-bą-łaś mi się da jak ka-sza w mli - ku. oj spo-do-

* albo

163.

od Warszawy (Służew).

Oj świę - ty Do-mi - ni - ku i ty świę-ty Jo - nie da le-psze daj kar - to - fle na mo-im za - go-nie.

164.

od Warszawy (Służew).

Nie pij ko-niu w sta-wie wo-dy da i na - pi-jesz się w rzyce da bo tu-taj Słu -żewian - ki da i płu-ka - ły spó-dni - ce.

165.

od Warszawy (Służew).

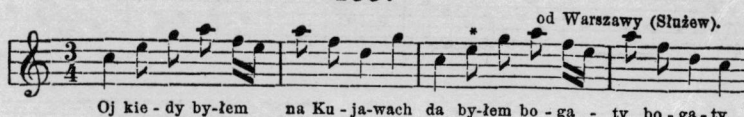

Oj kie - dy by-łem na Ku - ja-wach da by-łem bo - ga - ty bo - ga - ty
Oj kie-dy przy-sze-dłem w Ma - zu-ry da to ja zu - bo - żał zu - bo-żał

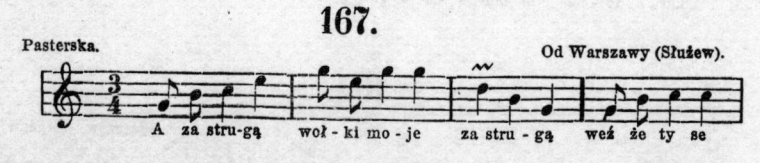

oj mia-łem su-kniom ró-wno z d... da kon-tu-sik zło - ty da zło-ty.
i su-knia ze mnie o - ble-cia - ła i kon-tu-sik zgo - rzał da zgo-rzał.

albo

Oj kie-dy by-łem i t. d.

166.

od Warszawy (Służew).

Oj za - ją - cu za - ją - cu wy - ja-dłeś ty mi rut - kę a jak ja cię

po - go-nię wy - bi - ję ja ci kórt-kę.

167.

Pasterska. *Od Warszawy (Służew).*

A za stru-gą woł - ki mo - je za stru - gą weź że ty se

Słu-że-wian-kę ja dru - gą.

P. Nr. *127, 128.*

168.

Od Warszawy (Służew).

Oj bi-ją ci mnie bi-ją za tę ka-na - li - ją oj da-łać
Nie bierz-że se Słu-że-wian - ki da bo u - ro-dli-wa cztery no-cy

mi chu-stecz-kę po - rą - ba-lić mi ją.
gar - ki mo-czy a pią-téj u - my - wa.

169.

od Warszawy (Służew, Czerniaków).

Że-byś by - ła u - cie-ka - ła da i u - cie - kła - byś by - ła

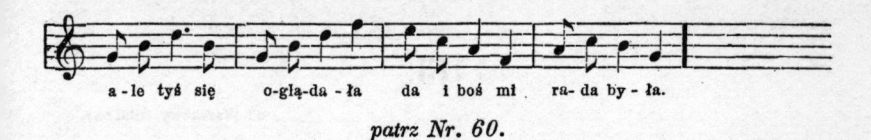

a - le tyś się o-glą-da - ła da i boś mi ra - da by - ła.

patrz Nr. 60.

170.

od Warszawy (Służew Willanów).

Oj bła-sza - ny za-me-czek da mie-dzia - ne za-wia-sy oj Ka-sień-
Oj cza-sy ci wy - cho-dzą da sta-rość na cię bi - je oj po-dusz-

ku o - żeń się da wy-cho - dzóm ci cza-sy.
ki bu-twie-ją da pie-rzy - na ci gni-je.

171.

od Warszawy (Służew).

Oj ko-cha-łem dzie-wczy-nę a o-na mą wzgar-dzi - ła ja-kem po-tem skar-ku-lo-wał da tak do-brze zro - bi - ła.

172.

od Warszawy (Służew).

Oj do-bry chłop na pańszczyznie kie-dy wó-dki gwi - źnie,
E - ko - no - ma się nie lę - ka pa-na się nie bo - i,

kar-bo - we-go po-czę-stu-je al - bo o - bie - cu - je.
cho-ciaż z ki-jem nad nim sto - i cho-ciaż z ki-jem sto - i.

173.

od Warszawy (Służew).

Oj lat - ka mo - je lat-ka gdzie-ście mi się po-dzia - ły oj po-do-

bno-ście z wo-dą da z wia-trem u - le - cia - ły.

174.

od Warszawy (Służew).

Ko - ni - ka mi wil - cy zje - dli a ko-był - kę psi da i psi

a czém-że ja też po - ja - dę do tej no - wej wsi da i wsi.

175.

od Warszawy (Służew, Wolica).

Mu-sia-łaś ty mu-sia-łaś ty da i po ban-do-sach by-wać,

coś się dzie-wko na-u-czy-ła da i po ban-do-sku śpie-wać.

176.

od Warszawy (Służew).

177.

od Warszawy (Służew, Wolica).

Ni my oj-ca ni my mat-ki kaj się przy-tu-li-my dzia-tki.

Przy-tu-lim się do Ma-ciu-sia bo to ta-tuś i ma-tu-sia.

178.

od Warszawy (Służew).

Oj w zie-lo-nym ga- i-ku da ku-ka-wecz-ka ku-ka oj do cie-
Oj ku-ka ku-ka-wecz-ka da smu-tnie wy-ku-ka-ła oj żeś ty

bic Ma-ry-siu da ser-du-szko mi pu - ka.
mnie Jaś zwo-dził da jam cie-bie ko-cha - ła.

P. Nr. 170.

179.

od Warszawy (Służew).

Oj i czer-wo - ne ja-go-dy da i spa-da - ją do wo-dy

oj i chłop-cy mnie ko-cha-ją da i choć nie mam u-ro-dy.

180.

od Warszawy (Służew).

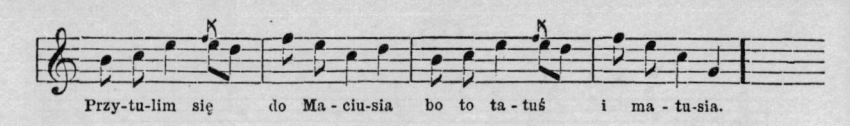

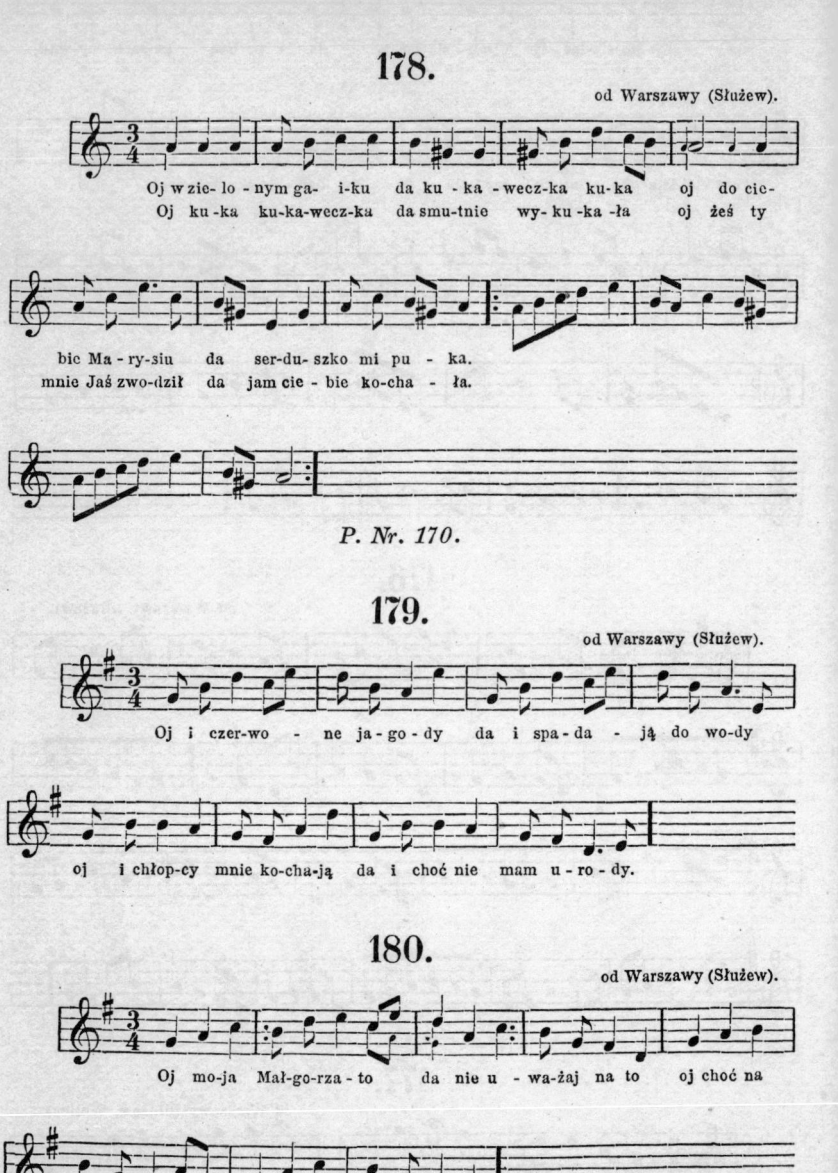

Oj mo-ja Mał-go-rza-to da nie u -ważaj na to oj choć na

dwo-rzu zi - ma da pod pie - rzy-ną la-to.

181.

od Warszawy (Służew).

182.

Od Warszawy (Wolica).

Hej ho - la Ja-siu ho - la da jesz-cze ja nie two-ja da tyl - ko ma-
Hej ho - la Ja-siu ho - la da nie sie - ję ja po-la oj bę - dę go

tu - li-na da i ma - tu - la mo - ja.
jak bę-dę i da ko - cha - necz-ka two-ja.

P. Nr. 111.

183.

od Warszawy (Wolica).

Da nie daj - że mi Bo - że da dzie-cią-tka przy dwo-rze oj bo mój ko-
Oj dzie - ci mo - je dzie -ci da coś-cie mnie ob-sia- dły da ja nie siał

cha- ne-czek da nie sie - je nie o - rze.
nie o - rał da cóż bę-dzie - cic ja-dły.

184.

od Warszawy (Wolica, Natolin).

Da mój Ja-siu Ja - sień-ku da co ja to - bie win-na da coś ty po-
Nie u - ło-wisz ci ty mnie da ża-dnym si - de-łecz-kiem da jak mnie nie

za-sta-wiał da po go-ściń - cu si - dła
na-mó-wisz da ła - go-dnym słó-wecz-kiem.

185.

od Warszawy (Wolica, Natolin).

Da nie bój że się nie bój da me-go ko - ni - ka zdra-dy da bo krót-ko u - wią - za - ny da mój ko - ni-czek gnia-dy.

186.

od Warszawy (Wolica, Natolin).

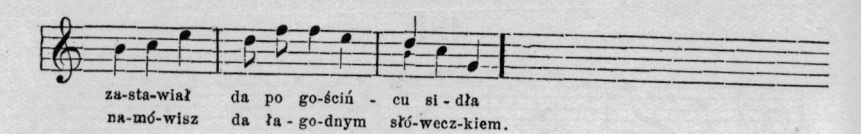

Oj kar-bo-wym o - rać da e - ko - mo-nem włó-czyć oj po-cze-kaj e - ko - mo-nie da bę - dzie - my cię u-czyć.

Patrz Nr. 161, 177.

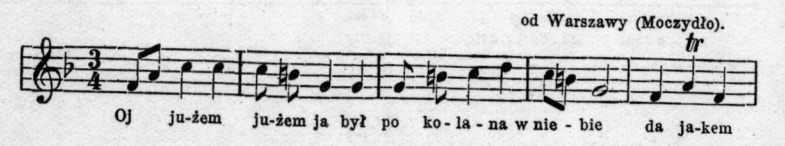

187.

od Warszawy (Moczydło).

Oj ju-żem ju-żem ja był po ko - la - na w nie - bie da ja-kem cię zo-ba-czył sko-czy-łem do cie - bie.

188.

od Warszawy (Moczydło, Wolica).

Zła-ma-ła się zer-wa-ła się mły-na-rzo-wi gro - bla co cho-dzi - ła
Na-pra-wił-bym bu-do-wał-bym mły-na-rzo-wi gro - blą, że - by mi dał

co cho-dzi - ła dzie - wczy-na na-do-bna.
że - by mi dał dzie - wczy - nę na-do-bną.

P. mel. Nr. 235.

189.

od Warszawy (Moczydło, Jemielin).

Da ry-czy wo-łek ry-czy da że się nie wy - le - nił,
Da nie rycz woł-ku nie rycz da jesz - cze się wy - le - nisz,

albo tak:

da pła - cze chło-piec pła-cze da że się nie o - że-nił.
da nie płacz pa-cho-łecz-ku da jesz - cze się o - że-nisz.

190.

od Warszawy (Jemielin).

Oj smu-tne roz-łą-cze - nie da cie-bie i mnie cze-ka a któż mi
Oj ko-chać się nie-wie-dzieć da czy ko - cha wza-je-mnie oj na cóż

dziś za-bro - ni, da ko-chać cię zda-le - ka.
się to przy-da da i ko - chać na - da-remnie.

P. Nr. 131.

191.

od Warszawy (Jemielin).

Ry - ba - ku ry - ba - ku haj-no co to masz w tło-ma-ku?

Ry - becz - ki ry-becz - ki haj-no dla swej ko - cha-necz-ki.

192.

od Warszawy (Moczydło).

Na ko-ście - le ko- gut sto - i a Kaś-ka w o - gro-dzie bro - i

Oj ści-skaż się a za wie - le cho-ciaż to grzech przy ko-ście-le.

193.

od Warszawy (Moczydło).

Mó - wi - ła mi mo-ja mać nie trza dar-mo ser-ca dać aż kto do - da
A - le Ma-ciek ro-zu-mnie roz-pe-dał mi na gu-mnie le-psze ser - ce

pie - nię - dzy bo zła mi-łość o nę-dzy.
go - rą - ce niż pie-niąż-ków ty-sią - ce.

194.

od Warszawy (Moczydło, Natolin).

Da ja-skół - ki la - ta - ją da za-wsze po nad wo-dą da za -cza-
Da zie - le - ni się tra-wka da w cie-niu po nad wo-dą da o - że-

9. Od Warszawy (Wilanów-Czerniaków)

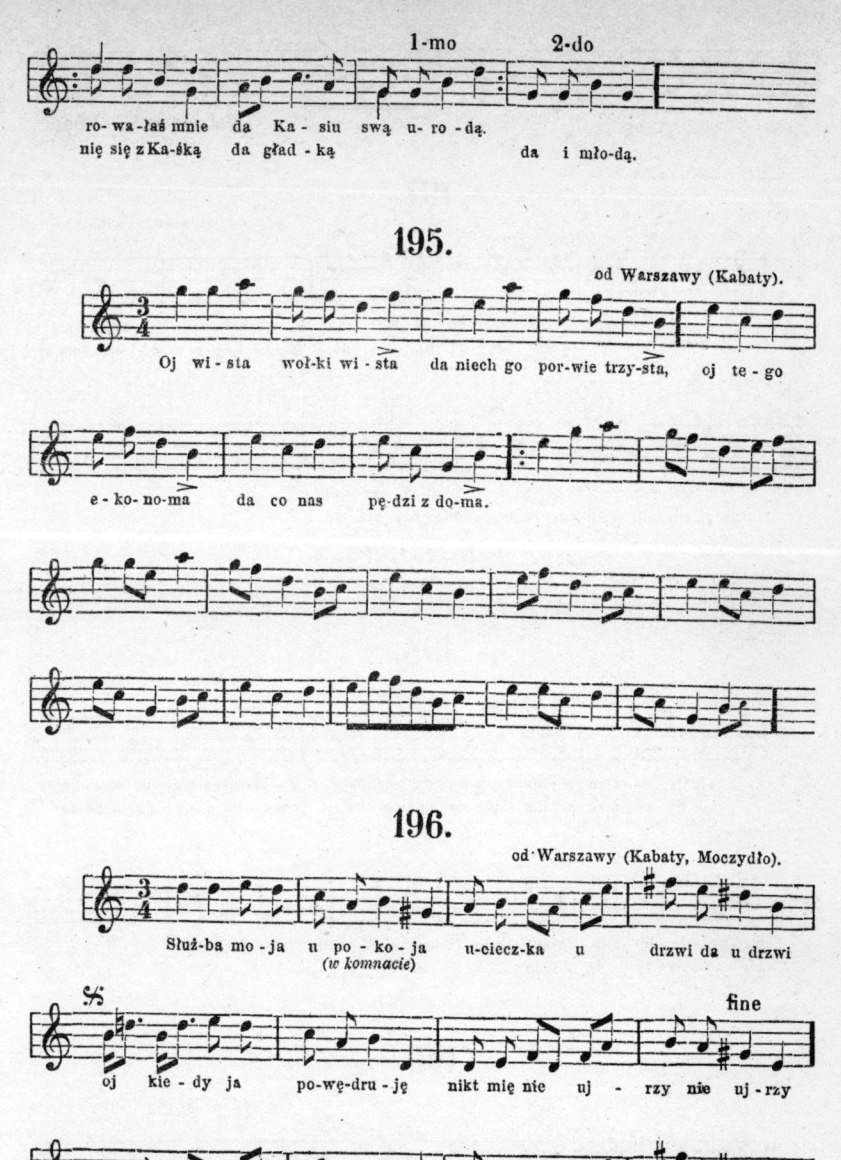

ro-wa-łaś mnie da Ka-siu swą u-ro-dą.
nię się z Ka-śką da głod-ką da i mło-dą.

195.

od Warszawy (Kabaty).

Oj wi-sta woł-ki wi-sta da niech go por-wie trzy-sta, oj te-go
e-ko-no-ma da co nas pę-dzi z do-ma.

196.

od Warszawy (Kabaty, Moczydło).

Służ-ba mo-ja u po-ko-ja u-ciecz-ka u drzwi da u drzwi
(w komnacie)

fine

oj kie-dy ja po-wę-dru-ję nikt mię nie uj-rzy nie uj-rzy

oj kie-dy ja po-wę-dru-ję w stro-nę Ka-li-sza Ka-li-sza

tam małe bę-dzie wy-glą-da-ła mo-ja Ma-ry-sia Ma-ry-sia:

dal segno 𝄋 al fine

197.

od Warszawy (Kabaty).

Oj że-bym się dzie-wczy-no da pa - na Bo - ga nie bał oj wziął-bym
Oj a - le się dzie-wczy-no da pa - na Bo-ga bo - ję oj wia-ne-

ci wia - ne-czek da i nic bym ci nie dał.
czek ci od-dam da o cie - bie nie sto - ję.

P. Nr. 131, 190.

198.

od Warszawy (Kabaty).

Oj świeć-że mój mie-siącz-ku da pro-sto w o-kie-necz-ko, da niech so-
Oj świeć-że mój mie-siącz-ku da w o - bo - je w o-bo - je, da niech so-

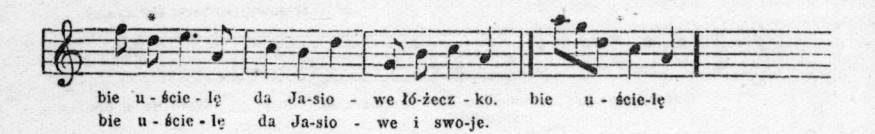

bie u - ście - lę da Ja-sio - we łó-żecz - ko. bie u - ście-lę
bie u - ście - lę da Ja-sio - we i swo-je.

199.

od Warszawy (Kabaty).

Oj-że z gó-ry wo-da bi-je da i na do - le ma le-je

oj pła-ka - ła Ka-sia Ja-sia da te-raz się z nie-go śmie-je. le ma-le-je

200.

od Warszawy (Czerniaków, Mokotów).

Sie-dzi pta-szek na to - po - li, po-wiedz dzie-wczę co cię bo - li? Bo-li ser-ce bo - li gło-wa, kup go-rzał - ki bę-dę zdro-wa.

P. Nr. 22.

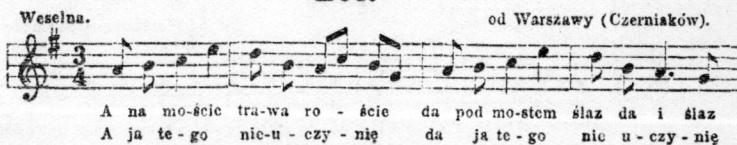

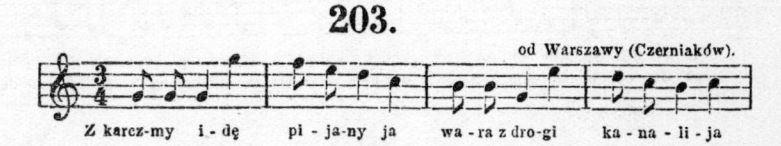

201.

Weselna.   od Warszawy (Czerniaków).

A na mo-ście tra-wa ro - ście da pod mo-stem ślaz da i ślaz
A ja te - go nie-u - czy - nię da ja te - go nie u - czy - nię

mó - wi - ła mi grzecz-na pan-na że-bym z ko-nia zlaz da i zlaz.
bo się bo - ję o dzie-wczy-nę ju-żem tu był raz da i raz.

202.

od Warszawy (Czerniaków).

Ma-ko-wie-cki za-graj le-piéj za-sie - ję ci za - gon rze-py za - sie-ję ci i pół - to - ra za-graj że mi do wie-czo - ra.

203.

od Warszawy (Czerniaków).

Z karcz-my i - dę pi - ja-ny ja wa-ra z dro-gi ka - na - li - ja wa - ra wa - ra bom się u-pił bym ci skó-ry nie wy-łu-pił.

204.

od Warszawy (Czerniaków).

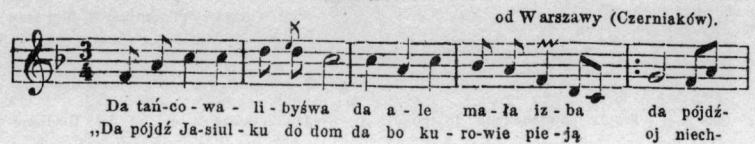

Da tań-co - wa - li - byśwa da a - le ma - ła iz - ba da pójdź-
„Da pójdź Ja-siul - ku do dom da bo ku - ro-wie pie - ją oj niech-

wa do sie - ni da bę-dzie nam prze-strze-ni.
że się też z nas da lu - dzi - ska nie śmie-ją.

205.

od Warszawy (Czerniaków).

Da sie - rot-ka ja by - ła da to mnie by - ło nie-brać da by - ło se

Ja - siul-ku da do bo - ga - tej je-chać.

Oj sieroty, sieroty,
da wiele was na świecie —
oj ni ojca ni matki
da gdzie się podziejecie?

Oj z sieroty się naśmiać
da sierotę obgadać —
oj wie Pan Jezus z nieba
da co sierocie ma dać.

206.

od Warszawy (Czerniaków).

Na wo - jen - kę nie po-ja - dę nie po - ja - dę słu - żyć nie bę-
Służ-ba mi się nie u - da - ła nie u - da-ła dziew-ka mi się

dę nie bę - dę Służba mi sie nie u-da-ła że-nić się bę - dę da bę-dę.
spo - do - ba - ła ła - dne licz-ko z wia-nem mia - ła że - nić się bę - dę da bę-dę.

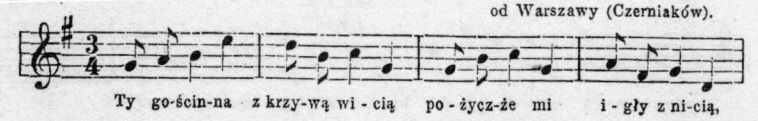

207.

od Warszawy (Czerniaków).

Ty go-ścin-na z krzy-wą wi - cią po - życz-że mi i - gły z ni-cią, bę-dę so-bie su-knie ła-tał a na wie-czór bę-dę ska-kał.

Jadłem kluski, piłem rosół,   Nasza pani rychło wstaje,
Mięsam nie jad — adym wesół.   Nic nie ro-bi tylko łaje,
    A my jej się nie bojemy,
    Gdzie zajdziemy to stojemy.

208.

od Warszawy (Czerniaków).

Da kie-dy ja w świat pój-dę da kie-dy po - wę-dru-ję
Oj kie-dy ja w świat pój-dę da z Czerzniako - wa dro-gom

da swo-ją ko-cha-ne-czkę da Bo-gu o-fia-ru-ję.
da swe-go ko-cha-ne-czka da Pa-nu Bo-gu od-dam.
    P. Nr. 16.

209.

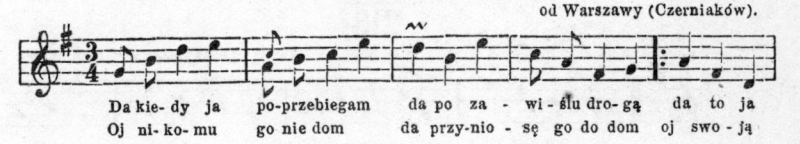

od Warszawy (Czerniaków).

Da kie-dy ja po-przebiegam da po za-wi-ślu dro-gą da to ja
Oj ni-ko-mu go nie dom da przy-nio-sę go do dom oj swo-ją

1-mo   2-do

swe-go wian-ka oj da ni-ko-mu nie dom.
ro-dzi-ne-czkę da u-cie - szę wia-ne-czkiem.

210.

od Warszawy (Czerniaków).

Dzień do pra-cy noc do spa-nia, wie-czór zby-wa do ko-cha-nia
I mnie mat-ka za-ka-za-ła, że-bym chłop-ców nie ko-cha-ła,

Mat-ka sa-ma gę-by da-je a jak ja dam — to mnie ła-je.
A ja się w tém nie po-pra-wię bo się z nie-mi ra-da ba-wię.

211.

od Warszawy (Czerniaków).

Al-boż to ja pro-stacz-ka co mi da-jesz cia-stecz-ka
albo albo
a daj-że mi sre-brny grosz to się ze mną na-i-grasz. to się ze mną
a daj-że mi ta-la-ra bę-dę z to-bą sza-la-ła.

212.

od Warszawy (Czerniaków).

Oj ro-zum wo - ła ku-mecz-ko pójdź-my do do - mu do do-mu
a wo-re-czek szep-cze je-szcze na-pij-my się ku-mo jesz-cze.

213.

od Warszawy (Czerniaków).

A by-waj-że mi zdro-wa da mo-ja naj - mi-lej-sza
Da dróż-ka o - sta-tniej-sza da i o-sta-tnie sło-wa,
Da już ci mi do cie-bie da dróż-ka o - sta-tniej-sza
da mo-ja naj - mi-lej-sza da by-waj-że mi zdro-wa.

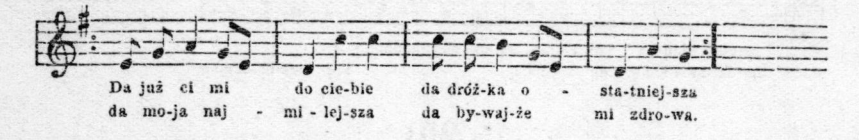

214.

Kołyskowa. od Warszawy (Czerniaków).

Ty dzie-wczy-no ty mo - ja nie-da-łaś mi po-ko-ja
Bę - dę ja cię ko - ły - sał ca - łéj no-cki nie sły-szał.
nić da-łaś mi noc-ki spać ka-za-łaś się ko-ły-sać.

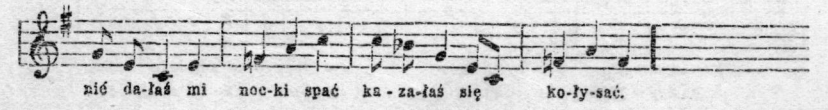

215.

od Warszawy Czerniaków).

Za ga - i - kiem za zie-lo-nym sto - i z ki-jem o - pa - lo - nym
kto się te-go nie spo-dzie-je to go ki-jem przy-o - dzie-je.

216.

od Warszawy (Czerniaków).

Od Ku - ja - wy wia - ter wie-je, Ku - ja-wian-ka żyt-ko sie - je.
i za - sia - ła — po-zbie-ra - ła bę-dzie o - na chle-bek mia-ła.

P. Nr. 4, 207.

217.

od Warszawy (Czerniaków).

Oj wo - lał-by ja je-chać da do bo - ru po so-chę *(sosnę)*,
a - ni - że - li do ma-tki da po ta - ką pieszczochę, Oj wo-lał-

Oj sochą sobie zatnę,   Oj gdzie ty Jasiu jedziesz,
da i będzie mi orała,   da darmo się zawiedziesz,
oj pieszczochę se wezmę,   da darmo twoja droga,
da i będzie mi płakała.   da niechce cię nieboga.

218.

od Warszawy (Czerniaków).

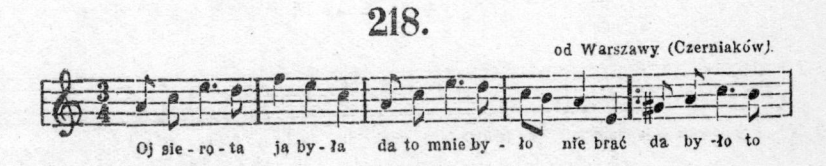

Oj sie - ro - ta ja by - ła da to mnie by - ło nie brać da by - ło to se Ja-siu da do bo-ga - tej je-chać.

Da bogata garbata
a do tego i pyszna
ja uboga chędoga
da jak w sadeczku wiśnia.

Oj było se osiodłać
da suczynę kudłatą
da było sobie jechać
da po żonę bogatą.

Oj wolałby ja jechać
da do boru po sosnkę
da niżelim sobie wziął
da od matki pieszczoszkę.

219.

Od Warszawy (Czerniaków).

Oj po - wie - dzie-li lu-dzie da że nie u-miem ro - bić
Oj po - wie - dzie-li lu-dzie da żem ja nie ro-bot - na

do ta-necz-ka wie-wió-recz-ka da i do ro - bo-ty nie-dźwiédź.
oj - że co ko - mu do te - go da i kie-dy ja o - cho-tna.

220.

od Warszawy (Czerniaków).

Al - bo to San-kow-scy nie lu-dzie nie lu-dzie na-je - dzą się na pi-ją się

i do do-mu pu-dzie. Al-boż

Żeby cię Sankowski
główka nie bolała
oj żeby ja za tobą
sto lat używała!

O ty o ty dana
o ty rota dana
o dana o ty dana
o ty rota dana.

221.

od Warszawy (Czerniaków).

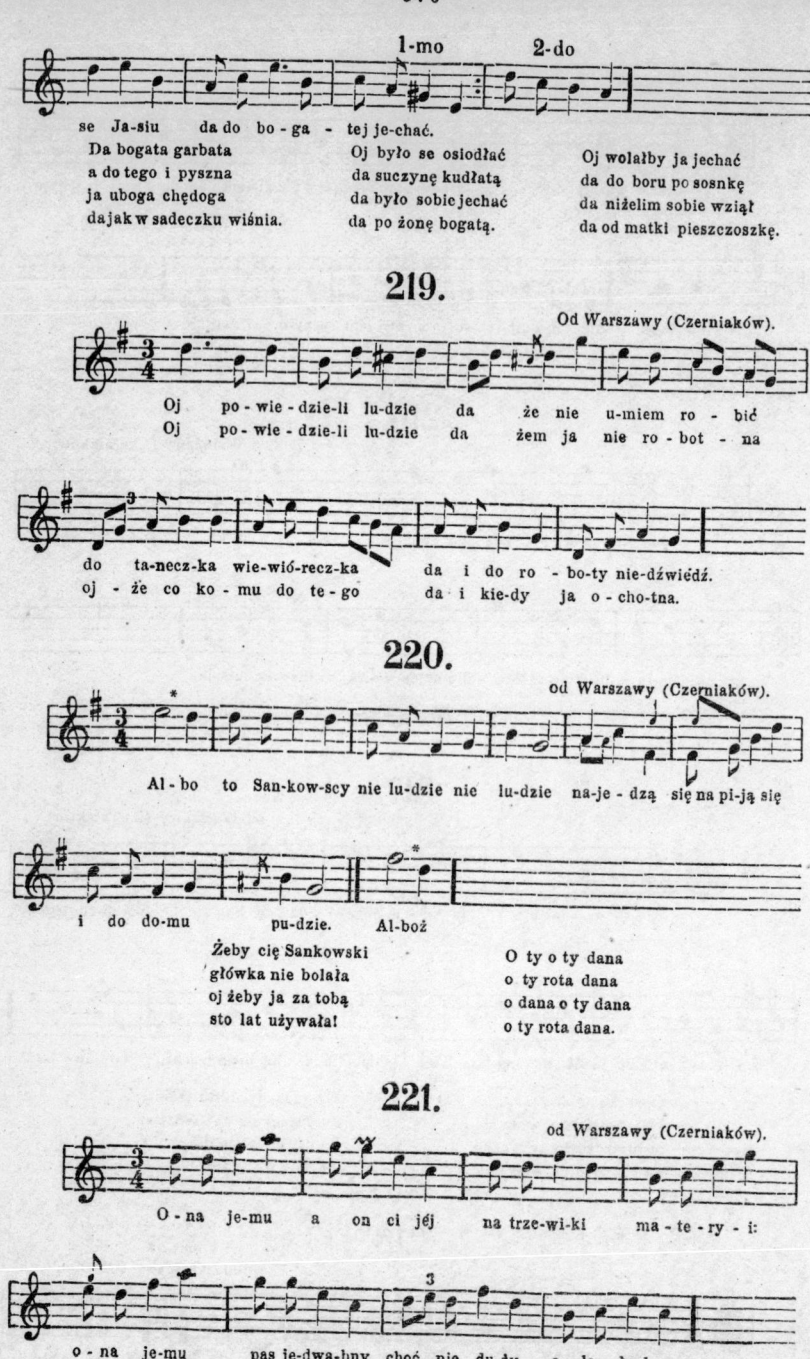

O - na je-mu a on ci jéj na trze-wi-ki ma - te - ry - i:

o - na je-mu pas je-dwa-bny choć nie du-ży a - le ła-dny.

222.

od Warszawy (Czerniaków).

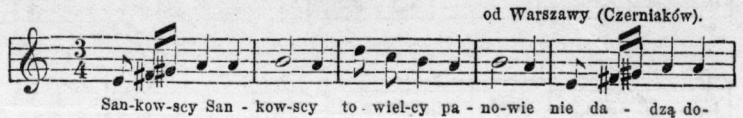

San-kow-scy San-kow-scy to wiel-cy pa-no-wie nie da - dzą do-
Gro-cho-le, Gro-cho-le prze-pi-li po kro-wie, San-kow-scy nie-

sto-ić wian-ko-wi na gło - wie. Oj nie da - dzą do-sto-ić
ta - cy prze-pi-li po kla-czy. Oj San-kow-scy nie ta - cy

da i wian-ko-wi na głowie.
da i prze-pi-li po kla-czy.

223.

od Warszawy (Czerniaków, Siekierki).
1-mo 2-do

1-mo 2-do

224.

od Warszawy (Siekierki).

Mia-łem żo-nę z ro-ki-ci - ny dja-bli mi ją po-chwy-ci-li

Że-bym wie-dział że u-mar - ła wy-darł bym ją dja-błu z garła.

225.

od Warszawy (Siekierki).

da Capo

226.

od Warszawy Siekierki.

Oj cno - ta mo - ja cno-ta da gdzie mi się po-dzia-ła da pa-sa-ją - cy woł - ki da na ro - sie zo - sta - ła.

Oj kiedy ci ja pójdę
da raniutko na rosę,
da to ja swoją cnotkę
da w fartuszku przyniosę.

Oj w fartuszku przyniosę,
da w kolibce pogrzebię,
da lulaj moja cnotko,
da tęskno mi bez ciebie.

227.

od Warszawy (Willanów).

Do-bry groch do-bry groch do-bre strą-czki na nim do-bry mój Sta-sień-ko
Do-bra sztu-ka mię-sa le-pszy jeszcze mo-stek a naj - lep-sza bu-zia

do-brze i mnie za nim.
bo w niej nie ma ko-stek.

228.

od Warszawy (Willanów, Powsin).

Oj da wy-so-ki za-me-czek oj da jesz-cze wyż-sza fa-ra

oj da po-wiedz mi dzie-wczy-no oj da ko-muś wie-niec da - ła.

Nie dałam go żałnierzowi „Oj da pocóżeś przyjechał?
nie dałam kawalerowi, „Oj da pocóżeś kazała?
oddałam go chłopakowi, „Oj da bom malutka była,
oj tobie poganinowi Oj bom rozumu nie miała."

P. Nr. 48.

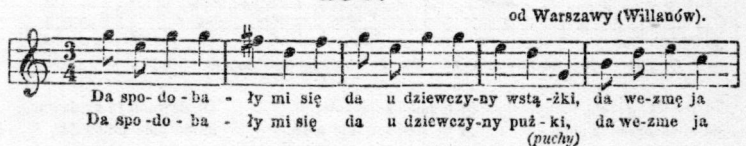

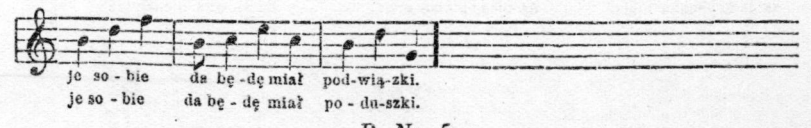

229.

od Warszawy (Willanów).

Oj bo-daj się świę-ci - ła da wi - la-now - ska stro-na oj gdzie ja się

o - bró-cę da wszę-dy mo - ja żo-na.

230.

od Warszawy (Willanów).

Da spo- do - ba - ły mi się da u dziewczy-ny wstą -żki, da we-zmę ja
Da spo -do - ba - ły mi się da u dziewczy-ny puż - ki, da we-zme ja
(puchy)

je so - bie da bę -dę miał pod-wią-zki.
je so - bie da bę - dę miał po - du-szki.

P. Nr. 5.

231.

od Warszawy (Willanów).

Da wi-dzisz że dzie-wczy-no da wi-dzisz-że, wi-dzisz-że da czer-wo-ne
Da ja - dła-bym ja-błu-szko da ja-dła-bym czer-wo-ne a - le jabł-ka

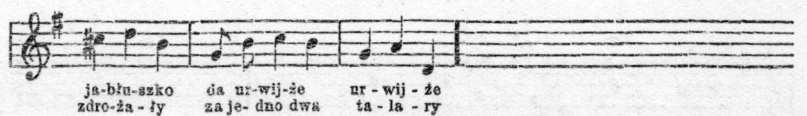

ja-błu-szko da ur-wij-że ur - wij - że
zdro-ża - ły za je - dno dwa ta - la - ry
(ściąga się do kary za zrywanie niedojrzałych owoców).

232.

od Warszawy (Willanów).

War-sza-wian-ka ra - no wsta-je ro - sę o-trzą - sa, o - trzą-sa, —

Wi - la - nów-ka pó-źno wsta-je jesz-cze się dą - sa da dą - sa.

233.

od Warszawy (Willanów).

Oj prze - le - ciał prze - le-ciał da i si - wy ka - czo-re - czek

oj da ja ro-zu - mia - ła da że mój ko-cha - ne-czek.

Oj leciała, gęgała
da siwa gąska z pola,
oj da i ja rozumiał
da że kochanka moja.

Oj przeleć że sokole,
da to zielonowskie pole,
da pozdrów że mi pozdrów
da ojca, matkę moje.

Oj dawnoć ja oj dawno,
da to pole przeleciał,
da od ojca od matki
da słówka nieusłyszał.

234.

od Warszawy (Willanów).

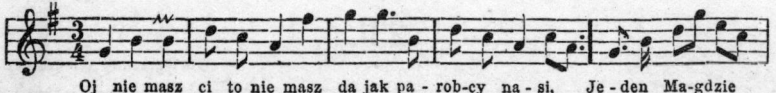

Oj nie masz ci to nie masz da jak pa - rob-cy na - si, Je - den Ma-gdzie

ba - kę świe-ci oj da dru - gi schle-bia Ka - si Je - den Ma-gdzie

ba-kę świć - ci oj da dru - gi schle-bia Ka-si.

235.

od Warszawy Willanów).

Hej-że i-no po na-sze-mu da-łaś gę-by ko-niu-sze-mu Dam je-mu, nie dam to-bie, masz pie-nią-ż-ki kup-że so-bie.

P. Nr. 188.

236.

od Warszawy (Willanów, Zawady).

„Gdy-byś chcia-ła mo-ja Ma-ryś da mo-gła-byś mnie mieć i dziś."
„Czy-bym chcia-ła czy-li nie chcieć nie bę-dę cię i ju-tro mieć."

patrz Nr. 48, 66.

237.

od Warszawy (Willanów).

Da nie bo-ję się pa-na da a-ni e- ko-no-ma
Da nie bo-ję się zi-my da ma-my dwa ko-żu-chy

1-mo 2-do

da od-ro-bi-łem pań-skie da bę-dę sie-dział do-ma.
da w cha-łu-pi-nie cie-pło da i nie gło - dne brzu-chy.

P. Nr. 159.

238.

od Warszawy (Willanów).

Ty dzie-wczy-no w bia-łej chust-ce daj mi py-ska to cię pusz czę, o ty dy - ny o ta da - na   o ty dzie - wczy - no   ko-cha - na.

239.

Pastuszek. od Warszawy (Wilanów).

240.

od Warszawy (Willanów).

Czar-na chmu-recz - ka na nie-bie   puść mnie dzie-wu - cho do sie-bie.

A jak-że ja   cię pu-ścić mam kiej ja sie - ro - ta a tyś pan.

P. Nr. *57, 249.*

241.

od Warszawy (Willanów).

Da zwiedź ko - nia o - bro-kiem   da   mu - zy - ka pisz-czał-ką

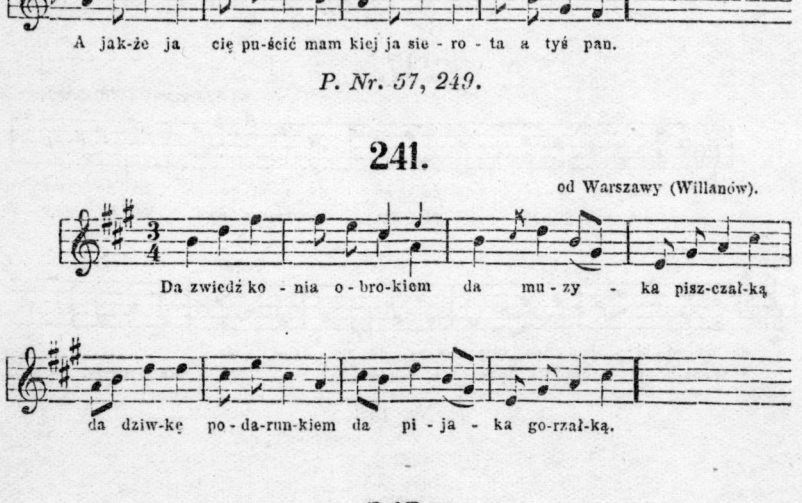

da dziw-kę po - da-run-kiem da   pi - ja - ka go-rzał-ką.

242.

od Warszawy (Willanów).

O - li tań-cuj - że tań-cuj-że   da - li mo - je   tań-co - wa-dło o - li da kie - dy nie u-miesz da - li le-piej byś se sia-dło.

243.

od Warszawy (Willanów).

Oj si - wy koń si - wy koń da li - czy - ki dru-to - we oj siel-my
O - krze-sów-ki da siel-my du - bel-to - we.

244.

od Warszawy (Willanów).

Oj je-cha - łem do Zo - si da po - ła - ma-łem o - si, Oj je - śli
dy-szel zła-mię da to nie spoj-rzy na mnie.

245.

od Warszawy (Willanów, Zawady).

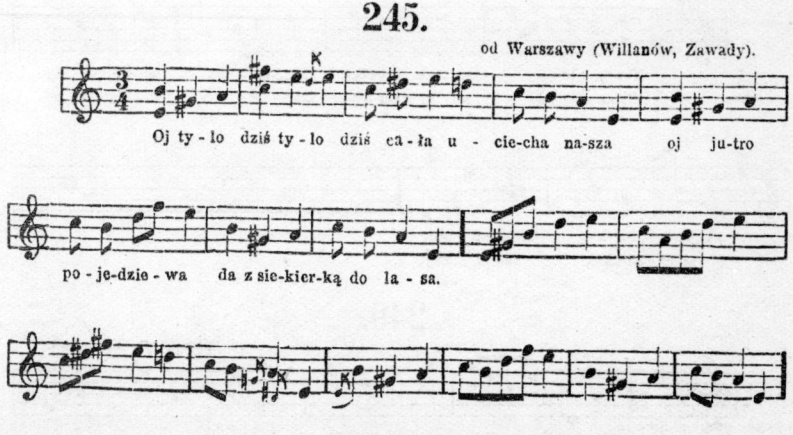

Oj ty - lo dziś ty - lo dziś ca - ła u - cie-cha na-sza oj ju-tro
po - je-dzie - wa da z sie-kier-ką do la - sa.

Patrz Nr. 55.

246.

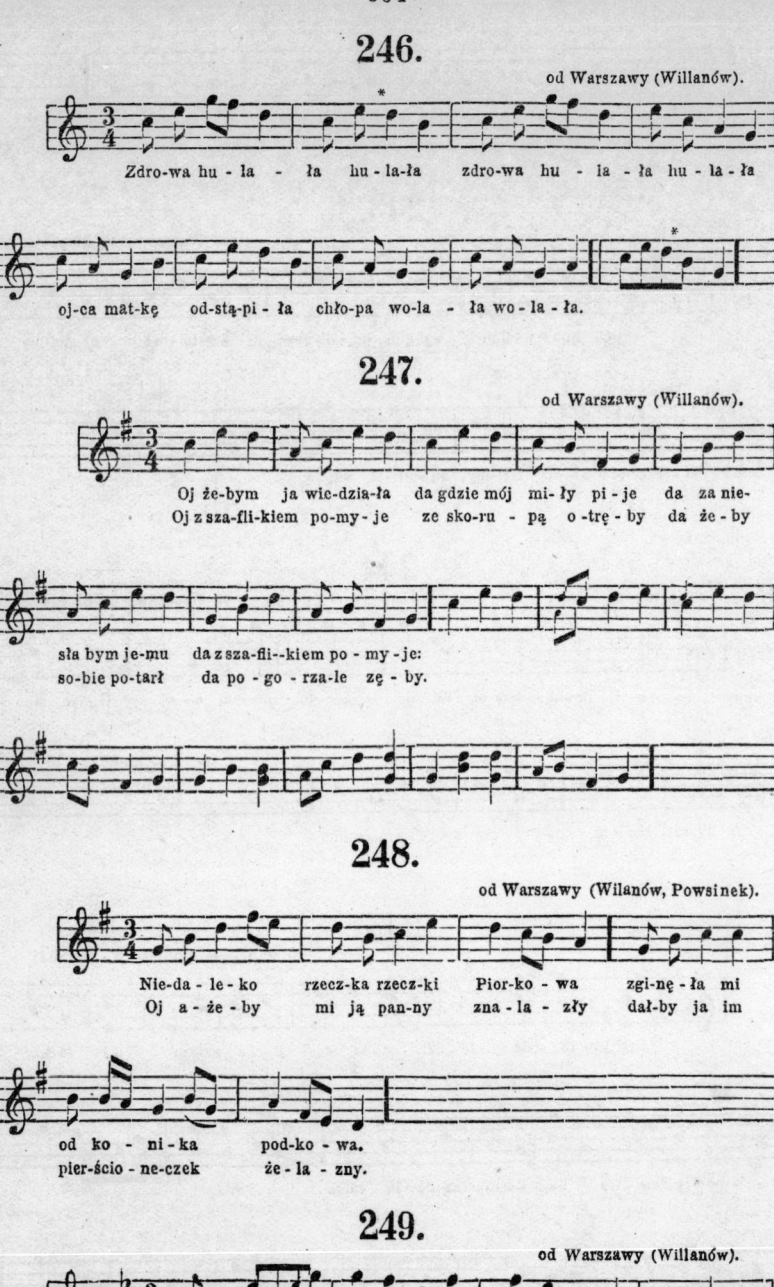

od Warszawy (Willanów).

Zdro-wa hu - la - ła hu-la-ła zdro-wa hu - la - ła hu - la - ła

oj-ca mat-kę od-stą-pi- ła chło-pa wo-la - ła wo - la - ła.

247.

od Warszawy (Willanów).

Oj że-bym ja wic-dzia-ła da gdzie mój mi- ły pi - je da za nie-
Oj z sza-fli-kiem po-my- je ze sko-ru - pą o -trę - by da że - by

sła bym je-mu da z sza-fli--kiem po - my - je:
so-bie po-tarł da po - go - rza-le zę - by.

248.

od Warszawy (Wilanów, Powsinek).

Nie-da - le - ko rzecz-ka rzecz-ki Pior-ko - wa zgi-nę - ła mi
Oj a - że - by mi ją pan-ny zna - la - zły dał-by ja im

od ko - ni - ka pod-ko - wa.
pier-ścio - ne-czek że - la - zny.

249.

od Warszawy (Willanów).

Kie-dyś so - bie o-gro-dni-czek da i pil - nuj że sa-dów

10. Od Piaseczna (Obory)

da i nie chodź do dzie-wczy - ny da nie zja-daj o - bia-dów.

250.

od Warszawy (Powsinek).

Zkąd-że je-steś ku - ja-wiacz-ku? Je-stem z za wo - dy z za wo - dy

A cze-go ty po-trze - bu-jesz? swo-jej wy-go - dy wy - go - dy.
Patrz Nr. 224.

251.

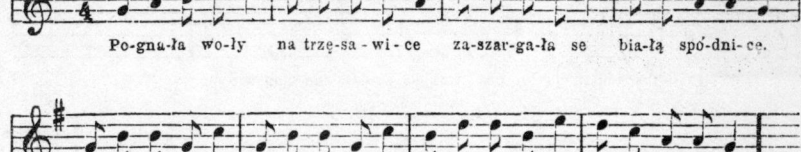

Polski. od Warszawy (Powsinek).

Po-gnu-ła wo-ły na trzę-sa-wi-ce za-szar-ga-ła se bia-łą spó-dni-ce.

Oj-ciec ją bi - je mat-ka ją ła-je wi-dzisz że có-ruś spó-dnicz-ka gni - je.

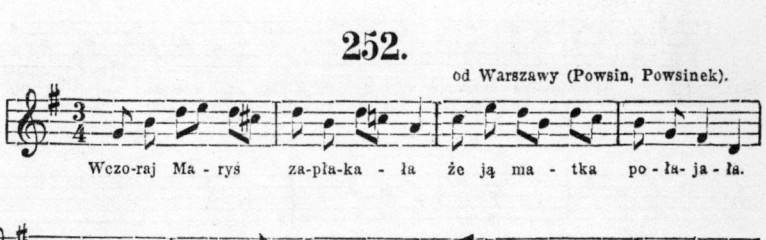

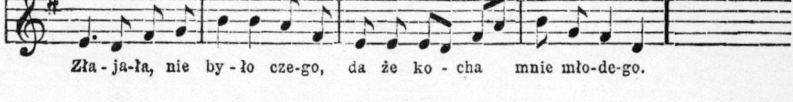

252.

od Warszawy (Powsin, Powsinek).

Wczo-raj Ma - ryś za-pła-ka - ła że ją ma - tka po - ła-ja-ła.

Zła - ja-ła, nie by - ło cze-go, da że ko - cha mnie mło-de-go.

253.

od Warszawy (Powsin, Powsinek).

P. Nr. 273.

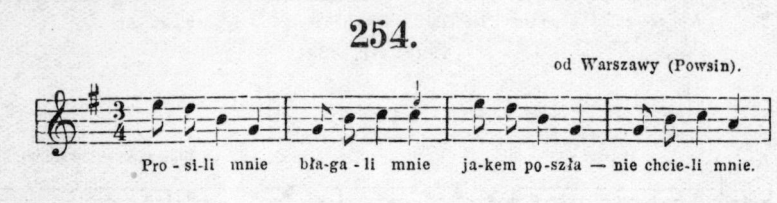

254.

od Warszawy (Powsin).

Pro - si-li mnie bła-ga - li mnie ja-kem po-szła — nie chcie-li mnie.

Nie chcie-li w tań-cu o - bró-cić, trza się bę-dzie do dom wró-cić.

255.

od Warszawy (Powsin).

Oj O-bo-rza - czku mar-ny da com ja cię nie zna - ła, oj od Bo-
Oj od Bo-ga szczę-ście masz da i o-de - mnie sa-mej, oj com ci

ga szczęście masz da com ci wia-nek da-ła.
da-ła wia-nek da da - łam ci ru - cia-ny.

256.

od Warszawy (Powsin).

Polski.

Po-cóż przy-śli-ście po-sta - nę - li-ście, bierz je-dno dru-gie plą - sa - li-byś-cie.

257.

od Warszawy (Powsin).

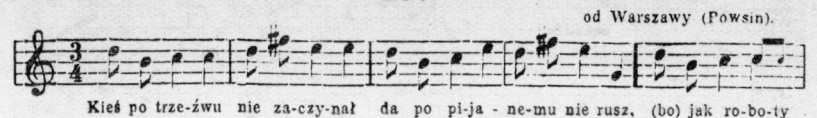

Kieś po trze-źwu nie za-czy-nał da po pi-ja - ne-mu nie rusz, (bo) jak ro-bo-ty

nie do-koń-czysz da to we-zmę ci ka - pie-lusz.

258.

od Warszawy (Powsin).

Sie-dział pa-stuch w wierz-bi-nie i wo-łał se świerz-bi mnie. Idź do nie - go

z gra - ca-mi, nie drap że łba pal-ca - mi.

259.

od Warszawy (Powsin).

260.

od Warszawy (Powsin).

261.

od Warszawy (Powsin).

Oj bo-daj się za-pa-dło da pod ko - ni-kiem ba-gno oj co ja się na-je-ździł da do dzie-wczy-ny dar-mo. Oj bo - daj się za-pa-dło da pod ko - ni-kiem ba-gno.

262.

od Piaseczna, Tarczyna.

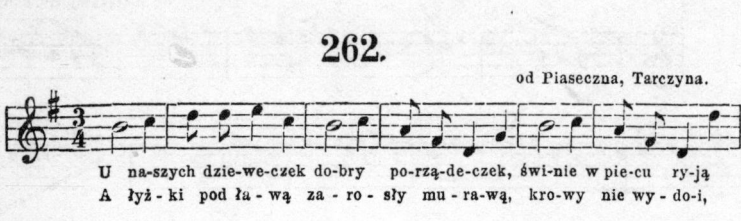

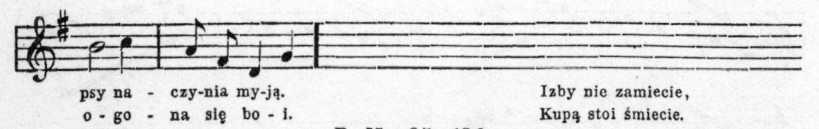

U na-szych dzie-we-czek do-bry po-rzą-de-czek, świ-nie w pie-cu ry-ją psy na - czy-nia my-ją. Izby nie zamiecie,
A łyż - ki pod ła - wą za - ro - sły mu - ra-wą, kro-wy nie wy - do-i, o - go - na się bo - i. Kupą stoi śmiecie.

P. Nr. 37, 120.

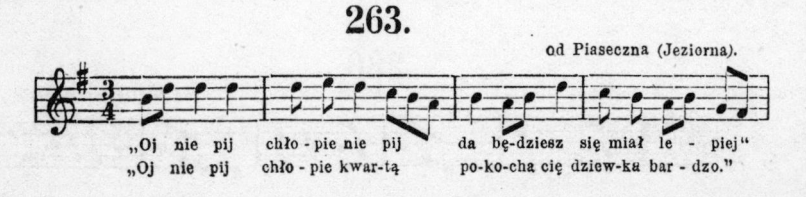

263.

od Piaseczna (Jeziorna).

„Oj nie pij chło - pie nie pij da bę-dziesz się miał le - piej"
„Oj nie pij chło - pie kwar-tą po-ko-cha cię dziew-ka bar - dzo."

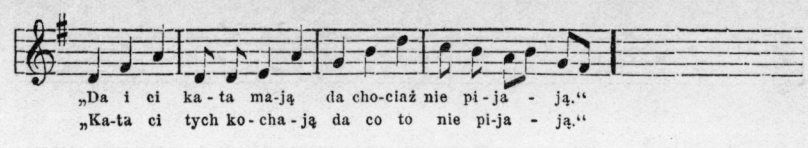

„Da i ci ka-ta ma-ją da cho-ciaż nie pi-ja - ją."
„Ka-ta ci tych ko-cha-ją da co to nie pi-ja - ją."

P. Nr. 75, 275.

264.

Od Piaseczna (Jeziorna).

Oj czar-ne ocz-ki czar-ne to są nie-po - zor-ne da po-zor-

niej-sze mo-dre do ko-cha-nia do - bre.

Oj czarujże kochanko
chusteczką jedwabną
da aby nie czarami
modremi oczkami,

Oj czarne oczki miała
komu by je dala?
da nie miała nikomu
wzięła je do domu.

Oj modre oczki modre
bodaj się święciły
czy ja spał czy ja czuwał
zawsze przy mnie były.

265.

od Piaseczna (Jeziorna, Powsin)

266.

od Piaseczna (Jeziorna).

267.

od Piaseczna (Jeziorna).

268.

od Piaseczna (Jeziorna, Bielawy).

Oj bie-da mi bie-da mi da mię-dzy ob - cym lu-dem, bo choć my-ję się wo - dą wi-dzi mi się że bru-dem.

269.

od Warszawy (Jeziorna, Bielawy).

A w bro-wa-rze gra - ją gra-cze pod bro-wa-rem Ma-ciek ska-cze Cze-muś ty Mać-ku mo - cny? Bom jadł pla-cek Wiel - ka-no-cny.

270.

od Piaseczna (Jeziorna).

Oj jesz-cze tak nie by - ło da jak te - raz na-sta - je
Oj ćwierć kar -to - fli da -je da i sto zło - tych pie - nię-dzy

oj że mat - tka za cór - ką da ćwierć kar - to- fli da - je.
oj że - być mo - ją cór - kę da wzię - li jak naj-prę-dzéj.

271.

od Piaseczna (Bielawy).

Da mo - ja żu - pa-ni - na da u ży - da na grzę-dzie, da jesz-cze
Da mo - ją żu - pa-ni - nę po-wie - si - li na kłód-kę da jesz-cze

ją wy-ku - pię jesz-cze mo - ją bę-dzie.
mo-ją bę-dzie, za-pła - cę za wód-kę.

272.

od Piaseczna (Bielawy).

Oj za - rża - ły ko - ni - ki pe - wno woj-na bę - dzie, oj nie je-
Oj nie je - dna ma-tu - la nie je - dna sio-strzycz-ka oj bę-dzie

dna ma-tu - la pła-kać sy - na bę-dzie.
o - pła-ki-wać da swe-go bra - cisz-ka.

273.

od Piaseczna (Bielawy).

Oj sza-sta-ła sza - sta - ła da bi-czy-kiem po pło-cie

Nie za - le - caj mi się da u - bo - giej sie-ro-cie.

patrz Nr. 253.

274.

od Piaseczna (Skolimów).

Za sto-do-łą cha-ber cha-ber go-nił ci mnie Pa-weł Pa-weł stój po-cze-kaj Pa-we-łecz-ku dam ci wia-nek z ha-be-recz-ku.

P. Nr. 4, 86.

275.

od Piaseczna (Skolimów).

Oj mo-je dziewczy-ny da złóż - cie się na ta-lar oj ku - pcie mi ko-ni-ka da bę - dę z wa-mi sza-lał. albo da bę - dę

mel. Nr. 75, 263.

276.

Molto agitato od Piaseczna (Skolimów)

277.

od Piaseczna, Czerska.

Od Pia-secz-na ja pa-ro - be-czek nie mam szczę-ścia do dzie-we-czek a - le o - ne szczę-ście ma - ją sa - me do mnie przy-bie-ga-ją.

278.

od Piaseczna.

Do po - łu-dnia woł-ki pa-sła po po - łu-dniu za mąż po-szła

o pół-noc - ku wyr-ko trzeszczy a na-de-dniem chło-pak wrzeszczy,

279.

od Piaseczna (Słomczyn).

Oj dzie-wczy-no da nie chcesz mnie oj pa-mię-taj wspomnisz mnie oj wspomnisz mnie

w każdy dzień, w każdy dzień a ja cie-bie raz w ty-dzień.

280.

od Piaseczna (Obory).

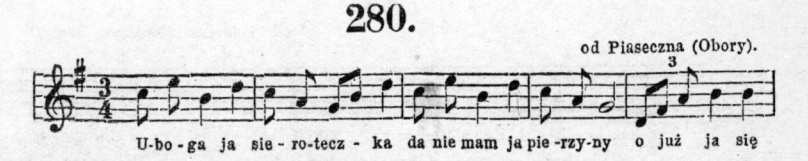

U-bo-ga ja sie-ro-tecz - ka da nie mam ja pie-rzy-ny o już ja się nie o-że - nię a Bo-żeż mój je - dy-ny.

P. Nr. 292.

281.

od Piaseczna (Słomczyn, Obory).

Oj pój - dę ja do Ku-jaw bę - dę hu - lał da hu-lał poj-mę se ku - ja-wian-kę gdy-by ją u - lał da u - lał.

* f lub fis.

282.

od Piaseczna (Słomczyn).

Do ko-ścio - ła po-wę - dro - wał a w ko-ście - le o - bra - zy, spoj-rzał ci raz na o - braz na dzie - wczy-nę dwa ra - zy.

p. Nr. 41, 48, 269.

283.

od Piaseczna (Słomczyn, Obory).

Trzy-ma-ła się Ka - sia wierz-by tak się bu - ja - ła bu-ja-ła wierz-ba pę-kła, Ka-sia brzdę-kła aż się spła-ka-ła spła-ka-ła.

284.
od Piaseczna (Obory).

Kie-dy ja miał ban-ko-ce-tle, to ja ko-chał pan-nę Te-klę,

te-raz nie mam i sze-lą-ga mu-szę ko-chać la-da drą-ga.

285.
od Tarczyna.

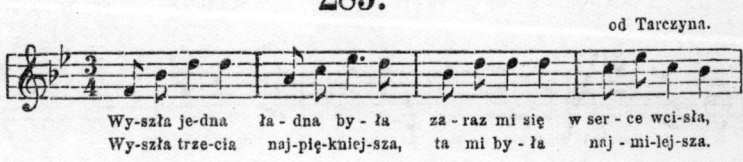

Wy-szła je-dna ła-dna by-ła za-raz mi się w ser-ce wci-sła,
Wy-szła trze-cia naj-pię-kniej-sza, ta mi by-ła naj-mi-lej-sza.

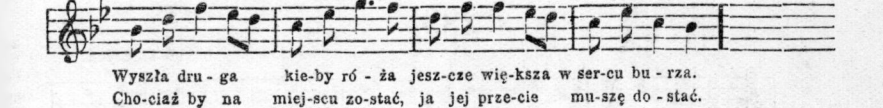

Wyszła dru-ga kie-by ró-ża jesz-cze wię-ksza w ser-cu bu-rza.
Cho-ciaż by na miej-scu zo-stać, ja jej prze-cie mu-szę do-stać.

286.
od Tarczyna, Grójca.

mel. Nr. 90, 312, 325.

287.
od Tarczyna.

288.
od Tarczyna, Grójca.

Oj si - wy go - łą - be - czek da w środ - ku dę - bu sie-dział,
oj ko-chaj że mnie ko-chaj da że - by nikt nie wie-dział.

289.
od Tarczyna.

Oj wi-dzisz ty bra-cisz-ku w ja-kim je - stem u - ci-sku mę - ża nić mam
sa-ma si - piam da je-stem w ob-mó -wiz-ku.

P. Nr. 77.

290.
od Tarczyna.

Mo - ja ma - tko był tu Ma - ciek chciał do - ni - cy wier-cić ma - czek.

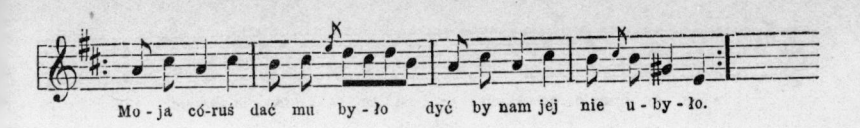

Mo - ja có-ruś dać mu by - ło dyć by nam jej nie u - by - ło.

291.
od Tarczyna.

Oj ko-wa - le ko-wa - le da kup-cie mi ko - ra - le oj a wy ko-wal-czy-ki da kup-cie mi kol-czy -ki

P. Nr. 190, 271.

292.
od Tarczyna (Prażmów).

Na ko - by - le wo-ził dy - le, na ko-niu słu - py da słu - py, kto nie wie-rzy swo - jej żo-nie niech nie wy-ła - zi z cha-łu - py.

P. Nr. 280.

293.
od Tarczyna (Mirowice, Prażmów).

W sto-do - le na do - le i na kle - pi-sku chciał gę - by chciał gę-by do - stał po py - sku.

294.
od Tarczyna (Mirowice, Prażmów).

Oj woł-ki mo - je woł - ki da choć płu - żek dźwi-ga - cie,

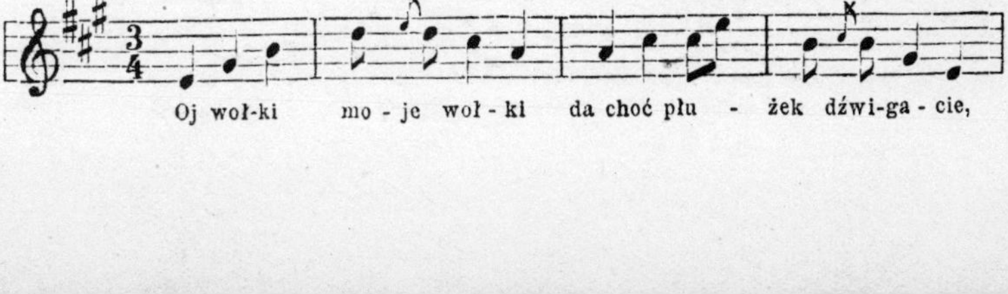

a - le wy mnie ko-cha-cie da bo ba - ta nie zna-cie.

295.

od Tarczyna (Grzędy).

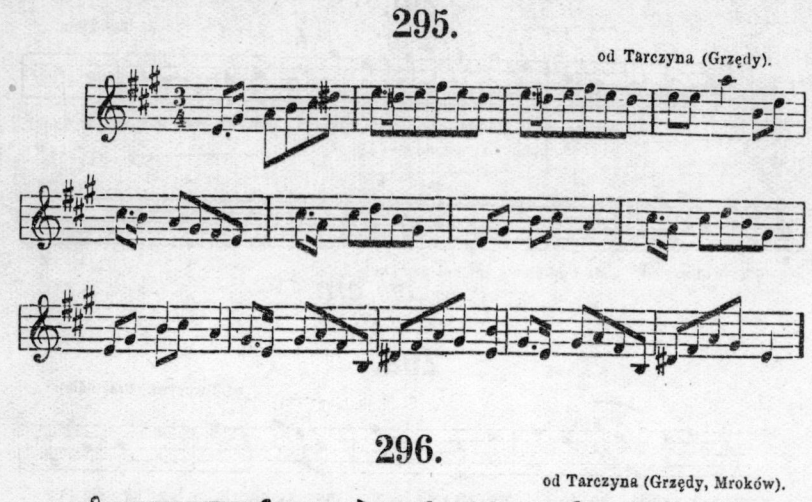

296.

od Tarczyna (Grzędy, Mroków).

297.

od Tarczyna (Grzędy).

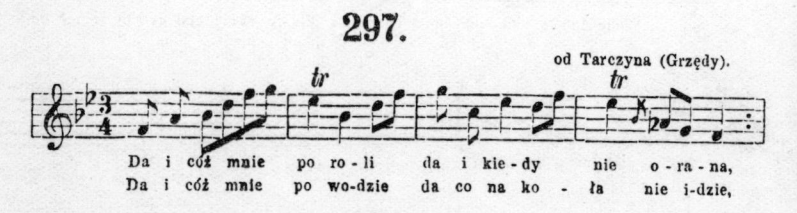

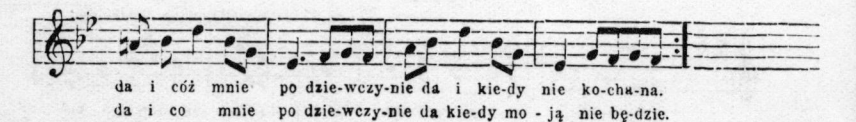

Da i cóż mnie po ro - li da i kie - dy nie o - ra - na,
Da i cóż mnie po wo-dzie da co na ko - ła nie i-dzie,

da i cóż mnie po dzie-wczy-nie da i kie-dy nie ko-cha-na.
da i co mnie po dzie-wczy-nie da kie-dy mo - ją nie bę-dzie.

298.

od Tarczyna (Michrów).

Oj o-czki mo-je o-czki da cze-go spo-glą-da-cie, oj wszy-stko
Oj o-czki mo-je o-czki dar-mo nie spo-glą-daj-cie, da bo wy

ku tej stro-nie da gdzie ko-cha - nie ma-cie.
tu w Michro-wie da ko -cha-nia nie ma -cie.

299.

od Tarczyna (Michrów).

O - ber - ta-sik, o - ber-ta-sik, sprze-dał bu - ty, ku - pił pa - sik.
Sprze-dał pa-sik ku - pił so - li, bo dzie-wczy-nom brzu-cho bo - li.

Sprze-dał pa-sik; ku-pił chle-ba bo dzie-wczy-nom te-go trze-ba.

300.

od Tarczyna (Michrów).

Oj le - ci so - kół la - sem da krzy-knie so-bie cza-sem oj ko-nik pro-

sto dro - gą da tu-pnie so - bie no-gą.

301.

od Tarczyna (Michrów, Rembertów).

Oj-ciec bi - je ma-tka bi - je wszy-scy bi - je - cie bi - je-cie, jak ja od was po-wę-dru-ję płakać bę - dzie - cie bę-dzie-cie.

302.
od Tarczyna (Michrów, Rembertów).

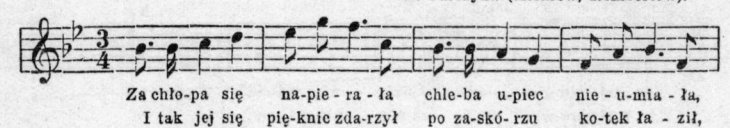

Za chło-pa się na-pie-ra-ła chle-ba u-piec nie-u-mia-ła,
I tak jej się pię-knic zda-rzył po za-skó-rzu ko-tek ła - ził,

pier-szy raz się po-ku-si-ła na bo--che-nek roz-czy-ni-ła
za-dar o-go-na do gó-ry jesz-cze nie do - stał do skó-ry.

303.
od Góry Kalwaryi (Kawęczyn).

A princ Fer-dy-nan-dzie da cóż ci się to sta-ło oj wy-sze-
A princ Fer-dy-nan-dzie że - by cię Bóg bło-go-sławił oj za-bra-

dłeś z War-sza-wy da w sa-me Bo-że cia-ło.
łeś nam chłop-ców da co-żeś nam zo-sta-wił.

304.
od Góry Kalwaryi (Kawęczyn).

305.

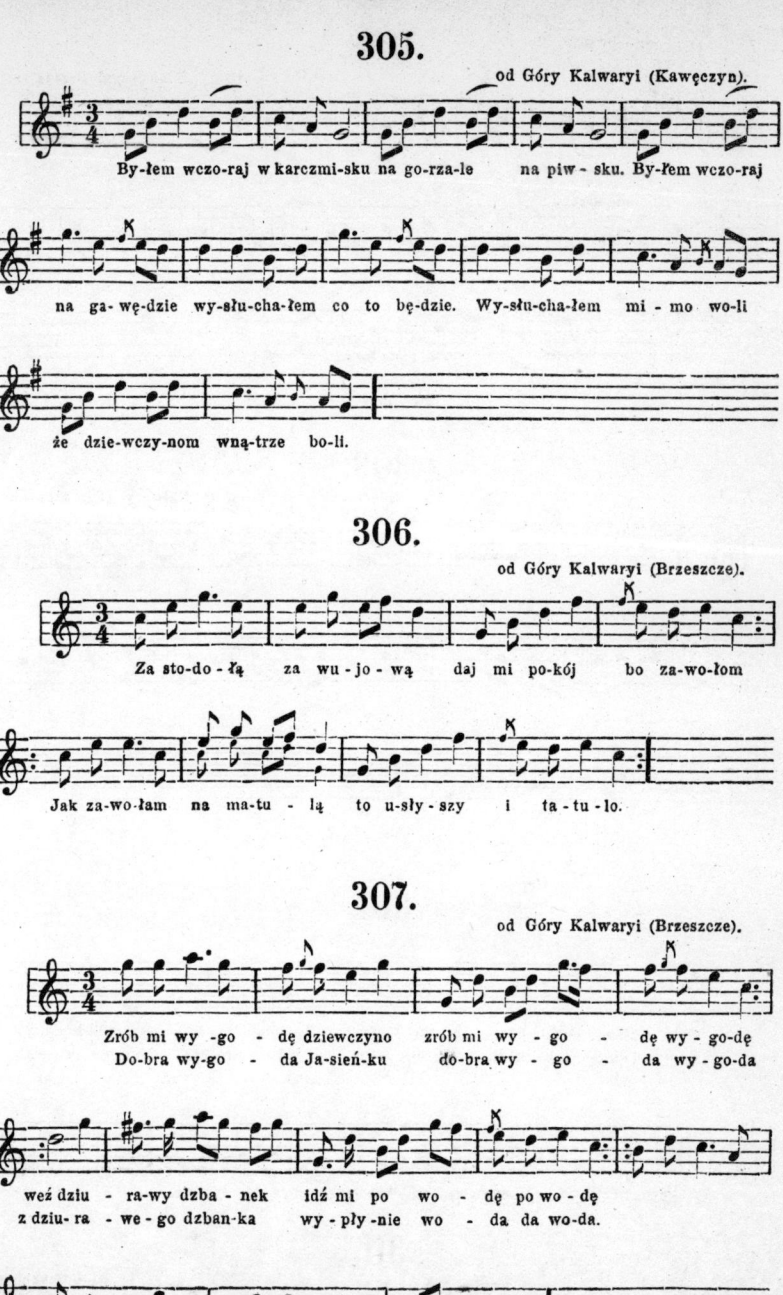

od Góry Kalwaryi (Kawęczyn).

By-łem wczo-raj w karczmi-sku na go-rza-le na piw - sku. By-łem wczo-raj na ga- wę-dzie wy-słu-cha-łem co to bę-dzie. Wy-słu-cha-łem mi - mo wo-li że dzie-wczy-nom wną-trze bo-li.

306.

od Góry Kalwaryi (Brzeszcze).

Za sto-do - łą za wu-jo-wą daj mi po-kój bo za-wo-łom Jak za-wo-łam na ma-tu - lą to u-sły - szy i ta-tu-lo.

307.

od Góry Kalwaryi (Brzeszcze).

Zrób mi wy -go - dę dziewczyno zrób mi wy - go - dę wy-go-dę
Do-bra wy-go - da Ja-sień-ku do-bra wy - go - da wy -go-da

weź dziu - ra-wy dzba-nek idź mi po wo - dę po wo-dę
z dziu-ra - we-go dzban-ka wy-pły-nie wo - da da wo-da.

308.

od Góry Kalwaryi (Kawęczyn, Brzeszcze).

P. Nr. 21.

309.

od Góry Kalwaryi (Brzeszcze).

p. Nr. 143.

310.

od Czerska.

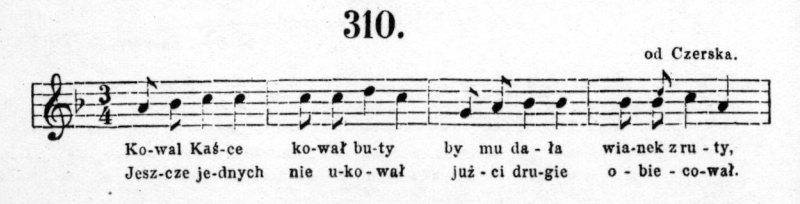

Ko-wal Kaś-ce   ko-wał bu-ty   by mu da-ła   wia-nek z ru-ty,
Jesz-cze je-dnych   nie u-ko-wał   już-ci dru-gie   o-bie-co-wał.

a ko-wal-czyk i pod-szy-cie, za wia-nek na ca-łe ży-cie.

311.

od Czerska.

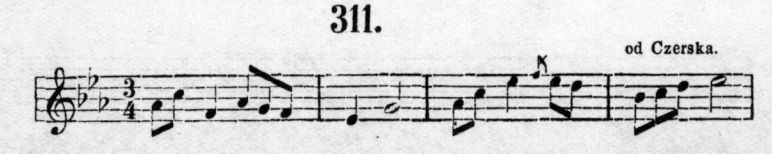

1-mo 2-do

312.

od Czerska, Warki.

I ty Ma-zur i ja Ma-zur, po-życz że mi wór-ka na żur.
Ja ci wor-ka nie-po-ży-czę, bo mi trze-ba na psze-ni - cę.

Patrz Nr. 286.

313.

od Czerska.

Cze-mu nie o-rzesz Ja-sień-ku cze-mu nie o - rzesz? Czy ci woł-ki
O-rał ci by ja Ka-sień-ku o-rał ci by ja? że-byś woł-ki·
już u-sta-ły czy ci woł-ki po pa-da-ły czy sam nie mo-żesz.
po-ga-nia-ła co sta-je mi bu-zi da-ła o-rałci bym ja.

314.

od Czerska.

Gnu-ła dzie-wczy-na bycz-ki ko-le smę-ta-rza ki-wa-ła rącz-ką od się
na ba-ka-ła-rza. Ba-ka-łarz za nią z szkla-necz-ką wi-na, cze-kaj mnie Ma-ryś
bę-dzie-wa pi-ła.

315.

od Czerska (Czaplin)

Oj szli pa-rob - cy z karczmy da tak so -bie mó - wi - li oj pój-dzie-wa do
Oj na wa - rzą nam kiełbas da na sma- żą nam ki-szek oj po-wiem oj-

Ma - ry-ny da bo tam wie-prza bi - li.
cu mat - ce da żem w zalo - ty przy-sed.

P. Nr. 294.

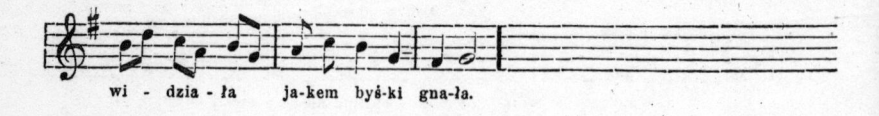

316.

od Czerska (Czaplin).

Oj wi-dzia-łem cię wi-dział ja-kem o - rał, wi - dział. Da i ja cię

wi - dzia - ła ja-kem byś-ki gna-ła.

317.

od Czerska (Czaplin).

Ko - mu gra - ją? Nie-do - lę - dze, nie-do - lę - ga ma pie-nię-dze

Nie-do-łę - ga tu-pie no - gą ma pie-nię-dze pod po-dło - gą.

P. Nr. 280, 434.

318.

od Czerska, Warki.

Oj kie-dy wę-dro-wa - ła da tak się lu - bo-wa - ła, oj far - tu-
Oj cóż to tam za wieś da cóż to tam za lu-dzie, da nie-da-dzą

szek na ko-ściół da or - ga - ni-ście da - ła.   far - tu-szek
po-ko - ju da   ko-ściel-ne - mu słu-dze.

319.
od Warki (Konary).

Oj nie ko-chaj się we-mnie da bo to po - da - re-mnie, oj bo ja chło-
piec świa-to-wy da i cóż ci przyj-dzie ze mnie.

320.
od Warki (Konary).

321.
od Warki (Wichradz).

Oj z ka-mie-nia na ka-mień da prze-stę-pu - je le-leń* oj chło-pcy mnie
Oj z ka-mie-nia na ka-mień da le - le - nie bie - ga-ją, oj le-dwiem cię
  * jeleń

ko - cha-ją   da ja o tem   i nie wiem.
po - zna-ła   da już mi wy - ma-wia-ją.

322.

od Warki (Wichradz).

Ga - da - ją lu - dzie da o mnie ga-da-ją lu-dzie da lu-dzie,

a niech że się na-ga-da-ją nic mi nie bę - dzie nie bę-dzie.

323.

od Warki, Białobrzeg.

324.

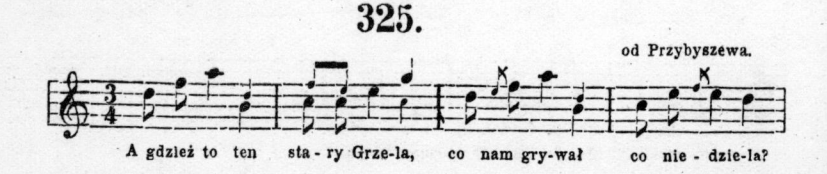

od Przybyszewa.

Oj kiep kiep Ma-zu-re-czek da i dzie-wczy-na je-go, na-la-ła

kie - li-sze-czek da i pi - je do nie-go.

325.

od Przybyszewa.

A gdzież to ten sta-ry Grze-la, co nam gry-wał co nie - dzie-la?

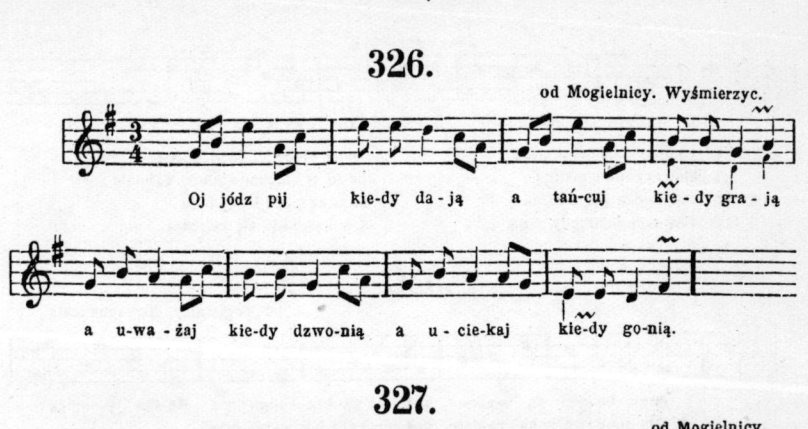

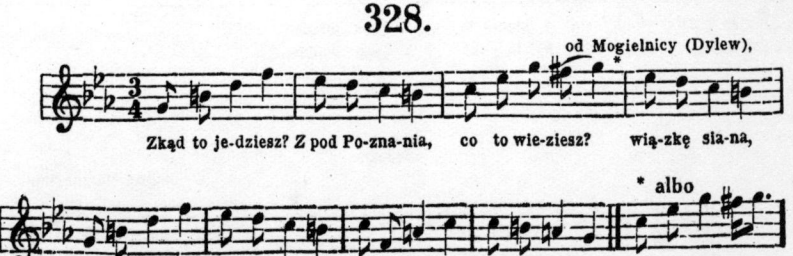

Sta-ry u-marł mło-dy na-stał, a bę-dzież on smycz kiem chla-stał.

P. Nr. 286, 312.

326.

od Mogielnicy. Wyśmierzyc.

Oj jódz pij kie-dy da-ją a tań-cuj kie - dy gra - ją

a u-wa-żaj kie-dy dzwo-nią a u-cie-kaj kie-dy go-nią.

327.

od Mogielnicy.

328.

od Mogielnicy (Dylew),

Zkąd to je-dziesz? Z pod Po-zna-nia, co to wie-ziesz? wią-zkę sia-na,

* albo

wiąz-kę sia-na ko-rzec siecz-ki na wia-no na - szej dzieweczki. co to wie-ziesz.

329.

od Mogielnicy (Dylew).

Da-lej chłop-cy da - lej na - si da - lej da - lej zwi-jaj - tą się,
zwi-jaj ta się na kier-ma-sie ja Fra-nu-się a ty Ba - się. 

Dalej chłopcy, dalej z miną
za dziewczyną za maliną
bo dziewczyna jak malina
za dziewczyną chłopcy giną.

Dalej chłopcy, dalej śmiele
bo to w karczmie nie w kościele
bo w kościele śluby dają
a w karczmie się zalecają.

330.

od Mogielnicy, Nowegomiasta.

A za bo-rem za o-nem kiw-nął cio-łek o-go-nem. Ka-śka ję - ła
Wo-lę sie-dzieć w za-gro-dzie nuż mnie cio-łek u - bo-dzie.

u - cie - kać le-piej by - ło po-cze-kać.

331.

od Goszczyna, Mszczonowa.

Oj ow - ce gó - ra-mi da ow - ce do - li - ną, oj te błę - dow-
Któ-ra naj-ła-dniej-sza of - fi - ce - rem bę-dzie, dą i na środ-ku

skie dzie-wu-chy da i szpi-ta - la nie mi-ną.
szpi - ta-la da i ła-tać kiec-kę bę-dzie.

P. Nr. 120, 337.

332.

od Goszczyna.

Pły - ną gą-ski po Du-na-ju ach mój Bo-że złącz że na - ju.

Oj-ciec ma-tka zła-czyć mo - że a ro - dzi-na do-po-mo - że.

333.
Goszczyna, Grójca.

334.
od Goszczyna.

Oj mo - ja Ma - ry - siu da nie - go - dzie-naś te - go
Do ro - du two - je - go da do ma - tu - li two - jéj,

co ja się na-kła-niał da do ro - du two-je-go.
już te-raz nie bę - dę da któż mnie przy-nie-wo - li.

335.
od Goszczyna, Warki (Wrociszew).

A smy-kam ja sia-no smy-kam nie cie-lę-tom tyl-ko by-kom a nie by-kom

tyl-ko wo-łom pójdź-że Ja-siu kiej cię wo - łam.

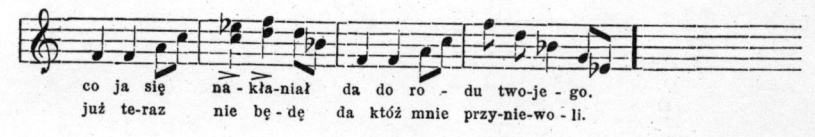

P. Nr. 52.

336.
od Goszczyna, Grójca.

Od Grój-ca ja pa - ro - be-czek niemam szczę-ścia do dzie-we-czek
a - le o - ne szczę-ście ma-ją sa - me do mnie przy - bie-ga-ją.

P. Nr. *119, 151.*

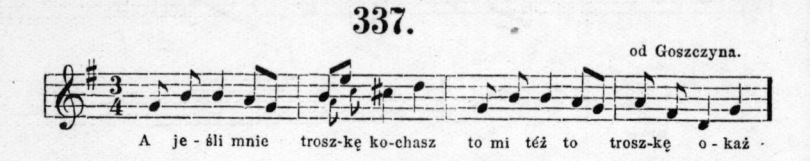

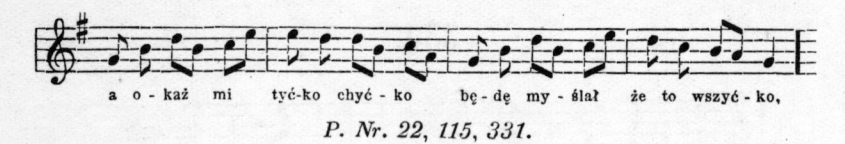

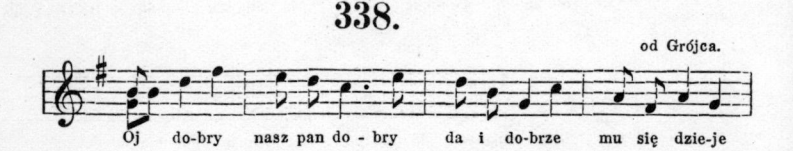

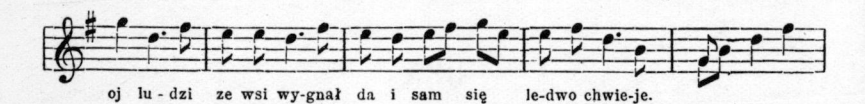

337.
od Goszczyna.

A je - śli mnie trosz-kę ko-chasz to mi téż to trosz-kę o - każ
a o - każ mi tyć-ko chyć - ko bę - dę my - ślał że to wszyć - ko,

P. Nr. *22, 115, 331.*

338.
od Grójca.

Oj do-bry nasz pan do - bry da i do-brze mu się dzie-je
oj lu - dzi ze wsi wy-gnał da i sam się le-dwo chwie-je.

339.
od Grójca (Głuchów).

340.
od Grójca (Głuchów).

A niech-że mnie kto za-kro-pi bo się sa-dło we mnie sto - pi.
Ha - sa ha - sa, da - léj ha - sa kie-dyś tłu - sty po-puść pa - sa

Kie-dyś tłu - sty ha - sa po-puść so - bie pa-sa.

341.
od Grójca (Głuchów).

U - pi-łem się do-brém win-kiem, wy-spa-łem się pod ko-min-kiem,

Nie mo-gę se wy-po-wie-dziéć jak mi by - ło do-brze sie-dziéć.

P. Nr. 92.

342.
od Grójca (Worów).

Oj u - pi - łam się trosz-kę da za swo - ją ko-kosz-kę, oj u - pi-

łam się si - ła da bo czu - ba - ta by - ła.

P. Nr. 103, 308.

343.
od Grójca.

Oj noc-ka we - dle noc - ki da nie śpią mo-je ocz - ki,

oj ty - lo spo-glą-da - ją da gdzie ko - cha-nie ma-ją.

P. Nr. 139.

344.

Drabant. *Marsz.* od Grójca.

Obertas.

345.

od Grójca (Głuchów).

Siecz-ka nie o - wies Ma-ry-siu siecz-ka nie o-wies nie o-wies po-ściel że mi

po-du-szecz-kę bo ja nie wdo - wiec nie wdo-wiec bo ja nie wdo-wiec.

346.

od Grójca (Głuchów).

Paro- be-czek dziéw-kę chwa-li że mu du - żo klu-sków wa - li,

a dzie-wecz-ka pa-ro-becz-ka, że nie prze-pił przy-sie-wecz-ka.

P. Nr. 141.

347.

od Grójca.

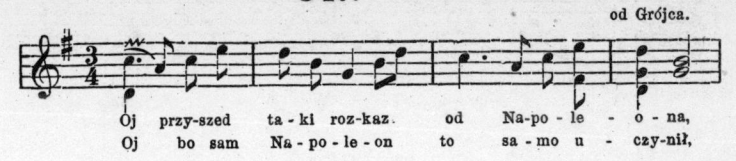

Oj przy-szed ta-ki roz-kaz od Na-po-le-o-na,
da że-by się roz-wo-dzić któ-ra sta-ra żo-na.

Oj bo sam Na-po-le-on to sa-mo u-czy-nił,
da i z sta-rą się roz-wiód z mło-dą się o-że-nił.

(Zdaje się pochodzić z r. 1812).

348.

Polski. *od Grójca (Worów).*

Za gór-kę za-szła i w nóż-kę trza-sła. Da-ła mu gę-by za gar-nek masła.

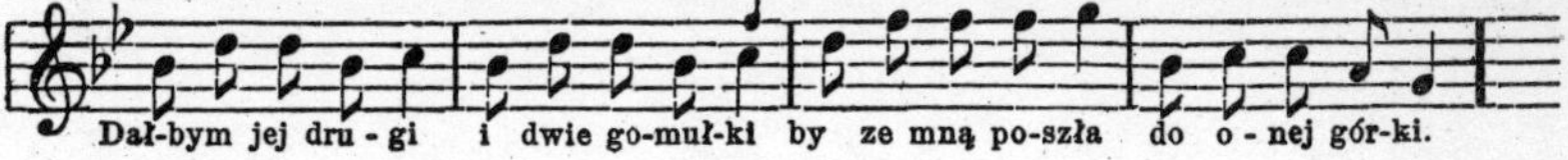

Dał-bym jej dru-gi i dwie go-muł-ki by ze mną po-szła do o-nej gór-ki.

349.

od Grójca.

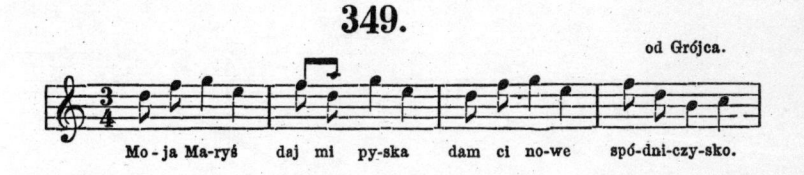

Mo-ja Ma-ryś daj mi py-ska dam ci no-we spó-dni-czy-sko.

W spó-dni-cy ci ła-dnie bę-dzie a py-ska ci nie u-bę-dzie.

350.

od Grójca.

Lu-dzie lu-dzie a dyć ci mi po-kój daj-cie,
Sió-dmy ro-czek da już i na ós-my prze-szło

da już to sió-dmy -ro - czek da jak o mnie ga-da - cie.
da już by te dzie-ciąt - ko da w po - le jeść za-nie-sło.

351.

od Grójca, Białobrzeg, Wyśmierzyc.

I-no ci się za - le - ca - ją co po sta - ju ro - li ma - ją,

a ja nie mam i za - go - na por-wa-nać tam Bo-gu żo-na.

p. Nr. 224, 250.

352.

Od Mszczonowa.

353.

Od Mszczonowa.

Oj trzy dnim w domu nie-był da trzy dni nie no - co-wał oj mia-łem
Oj Bo - że mój ko-cha-ny da że-by nie te pa - ny oj jak - by

ko-cha-ne-czkę da pan mi ją po-pso-wał.
nam to by - ło da żyć na świe-cie mi - ło.

354.
od Mszczonowa (Osuchów).

Oj wio ko - ni-ki na most da i wio ko - ni-ki z mo-stu,

oj ta mo - ja ko-cha-necz - ka da i nie - du - że-go wzro-stu.

355.
od Mszczonowa (Osuchów).

U - ja-dłeś mnie pie-sku u - jad nie mia-ła ja dwu-dzie-stu lat,

u - ja-dłeś mnie w pra-wą nóż - kę przez trze-wi-czek przez poń-czosz-kę.

356.
od Mszczonowa (Osuchów).

Po-wie-dzia-ła je - dna dru-giej ja bez dłu-gów ty masz dłu-gi.

Po - wie-dział ci trze-ci, czwar-ty żeś-cie o - bie dia-bła war-ty.

p. Nr. 252.

357.
od Mszczonowa (Osuchów).

O ta dy-na o ta dy-na zje-dli wil-cy Ber-na-dy - na.

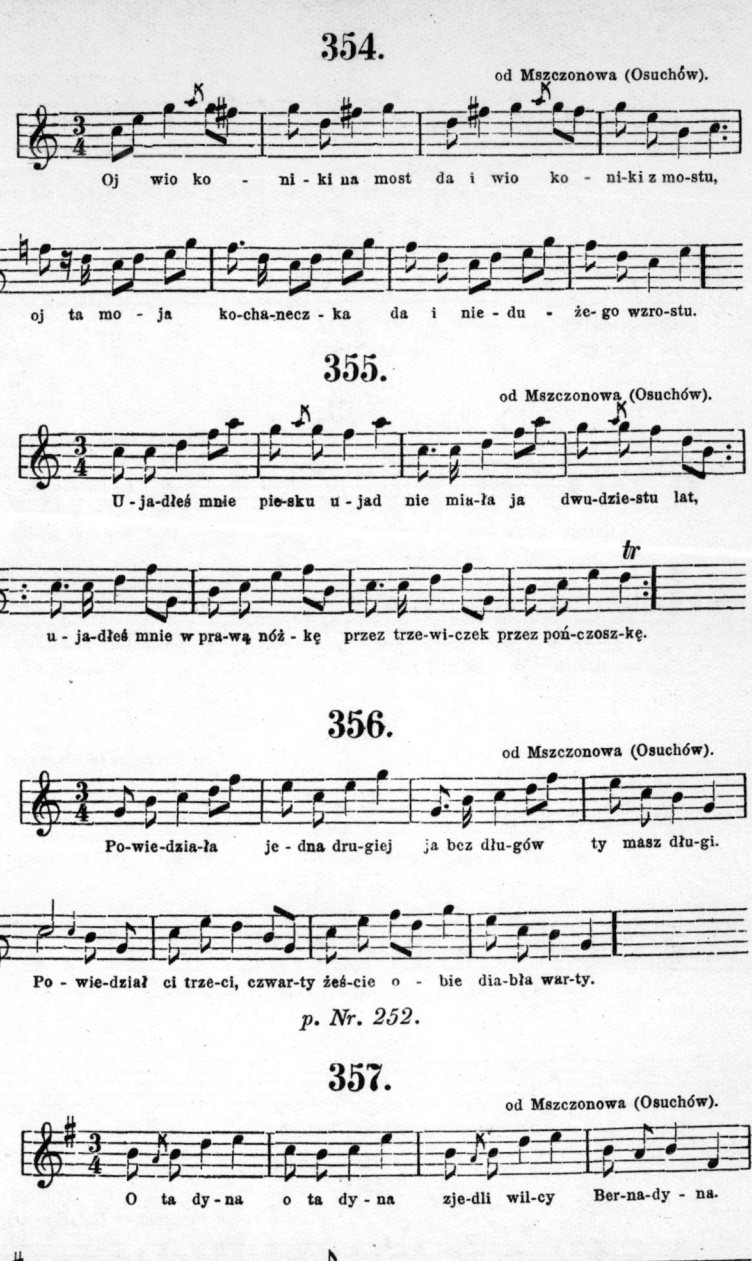

Ber-na-dyn ka la-ta. krzy-cy, Ber-na - dy-na zje - dli wil - cy.

358.

od Mszczonowa (Osuchów).

Oj si - wy ko-nik si-wy da si-wo jab-ko-wi - ty, do mojej dziewczyny go - ści - niec wy - bi - ty.

Oj go-ści - niec wy - bi - ty da i wy - to - ro-wa - ny do mojej dziewczyny do mo - jej ko-cha-nej.

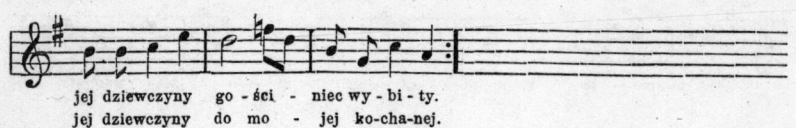

359.

od Mszczonowa (Lutkówka).

Czarne o-czy o-czy bu - re, pójdź dziewko za mnie za gó - ry
Tam swo-ja-czek a tu twój gość bę-dziesz so-bie u mnie ij-mość.

360.

od Mszczonowa (Osuchów).

A u - to - nął po-pie-lar-czyk u - to - nął tyl - ko je - go
ka - pe - lu-sik wy - pły-nął. A u - to - nął po-pie-lar-czyk nie - bo - że 
tyl - ko je - go ka - pe - lu - sik nie mo - że. 

361.

od Mszczonowa (Adamowice).

Oj śmierć mo - ja, śmierć mo-ja nie bierz ze mnie jesz- cze,
Oj to - ruj że mi to-ruj da dró-żecz - kę od po - la

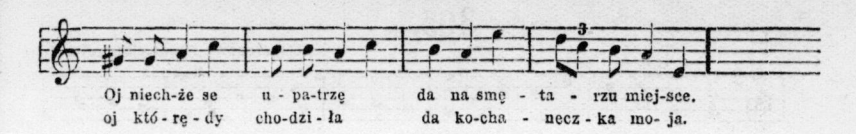

Oj niech-że se u - pa-trzę da na smę - ta - rzu miej-sce.
oj któ - rę - dy cho-dzi - ła da ko-cha - necz - ka mo - ja.

362.

od Mszczonowa (Adamowice).

Świe-ci mie-siąc wo - ba o - kna ja tam nie pój - dę nie pój-dę

Od ta - tu - la od ma - tu - li ka - ry nie uj - dę nie uj - dę.

363.

od Mszczonowa.

364.

od Mszczonowa (Lutkówka).

365.
od Mszczonowa (Radziejowice).

Oj strze-lił - bym do so - wy da żal mi pro-chu pso-wać oj wo - lę
go se wo - lę da na ja - rząb-ka cho-wać. 

366.
od Grodziska (Książenice.)

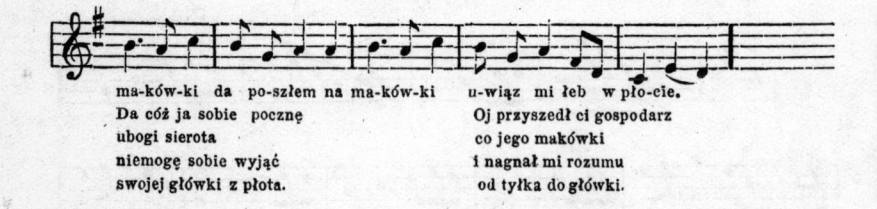

Oj bie - da mnie bie-da mnie u - bo-giej sie - ro - cie da po-szłem na
ma-ków-ki da po-szłem na ma-ków-ki u-wiąz mi łeb w pło-cie.

Da cóż ja sobie pocznę
ubogi sierota
niemogę sobie wyjąć
swojej główki z płota.

Oj przyszedł ci gospodarz
co jego makówki
i nagnał mi rozumu
od tyłka do główki.

367.
od Grodziska (Książenice).

Oj i w le-sie przy stru-my - ku da i le-leń (*jeleń*) wo-dę pi - je
oj i ja tyl - ko dla cie-bie da i mój Ja - sień-ku ży - je. 

368.
od Grodziska (Książenice).

Oj si - wy koń si - wy koń da pod-ku-wecz-kę zgu - bił
Oj si - wa klacz si-wa klacz dą pod-ków-kę zgu - bi - ła

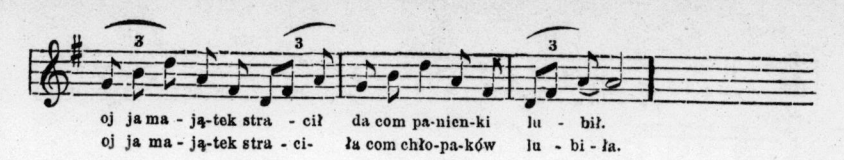

oj ja ma - ją-tek stra - cił da com pa-nien-ki lu - bił.
oj ja ma - ją-tek stra - ci- ła com chło-pa-ków lu - bi - ła.

369.

inni tak: od Grodziska Książenice

Oj si - wy koń si - wy koń pod - ku-wecz-kę zgu - bił

albo

oj ja ma - ją tek stra-cił com pa-nien-ki lu - bił pa-nien-ki lu - bił.

370.

inni   od Grodziska (Książenice)

albo

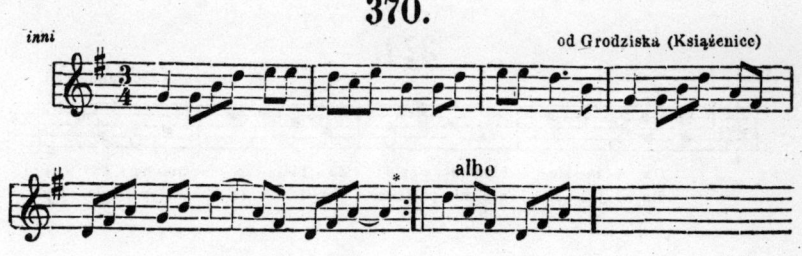

371.

od Grodziska (Jordanowice).

Na wo-jen - ce bo - lą rę - cę na służ-bie bo - ki da bo-ki

A wo - lę ja z cy - ga - na-mi no - sić tło-mo - ki tło-mo - ki.

372.

od Grodziska (Jordanowice).

Oj mia-łem ci dzie - wczy - no da do - bra-noc po - wie - dziéć
Oj do - bra-noc dzie - wczy - no da z ko - ni - ka - mi ja - dę

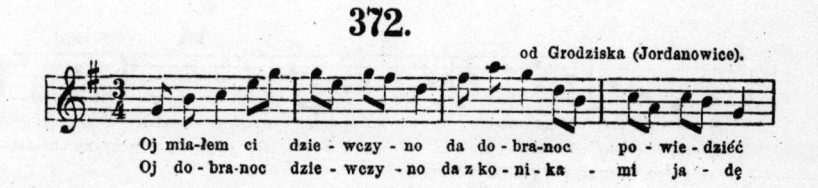

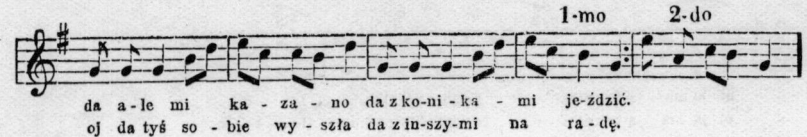

da a-le mi ka - za - no da z ko-ni - ka - mi je-ździć.
oj da tyś so - bie wy - szła da z in-szy-mi na ra - dę.

373.
od Grodziska (Jordanowice).

Da i ka - za - li mi o - rać da i nie u - mia-łem wo-łać (*)

da i ka-za - li mi włó-czyć da i mu-sia - łem się u-czyć.
(*) wołać na woły.

374.
od Grodziska (Jordanowice.)

Da i za-szło słoń-ce za-szło da i jesz-cze tro-chę świ - ci
Da i jak ci nas nie pu-ścisz da i to sa - mi pój-dzie-my

da i puść że nas do do - mu da i ty kar - bo-wy ły - sy.
da i a cie - bic ły-su-niu da i u krza u wią-ze - my.

375.
od Grodziska (Jordanowice).

Oj sta - re-mu, da sta - re-mu, da i za-pie - cem za-gro-dzić.
Oj a mnie też, da mło-de-mu da i go-łą - be-czek tłu-sty

oj a mnie też, da mło-de-mu da i do dzie - wczy-ny cho-dzić.
oj sta-re - mu, da sta-re-mu da i sa - łe-czek ka-pu-sty. *wczy-ny cho-dzi
(*) (sachułeczek, co się nawet nie zwinie).

376.
od Grodziska, Mszczonowa.

Oj mu-sia-łaś dzie-wczy-no da na ban-do-sach by-wać da co u-miesz tań-co-wać da i ła-dnie za-śpie-wać.

377.
od Grodziska (Jordanowice).

Cięż-kie roz-sta - nie dziewczyno cięż-kie roz-sta - nie roz-sta - nie
Oj i ko-cha - nie ko-cha-nie da i po ser - cu bo-nu - je

bo-daj by-ło nie po-sta-ło na-sze ko-cha - nie, ko-cha - nie.
oj i kto się w kim za ko-cha da i śmierć so-bie go-tu - je.

378.
od Grodziska (Chlewnia).

Oj żal to-bie dziew-czy - no da żal to-bie żal to - bie
Oj ja-dę ja dziew-czy - no da ja-dę ja ja-dę ja

oj żeś się na ro-bi-ła da ma-tu-li nie so-bie.
da do cie-bie je-dy-no przy-ja-dę ja sta-nę ja.

379.
od Grodziska (Chlewnia).

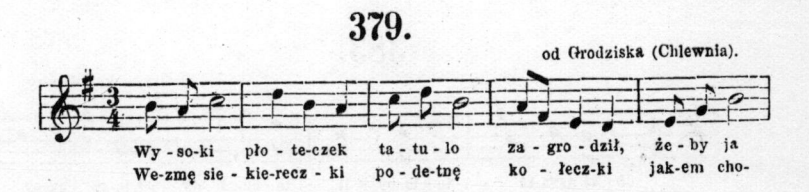

Wy-so-ki pło-te-czek ta-tu-lo za-gro-dził, że-by ja
We-zmę sie-kie-recz-ki po-de-tnę ko-łecz-ki jak-em cho-

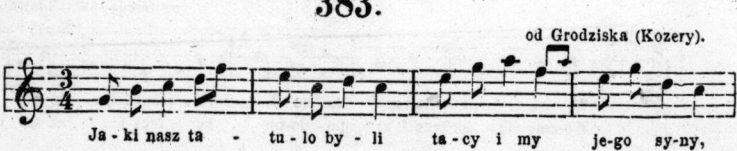

do je - go có-recz-ki nie cho - dził.
dził tak bę-dę do je - go có - recz - ki.

380.
od Grodziska (Jordanowice).

Da dzie-wczy-no nie chcesz mnie da zo - ba - czysz wspomnisz mnie

w każ dy dzień da ja cie - bie raz w ty-dzień.   albo   da dziewczyno.

381.
od Grodziska (Jordanowice, Chlewnia).

Da nie chcia-ła mnie je-dna nie chcia-ła mnie dru-ga da po-sze-dłem

tak   albo

do trze-ciej sa - ma na mnie mru-ga.

382.
od Grodziska (Jordanowice).

Oj wian-ku mój wian-ku mój per - ła - mi sa - dzo - ny oj bar-dziej ci
Oj bo choć mat-ka u-mrze to ma - co-cha bę - dzie oj wia-ne-czka

mnie cię żal jak mat-ki ro - dzo - nej.
po-zbyw-szy dru-gie-go nie bę - dzie.

383.
od Grodziska (Kozery).

Ja - ki nasz ta - tu - lo by - li ta - cy i my je-go sy-ny,

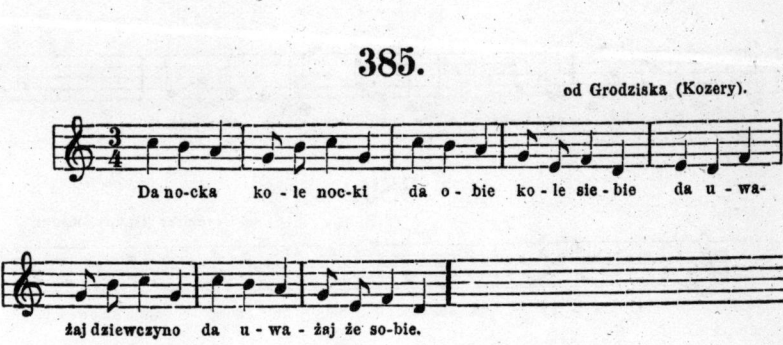

nie-dzio-łe-czka, — go-rza-łecz-ka, a wie - czo-rem do dziewczyny.

384.
od Grodziska (Kozery).

Za gó-recz-ką za ni-wą o - że - nił się z le - ni - wą o - że - nił się sam z le-niał ja-bym się z nim nie mie-niał.

385.
od Grodziska (Kozery).

Da no-cka ko - le noc-ki da o - bie ko - le sie - bie da u - wa-żaj dziewczyno da u - wa - żaj że so-bie.

Da mój Jasieńku jużem Oj choć mnie będziesz bijał
da sobie uważyła   da toć to w swoim domu
da choć mnie będziesz bijał da choć ja pójdę na wieś
da cóż będę robiła?   da niepowiem nikomu

386.
od Grodziska (Kozery, Kozerki).

Da już trze - cia go-dzi-na da bi - je na ze - ga-rze da zo - ba-
Oj ska - rze cię pan Je-zus da na du - szy na cie - le i na tym
czysz chłop - czy-no da że cię pan Bóg ska - rze.
ma - ją - tecz - ku da co go masz nie - wie - le.

387.
od Grodziska (Kozery, Kozerki).

Sa-ma ja-dła   sa-ma pi-ła   sa-ma so-bie   ra-da by-ła

sa-ma ja-dła   o-gó-recz-ki   a mnie da-ła   o-go-necz-ki.

388.
od Grodziska (Kady).

Oj nie mam nic, nie mam nic da wo-da   mi za-bra-ła

oj tyl-ko   cy-ra-necz-ka da nad wo-dą zo-sta-ła.

389.
od Grodziska (Opypy, Kady).

Oj sta-ry   ja sta-ry ja   da i nie chcą   mnie dziewczęta.

oj we zmę ja   bicz i tor-bę   da i po-pę-dzę cie-lę-ta.

390.
od Grodziska, (Kozery).

Oj Ko-ze-ry Ko-ze-ry   na gór-ce sto-i-cie   da nie je-

dnej dzie-wczy-nie   ża-lu na-ro-bi-cie.

Oj to kozerskie pole
ni duże ni małe
da niemogą go przejrzeć
czarne oczki moje.

Oj oczki go nie przejrzą
rączki nie przerobią
da są ludzie u ludzi
to nam dopomogą.

391.
od Grodziska (Opypy).

Oj wo - ły mo - je wo ły po - o - ra - ły do - ły da po - o-
rzą i gó - ry do dziewczyny któ-réj.

392.
od Grodziska (Kozery).

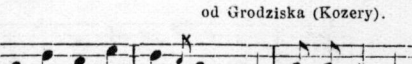

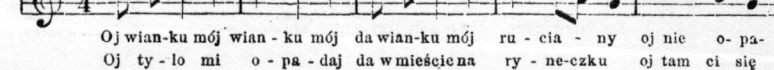

Oj wian-ku mój wian - ku mój da wian-ku mój ru - cia - ny oj nie o-pa-
Oj ty - lo mi o - pa - daj da w mieście na ry - ne-czku oj tam ci się

daj że mi da mię-dzy Ko - ze - ra - mi.
u - bu-jasz da ru-cia-ny wia ne - czku.

393.
od Grodziska (Brwinów).

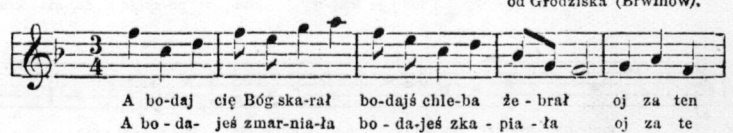

A bo-daj cię Bóg ska-rał bo-dajś chle-ba że - brał oj za ten
A bo - da - jeś zmar-nia-ła bo - da-jeś zka - pia - ła oj za te

mój wia-ne-czek coś mi go o - de - brał,
po - da-run - ki coś o-de-mnie bra - ła.

394.
od Grodziska (Brwinów).

Da mo - ja ko-cha-ne-cz-ka da bia-łe gą - se-czki ma

da czar-ne po-du-sze-czki da bo się z wo-dą gnié-wa.

395.
od Grodziska (Brwinów.)

Da dziewczyno z nie-da-lecz-ka bru-dna na cię ko-szu-lecz-ka
i far-tu-szek we dwie po-le ro-bo-ta cię w rę-ce ko-le.

396.
od Grodziska (Brwinów).

Oj-że wdo-wy mo-je wdo-wy da i po-sprze-daj-cie kro-wy
oj i mnie pie-nią-dze daj-cie da i mnie się za-le caj-cie.

397.
od Grodziska (Książenice, Opypy).

Oj ku-ka-wecz-ka ku-je da ku-ku-łecz-ka ku-ka oj już to
nie ka-wa-ler da co bo-ga-téj szu-ka.

Oj tylko se uważa
da która ma spódnice (*drogie szaty*)
oj sam on portek niema
da tylko nogawice.

Oj pyta się o posag
da pyta się o wiano
oj a jemu samemu
da wyłazi kolano.

398.

od Grodziska (Książenice).

Tań-co-wa-łem i tu-pa-łem oj bu-ty mi się zda-rły
Ach mój Laj-buś mój ko-cha-ny po-zić że mi la-chma-ny
i su-kma-na po-ła-cha-na po-cia-pa-na ga-cie mi o-pa-dły.
a ja to-bie ba-ra-nie-go ko-ziu-ska jak pój-dzie-my do łó-zka.

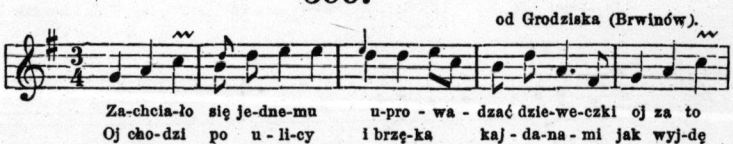

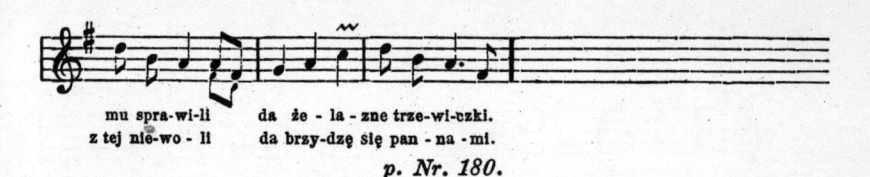

399.

od Grodziska (Brwinów).

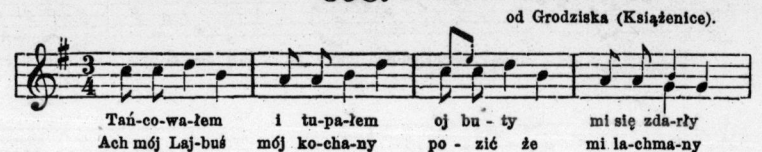

Za-chcia-ło się je-dne-mu u-pro-wa-dzać dzie-we-czki oj za to
Oj cho-dzi po u-li-cy i brzę-ka kaj-da-na-mi jak wyj-dę
mu spra-wi-li da że-la-zne trze-wi-czki.
z tej nie-wo-li da brzy-dzę się pan-na-mi.

p. Nr. 180.

400.

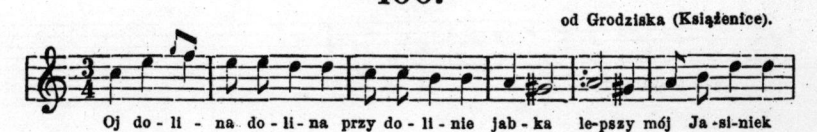

od Grodziska (Książenice).

Oj do-li-na do-li-na przy do-li-nie jab-ka le-pszy mój Ja-si-niek
niż ro-dzo-na mat-ka.

Oj bo z rodzoną matką	Oj dolina dolina	Oj dolina dolina
nie będę siedziała	przy dolinie orkisz	przy dolinie angryst
a z Jasieńkiem muszę	zjesz chmurę chłopaku	miałem żonkę Karlinkę
bom mu przysięgała.	niżeli mnie okpisz.	pędrak mi ją zagryz.

401.

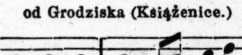

od Grodziska (Książenice.)

Oj da da-na oj da-na oj da-na oj da-na oj da-na

mo-ja da - na   mam wia-nek dla   pa - na   Oj da-ła-bym mu da - ła

a - lem jesz - cze   ma - ła.

402.

P. piastunek. Kołyskowa.
od Nadarzyna.

Lu-laj że mi lu - laj.   lu-laj ocz-ka stu - laj   lu - laj dzie-cię

lu-laj dro-gie   lu-laj że mi   lu - laj.

403.

od Nadarzyna.

Oj księ-że ka - no - ni-ku   da słu-chaj mnie spo-wie-dzi   da - ru - ję ci

te-go pie-ska   da co pod ła - wą sie-dzi.

404.

od Nadarzyna (Ojrzanów).

Oj nie-szczę - śli-we by-ły   da go - dzi - ny kwa-dran-ce
Oj że - by   cię Ja-siu - lu   da za - bi - li ja-ko psa

oj com się za - ko - cha - ła da w chło-pa-siu   so-ba-ce.
oj by - ła - by   ja by - ła   da za in - sze-go po-szła.

P. Nr. 322.

od Nadarzyna.

Ka-za-li mi rze-pę ko - pać a ja za-piec dziew-kę ko-chać

ka-za - li mi na ma-li- -ny a ja za piec do Ma-ry-ny.
P. Nr. 90, 325.

406.
od Nadarzyna (Ojrzanów).

Mo-je dziew-cze wszak ty mnie znasz od War-sę-gi je-stem be-dnarz

ro-bię be-cz-ki be-czu-łecz-ki i po-pi-jam go-rza-łecz-ki.
p. Nr. 355.

407.
od Nadarzyna (Pęcice).

Oj-że ma-lo - wa-na szklan-ka da-li je-dzie ka-szte-lan-ka

oj że za nią ka-szte-la-nic da-li od war-szaw-skich gra-nic

408.
od Nadarzyna (Helenów).

Nie-u-wa-żaj chło-pie na to że ja pie-go wa-ta bo jak bę-dę

1-mo 2-do

go-spo-dy-nią to mi pie-gi zgi-ną.

409.

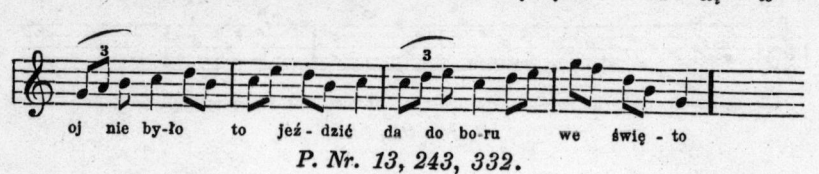

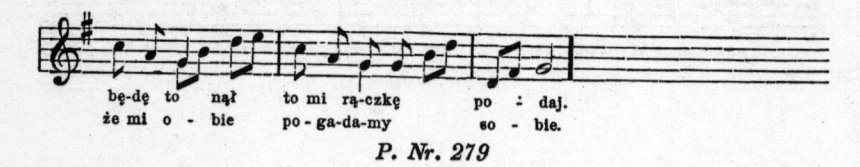

od Nadarzyna (Komorów, Helenów).

Oj sie-kie - rę mi wzię-to - da rę-kę mi u - cię - to
oj nie by-ło to jeź - dzić da do bo-ru we świę - to

P. Nr. 13, 243, 332.

410.

od Nadarzyna (Helenów).

Oj bo-daj że cię bo-daj mo-je dzie-wcze bo - daj kie-dy ja
Da po-daj że mi rą-czkę na zie-lo-ną łącz-kę da po-daj

bę-dę to nął to mi rą-czkę po : daj.
że mi o - bie po - ga-da-my so - bie.

P. Nr. 279

411.

od Nadarzyna (Komorów, Pęcice).

Mo-ja ma-tko daj mi cór-kę dam ci pi-wa pół-gar-ców-kę

1-mo 2-do

Do-syć bę - dzie tyl-ko kwar-ta bo ta cór - ka nic nie war-ta,

P. Nr. 342.

412.

od Błonia (Rokitno).

Oj je-dziesz Ja-siu je-dziesz o ko - ni - ki nie dbasz oj sie-czki
Oj je-dziesz Ja-siu je-dziesz je-dziesz nie ja - dą - cy, oj à mnie

im nie u-rzniesz o-bro-czku im nie dasz.
o-czki bo-lą na cię pa-trza - ją - cy.

P. Nr. 264.

413.

od Błonia (Rokitno).

Cie-cze wo-da z pod ja-wo-ra lo - do - wa lo - do - wa
Cie-cze wo-da z pod ja-wo-ra cie - cze z pod bu - czy - ny

mo-ja Ka - siu Ka - si-necz-ku by-waj że mi zdro-wa.
nie-za - po-mnę, nie-za-po-mnę Ka-sień-ki je - dy-nej.

P. Nr. 66.

414.

od Błonia (Rokitno).

Hej od Ka - li-sza do Ka - li-sza le-psza Ka-sia niż Ma-ry-sia,

bo Ma-ry - sia nic nie ro - bi, wle-zie za piec grze-je no - gi.

415.

od Błonia (Rokitno, Płochocin).

Da po-szedł dzia-dek na bu - cza-ki da zła-pał bu-ty wrzu-cił w krzaki
Da po-szła baba nie zna - la-zła da przy-szła do dom za piec wla-zła,

da po-szedł do dom za-czął hu-kać da idź mi ba-bo bu-tów szu-kać.
da jak się dzia-dek ro - zgra - ni - czył da swo-ją ba-bę po - ka-li-czył.

416.
od Błonia (Płochocin, Zbików).

W o-gró-de-czku ka-ra-fi-jał nie bę-dzie mnie Ja-sio bi-jał

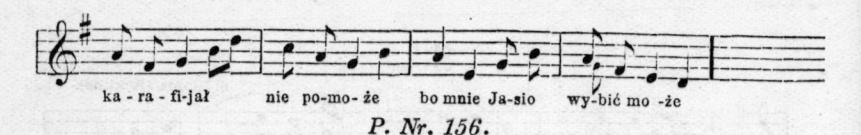

ka-ra-fi-jał nie po-mo-że bo mnie Ja-sio wy-bić mo-że

P. Nr. 156.

417.
Od Błonia (Płochocin, Rokitno).

Oj że-by ja se tez mia-ła oj da so-ko-ło-we o-czy
Oi i u-sia-dła-bym ja oj da u Ja-sia na pło-cie

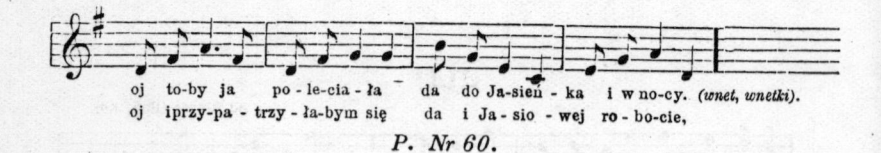

oj to-by ja po-le-cia-ła da do Ja-sień-ka i w no-cy. *(wnet, wnetki).*
oj i przy-pa-trzy-ła-bym się da i Ja-sio-wej ro-bo-cie,

P. Nr 60.

418.
od Błonia (Płochocin, Moszna).

Oj de-pce ko-nik de-pce da do sta-jen-ki nie chce
Oj czy-je to ko-ni-ki da po po-lu bry-ka-ją

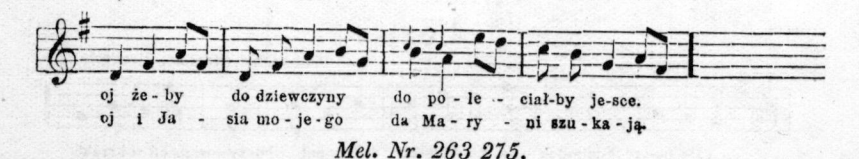

oj że-by do dziewczyny do po-le cia ł-by je-sce.
oj i Ja-sia mo-je-go da Ma-ry-ni szu-ka-ją.

Mel. Nr. 263 275.

419.
od Błonia (Płochocin).

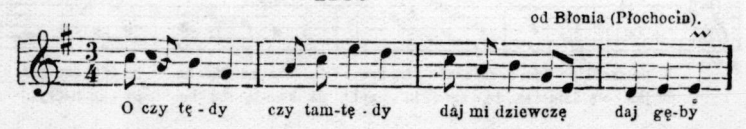

O czy tę-dy czy tam-tę-dy daj mi dziewczę daj gę-by

Ni tam-tę-dy ni tę-dy nie dam dur-niu ci gę-by.

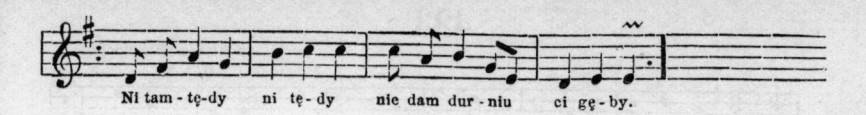

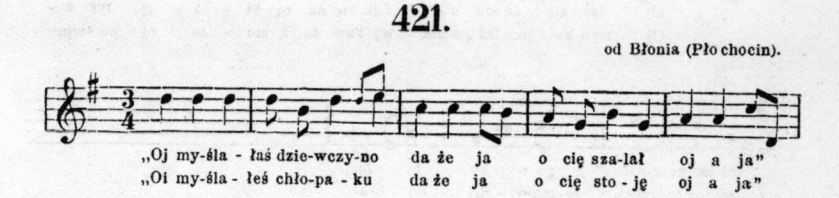

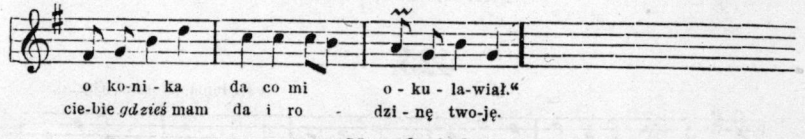

420.

od Błonia (Płochocin).

Wyj-rzyj na la - sek dzie-wczy-no wyj-rzyj na la - sek na la-sek
tam Sta-sień-ko woł-ki pa - sie ku-rzy się pia - sek da pia-sek.

421.

od Błonia (Płochocin).

„Oj my-śla - łaś dzie-wczy-no da że ja o cię sza-lał oj a ja"
„Oi my-śla - łeś chło-pa - ku da że ja o cię sto - ję oj a ja"
o ko-ni - ka da co mi o - ku - la-wiał."
cie-bie *gdzieś* mam da i ro - dzi - nę two-ję.

p. Nr. 13, 109.

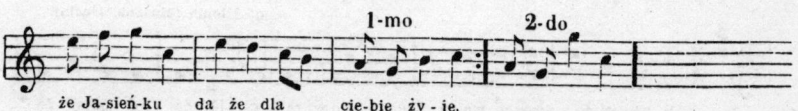

422.

od Błonia (Płochocin).

Oj przy stu-dzien-nem zdro-ju da je-leń wo-dę pi - je pa-mię-taj
Oj że dla cie-bie ży-ję da dla cie - bie wzdy-cha-ła oj cho-ciaż

1-mo
że Ja-sień-ku da że dla cie-bie ży - ję.

2-do
ma-tka ki-jem da po grzbie cie ma-cha - ła.

423.

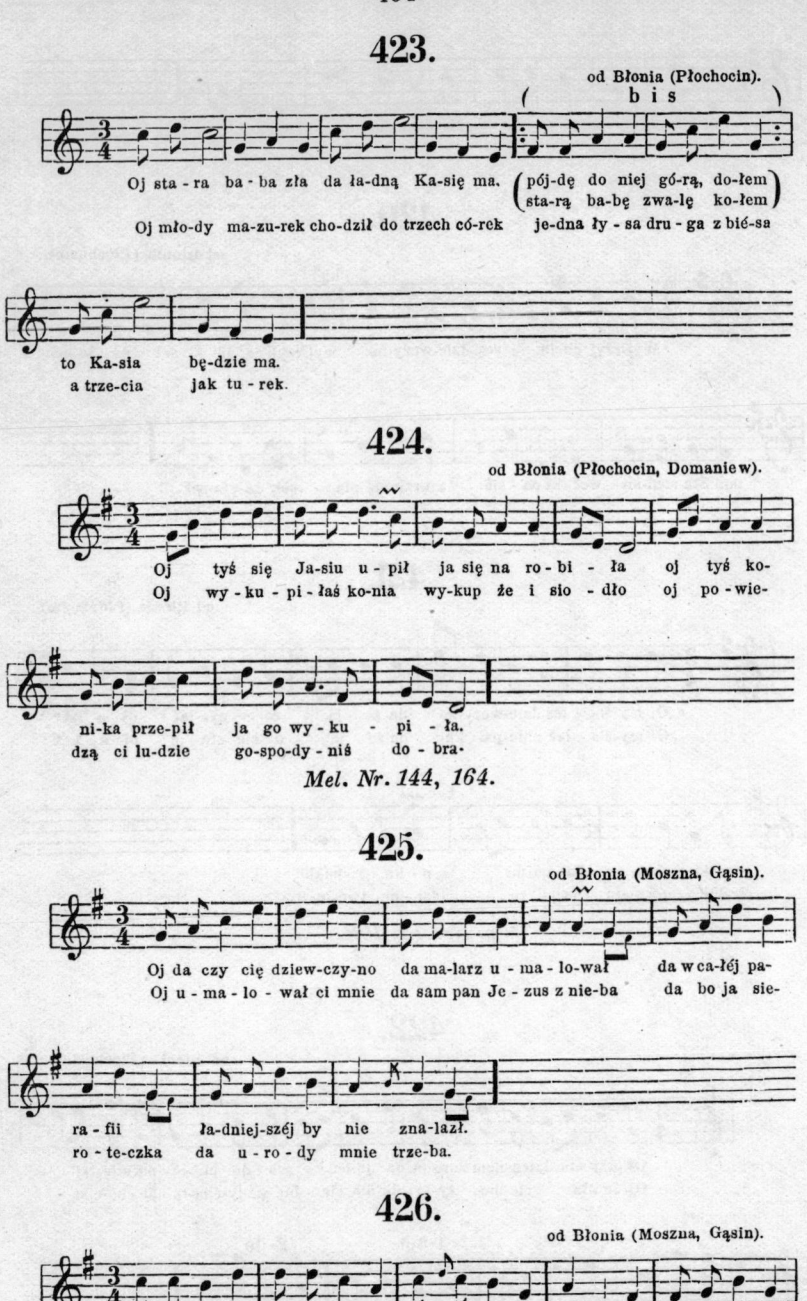

od Błonia (Płochocin).

Oj sta - ra ba - ba zła da ła-dną Ka-się ma, (pój-dę do niej gó-rą, do-łem
Oj mło-dy ma-zu-rek cho-dził do trzech có-rek   sta-rą ba-bę zwa-lę ko-łem)
                                                je-dna ły - sa dru - ga z bić-sa

to Ka-sia   bę-dzie ma.
a trze-cia   jak tu - rek.

424.

od Błonia (Płochocin, Domaniew).

Oj   tyś się Ja-siu u - pił   ja się na ro - bi - ła   oj tyś ko-
Oj   wy - ku - pi - łaś ko-nia wy-kup że i sio - dło   oj po - wie-

ni-ka prze-pił   ja go wy - ku - pi - ła.
dzą ci lu-dzie   go-spo-dy - niś   do - bra.

Mel. Nr. 144, 164.

425.

od Błonia (Moszna, Gąsin).

Oj da czy cię dziew-czy-no   da ma-larz u - ma - lo-wał   da w ca-łéj pa-
Oj u - ma - lo - wał ci mnie   da sam pan Je - zus z nie-ba   da bo ja sie-

ra - fii   ła-dniej-széj by nie zna-lazł.
ro - te-czka da u - ro - dy mnie trze-ba.

426.

od Błonia (Moszna, Gąsin).

Oj za - lej-że   o-gień wo-dą   da bo dwo-ra-cy ja-dą   oj za-lej-że
Oj dwo - racy   da dwo-ra-cy   da cho - dzi-cie   po no-cy   oj dzie-wczę-ta

go za - lej   da niech-że ja - dą   da - léj.
za wa - mi   da wy-trze-szcza-ją   o-czy.
p. Nr. 230.

427.

od Błonia (Moszna).

Oj   da Ja-siu   mój Ja-siu   da ma - ły po - ga - ni -giu

* albo

oj da wzią-łeś mi wia - ne-czek da nie-cze-ka - łeś cza - su.

P. Nr. 231.

428.

od Błonia.

Oj   wziął mi   Ja-nek wia-nek   da   już mi   go nie wró - ci

oj niech go   bie - da spo-tka   da   kę-dy się o-bró - ci.
            (weźnie)
p. Nr. 277.

429.

od Błonia, Sochaczewa.

Nie chcia-ła ma-ku   ni pa-ster-na-ku   z o - le-jem, wo - la-ła bie-żyć
Ję-drzej nie mo-że * mój mo-cny Bo-że   ja ra - da, wy-sko-czę so-bie
(chory).

na gó - rę   sie-dzić z Ję-drze-jem.
na   je-dnej no-dze   o da da.

430.

od Warszawy, Błonia.

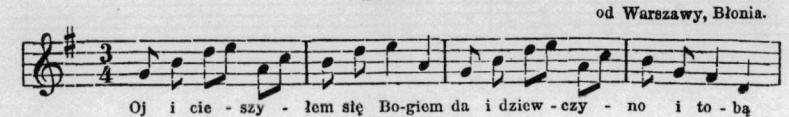

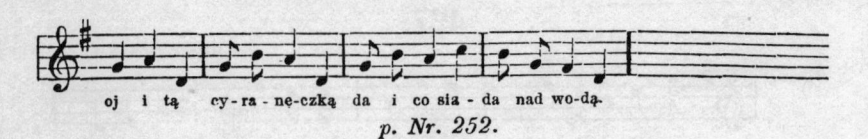

Oj i cie - szy - łem się Bo-giem da i dziew - czy - no i to - bą

oj i tą cy - ra - nę-czką da i co sia - da nad wo-dą.

p. Nr. 252.

431.

od Warszawy (i w Rawskiem).

1-mo 2-do

432.

od Warszawy.

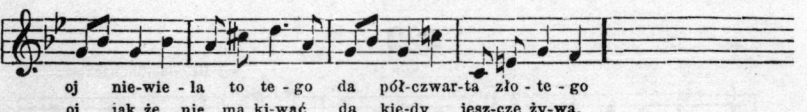

Oj pa - ro - be - czek je - den da miał pół - zło-tków sie-dém
Oj ko - by - le - czka si-wa da o - go - neczkiem ki-wa

oj nie-wie - la to te - go da pół-czwar-ta zło - te - go
oj jak że nie ma ki-wać da kie-dy jesz-cze ży-wa.

p. Nr. 64, 224.

433.

od Warszawy, Nadarzyna.

Oj nie - bo - ra-czek Ma-cick da za - gó - recz-kę za - szed

Oj nie dłu - go się ba-wił da i do brze się spra - wił

p. Nr. 22.

434.

Walc — z Warszawy, Błonia.

1-mo 2-do

435.

z Warszawy.

436.

od Warszawy, Serocka.

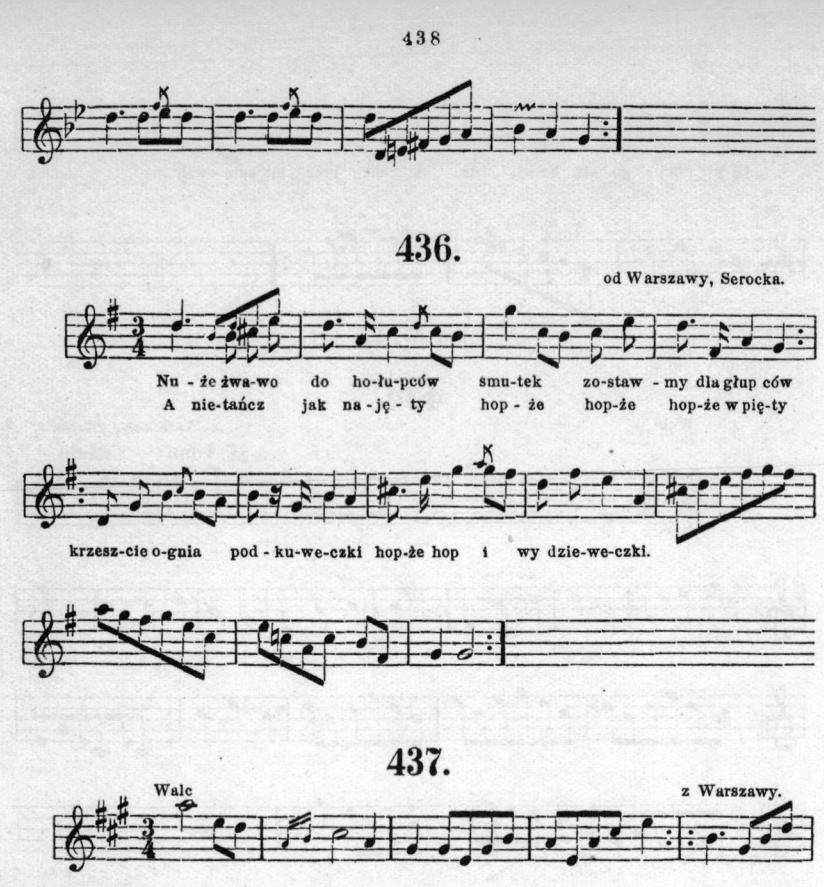

Nu - że żwa-wo do ho-łu-pców smu-tek zo-staw - my dla głup ców
A nie-tańcz jak na - ję - ty hop - że hop-że hop-że w pię-ty

krzesz-cie o-gnia pod - ku-we-czki hop-że hop i wy dzie-we-czki.

437.

Walc   z Warszawy.

1-mo   2-do

438.

z Warszawy.

Że-by nie - by - ło pa - ni Lu-dwi - ki to by nie by - ło

pru-skiej mu-zy-ki pa-ni Lu-dwi-ka za pół-zło-te-go ka-za-ła za-grać

wal-ca pru-skie-go.

p. Nr. 11.

439.

rabant.
Marsz   z Warszawy.

Obertas

p. Nr. 344.

440.

z Warszawy, i od Nowegodworu.

441.

Walc — z Warszawy.

442.

z Warszawy.

drugi raz oktawą niżej.

443.

z Warszawy.

444.

z Warszawy,

445.

Walc z Warszawy.

446.

z Warszawy. Kałuszyna.

Oj da wczo-ra z wie czo - ra da i wia-nek u-kra-dzio-no
da i dzi-siaj ra - niu-teń - ko da zło-dzie-ja pro - wa-dzo - no.

*) W Kałuszynie biorą jak tu a, w Warszawie zaś wyżej bo c, zamiast a.

447.

Mazur zwany Lwowskim.   *z Warszawy.*

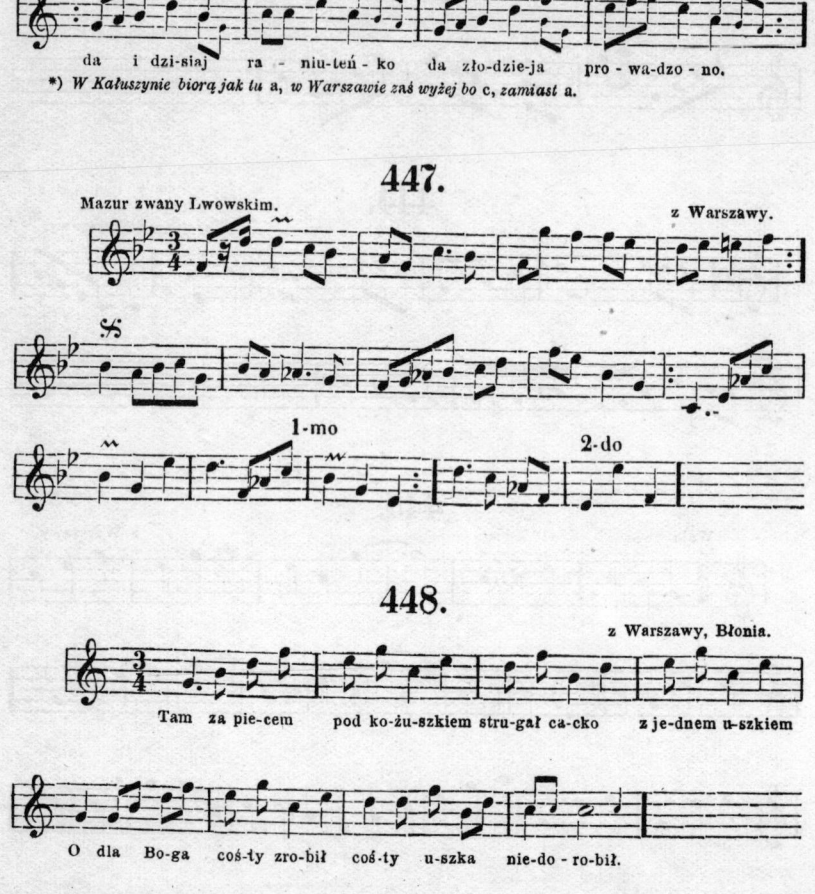

1-mo   2-do

448.

z Warszawy, Błonia.

Tam za pie-cem pod ko-żu-szkiem stru-gał ca-cko z je-dnem u-szkiem
O dla Bo-ga coś-ty zro-bił coś-ty u-szka nie-do-ro-bił.

449.

z Warszawy, Skierniewic.

Oj że Mać-ku mi-ły Mać-ku, da nie rób-że mi krzy-wdy

ty mnie za-wdy pię-ścią wa-lisz oj a ja cie - bie ni-gdy.

450.

od Warszawy, znany powszechnie.

Da chłopczęta se ga-da-li a ja ich wy-słu-cha - ła da że-nił-bym się i z ko-zą by pie-nią-żki mia - ła. Ja dziewu-chy też wy-słu-chał i-dą-cy do cha - ty: da po-szła-bym za ko-zła że-by był bo - ga - ty.

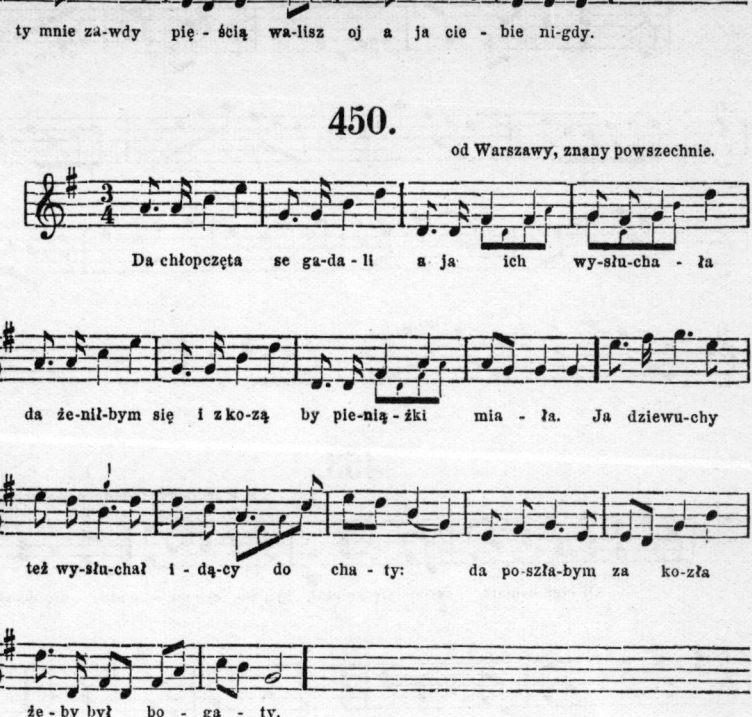

451.

od Warszawy, (znany powszechnie).

452.

z Warszawy (i w Łowickiem).

453.

z Warszawy, (znany powszechnie).

Oj-ciec u-marł syn się zo-stał, syn po oj - cu nic nie do-stał.

Ni i-mie-nia ni for - tu-ny tyl-ko na łbie dwa koł-tu-ny.

454.

z Warszawy.

455.

z Warszawy.

Cze-mu-żeś się nie - o - że - nił Baj-da - ła Baj-da - ła?

A cze-muś mnie mar-na dzi-wko nie chcia-ła?

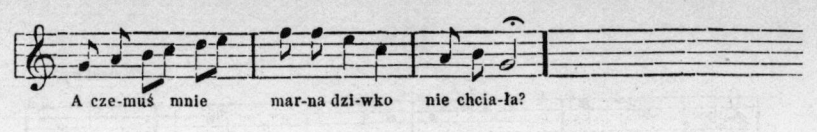

p. Nr. 116.

456.

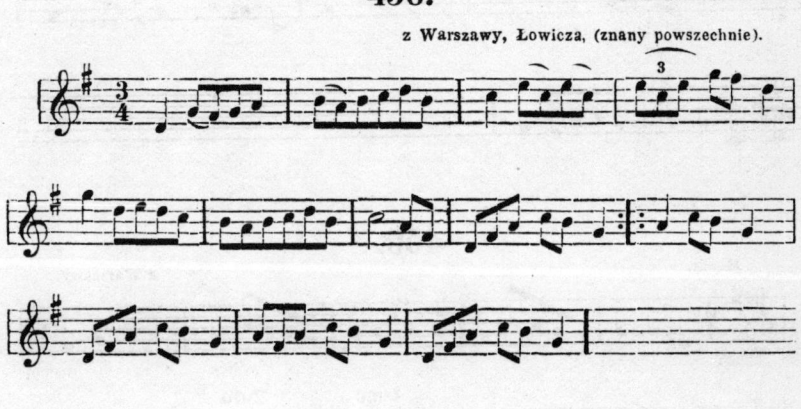

z Warszawy, Łowicza, (znany powszechnie).

457.

Polski. z Warszawy.

1-mo

2-do

458.

z Warszawy.

459.

Mazur.   z Warszawy.

1-mo   2-do   da Capo

460.

Polski (zwany Starosta)   z Warszawy.

1-mo

2-do

461.

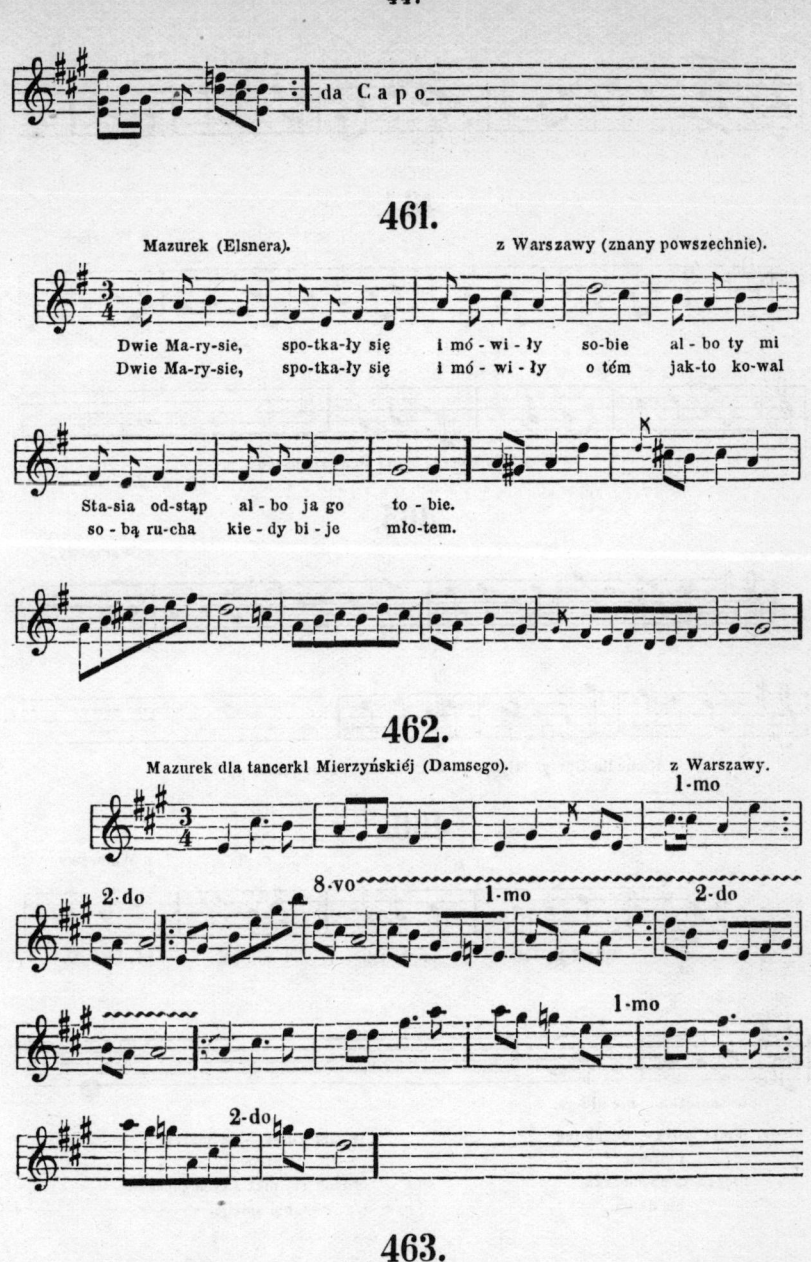

Mazurek (Elsnera).   z Warszawy (znany powszechnie).

Dwie Ma-ry-sie, spo-tka-ły się i mó-wi-ły so-bie al-bo ty mi Sta-sia od-stąp al-bo ja go to-bie.
Dwie Ma-ry-sie, spo-tka-ły się i mó-wi-ły o tém jak-to ko-wal so-bą ru-cha kie-dy bi-je mło-tem.

462.

Mazurek dla tancerkl Mierzyńskiéj (Damsego).   z Warszawy.

463.

Mazur (Stefaniego).   z Warszawy.

1-mo 2-do

464.

z Warszawy.

z Komedio-Opery: Nowy Rok (Damsego).

465.

z Warszawy.

z Komedio-Opery: Młynarz i Kominiarz (Tarnowskiego).

466.

z Warszawy

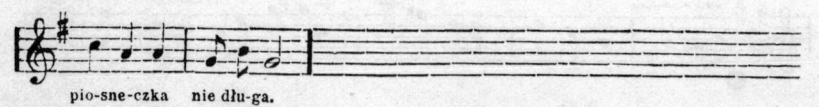

Wlazł ko-tek na pło-tek i mru-ga, pię-kna to pio-sne-czka nie dłu-ga.

1. Wlazł kotek — na płotek
   i mruga;
  Piękna to piosneczka
   nie długa.

2. Wlazł kurek — na murek
   i pieje;
  Niech się nikt z tych piosnek
   nie śmieje.

TABELLA

Miast i osad miejskich o których uczyniono wzmiankę w niniejszym zbiorze z wykazaniem ich położenia geograficznego.

Miasto	Powiat	Prowincya	Państwo
A.			
Adamów	Łukowski	Lublin	Kr. Polskie
Aleksandrów	Łęczycki	Warszawa	ditto
Allenburg	Gerdawa	Krolewiec	Prussy
Alwernia	Krakowski	Krakow.	Austrya
Andrychow	Wadowski	Galicya	ditto
Andrzejewo	Ostrołęcki	Płock	Kr. Polskie
Angerburg (patrz Węgoborg)			
Annopol albo Rachow	Zamojski	Lublin	ditto
Arys (patrz Orzys)			
Augustow	Suwałki.	Augustow	ditto
B.			
Babiak	Włocławski	Warszawa	Kr. Polskie
Babice	Przemyski	Galicya	Austrya
Babimost (Bomst)	Babimost	Poznań	Prussy
Bakałarzewo	Suwałki	Augustow	Kr. Polskie
Baldenburg	Członchow.	Kwidzyn	Prussy
Balwierzyszki	Mariampols.	Augustow	Kr. Polskie
Baranow	Tarnowski	Galicya	Austrya
Baranow n. Wieprzem	Lubelski	Lublin	Kr. Polskie
Baranow	Ostrzeszow.	Poznań	Prussy
Barcin	Szubin.	Bydgoszcz	ditto
Bartenstejn	Fridland	Krolewiec	ditto
Barthen	Rastemb.	ditto	ditto
Będkow	Rawski	Warszawa	Kr. Polskie
Bełchatow	Piotrkowski	ditto	ditto
Bełz	Żołkiewski	Galicya	Austrya
Bełżyce	Lubelski	Lublin	Kr. Polskie
Będzin	Olkuski	Radom	ditto
Bernstadt	Olesnicki	Szląsk	Prussy
Beroń (Berun)	Piszczyński	ditto	ditto
Biała n. Białką	Rawski	Warszawa	Kr. Polskie
Biała n. Krzną	Bialski	Lublin	ditto
Biała	Wadowski	Galicya	Austrya

Miasto	Powiat	Prowincya	Państwo
Białła	Jansborg	Gumb.	Prussy
Białaczow	Opoczyński	Radom	Kr. Polskie
Białobrzegi	Radomski	ditto	ditto
Bialsko (Bielitz)	Cieszyn	Szląsk	Austrya
Białystok	Białystok	Grodno	Rossya
Biecz	Jasielski	Galicya	Austrya
Bielawy	Łowicki.	Warszawa	Kr. Polskie
Bielica		Grodno	Rossya
Bielsk		ditto	ditto
Bielsk	Płocki	Płock	Kr. Polskie
Biezun	Mławski	ditto	ditto
Biłgoraj	Zamojski	Lublin	ditto
Biskupice	Lubelski	ditto	ditto
Bischofsburg (Biskupice)	Roessel	Krolewiec	Prussy
Bischofswerder (Biskupi Ostrowek)	Lubawa	Kwidz.	ditto
Bisztynek (Bischofstein)	Bisztynek	Krolewiec	ditto
Błaszki	Kaliski	Warszawa	Kr. Polskie
Błazowa	Jasiel.	Galicya	Austrya
Bledzew (Blesen)	Międzych.	Poznań	Prussy
Błonie	Warszawski	Warszawa	Kr. Polskie
Bnin	Szrem.	Poznań	Prussy
Bobrowniki n. Wisłą	Lipnowski	Płock	Kr. Polskie
Bobrowniki n. Wieprzem	Lubelski	Lublin	ditto
Bobów	Sandomiers.	Galicya	Austrya
Bochnia	Bocheński	ditto	ditto
Boczki		Grodno	Rossya
Bodzanow	Płocki	Płock	Kr. Polskie
Bodzętyn (Borzęcin)	Opatowski	Radom	ditto
Bogorya	Sandomiers.	ditto	ditto
Bojanowo	Krotoszyn	Poznań	Prussy
Bolesławiec	Wieluński	Warszawa	Kr. Polskie
Bolimow	Łowicki	ditto	ditto
Borek	Krotoszyńs.	Poznań	Prussy
Bralin	Wartenberg	Szląsk	ditto
Brandenburg	Sw. Siekiera	Krolewiec	ditto
Brańsk	Białystok	Grodno	Rossya
Braunsberg	Brauns.	Krolewiec	Prussy
Brdow	Włocławski	Warszawa	Kr. Polskie
Brodnica (Strassburg)	Brodnicki	Kwidzyn	Prussy
Brojce (Braetz)	Międzyrzec.	Poznań	ditto
Brok	Ostrołęcki	Płock	Kr. Polskie
Brudzew	Koniński	Warszawa	ditto
Brzeg (Brieg)	Brzeski	Szląsk	Prussy

Miasto	Powiat	Prowincya	Państwo
Brześć kujawski . . .	Włocławski	Warszawa	Kr. Polskie
Brześć litewski	Brzeski	Grodz.	Rossya
Brzesko	Bochnia	Galicya	Austrya
Brzesko nowe	Miechowski	Radom	Kr. Polskie
Brzeziny	Rawski	Warszawa	ditto
Brzeźnica	Piotrkowski	ditto	ditto
Brzeźno (Briesen) . .	Chełmno	Kwidz.	Prussy
Brzostek	Jasiel.	Galicya	Austrya
Brzozów	Sanock	ditto	ditto
Budzyń	Chodziesz	Bydgoszcz	Prussy
Buk.	N. Tomys.	Poznań	ditto
Burzenin	Sieradzki	Warszawa	Kr. Polskie
Busk	Stopnicki	Radom	ditto
Bychawa	Lubelski	Lublin	ditto
Byczyna (Pitschena) . .	Kleczkows.	Szląsk	Prussy
Bydgoszcz (Bromberg).	Bydgoski	Bydgoszcz	ditto
Bytom (Beuthen). . . .	Bytoński	Szląsk	ditto

C.

Miasto	Powiat	Prowincya	Państwo
Cegłów	Miński	Warszawa	Kr. Polskie
Chęciny	Kielecki	Radom	ditto
Chełm	Krasnostaw.	Lublin	ditto
Chełmno (Culm) . . .	Chełmiński	Kwidz	Prussy
Chełmża (Culmsee). . .	Toruński	ditto	ditto
Chmielnik	Stopnicki	Radom	Kr. Polskie
Chocz	Kaliski	Warszawa	ditto
Chodecz	Włocławski	ditto	ditto
Chodel	Lubelski	Lublin	ditto
Chodziecz(Chodziessen)	Chodz.	Bydgoszcz	Prussy
Chojnice (Konitz) . . .	Chojnicki	Kwidz.	ditto
Choroszcz	Białostocki	Grodz.	Rossya
Chorzelle	Przasnyski	Płock	Kr. Polskie
Chrzanów	Krakowski	Kraków	Austrya
Chyrów.	Samborski	Galicya	ditto
Ciechanów	Przasnyski	Płock	Kr. Polskie
Ciechanowiec	Łomżyński	Augustow	ditto
Ciepielów	Opatowski	Radom	ditto
Cieszanów	Żołkiewski	Galicya	Austrya
Cieszkowice	Sandecki	ditto	ditto
Cieszyn (Teschen) . .	Cieszyn	Szląsk	ditto
Ćmielów	Opatowski	Radom	Kr. Polskie
Czarników	Czarn.	Poznań	Prussy
Czarnowoda (Schwarzwasser).	Cieszyński	Szląsk	ditto
Czeladź	Olkuski	Radom	Kr. Polskie

Miasto	Powiat	Prowincya	Państwo
Czemierniki	Lubelski	Lublin	Kr. Polskie
Czempin	Kościan	Poznań	Prussy
Czerniejewo	Gniezno	Bydgoszcz	ditto
Czersk	Warszawski	Warszawa	Kr. Polskie
Czersk	Chojn.	Kwidzyn	Prussy
Czerwińsk	Płocki	Płock	Kr. Polskie
Częstochowa	Wieluński	Warszawa	ditto
Człochowa (Schlochau)	Człoch.	Kwidz.	Prussy
Człopa (Schloppe)	D. Krone	Kwidz.	ditto
Czudec	Jasiel.	Galicya	Austrya
Czyżew	Ostroł.	Płock	Kr. Polskie
Czchow	Bochn.	Galicya	Austrya

D.

Miasto	Powiat	Prowincya	Państwo
Dąbie	Łęczycki	Warszawa	Kr. Polskie
Dąbrowa	Tarnowski	Galicya	Austrya
Dąbrowa	Białostocki	Grodno	Rossya
Dąbrowice	Kutno	Warszawa	Kr. Polskie
Dąbrowno (Gilgenburg)	Osterode	Krolewiec	Prussy
Daleszyce	Kielecki	Radom	Kr. Polskie
Darkemen	Dark.	Gumb.	Prussy
Dembowice	Jasiel.	Galicya	Austrya
Denkow	Opatowski	Radom	Kr. Polskie
Deutsch Krone	D. Krone	Kwidz.	Prussy
Dobczyce	Bochen.	Galicya	Austrya
Dobra	Kaliski	Warszawa	Kr. Polskie
Dobre	Miński	ditto	ditto
Dobrodzień (Gutentag)	Lubliniecki	Szlązk	Prussy
Dobromil	Sanok	Galicya	Austrya
Dobrzyce	Krotos.	Poznań	ditto
Dobrzyń n. Wisłą	Lipnowski	Płock	Kr. Polskie
Dobrzyń n. Drwęcą	ditto	ditto	ditto
Dokudow		Grodz.	Rossya
Dolsk (Dolzig)	Szrem	Poznań	Prussy
Domnau	Fridl.	Krolewiec	Prussy
Drążgów	Łukowski	Lublin	Kr. Polskie
Drengfurt	Rasten.	Krolewiec	Prussy
Drobin	Płocki	Płock	Kr. Polskie
Drohiczyn	Siedlecki	Lublin	ditto
Drzewica	Opoczyński	Radom	ditto
Dubiecko	Sanocki	Galicya	Austrya
Dubienka	Hrubiesz.	Lublin	Kr. Polskie
Dukla	Jasiel.	Galicya	Austrya
Dworzec		Grodno	Rossya
Dynow	Sanocki	Galicya	Austrya

Miasto	Powiat	Prowincya	Państwo
Działdow (Soldau) ...	Niborg	Krolewiec	Prussy
Działoszyce	Miechowski	Radom	Kr. Polskie
Działoszyn	Wieluński	Warszawa	ditto
Dzikow	Tarnowski	Galicya	Austrya

E.

Elbląg (Elbing).....	Elbląg	Gdańsk	Prussy
Ełk *vel* Łek (Lyck)...	Elk.	Gumbinen	ditto

F.

Felsztyn	Samborski	Galicya	Austrya
Filipowo	Suwałki	Augustow	Kr. Polskie
Firlej..........	Lubelski	Lublin	ditto
Fischausen	Fisch.	Krolewiec	Prussy
Fordon	Bydgowski	Bydgoszcz	ditto
Frampol	Zamojski	Lublin	Kr. Polskie
Frauenburg......	Brunsberg	Krolewiec	Prussy
Fredropol.......	Przemyski	Galicya	Austrya
Frejstadt	Cieszyński	Szląsk	ditto
Frejstadt	Rosenb.	Kwidz.	Prussy
Fridek		Szląsk	Austrya
Fridland	Fridl.	Krolewiec	Prussy
Mark Fridland	D. Kron.	Kwidz.	ditto
Prus. Fridland	Złotowo	ditto	ditto
Frysztak	Jasiel.	Galicya	Austrya

G.

Gardeja (Garnsee) ...	Kwidz.	Kwidz.	Prussy
Garwolin	Łukow	Lublin	Kr. Polskie
Gdańsk (Danzig)	Gdańsk	Gdańsk	Prussy
Gdów..........	Bochen.	Galicya	Austrya
Gembice	Mogilno	Bydgoszcz	Prussy
Georgenburg......	Bytoński	Szląsk	ditto
Gerdauen (Gerdawa)..	Gerd.	Krolewiec	ditto
Gielniow........	Opoczyński	Radom	Kr. Polskie
Giława (Deusch Eylau)	Rosenb.	Kwidz.	Prussy
Glewice (Glewitz) ...	Gliwicki	Szląsk	ditto
Gliniany	Sandomiers.	Radomsk	Kr. Polskie
Głogów.........	Rzesz.	Galicya	Austrya
Głogów (Gross Glogau)	Głog.	Szląsk	Prussy
Głogowek(mały Głogow)	ditto	ditto	ditto
Głowaczów	Radomski	Radom	Kr. Polskie
Głowno	Rawski	Warszawa	ditto
Głusk..........	Lubelski	Lublin	ditto
Gniew (Mewe)	Kwidz.	Kwidz.	Prussy
Gniewkowo.......	Inowr.	Bydgoszcz	ditto

Miasto	Powiat	Prowincya	Państwo
Gniewoszow	Radomski	Radom	Kr. Polskie
Gniezno (Gnesen)	Gniez.	Bydgoszcz	Prussy
Gołdappia	Gold.	Gumbinen	ditto
Golina	Konin	Warszawa	Kr. Polskie
Gollancz	Wągrowski	Bydgoszcz	Prussy
Gollub (Gołąb)	Brodnicki	Kwidz.	ditto
Gombin	Kutno	Warszawa	Kr. Polskie
Goniądz	Białostocki	Grodno	Rossya
Góra Kalwaria	Warszaws.	Warszawa	Kr. Polskie
Goraj	Zamojski	Lublin	ditto
Górka miejska (Goerchen)	Rawicz	Poznań	Prussy
Gorlice	Jasiel.	Galicya	Austrya
Gorzków	Krasnostaw.	Lublin	Kr. Polskie
Goślina murowana	Oborn.	Poznań	Prussy
Gostyń	Rawicz	ditto	ditto
Gostynin	Kutno	Warsz.	Kr. Polskie
Goszczyn	Warsz.	Warsz.	ditto
Gowarczów	Opocz.	Rad.	ditto
Grabów	Ostrz.	Pozn.	Prussy
Grabów	Łęcz.	Warsz.	Kr. Polskie
Grabowiec	Hrub.	Lub.	ditto
Grabowiec	Opałow.	Rad.	ditto
Grajewo	Suwał.	Aug.	ditto
Granica	Radom.	Rad.	ditto
Grocholice	Piotr.	Warsz.	ditto
Grodek		Grodno	Rossya
Grodno	Grodno	Grodno	ditto
Grodzisk	Warsz.	Warsz.	Kr. Polskie
Grodzisko	Rzesz.	Gal.	Austrya
Grodzisko (Graetz)	N. Tom.	Pozn.	Prussy
Grojec	Warsz.	Warsz.	Kr. Polskie
Grudziąż (Graudenz)	Grudziąż.	Kwidz.	Prussy
Grybow	Sande.	Gal.	Austrya
Grzegorzew	Łęcz.	Warsz.	Kr. Polskie
Gumbinen	Gumb.	Gumb.	Prussy
Gurzno	Brodnica	Kwidz.	ditto
Guttstad	Heilsb.	Krole.	ditto

H.

Hamersztyn	Człoch.	Kwidz.	Prussy
Heilsberg	Heils.	Krole.	ditto
Hela	Weich.	Gdan.	ditto
Prus. Holland	Holl.	Krole.	ditto
Holinka		Grodz.	Rossya
Horodyszcze	Radzyn.	Lub.	Kr. Polskie

Miasto	Powiat	Prowincya	Państwo
Horodło	Hrub.	Lub.	ditto
Hrubieszow.	ditto	ditto	ditto
J.			
Jabłunka	Ciesz.	Szlą.	Austrya
Jacimierz	Sanocki	Gal.	ditto
Jadow	Minsk.	Warsz.	Kr. Polskie
Jałowka		Grodno	Rossya
Janikow	Sandom	Radom	Kr. Polskie
Janow	Olku.	ditto	ditto
Janow n. Orzycem . . .	Prasn.	Płock	ditto
Janow n. Bugiem	Biała.	Lublin	ditto
Janow	Zam.	ditto	ditto
Janowa	Białos.	Grodz.	Rossya
Janowiec	Radom.	Radom	Kr. Polskie
Janowice	Wągr.	Bydgoszcz	Prussy
Jansborg (Johanisburg Piss)	Janb.	Gumbinen	Prussy
Jarczow.	Hrub.	Lublin	Kr. Polskie
Jaraczew	Szrem.	Poznań	Prussy
Jaroczyn	Plesz.	ditto	ditto
Jarosław	Przemys.	Galicya	Austrya
Jasinowka		Grodz.	Rossya
Jaśliska	Sanocki.	Galicya	Austrya
Jasło	Jasie.	ditto	ditto
Jastrow	D. Kro.	Kwidz.	Prussy
Jastrząb	Radom.	Radom	Kr. Polskie
Jawornik	Przem.	Gal.	Austrya
Jaworow	Przemyski	Gal.	ditto
Jedlińsk	Radom.	Rad.	Kr. Polskie
Jedłowa	Rzesz.	Gal.	Austrya
Jędrzejow	Kielce	Rad.	Kr. Polskie
Jedwabno	Łomż.	Aug.	ditto
Jeława (Preus. Eylau) .	Jeława	Krole	Prussy
Jeziory		Grodz.	Rossya
Jeżow	Rawa.	Warsz.	Kr. Polskie
Iłow	Łowicz	Warsz.	ditto
Iłża	Opatów	Rad.	ditto
Indura		Grodz.	Rossya
Inowłodz	Rawa.	Warsz.	Kr. Polskie
Inowrocław	Inowr.	Bydg.	Prussy
Insterburg	Inster.	Gumb.	dittto
Jordanow	Wadow.	Gal.	Austrya
Jozefów n. Wisłą . . .	Lubels.	Lub.	Kr. Polskie
Jozefów	Zamojs.	Lub.	ditto

Miasto	Powiat	Prowincya	Państwo
Jutroszyn.	Rawicz	Pozn.	Prussy
Iwaniska	Sandom.	Rad.	Kr. Polskie
Iwanowice	Kalis.	Warszaw.	ditto
Izabelin.	. . . .	Grodz.	Rossya
Izbica	Włocł.	Warszaw.	Kr. Polskie
Izbica.	Krasnost.	Lub.	ditto

K.

Miasto	Powiat	Prowincya	Państwo
Kalisz.	Kalis.	Warszaw.	Kr. Polskie
Kałuszyn.	Miń s.	Warszaw.	ditto
Kalwarya.	Wadows.	Gal.	Austrya
Kalwarya.	Kalw.	Augustow.	Kr. Polskie
Kamieńczyk	Minsk.	Warszaw.	ditto
Kamiń (Cammin)	Złoto.	Kwidz.	Prussy
Kamieniec.	. . . .	Grodno	Rossya
Kamienno (Kaehmen). .	Międzych.	Pozn.	Prussy
Kamieńsko	Piotrk.	Warszaw.	Kr. Polskie
Kamionka.	Lub.	Lub.	ditto
Karczew	Minsk.	Warszaw.	ditto
Kargowa (Unruhstadt).	Babim.	Pozn.	Prussy
Kartuz (Karthaus) . . .	Gdans.	Gdans.	ditto
Kazanow	Radom.	Rad.	Kr. Polskie
Kazimierz n. Wisłą. . .	Lub.	Lub.	ditto
Kazimierz	Konin	Warszaw.	ditto
Kazimierz n. Nerem . .	Łęczyc.	Warszaw.	ditto
Kazimierz.	Szamot.	Pozn.	Prussy
Kcynia (Exin)	Wyrz.	Bydg.	ditto
Kembłowo (Kiebel) . . .	Babim.	Poznań	ditto
Kempno (Kempen) . . .	Ostrze.	Poznań	ditto
Kenty.	Wadow.	Galicya	Austrya
Kiczmark (Christburg).	Sztum.	Gdan.	Prussy
Kielce.	Kielce	Radom	Kr. Polskie
Kiernozia.	Kutno	Warszawa	ditto
Kikoł	Lipn.	Płock	ditto
Kiszkowo.	Gniezn.	Bydgoszcz	Prussy
Kłajpeda (Memel). . . .	Kłajp:	Gumb.	ditto
Klecko	Gniez.	Bydgoszcz	ditto
Kleczew	Konin	Warszawa	Kr. Polskie
Kleszczel	. . . .	Grodz.	Rossya
Klimontów	Sandom.	Radom	Kr. Polskie
Kłobucko.	Wiel.	Warszawa	ditto
Kłodawa	Łęczyca	ditto	ditto
Kluczbork (Kreuzburg)	Kluczbork	Szląsk	Prussy
Klwow	Opocz:	Radom	Kr. Polskie
Knyszyn	Białost:	Grodz.	Rossya

Miasto	Powiat	Prowincya	Państwo
Kobryń	. . . . . .	Grodz.	Rossya
Kobylin	Krotosz.	Poznań	Prussy
Kock	Radz.	Lublin	Kr. Polskie
Kodeń	Biała	ditto	ditto
Kołaczyce	Jasielski	Galicya	Austrya
Kołbiel	Minski	Warszawa	Kr. Polskie
Kolbuszowa	Tarnowski	Galicya	Austrya
Koło	Koninski	Warszawa	Kr. Polskie
Kolno	Łomża	Augustow	ditto
Komarow	Hrubieszo.	Lublin	ditto
Kończuga	Rzesz.	Galicya	Austrya
Koniecpol	Piotrkowski	Warszawa	Kr. Polskie
Konin	Koniński	ditto	ditto
Końskie	Opoczyński	Radom	ditto
Konstantynow	Łęczycki	Warszawa	ditto
Konstantynow	Biała	Lublin	ditto
Końskowola	Lubelski	ditto	ditto
Kopanica (Koepnitz)	Babim.	Poznań	Prussy
Koprzywnica	Sandomier.	Radom	Kr. Polskie
Koronowo (Poln. Krone)	Bydgoszcz	Bydgoszcz	Prussy
Koryczyn	Białystocki	Grodz.	Rossya
Kościan (Kosten)	Kościan	Poznań	Prussy
Kościerz, Kościerzyna (Berendt)	Kościerz	Gdańsk	ditto
Kościelisko	Sandecki	Galicya	Austrya
Kossów	Siedlecki	Lublin	Kr. Polskie
Kostrzyn	Szroda	Poznań	Prussy
Koszyce	Miech.	Radom	Kr. Polskie
Kowal	Włocławski	Warszawa	ditto
Kowalewo	Toruński	Kwidz.	Prussy
Kowalewo	Weicher.	Gdańsk	ditto
Kowno	Kowno	Wilno	Rossya
Koziegłowy	Olkuski	Radom	Kr. Polskie
Kozienice	Radomski	ditto	ditto
Kozioł (Kosel)	Kozelski	Szląsk	Prussy
Koźmin	Krotos:	Poznań	ditto
Kozminek	Kaliski	Warszawa	Kr. Polskie
Kraków	Krakowski	Kraków	Austrya
Krapiczno (Krapowitz)	Opolski	Szląsk	Prussy
Krasiczyn	Przemyski	Galicya	Austrya
Kraśnik	Zamojs.	Lublin	Kr. Polskie
Krasnobród	Zamojs.	ditto	ditto
Krasnosielc	Prasznyski	Płock	ditto
Krasnystaw	Krasnys.	Lublin	ditto

B

Miasto	Powiat	Prowincya	Państwo
Krobia (Krocben) . . .	Rawicz	Poznań	Prussy
Krojanka	Złoto.	Kwidz.	ditto
Krokówiec	Złocz.	Galicya	Austrya
Królewiec (Koenigsberg	Król.	Król.	Prussy
Kromołow	Olkuski	Radom	Kr. Polskie
Krosno	Jasielski	Galicya	Austrya
Krosienko	. . . . . .	ditto	ditto
Krośniewice	Kutno	Warszawa	Kr. Polskie
Krotoszyn	Krotosz.	Poznań	Prussy
Kreutzburg.	Giława	Gdańsk	ditto
Kruszwica	Inowrocław.	Bydgoszcz	ditto
Kryłow.	Hrubieszo.	Lublin	Kr. Polskie
Krynki	. . . . . .	Grodz.	Rossya
Krzepice.	Wieluński	Warszawa	Kr. Polskie
Krzeszów.	Zam.	Lublin	ditto
Krzywcza.	Przemyski	Galicya	Austrya
Krzywin (Kriewen). . .	Kośćian	Poznań	Prussy
Książ patrz Xiąż	. . . . . .	. . . . . .	. . . . . .
Kudzbork	Mławski	Płock	Kr. Polskie
Kunów.	Opatowski	Radom	ditto
Kurnik	Szrem.	Poznań	Prussy
Kurów	Rzesz.	Galicya	Austrya
Kurów	Lubelski	Lublin	Kr. Polskie
Kurozwęki	Stopnicki	Radom	ditto
Kurzelów.	Kielecki	ditto	ditto
Kurzętnik (Kauernik) .	Lubaw.	Kwidz.	Prussy
Kutno	Kutno	Warszawa	Kr. Polskie
Kuźnica	Białostocki	Grodz.	Rossya
Kwidzyn (Marienwerder)	Kwidz.	Kwidz.	Prussy
Kwieciszewo	Mogil.	Bydgoszcz	ditto

L.

Labiawa (Labiau) . . .	Labiau	Król.	Prussy
Lacko	Sandecki	Galicya	Austrya
Lądek (Lędek).	Koniński	Warszawa	Kr. Polskie
Lanckorona.	Wadowski	Galicya	Austrya
Landek	Złot.	Kwidz.	Prussy
Landsberg	Jeław.	Król.	ditto
Lapanow.	Bochn.	Galicya	Austrya
Laskowiec	Kozioł	Szląsk	Prussy.
Lasocin	Sandomier.	Radom	Kr. Polskie
Latowicz	Miński	Warszawa	ditto
Lekno	Wągr.	Bydgoszcz	Prussy.

Miasto	Powiat	Prowincya	Państwo
Lelów	Olkuski	Radom	Kr. Polskie
Leśnice	Strzelno	Szląsk	Prussy
Lessen (Lasin)	Grudz.	Poznań	ditto
Leszno (Lissa)	Wsch.	Kwidz.	ditto
Leżajsk	Rzesz.	Galicya	Austrya
Liczbark (Lautenburg)	Brod.	Kwidz.	Prussy
Liebemyhl (Miłobądź)	Oster.	Krole.	ditto
Liebstadt	Morą.	ditto	ditto
Lida	Lid.	Wilno	Rossya
Limanów	Samb.	Galicya	Austrya
Lipno	Lipnoski	Płock	Kr. Polskie
Lipnica	Boch.	Galicya	Austrya
Lipsk n. Biebrzą	Suwał.	Augustow	Kr. Polskie
Lipsko n. Kamienną	Opatowski	Radom	ditto
Lipsko	Złocz.	Galicya	Austrya
Liw	Siedlecki	Lublin	Kr. Polskie
Lisko	Sanocki	Galicya	Austrya
Loslau	Rybnicki	Szląsk	Prussy
Loetzen (Zec)	Lotz.	Gumb.	ditto
Lubaczow	Żołkiewski	Galicya	Austrya
Lubartow	Lubelski	Lublin	Kr. Polskie
Lubawa (Loebau)	Lubawa	Kwidz:	Prussy
Lubicz	Złocz.	Galicya	Austrya
Lubień	Włocławski	Warszawa	Kr. Polskie
Lubiewo	Swięcic.	Kwidz.	Prussy
Lubica	Żołkiewski	Galicya	Austrya
Lublin	Lubelski	Lublin	Kr. Polskie
Lubliniec (Lublinitz)	Lubliński	Szląsk	Prussy
Lubow	Kalw.	Augustow	Kr. Polskie
Ludwinow	ditto	ditto	ditto
Lubraniec	Włocławski	Warszawa	ditto
Lutomiersk	Sieradzki	ditto	ditto
Lutowisko	Sandecki	Galicya	Austrya
Lututow	Wieluński	Warszawa	Kr. Polskie
Lwow	Lwowski	Galicya	ditto
Lwowek (Neustadt)	N. Tom.	Poznań	Prussy

Ł.

Miasto	Powiat	Prowincya	Państwo
Łabiszyn	Szubin	Bydgoszcz	Prussy
Łagow	Opatowski	Radom	Kr. Polskie
Łańcut	Przemyski	Galicya	Austrya
Łask	Sieradzki	Warszawa	Kr. Polskie
Łaskarzew	Łukow.	Lublin	ditto
Łaszczow	Hrubieszo.	ditto	ditto
Łęczna	Krasnys.	ditto	ditto

Miasto	Powiat	Prowincya	Państwo
Łęczyca.	Łęczycki	Warszawa	Kr. Polskie
Łobżenica (Lobsens)	Wyrz.	Bydgoszcz.	Prussy
Łodź	Łęcz.	Warszawa	Kr. Polskie
Łomazy.	Biała	Lublin	ditto
Łomża	Łom.	Augustow	ditto
Łopinno.	Wągr.	Bydgoszcz	Prussy
Łosice.	Biała	Lublin	Kr. Polskie
Łowicz	Łowicki	Warszawa	ditto
Łozdzieje.	Sejny	Augustow	ditto
Ług.	Przemyski	Galicya	Austrya
Łuków	Łuk.	Lublin	Kr. Polskie
Łysobyki	Radz.	ditto	ditto

M.

Miasto	Powiat	Prowincya	Państwo
Maciejowice	Łuk.	Lublin	Kr. Polskie
Magnuszow.	Radomski	Radom	ditto
Makow	Pułtuski	Płock	ditto
Malborg (Marienburg)	Malb.	Gdańsk	Prussy
Małogoszcz.	Kielecki	Radom	Kr. Polskie
Małopany.	Opolski	Szląsk.	Prussy
Margonin	Chodz.	Bydgoszcz	Prussy
Mariampól	Mariam.	Augustow	Kr. Polskie
Markuszow.	Lubelski	Lublin	ditto
Mehlsak.	Braun.	Krole.	Kr. Polskie
Meletycze (Milicicze)		Grod.	Rossya
Melsztynek (Hohenstein)	Osterode	Krol.	Prussy
Merecz		Wilno	Rossya
Miasteczko.	Wyrz.	Bydgoszcz	Prussy
Miechow.	Miech.	Radom	Kr. Polskie
Miechow.	Lubelski	Lublin	ditto
Miedzna	Siedlecki	ditto	ditto
Międzyborz (Mittelwalde)	Wartenber.	Szląsk	Prussy
Międzychód (Birubaum).	Lubelski	ditto	ditto
Międzyrzec (Meseritz)	Międz.	Poznań	ditto
Międzyrzec.	Radz.	Lublin	Kr. Polskie
Mielczyn	Gniez.	Bydgoszcz.	Prussy
Mielec	Tarn.	Galicya	Austrya
Mielnik		Grod.	Rossya
Mieściska.	Wągr.	Bydgoszcz	Prussy
Mieszkow.	Plesz.	Poznań	ditto
Mikołaj (Nicolai).	Pszczyński	Szląsk	ditto
Milicz.		ditto	ditto
Miłosław	Wrzes.	Poznań	Prussy
Mińsk.	Minsk	Warszawa	Kr. Polskie
Mixtatt.	Ostrz.	Poznań	Prussy
Mława	Mławski	Płocki	Kr. Polskie

Miasto	Powiat	Prowincya	Państwo
Modliborzyce	Zamojski	Lublin	Kr. Polskie
Modrzejów	Olkuski	Radom	ditto
Mogielnica	Warszawski	Warszawa	ditto
Mogilno.	Mogieln.	Bydgoszcz	Prussy
Mokobody	Siedlecki	Lublin	Kr. Polskie
Mordy.	ditto	ditto	ditto
Morongi (Mohrungen) .	Moron.	Krolewiec	Prussy
Mościska	Przemyski	Galicya	Austrya
Mosty.	. . . . . .	Grodz.	Rossya
Moszyn	Szrem.	Poznań	Prussy
Mrocza (Mrotzen)	Wyrzy.	Bydgoszcz	ditto
Mrzygłód.	Olkuski	Radom	Kr. Polskie
Mrzygłod	Sanocki	Galicya	Austrya
Mstow.	Wieluński	Warszawa	Kr. Polskie
Mszczonów	Warszawski	ditto	ditto
Muhlhausen.	Pr. Holl.	Krolewiec	Prussy
Muszyna	Sandomiers.	Galicya	Austrya
Myślenice	Wadowski	ditto	ditto
Mysłowice.	Bytoński	Szląsk	Prussy
Myszyniec.	Ostrołęcki	Płock	Kr. Polskie

N.

Miasto	Powiat	Prowincya	Państwo
Nadarzyn	Warszawski	Warszawa	Kr. Polskie
Nakło (Nakel).	Wyrz.	Bydgoszcz	Prussy
Namysłów (Namslau) . .	Namysł.	Szląsk	ditto
Narew.	. . . . . .	Grodz.	Rossya
Narewka	. . . . . .	ditto	ditto
Narol	Rzcsz.	Galicya	Austrya
Nasielsk	Pułtuski	Płock	Kr. Polskie
Niborg (Neidenburg) . .	Niborg	Krolewiec	Prussy
Niebylec.	Jasiel.	Galicya	Austrya
Niegowice	Bochn.	ditto	ditto
Niemirów	Żołkiewski	Grodz.	Rossya
Niepołomice	Bocheński	Galicya	Austrya
Nieszawa	Włocławski	Warszawa	Kr. Polskie
Nikołajki (vel Mikołajki)	Sensb.	Gumbinen	Prussy
Nordenburg.	Gerdawa	Krolewiec	ditto
Nowagóra.	Krakowski	Krakow	Austrya
Nowemiasto n. Sową . .	Pułtuski	Płock	Kr. Polskie
Nowemiasto n. Pilicą . .	Rawski	Warszawa	ditto
Nowemiasto Korczyn . .	Stopnicki	Radom	ditto
Nowemiasto (Neustadt) .	Pleszewski	Poznań	Prussy
Nowemiasto (Neustadt) .	Nowem.	Gdańsk	ditto
Nowemiasto (Neumark) .	Luba.	Kwidzyn	ditto
Nowejezioro (Neuteich) .	Malb.	Gdańsk	ditto

Miasto	Powiat	Prowincya	Państwo
Nowe (Neuenburg) . . .	Swiec.	Kwidzyn	Prussy
Nowemosty (Neubruck).	Szamot.	Poznań	ditto
Nowodwor	Warszawski	Warszawa	Kr. Polskie
Nowogród n. Narwią . .	Łomżyński	Augustow	ditto
Nowogrodek	Lisow.	Grod.	Rossya
Nowydwor	Białostocki	ditto	ditto
Nowy Tomyśl (Neu Tomyśl).	N. Tom.	Poznań	Prussy
Nowytarg (Neumarkt) .	Sand.	Galicya	Austrya
Nur.	Ostrołęcki	Płock	Kr. Polskie

O.

Miasto	Powiat	Prowincya	Państwo
Oberzysko	Szamo.	Poznań	Prussy
Oborniki	Oborn.	ditto	ditto
Odelsk	. . . . . .	Grodz.	Rossya
Oderberg	Tropp.	Szląsk	Austrya
Odolanow (Adelnau) . .	Odola	Poznań	Prussy
Odrzywoł	Opoczyński	Radom	Kr. Polskie
Ogrodzieniec	Olkuski	ditto	ditto
Okóniew	Mińs.	Warszawa	ditto
Oława (Ohlau)	Oławski	Szląsk	Prussy
Olecko	Olecki	Gumbinen	ditto
Oleśno (Rosenberg) . .	Oleśnicki	Szląsk	ditto
Oleśnica (Oels)	ditto	ditto	ditto
Oleśnica n. Wschodnią.	Stopnicki	Radom	Kr. Polskie
Olita	Kalwaryjski	Augustow	ditto
Olkusz	Olkuski	Radom	ditto
Olsztyn	ditto	ditto	ditto
Olsztynek (Allenstein) .	Olsztyński	Krolewiec	Prussy
Opalenica	N. Tomys.	Poznań	ditto
Opawa (Troppau) . . .	Opawski	Szląsk	Austrya
Opatow	Opatowski	Radom	Kr. Polskie
Opatówek	Kaliski	Warszawa	ditto
Opatowiec	Miechowski	Radom	ditto
Opoczno	Opoczyński	ditto	ditto
Opole	Lubelski	Lublin	ditto
Opole (Oppeln)	Opolski	Szląsk	Prussy
Orła	. . . . . .	Grodno	Rossya
Orzys (Aris)	Jansbor.	Gumbinen	Prussy
Osięciny	Włocławski	Warszawa	Kr. Polskie
Osieczno (Storchnest) .	. . . . . .	Bydgoszcz	Prussy
Osiek	Jasiel.	Galicya	Austrya
Osiek n. Wisłą	Sandomiers.	Radom	Kr. Polskie
Osieck	Łukowski	Lublin	ditto
Osmolin	Kutno	Warszawa	ditto

Miasto	Powiat	Prowincya	Państwo
Osterode (Ostrow)...	Oster.	Krolewiec	Prussy
Ostrołęka.......	Ostrołęcki	Płock	Kr. Polskie
Ostrorog (Saharfenort).	Szamto.	Poznań	Prussy
Ostrów.........	Ostrołęcki	Płock	Kr. Polskie
Ostrow n. Tyśmienicą..	Radzyński	Lublin	ditto
Ostrowo.......	Odol.	Poznań	Prussy
Ostrowiec........	Opatowski	Radom	Kr. Polskie
Ostryna.........	....	Grodz.	Rossya
Ostrzeszow (Schildberg)	Ostrzesz.	Poznań	Prussy
Ostynow.........	Tarnowski	Galicya	Austrya
Oświecim........	Wadowski	ditto	ditto
Ożarów.........	Sandomier.	Radom	Kr. Polskie
Ozorków........	Łęczycki	Warszawa.	dittto
P.			
Pabianice........	Sieradzki	Warszawa	Kr. Polskie
Pacanów........	Stopnicki	Radom	ditto
Pajęczno........	Piotrkowski	Warszawa	ditto
Pakość.........	Mogil.	Bydgoszcz	Prussy
Parczew........	Radzyński	Lublin	Kr. Polskie
Parysow........	Łukowski	ditto	ditto
Parzęczew.......	Łęczycki	Warszawa	ditto
Paśnim vel Passyń (Passenheim).......	Szczytn.	Krolewiec	Prussy
Pawłow.........	Krasnostaw	Lublin	Kr. Polskie
Pczewo (Betschen)...	Międzyrzec.	Poznań	Prussy
Piaseczno........	Warszawski	Warszawa	Kr. Polskie
Piaski..........	Lublin	Lublin	ditto
Piaski (Sandberg)...	Rawicz	Poznań	Prussy
Piątek..........	Łęczycki	Warszawa	Kr. Polskie
Pierzchnica.......	Stopnicki	Radom	ditto
Piła (Schneidemuhl)..	Chodz.	Bydgoszcz	Prussy
Piława (Pillau).....	Fisch.	Krolewiec	ditto
Pilica..........	Olkuski	Radom	Kr. Polskie
Pilichowice.......	Rybnik.	Szląsk	Prussy
Pilwiszki........	Maryampol.	Augustow	Kr. Polskie
Pilzno.........	Tarnowski	Galicya	Austrya
Pińczow.........	Stopnicki	Radom	Kr. Polskie
Piotrkow trybunalski..	Piotrkowski	Warszawa	ditto
Piotrkow........	Włocławski	ditto	ditto
Piss patrz Johanisberg.	......	......	......
Piszczac........	Biała	Lublin	Kr. Polskie
Piwniczna........	Lwowski	Galicya	Austrya
Pławno.........	Piotrkowski	Warszawa	Kr. Polskie
Pleszew.........	Pleszewski	Poznań	Prussy

Miasto	Powiat	Prowincya	Państwo
Płock	Płock	Płock	Kr. Polskie
Płońsk	ditto	ditto	ditto
Pniewy (Pinne)	Szamot	Poznań	Prussy
Pobiedziska (Pudwitz)	Szroda	ditto	ditto
Poddębice	Łęczycki	Warszawa	Kr. Polskie
Podgorze	Bochn.	Krakow	Austrya
Podgorze	Toruń.	Kwidzyn	Prussy
Pogorzela	Krotosz.	Poznań	ditto
Połaniec	Sandom.	Radom	Kr. Polskie
Poniemoń	Mariampol.	Augustow	ditto
Poniec (Punitz)	Rawicz.	Poznań	Prussy
Powidz	Gnieźnień.	Bydgoszcz	ditto
Poznań	Poznański	Poznań	ditto
Prabuty (Riesenburg)	Rosenb.	Kwidz.	ditto
Praga	Warszawski	Warszawa	Kr. Polskie
Przasnysz	Przasnyski	Płock	ditto
Praszka	Wieluński	Warszawa	ditto
Preny	Maryampol.	Augustow	ditto
Proszowice	Miechowski	Radom	ditto
Pruszana		Grodz.	Rossya
Przecław	Tarnowski	Galicya	Austrya
Przedborz	Opoczyński	Radom	Kr. Polskie
Prżedecz	Włocławski	Warszawa	ditto
Przedow	Sandecki	Galicya	Austrya
Przełow		Grodz	Rossya
Przemyśl	Przem.	Galicya	Austrya
Przerośl	Suwałki	Augustow	Kr. Polskie
Przeworsk	Rzesz.	Galicya	Austrya
Przybyszew	Warszawski	Warszawa	Kr. Polskie
Przyrow	Wieluński	ditto	ditto
Przysucha	Opoczyński	Radom	ditto
Przytyk	Radomski	ditto	ditto
Psie pole (Hundsfeld)	Wrocławski	Szląsk	Prussy
Pszczyna (Pless)	Piszczyński	ditto	ditto
Puchaczow	Krasnostaw.	Lublin	Kr. Polskie
Pucko (Putzig)	Weich.	Gdańsk	Prussy
Pułtusk	Pułtuski	Płock	Kr. Polskie
Puńsk	Sejneński	Augustow	ditto
Pyszkowice (Peiskretscham)	Toczek	Szląsk	Prussy
Pyzdry (Peisern)	Konin	Warszawa	Kr. Polskie

R.

Raciąż	Mławski	Płock	Kr. Polskie
Raciążek	Włocławski	Warszawa	ditto

Miasto	Powiat	Prowincya	Państwo
Raciborz (Ratibor) . . .	Raciborski	Szląsk	Prussy
Raczki	Suwałki	Augustow	Kr. Polskie
Radkow..........	Przemyski	Galicya	Austrya
Radolin	Czarn.	Bydgoszcz	Prussy
Radłów		Galicya	Austrya
Radom...........	Radom	Radom	Kr. Polskie
Radomsk	Piotrkowski	Warszawa	ditto
Radomyśl	Tarnowski	Galicya	Austrya
Radomyśl.........	Rzesz.	ditto	ditto
Radoszyce	Opoczyński	Radom	Kr. Polskie
Radymno	Przemyski	Galicya	Austrya
Radzanowo........	Mławski	Płock	Kr. Polskie
Radziejewo	Włocławski	Warszawa	ditto
Radziłów	Suwałki	Augustow	ditto
Radzymin.........	Miński	Warszawa	ditto
Radzyń..........	Radzyńs.	Lublin	ditto
Radzyn (Rehden) . . .	Grudz.	Kwidz.	Prussy
Rajgród	Suwałki	Augustow	Kr. Polskie
Rakoniewice (Rakwitz) .	Babim	Poznań	Prussy
Raków..........	Sandomierz.	Radom	Kr. Polskie
Rastenburg	Rasten.	Krolewiec	Prussy
Raszków	Odola.	Poznań	ditto
Rawa...........	Rawa	Warszawa	Kr. Polskie
Rawa...........	Żółkiew	Galicya	Austrya
Rawicz..........	Rawicz	Poznań	Prussy
Rejowiec	Krasnostaw.	Lublin	Kr. Polskie
Rhein (Ryń)	Loetzen	Gumbinen	Prussy
Rogowo..........	Mogilno	Bydgoszcz	ditto
Rogoźno (Rogasen). . .	Oborn.	Poznań	ditto
Ropa	Słon.	Grodz.	Rossya
Ropczyce.........	Tarnowski	Galicya	Austrya
Rosenberg (Susz) . . .	Rosenb.	Kwidzyn	Prussy
Rössel	Röss.	Krolewiec	ditto
Rossosz..........	Bialski	Lublin	Kr. Polskie
Rotnica..........		Grodz.	Rossya
Rożana		ditto	ditto
Rożan	Pułtuski	Płock	Kr. Polskie
Rozprza	Piotrkowski	Warszawa	ditto
Roztarzewo	Babim	Poznań	Prussy
Rozwadów	Rzeszowski	Galicya	Austrya
Rudnia..........		Grodz.	Rossya
Rudnik	Rzeszowski	Galicya	Austrya
Rybnik	Rybnicki	Szląsk	Prussy
Ryczówka	Samborski	Galicya	Austrya
Ryczywół.........	Oborn.	Poznań	Prussy

Miasto	Powiat	Prowincya	Państwo
Ryczywół	Radomski	Radom	Kr. Polskie
Rychwał	Koniński	Warszawa	ditto
Rydzyna (Reissen) . . .	Wschowa	Poznań	Prussy
Rymanow	Sanocki	Galicya	Austrya
Rynarzewo	Szubin	Bydgoszcz	Prussy
Rypin	Lipnowski	Płock	Kr. Polskie
Rzeszów	Rzeszowski	Galicya	Austrya
Rzgów	Piotrkowski	Warszawa	Kr. Polskie
Rzochow	Tarnowski	Galicya	Austrya
S.			
Saalfeld	Morąg.	Krolewiec	Prussy
Samborz	. . . .	Galicya	Austrya
Samocin	Chodz.	Bydgoszcz	Prussy
Sandecz nowy (Sącz) .	Sandecki	Galicya	Austrya
Sandecz stary (Sącz) .	ditto	ditto	ditto
Sandomierz	Sandomierz.	Radom	Kr. Polskie
Sanok	Sanok	Galicya	Austrya
Santomyśl	Szroda	Poznań	Prussy
Sapieżyszki	Maryampol.	Augustow	Kr. Polskie
Sarnaki	Biała	Lublin	ditto
Sarnowo (Sarne) . . .	Rawicz	Poznań	Prussy
Sawin	Krasnostaw	Lublin	Kr. Polskie
Schippenbeil	Friedl.	Krolewiec	Prussy
Secemin	Kielecki	Radom	Kr. Polskie
Sędziszów	Rzeszowski	Galicya	Austrya
Sceburg	Ròssel.	Krolewiec	Prussy
Sejny	Sejny	Augustow	Kr. Polskie
Sensburg (Żansbork) . .	Sensb.	Gumbinen	Prussy
Sereje	Sejneński	Augustow	Kr. Polskie
Serock	Pułtuski	Płock	ditto
Sérokomla	Radzyn.	Lublin	ditto
Sidra	Białostocki	Grodz.	Rossya
Sieciechów	Radomski	Radom	Kr. Polskie
Siedlce	Siedlecki	Lublin	ditto
Semiatycze	. . . . . .	Grodz.	Rossya
Sieniawa	Przemyski	Galicya	Austrya
Siennica	Miński	Warszawa	Kr. Polskie
Sienno	Opatowski	Radom	ditto
Sieradz	Sieradzki	Warszawa	ditto
Sierakow (Zirke)	Międzychod	Poznań	Prussy
Sierpe	Mławski	Płock	Kr. Polskie
Siewierz	Olkuski	Radom	ditto
Simno	Kalwaryjski	Augustow	ditto
Skała	Olkuski	Radom	ditto

Miasto	Powiat	Prowincya	Państwo
Skalbmierz patrz Szkalmierz.........	....	....	....
Skarszewo (Schoenck)..	Kościerz.	Gdańsk	Prussy
Skaryszów.........	Radomski	Radom	Kr. Polskie
Skawina...........	Wadowski	Galicya	Austrya
Skempe...........	Lipnowski	Płock	Kr. Polskie
Skidel............	....	Grodz.	Rossya
Skierniewice.......	Rawski	Warszawa	Kr. Polskie
Skoki (Schokken)....	Wągrowski	Bydgoszcz	Prussy
Skrzynno..........	Opoczyński	Radom	Kr. Polskie
Skulsk............	Koniński	Warszawa	ditto
Skwierzyna (Schwerin).	Międzychod.	Poznań	Prussy
Sławatycze.........	Radzyn.	Lublin	Kr. Polskie
Sławków...........	Olkuski	Radom	ditto
Slesin.............	Koniński	Warszawa	ditto
Słomniki..........	Miechowski	Radom	ditto
Słonim............	Słonim	Grodz.	Rossya
Słupca............	Koniński	Warszawa	Kr. Polskie
Słupia nowa........	Opatowski	Radom	ditto
Służewo...........	Włocławski	Warszawa	ditto
Sniadów...........	Łomżyński	Augustow	ditto
Sobków............	Stopnicki	Radom	ditto
Sobota............	Łowicki	Warszawa	ditto
Sochaczew.........	ditto	ditto	ditto
Sochocin..........	Płocki	Płock	ditto
Sokółka...........	Białostocki	Grodz.	Rossya
Sokołów...........	Rzesz.	Galicya	Austrya
Sokołów...........	Siedlecki	Lublin	Kr. Polskie
Sokoły............	Łomżyński	Augustow	ditto
Solec.............	Opatowski	Radom	ditto
Sompolno..........	Włocławski	Warszawa	ditto
Sorawa (Sorau).....	Rybnicki	Szląsk	Prussy
Sopoćkinie.........	Augustows.	Augustow	Kr. Polskie
Sosnowica.........	Radzyński	Lublin	ditto
Stanisławów mazowiecki	Miński	Warszawa	ditto
Stanisławów........	Stanis.	Galicya	Austrya
Starasól...........	Samborski	ditto	ditto
Staremiasto........	ditto	ditto	ditto
Starogrod (Stargard...	Starogrodz.	Gdańsk	Prussy
Staszow...........	Sandom.	Radom	Kr. Polskie
Stawiski...........	Łomża	Augustow	ditto
Staw..............	Kaliski	Warzawa	ditto
Stawiszyn..........	ditto	ditto	ditto
Stenszewo.........	Poznańs.	Poznań	Prussy

Miasto	Powiat	Prowincya	Państwo
Sterdyń............	Siedlec.	Lublin	Kr. Polskie
Stężyca............	Łukowski	ditto	ditto
Stoczek............	ditto	ditto	ditto
Stopnica............	Stopnicki	Radom	ditto
Stryj..............	Stryj.	Galicya	Austrya
Stryków............	Rawski	Warszawa	Kr. Polskie
Strzelno............	Inowroc.	Bydgoszcz	Prussy
Strzelno (Gross Strelitz)	Strzelnoski	Szląsk	ditto
Strzyżów...........	Jasielski	Galicya	Austrya
Stuhm (Postolin).....	Stuhm.	Kwidzyn	Prussy
Sudargi............	Maryampol.	Augustów	Kr. Polskie
Suchawola..........	Bialski	Grodz.	Rossya
Sulejów............	Piotrkowski	Warszawa	Kr. Polskie
Sulmierzyce.........	Odol.	Poznań	Prussy
Surasz.............	Białostocki	Grodz.	Rossya
Suwałki............	Suwałki	Augustów	Kr. Polskie
Swarzędz...........	Poznańs.	Poznań	Prussy
Święcichow Schwetzkau	Wsch.	ditto	ditto
Świecie (Schwetz.....	Swiecie.	Kwidz	ditto
Święta Sickiera (Heili-genbeil............	Św. Siek.	Królewiec	ditto
Swisłocz............	....	Grodz.	Rossya
Sydów (Wartenberg)..	Sydowski	Szląsk	Prussy
Szadek.............	Sieradzki	Warszawa	Kr. Polskie
Szaki..............	Maryampol.	Augustów	ditto
Szamotuły (Samter)...	Szamot.	Poznań	Prussy
Szaromyśl(Schirmeissel)	Międzyrzec.	ditto	ditto
Szczerców..........	Sieradzki	Warszawa	Kr. Polskie
Szczebrzeszyn.......	Zamojski	Lublin	ditto
Szczerzec...........	Lwowski	Galicya	Austrya
Szczucin...........	Tarnowski	ditto	ditto
Szczuczyn..........	Suwałki	Augustów	Kr. Polskie
Szczurowa..........	Przemyski	Galicya	Austrya
Szczytno (Ortelsburg)..	Szczyt.	Królewiec	Prussy
Szczekociny.........	Olkuski	Radom	Kr. Polskie
Szkalmierz..........	Miechowski	ditto	ditto
Szlichtyngowa (Schlich-tingsheim..........	Wscho.	Poznań	Prussy
Szliwice (Gross Schlie-witz)..............	Chojn.	Kwidzyn	ditto
Szmigiel............	Koscian	Poznań	ditto
Szrem.............	Szremski	ditto	ditto
Szreńsk............	Mławski	Płock	Kr. Polskie
Szroda.............	Szroda	Poznań	Prussy

Miasto	Powiat	Prowincya	Państwo
Szubin...............	Szubin	Bydgoszcz	Prussy
Szulec (Schulitz).....	Bydgoszcz	ditto	ditto
Szydłow.............	Stopnicki	Radom	Kr. Polskie
Szydłowiec..........	Opoczyński	ditto	ditto

T.

Miasto	Powiat	Prowincya	Państwo
Tapiewo (Tapiau).....	Tylża	Gumbinen	Prussy
Tarczyn.............	Warszawa	Warszawa	Kr. Polskie
Tarłow..............	Sandomiers.	Radom	ditto
Tarnobrzeg..........	Rzeszowski	Galicya	Austrya
Tarnogóra...........	Krasnostaw.	Lublin	Kr. Polskie
Tarnogrod...........	Zamojski	ditto	ditto
Tarnow	Tarnowski	Galicya	Austrya
Tarnowskie gory (Tarnowitz)............	Bytoński	Szląsk	Prussy
Tczewo (Dirschau)....	Starogr.	Gdańsk	ditto
Terespol.............	Bialski	Lublin	Kr. Polskie
Tolkmiczko (Tolkemit).	Elbląg.	Gdańsk	Prussy
Tomaszow lubelski....	Zamojski	Lublin	Kr. Polskie
Tomaszow fab. n. Wolb.	Rawski	Warszawa	ditto
Toruń (Thorn)........	Toruński	Kwidz.	Prussy
Toszek (Tost).........	Tost.	Szląsk	ditto
Troki	Troki	Wilno	Rossya
Trzciana.............	Rzesz.	Galicya	Austrya
Trzcianka (Schoenlanke)	Czarn.	Bydgoszcz	Prussy
Trzciel (Tirschtigel....	Międzyrzec.	Poznań	ditto
Trzebinia............	Krakowski	Krakow	Austrya
Trzebnica............	Trzebnicki	Szląsk	Prussy
Trzemeszno..........	Mogilnicki	Bydgoszcz	ditto
Tuchola (Tuchel).....	Chojn.	Kwidzyn	ditto
Tuchow	Tarnowski	Galicya	Austrya
Tuczno (Tuetz).......	D. Kron.	Kwidzyn	Prussy
Tuliszkow	Koniński	Warszawa	Kr. Polskie
Turek	Kaliski	ditto	ditto
Turobin.............	Krasn.	Lublin	ditto
Tuszyn..............	Piotrkowski	Warszawa	ditto
Tyczyn..............	Rzeszowski	Galicya	Austrya
Tykocin.............	Łomżyński	Augustow	Kr. Polskie
Tylicz	Sandec.	Galicya	Austrya
Tylża (Tilsit)........	Tylża	Gumbinen	Prussy
Tymbark	Sandecki	Galicya	Austrya
Tyniec..............	Wadowski	ditto	ditto
Tyrawa wołłowska....	Sanocki	ditto	ditto
Tyszowce...........	Hrubieszow.	Lublin	Kr. Polskie

Miasto	Powiat	Prowincya	Państwo
U.			
Uchanie..............	Hrubieszo.	Lublin	Kr. Polskie
Ujazd................	Rawski	Warszawa	ditto
Ujazdy albo Ujezd.....	Strzelecki	Szląsk	Prussy
Ulanow...............	Rzesz.	Galicya	Austrya
Uniejow..............	Kaliski	Warszawa	Kr. Polskie
Urzędow..............	Zamojski	Lublin	ditto
Uście Solne...........	Bochn.	Galicya	Austrya
Uście, Uszcz..........	Chodz.	Bydgoszcz	Prussy
Ustrzyki.............	Sanocki	Galicya	Austrya
W.			
Wąbrzyzno (Briesen)..	Chełm.	Kwidz.	Prussy
Wąchock.............	Opatowski	Radom	Kr. Polskie
Wadowice............	Wadowski	Galicya	Austrya
Wągrowice...........	Wągrowski	Bydgoszcz	Prussy
Warka...............	Warszawski	Warszawa	Kr. Polskie
Warszawa............	ditto	ditto	ditto
Warta...............	Kaliski	ditto	ditto
Wartenberg...........	Olsztyński	Krolew.	Prussy
Wasilkow.............	Białostocki	Grodz.	Rossya
Waśniow.............	Opatowski	Radom	Kr. Polskie
Wąsosz..............	Suwał.	Augustow	ditto
Wąwolnica...........	Lubelski	Lublin	ditto
Węgobork (Angerburg)	Loetzen	Gumb.	Prussy
Węgrów..............	Siedlecki	Lublin	Kr. Polskie
Wchlau (Welawa....)	Wehl.	Krole.	Prussy.
Weicherowo (Neustadt).	Weich.	Gdańsk	ditto
Widawa..............	Sieradzki	Warszawa	Kr. Polskie
Więcbark (Vandsberg).	Złoto.	Kwidz.	Prussy
Wieleń (Filehne)......	Czarn.	Bydgoszcz.	dittto
Wielichowo...........	Kościan.	Poznań	ditto
Wieliczka............	Bochen.	Galicya	Austrya
Wielkieoczy..........	Przemyski	ditto	ditto
Wielopole............	Tarnowski	ditto	ditto
Wieluń..............	Wieluński	Warszawa	Kr. Polskie
Wieniawa............	Lubelski	Lublin	ditto
Wieruszow...........	Wieluński	Warszawa	ditto
Wierzbica............	Radomski	Radom	ditto
Wierzbnik............	Opatowski	ditto	ditto
Wierzbołów (Wirbalen)	Kalw.	Augustow	ditto
Wilatowo............	Mogilnicki	Bydgoszcz	Prussy
Wilczyn.............	Koniński	Warszawa	Kr. Polskie
Wilkowyszki.........	Kalw.	Augustow	ditto
Willenberg (Wielborg).	Sczytn.	Krole.	Prussy

Miasto	Powiat	Prowincya	Państwo
Wilno	Wileński	Wilno	Rossya
Wiskitki	Łowicki	Warszawa	Kr. Polskie
Wiślica	Stopnicki	Radom	ditto
Wiśnicz	Bocheński	Galicya	Austrya
Wisznice	Radzyń	Lublin	Kr. Polskie
Wisztyniec	Kalw.	Augustow	ditto
Witkowo	Gnicz.	Bydgoszcz	Prussy
Wizajny	Sejny	Augustow	Kr. Polskie
Wizna	Łomża	ditto	ditto
Władysławów nad Szeszupą	Mariampol.	ditto	ditto
Władysławów	Koniński	Warszawa	ditto
Włocławek,	Włocławski	ditto	ditto
Włodawa i Orchówek	Radzyń.	Lublin	ditto
Włodowice	Olkuski	Radom	ditto
Włoszczowa	Kielecki	ditto	ditto
Wodynie	Siedlecki	Lublin	ditto
Wodzisław	Kielecki	Radom	ditto
Wohyń	Radzyń.	Lublin	ditto
Wojnicz	Bocheński	Galicya	Austrya
Wojsławice	Krasnostaw.	Lublin	Kr. Polskie
Wojsznik	Lublinietz	Szląsk	Prussy
Wolanow	Radomski	Radom	Kr. Polskie
Wolborz	Piotrkowski	Warszawa	ditto
Wolbrom	Olkuski	Radom	ditto
Wołkowysk	Wołk.	Grodn.	Rossya
Wolna		ditto	ditto
Wolsztyn (Wolstein)	Babim.	Poznań	Prussy
Wormditt	Brunsb.	Krolewiec	ditto
Wronki	Szamot.	Poznań	ditto
Września (Wreschen)	Wrzes.	ditto	ditto
Wschowa (Fraustadt)	Wsch.	ditto	ditto
Wyrzyska (Wirsitz)	Wyrzys.	Bydgoszcz.	ditto
Wyśmierzyce	Radomski	Radom	Kr. Polskie
Wysoka (Wissek)	Wyrz.	Bydgoszcz	Prussy
Wysokie mazowieckie	Łomża	Augustow	Kr. Polskie
Wystyczy		Grodno	Rossya
Wyszkow	Pułtuski	Płock	Kr. Polskie
Wyszogrod	Płocki	ditto	ditto
X.			
Xiąż	Miechowski	Radom	Kr. Polskie
Xiąż	Szremski	Poznań	Prussy
Z.			
Zabłudow	Białostocki	Grodno	Rossya

Miasto	Powiat	Prowincya	Państwo
Żabno.............	Tarnowski	Galicya	Austrya
Zaborowo..........	Wschowa	Poznań	Prussy
Zagurów...........	Koniński	Warszawa	Kr. Polskie
Zakliczyn..........	Bocheński	Galicya	Austrya
Zaklików...........	Zamojski	Lublin	Kr. Polskie
Zakroczym.........	Płocki	Płock	ditto
Zambrowo.........	Łomżyński	Augustow	ditto
Zamość............	Zamojski	Lublin	ditto
Zaniemyśl..........	Szroda	Poznań	Prussy
Żarki.............	Olkuski	Radom	Kr. Polskie
Żarnów............	Opoczyński	ditto	ditto
Żarnowiec..........	Olkuski	ditto	ditto
Zarszyn...........	Sanocki	Galicya	Austrya
Zatorz............	Wadowski	ditto	ditto
Zawichost..........	Sandomiers	Radom	Kr. Polskie
Zbąszyn (Bentschen)...	Międzyrzec.	Poznań	Prussy
Zbyszyce..........	Jasielski	Galicya	Austrya
Zduny............	Krotos.	Poznań	Prussy
Zduńska wola.......	Sieradzki	Warszawa	Kr. Polskie
Żelechów..........	Łukowski	Lublin	ditto
Zempelburg.........	Flatow	Kwidzyn	Prussy
Zerkowo...........	Wrzes.	Poznań	ditto
Zerniki............	Wągrowski	Bydgoszcz	ditto
Zgierz............	Łęczycki	Warszawa	Kr. Polskie
Zinten............	Sw. Siek.	Krolewiec	Prussy
Złoczew...........	Sieradzki	Warszawa	Kr. Polskie
Złoczow...........	Złocz.	Galicya	Austrya
Złotowo (Flatow)....	Złotowo	Kwidzyn	Prussy
Złotowo (D. Krone)...	ditto	ditto	ditto
Zmigrod...........	Jasielski	Galicya	Austrya
Żnin..............	Szubin	Bydgoszcz	Prussy
Żołkiew...........	Żołkiewski	Galicya	Austrya
Żołkiewka..........	Krasnost.	Lublin	Kr. Polskie
Żołynia............	Rzesz.	Galicya	Austrya
Żukow............	Kartuz.	Gdańk	Prussy
Żuromin...........	Mławski	Płock	Kr. Polskie
Zwoleń............	Radomski	Radom	ditto
Żychlin............	Kutnowski	Warszawa	ditto
Żydowo...........	Gnieznień s.	Bydgoszcz	Prussy
Żywiec (Seypusch)...	Wadowski	Galicya	Austrya

SPIS RZECZY.

DUMY I PIEŚNI.

		Odmian (wersyi)	Stronnica.
1	Wezmę ja kontusz, wezmę ja zupan	12	3
2.	Kochaneczku oczki moje	1	12
3.	Stała nam się nowina, pani pana zabiła	27	13
	Taż sama	2	301
4.	Hej od łysej góry	1	27
5.	Jasio konie poił, Kasia wodę brała	52	27
	Taż sama	2	302
6.	W tym tu jednym dworze	15	71
7.	Wyjechał pan z chartami na pole	28	84
	Taż sama	2	303
8.	Na Podolu biały kamień	32	115
9.	Śniło się Marysi na łóżku leżący	17	133
10.	Chowałam se gołąbeczka	9	143
11.	Zakochali się dwoje ludzi	3	148
12.	Tam za Warszawą na błoniu	28	151
	Taż sama	1	304
13.	Którędy Jasiu pojedziesz?	8	170
	Taż sama	1	304
14.	Służył Jasio u pana	27	173
15.	U mej matki rodzonéj stoi jawor	14	188
16.	Z tamtej strony jezioreczka ułany jadą	22	195
	Taż sama	2	305
17.	Pojechał Pan na dunaj	3	206
18.	Czego kalino w dole stoisz?	18	207
19.	Deszczyk pada, słońce grzeje	1	217
20.	W dole kalinka stojała	8	217
21.	Gnała pastereczka doliną	1	224
22	W kotły bębny zabębniono	15	224
23.	Był tam stołarz mieszkający	1	235
24.	Wdowa pokój buduje	7	236
	Taż sama	1	306
25.	A w Krakowie na ulicy, piją piwko	17	241
26.	Bywaj zdrowa i szczęśliwa	1	252
27.	Oj miałem dobre woły	2	253
28.	U naszego pana trzy córki	2	254
29.	Wszystkim ludziom jest świadomo	1	255

		Odmian (wersyi)	Stronnica.
30.	Koło dworu topola stojała	1	256
31.	Szła Kasia do dunaju nóżki myć	8	257
32.	Zaszumiała leszczyna	1	262
	W pieśni tej niektórzy zamiast wyrazu: *pan* używają *król* lub *książe*.		
33.	Oławo, Oławo, ty nasza dziedzino	1	263
34.	Rabują Tatarzy	1	265
35.	Gdzie odjeżdzasz Jasiu	4	265
35.	Hej w Berlinie na winie	1	268
36.	Gdzież to jedziesz Jasiu?	20	269
37.	Haniu moja pójdź do domu	2	279
38.	Nasza karczmareczka	12	281
39.	A jest tam w oborze	2	289
40.	Graj pastuszku graj	3	292
41.	Jeśli będziesz ślubowała	4	295

TAŃCE.

Tańce polskie, Mazury, Kujawiaki, Walce............................ 309

Uwaga. Pieśń Nr. 25. *g.* (str. 246) częściej w ten sposób bywa śpiewaną, że cztery nuty raz wiązane w takcie 2-gim, 4-tym i 8-mym zamieniają się na ćwierciowe, przez co przybywa tej pieśni jeszcze trzy takty.

W pieśni Nr. 25 *o.* (stron. 250) takty 4-ty i 8-my całkiem się wypuszczają.

OBJAŚNIENIE RYCIN.

Nr. 1. Dziewczyna z Czerniakowa pod Warszawą, w świątecznem ubraniu. Ma na sobie *kaftan* (czyli katankę) z sukna zielonego, obszywany taśmą majową czyli jasno-zieloną, zapinany na haftki, mimo guzików i pętlic przy nim będących. Pod nim *spódnica* sukienna lub wełniak zielony, takąż taśmą u spodu obszyty. Niekiedy przypasuje fartuch biały lub kolorowy. Głowę związuje perkalową chustką, zwykle żółtą, czerwoną, lub różową w rzuty kwieciste, do której wpina kwiaty, jak stokrotki, gwoździki, nagietki (jałoszki) i inne ciemno-żółtego, pomarańczowego lub ognistego koloru. U dwóch warkoczy z pod chustki, uwiązane różnobarwne wstęgi; na szyi kilka sznurów (czyli pasm) korali lub imitacyj tychże. Na nogach trzewiki czarne lub zielone sukienne.

Nr. 2. Chłop z Ołtarzewa pod Warszawą, w świątecznem ubraniu. Ma *żupan* długi sukienny ciemnozielony, z klapami i wyłogami z czerwonego sukna, po brzegach obszywany białą włóczką w różne wzory. Przewiązany *pasem* wełnianym pstrym, zwykle koloru zielonego, z białém i czerwonem. Pod żupanem, noszą niektórzy *kamizelę* granatową sukienną, czasem bez rękawów, sięgającą do bioder, a niekiedy prawie do kolan. Z pod kołnierza wygląda biała zgrzebna koszula, do któréj przyczepiony *fontaź* z kilku wstążek różnéj barwy. Na głowie niski kapelusz filcowy, ze sznurkiem białym albo kolorowym, gęsto przerabianym posrebrzaną lub pozłacaną nitką. Na nogach buty czarne juchtowe.

Nr. 3. Tenże chłop z Ołtarzewa, widziany ze strony odwrotnéj. Przy nim chłopak w niebieskiej sukiennéj *sukmance* z fontaziem u koszuli, i pawiem piórém u kapelusza.

Nr. 4. Dziewczyna z Raszyna, w zielonym sukiennym *żupaniku* z czerwonym kołnierzem i białemi wyszywaniami, odznacza się oryginalném wplecieniem wstążek do warkoczy. Na głowie ma chustkę perkalową lub bawełnianą z wpiętą równianką z stokroci, śmiertelniku, rezedy, ruty, rozmarynu, chabru i t. p. Chłopiec przy niéj w zimowém ubraniu, ma *kożuch* wyprawny, podbity czarnym barankiem, wyszywany na bokach kolorową włóczką.

Nr. 5. Karczmarka z Raszyna (szlachcianka drążkowa) w żupaniku niebieskim sukiennym, pod którym spódnica płócienkowa i fartuch biały. Na głowie czepiec, obwiązany chustką. Na szyi sznur korali, a u koszuli fontaź. Dziecko ma czapkę zszywaną z kawałków perkalikowych w kwaterki.

Nr. 6. Chłopi z Rakowa pod Warszawą. Jeden w niebieskim *żupanie* (częściéj bywają w granatowych); drugi w *wełniaku* czyli wełnianéj sukmanie z potrzebami. Czapki mają zimowe futrzane, z barankiem czarnym, zdobne fontaziami.

Nr. 7. Sołtys czyli starszy gromady z Czerniakowa, w zimowéj sukmanie z szarego sukna, podbitéj futrem. Rogata czapka (rogatywka) granatowa z barankiem. Pas i fontaź, jak u innych chłopów.

Nr. 8. Chłop fornal od Szkalbmierza i Działoszyc, w powiecie Miechowskim, w sukmanie czyli guni, zwanéj *karazyją*, z grubego brunatnego sukna, wyszywanéj w różne wzory i kwiaty, białą i czerwoną włóczką lub kawałkami sukna. Peleryna czyli *suka* przyszyta do kołnierza, pokryta jest cała prawie takiemi wyszywaniami. Przepasany jest białym rzemiennym pasem, zapinanym na mosiężną sprzączkę (klamerkę), a wybitym mosiężnémi ćwieczkami i zieloną skórą, u którego wisi mnóstwo (czasem kilkadziesiąt) kółek mosiężnych brzęczących, mianowicie w tańcu; do pasa takiego przyczepiają *kozik* (nóż), krzesiwko, krzemień, fajkę i t. p. Czapka rogata czerwona sukienna (zwana u szlachty konfederatką) z czarnym barankiem i pękiem pawich piór. Pod taką karazyją chłop bogatszy, nosi czasem kamizelę, częściéj samą tylko koszulę z fontaziem i spodnie czyli gacie płócienne, zakładane w buty z podkówkami na wysokich obcasach.

Nr. 9. Dziewczyna z Czerniakowa odwrócona, w kaftanie i ubraniu zbliżoném do wykazanego pod Nr. 1. Trzewiki miewa zielone sukienne lub dymowe w kwiaty, z kokardami. Przy niéj chłop z Wilanowa w granatowym sukiennym *żupanie* i pasie wełnianym.

Nr. 10. Chłop z Obór pod Piaseczném, w zimowém ubraniu. *Sukmana* bura lub brunatna, z grubego sukna, pod którą kożuch. W ręku trzyma *kobiałkę* z łyka brzozowego, niby tłomoczek podróżny. Czapka rogata z czarnym barankiem.

OBJAŚNIENIE NIEKTÓRYCH WYRAZÓW.

Angryst — agrest.
Białny — biały.
Bronny koń — Wrony koń.
Bratkan — oblubieniec, kuzyn.
Bandos — najemnik wędrowny (od banda).
Bakę świecić — umizgać się,
Ciepnąć — rzucić.
Chudko — prędko.
Czarki — ciernie.
Czuć — czuwać.
Ciemnica — więzienie,
Cierliczka — narzędzie do lnu.
Chorboty — trepki.
Cześć, swiedź, swieść, trześć — siostra żony.
Chodnik — ścieszka.
Dziać się — podziać się.
Dzwierze — drzwi
Dryganty — bystre konie.
Dzielać — robić.
Dośpiać — doczekać.
Fryga — krążek.
na Goli — k'woli.
Gościnna — szynkarka.
Gościniec — karczma, droga, datek.
Gromić — łajać, wygadywać
Hajże — daléj-że.
Hajw, hajwoj, hajwok — oto!
Hala — skała, góra, gdzie indziéj: łąka wsród lasu.
Heliś, oliś — wyraz pieszczotliwy.
Krygowy — ładny, porządny.
Krcieć — kwitnąć.
Kiéj — kiedy.
Kieby — jakby.
Keń, Keni, Kaj. Kady — gdzie, kędy.
Kurpiki — obuwie (rodzaj sandałów).
Kęs, Kąsek — nieco, trocha.
Kraj — brzeg.

Klecić — bajać, zmyślać.
Każdziurny — każdy.
Koczanek — młode drzewko, gdzie indziéj pieniek, po ściętem drzewie w lesie.
Kępiny — zarośla na wodzie.
Konwas — beczka w szynku.
Kabotek, Kapotka — suknia krótka.
Kurtka — krótka suknia z futrem.
Kiecka — spódnica stara.
Klepisko — ubita podłoga w stodole do młócenia.
Lutość — litość.
Luto — ponuro, chłodno:
Lekować — leczyć.
Leleń — jeleń.
Manele — naramienniki.
Mozdzienica — rądel,
Niechać — zaniechać, porzucić.
Niecka — naczynie drewniane, do rozczyniania ciasta, lub do kąpania dzieci,
Na nice, na ręby — na wywrot.
Nikiej — jakoby.
Ostawić — zostawić.
Ostać — zostać.
Oczesać — rozczesać.
Ozymać — rozpościerać.
(powszechnie w Sandomierskiém i Stopnickiém, opuszczają jak tu: *r* przed słowem, lub *z*.
Obarzanek — obwarzanek, (bułka).
Obarek — opalony lub osmalony pniaczek.
Obmówisko — obmowa, potwarz.
Przeredzić — zdradzić.
Parzkać — parskać, bryzgać.
Padół, podół, podołek — miejsce na przyjęcie ciężaru w podniesionym fartuchu jak: *narączko*, tyle, ile rękami objąć można. *Cały podołek*, tyle ile się zmieści w fartuchu.
Preczki — precz.

Piestrzeń — pierścień.
Pedać — powiadać.
Portasy, portki — spodnie.
Pędrak — piesek tłusty.
Rozkrzcieć się — rozkrzewić się.
Reda, redzić — rada, radzić.
Rucheneczka — kwiat, (zdrobniale od *ruta*)
Rodzic — ojciec.
Rodzic, rodziczek — z kąd rodem.
Rzędna — ładna, porządna.
Szabraczek — czaprak.
Sporżyć — spojrzeć.
Sryblo, strzeblo, slybro — srebro
Sładno — łatwo.
Steczka — ścieżka.
Sycowa spódnica — z kolorowego perkaliku.
Staja, staje, stajanie — miara długości roli albo drogi, około 500 kroków.
Swobodzić — bawić się,
Skieresić — pokaleczyć
Szczerny — szczery.
Strzodek — środek.
Szczubliczka — mała rybka.
Swietlica — izba.
Slipie — oczy zwierzęce.
Szarawary — kozackie szerokie spodnie.
Sielma — szelma.
Skórznki — skórzane spodnie.
Skorznie — buty.

Siła — wiele.
Swojaczek — tutejszy.
z Tamtela — z tamtąd.
z Tela — z tąd:
Tatarować skórę — bić.
Tkóry, tko zamiast *który, kto,* w wielu miejscach Opoczyńskiego i Kieleckiego. Toż w Radomskiém, *rsodek, rsoda* zamiast *środek, środa.*
Wydziwiać — wykrzywiać, pleść.
Wembrować — jęczéć.
Wądół — parów, dół.
Wątrob — wątroba, serce.
Wnątrze — brzuch, wnętrzności.
Wola — folwark, miéjsce uprawne, świeżo wykarczowane.
Wyźdrzyć — wyjrzéć,
Wirch — wierzch.
Walkoń — włóczęga, nic dobrego.
Wyganka, wygon — miejsce, gdzie wyganiają bydło na pastwisko.
Wyrko — kądziołka.
Werko, wyrko — łóżko, tapczan.
Żądny — pożądany.
Zdéjmać — zdejmować.
Zabaczyć — zapomnieć.
Zdrajda — zdrajca.
Zbrondyny — część ubrania.
Zakalisty — brudny,
Zdzieblo, zdziebelko — mało co, trocha.

SPIS TREŚCI

Od Wydawnictwa
„Dzieła Wszystkie" Oskara Kolberga *(J. Gajek)* VI
Dorobek Oskara Kolberga w dziedzinie literatury ludowej (J. Krzyżanowski) XIX
Oskar Kolberg jako kompozytor i folklorysta muzyczny (M. Sobieski) . . . XLII

PIEŚNI LUDU POLSKIEGO
[Wstęp] V
I Dumy i pieśni 3
   Dodatki 301
II Tańce. 309
Tabela miast i osad miejskich 449
Spis rzeczy 473
Objaśnienie rycin 475
Objaśnienie niektórych wyrazów 477

Wyd. I. 4030 egz., 26,5 ark. wyd., 35 ark. druk. Drukowano na papierze offsetowym III klasy, 90 g. 61 × 86. Fabryka Papieru w Dąbrowicy. Druk fotooffsetowy wykonano w Pracowni Poligraficznej Polskiego Wydawnictwa Muzycznego. Oddano do druku 21 IX 61. Druk ukończono 23 XI 61. Druk ilustracji barwnych wykonała Drukarnia Narodowa w Krakowie, ul. Manifestu Lipcowego 19. Oddano do druku 12 VI 61. Druk ukończone 17 XI 61. Druk i skład wstępów wykonały Krakowskie Zakłady Graficzne, Zakład nr 6, Kraków, ul. Orzeszkowej 7. Oddano do składania 23 VIII 61. Podpisano do druku 28 XI 61. Druk ukończono w grudniu 1961. Zam. 312/61 K-12. Cena zł 40.—

St. Joseph School Library
Webster, Mass.